中国机械工业教育协会"十四五"普通高等教育规划教材

新工科·普通高等教育汽车类系列教材

汽车营销学

第 2 版

主　编　徐忠华　徐　进
副主编　龚建春　丁亚利
参　编　孙根胜　王丽萍　孟　杰

机械工业出版社

本书是中国机械工业教育协会"十四五"普通高等教育规划教材。

本书共十章，在系统阐述汽车市场营销理论的基础上，结合当今中国汽车市场的现状，通过大量的案例，系统地讲解了汽车市场营销环境、汽车购买行为分析、汽车市场调研与市场预测、汽车目标市场、汽车企业战略规划与营销管理、汽车市场营销策略、汽车品牌与服务营销、汽车电子商务与网络营销、汽车销售实务等内容。

本书为校企合作教材，相关汽车企业提供了很多实用的可操作案例。本书可作为本科院校汽车服务工程及相关专业教材，也可作为培训机构教学用书及其他喜欢汽车营销知识或从事汽车营销工作的读者的参考用书。

本书配有PPT课件，采用本书作为教材的教师，可以登录www.cmpedu.com 注册下载。

图书在版编目（CIP）数据

汽车营销学 / 徐忠华，徐进主编. -- 2版. -- 北京：机械工业出版社，2025.8. --（中国机械工业教育协会"十四五"普通高等教育规划教材）（新工科·普通高等教育汽车类系列教材）. -- ISBN 978-7-111-79284-0

Ⅰ. F766

中国国家版本馆 CIP 数据核字第 2025UN1502 号

机械工业出版社（北京市百万庄大街22号　邮政编码100037）
策划编辑：宋学敏　　　　　责任编辑：宋学敏　施　红
责任校对：樊钟英　王　延　封面设计：张　静
责任印制：任维东
北京新华印刷有限公司印刷
2025年10月第2版第1次印刷
184mm×260mm · 19.5印张 · 459千字
标准书号：ISBN 978-7-111-79284-0
定价：63.00元

电话服务　　　　　　　　　　网络服务
客服电话：010-88361066　　机　工　官　网：www.cmpbook.com
　　　　　010-88379833　　机　工　官　博：weibo.com/cmp1952
　　　　　010-68326294　　金　书　网：www.golden-book.com
封底无防伪标均为盗版　　机工教育服务网：www.cmpedu.com

序 Foreword

汽车被称为"改变世界的机器"。由于汽车工业具有很高的产业关联度,因而被视为一个国家经济发展水平的重要标志。我国汽车工业自2009年以来产销量连续保持全球第一,它正在成为拉动国民经济增长的动力源。汽车工业的繁荣,使汽车及其相关产业的人才需求量大幅度增长。相应地,作为人才培养主要基地的汽车工业高等院校也得到了长足发展。据不完全统计,迄今全国开办汽车类专业的高等院校近300所。

从未来发展趋势看,新一代信息通信、新能源、新材料等技术与汽车产业融合,汽车电动化、智能化、网联化、共享化,打造我国自主品牌、开发核心技术是我国汽车工业的必然选择,但当前我国汽车工业处于由大到强的转型关键期,并步入高质量发展阶段,这就要求在人才培养方面既要具有前瞻性,又要与我国实际情况相结合。在注重培养具有自主开发能力的研究型人才的同时,应大力培养知识、能力、素质结构具有鲜明的"理论基础扎实,专业知识面广,实践能力强,综合素质高,有较高的科技运用、推广、转换能力"特点的应用型人才。这也意味着,对我国高等教育的办学体制、机制、模式和人才培养理念等提出了全新的要求。

为了满足新形势下对汽车类高等工程技术人才培养的需求,在中国机械工业教育协会汽车服务工程学科教学委员会的领导下,成立了教材编审委员会,组织编写了多个系列的普通高等教育规划教材。其中,为了解决高等教育应用型人才培养中教材短缺、滞后等问题,组织编写了新工科·普通高等教育汽车类专业系列教材。

本系列教材在学科体系上适应普通高等院校培养应用型人才的需求;在内容上注重介绍新技术和新工艺,强调实用性和工程概念,减少理论推导;在教学上强调加强实践环节。此外,本系列教材将力求突出以下特点:

1)全面性。目前本系列教材包括汽车设计与制造、汽车服务工程、汽车检测与维修、物流工程等专业方向,今后还将扩展专业领域,更全面地涵盖汽车类专业方向。

2)完整性。对于每一个专业方向,今后还将继续根据行业变化对教学提出的要求填平补齐,使之更加完善。

3)优质性。在教材编审委员会的领导下,继续优化每一本教材的规划、编审、出版和修订过程,使教材的生产过程逐步实现优质和高效。

4)服务性。根据需要,为教材配备CAI课件和教学辅助教材,举办新教材讲习班,在相应网站开设研讨专栏等。

相信本系列教材的出版将对我国汽车类专业的高等教育产生积极影响，为我国汽车行业应用型人才培养模式的创新做出有益探索。由于我国汽车工业正处于快速发展阶段，对人才会不断提出新的要求，这也就决定了高等教育的人才培养模式和教材建设将处于不断变革之中。我们衷心希望更多的高等院校加入到本系列教材建设的队伍中来，使教材体系更加完善，以更好地为培养汽车类专业高等教育人才服务。

中国汽车工程学会　常务理事
中国机械工业教育协会
汽车服务工程学科教学委员会　主任
林　逸

第2版前言
Preface

当今汽车技术快速发展，我国汽车制造业正以惊人的速度走上全球市场的舞台。尤其是在电动汽车领域，我国的"造车新势力"正逐渐崭露头角。众所周知，电动汽车是未来汽车产业的发展趋势，而我国正是这场革命性变革的领头羊。

我国汽车在进军国际市场的过程中，除了技术实力的提升，品牌形象的打造和用户体验的创新也成为关键。我国制造的汽车注重满足消费者需求，以用户体验为中心进行科学设计，从外观造型到内饰设计，从智能化配置到驾乘舒适性，不断提升用户感受。同时，营销理念的创新层出不穷。

党的二十大报告强调，"加快建设教育强国、科技强国、人才强国"本书在第1版基础上，重点融入了当前电动汽车市场的新动态和新观念，以全面视角展示了国产汽车品牌的发展，激发学生的民族自豪感，呼吁更多汽车类专业学生能积极投入到我国的汽车工业建设中。通过更新的导入案例、阅读材料、名人故事、案例分析及新增的二维码，讲述了包含红旗、比亚迪、长安、吉利、蔚来、小鹏、理想、小米等众多国产品牌在内的汽车品牌的发展历程、营销案例、创始人故事，拓展了更多相关知识，增加了趣味性。

本书第1版教材自2019年8月问世以来，得到了全国众多院校的专家、学者和广大读者的关心和支持，同时，作为校企合作教材，得到了汽车行业的大力支持，并作为汽车营销大赛、全国高校商业精英挑战赛品牌策划竞赛参考用书，为培养高水平汽车营销应用型人才提供了有力保障。本次修订是在编者集体讨论及第1版分工的基础上，由原执笔者先做修改，再由主编进行修改后统稿而成。

本次修订充分利用了互联网，查阅了大量的文献，在此向这些文献的作者表示衷心的感谢！希望广大读者可以通过知识的拓展，了解更多的汽车资讯及汽车类平台。也希望更多同仁可以加入传播与推广我国汽车自主品牌的发展中。

由于编者的水平和经验有限，且汽车营销学涉及的知识面较广，书中难免有不完善之处，敬请广大读者批评指正。

编　者

第1版前言
Preface

随着我国汽车产业的快速发展和汽车保有量的不断增长，汽车营销在汽车后市场中的地位日益突出。竞争的日益激烈，使得汽车市场需要更多高水平的汽车销售人才。为了顺应时代发展，相关院校在汽车营销人才培养方面要更加注重调动学生的主动性，加强培养学生分析问题、解决问题的能力，以及对汽车市场不断发展的适应能力。

我国汽车市场潜力巨大，随着互联网的发展，互联网加速渗透汽车后市场，对汽车服务行业是机会也是挑战。本书是为了更好地满足本科院校对汽车营销课程的教学需求和适应快速变化的汽车市场而编写的。在编写的过程中，本书以应用需求为中心，以培养学生自主学习、提高学生学习兴趣为出发点，结合互联网+，将实际案例与理论知识内容相结合，增加了阅读材料，拓宽了知识范围，旨在提升学生的理论与实践水平，为汽车营销行业培养高水平的应用型人才。

本书较为全面地介绍了汽车营销的基本理论及方法，主要内容包括绪论、汽车市场营销环境、汽车购买行为分析、汽车市场调研与市场预测、汽车目标市场、汽车企业战略规划与营销管理、汽车市场营销策略、汽车品牌与服务营销、汽车电子商务与网络营销、汽车销售实务。在章节内容安排上，每章有教学要点、导入案例、教学内容、阅读材料、名人故事、本章小结、习题、案例分析等栏目，层次清楚，便于教学。

本书为校企合作教材，在编写过程中，相关汽车企业为本书提供了很多实用的可操作案例，故本书可作为本科院校汽车服务工程及相关专业教材，也可作为培训机构教学用书及其他喜欢汽车营销知识或从事汽车营销工作的读者的参考用书。本书由盐城工学院徐进教授担任主编，具体编写分工为：常熟理工学院孟杰编写第1章，盐城工学院徐进编写第2、3章，攀枝花学院龚建春、王丽萍编写第5、6章，南通理工学院丁亚利编写第7、10章，盐城工学院徐忠华编写第4、8章，淮阴工学院孙根胜编写第9章。

编者在编写过程中参阅了一些书籍和资料，受益匪浅，在此向有关的作者表示衷心的感谢！

由于编者水平和经验有限，且汽车营销学涉及的知识面较广，书中难免有不完善之处，敬请广大读者批评指正。

编 者

目 录
Contents

序
第 2 版前言
第 1 版前言

第 1 章 绪论 ··· 1
　【教学要点】 ··· 2
　导入案例：小米汽车的营销之道 ··· 2
　1.1 市场营销 ··· 3
　　1.1.1 市场与市场营销的含义 ·· 3
　　1.1.2 市场营销的概念 ·· 6
　1.2 汽车市场营销 ·· 8
　　1.2.1 汽车市场营销概论 ·· 8
　　1.2.2 汽车市场营销的意义 ·· 10
　1.3 汽车服务业概论 ·· 10
　　1.3.1 汽车服务业概况 ·· 10
　　1.3.2 我国汽车服务业的现状及发展 ··· 12
　本章小结 ·· 15
　习题 ·· 15
　【案例分析】 小米汽车的营销战略 ·· 15
　思考题 ·· 16

第 2 章 汽车市场营销环境 ··· 17
　【教学要点】 ·· 18
　导入案例：新势力造车之理想 ··· 18
　2.1 汽车市场营销环境概述 ·· 19
　　2.1.1 市场营销环境的含义 ·· 19
　　2.1.2 市场营销环境的特点 ·· 20
　2.2 汽车市场营销环境 ·· 22
　　2.2.1 汽车市场营销的宏观环境 ··· 22

2.2.2　汽车市场营销的微观环境 ……………………………………………… 29
　2.3　汽车市场营销环境分析 ………………………………………………………… 32
　　2.3.1　市场营销环境分析方法 ……………………………………………… 32
　　2.3.2　市场营销环境分析步骤 ……………………………………………… 36
　　2.3.3　市场营销环境分析策略 ……………………………………………… 37
　本章小结 ……………………………………………………………………………… 39
　习题 …………………………………………………………………………………… 39
　【案例分析】 新势力汽车品牌 ……………………………………………………… 39
　思考题 ………………………………………………………………………………… 40

第3章　汽车购买行为分析 ……………………………………………………………… 41
　【教学要点】 …………………………………………………………………………… 42
　导入案例：跨界营销 …………………………………………………………………… 42
　3.1　汽车购买行为概述 ……………………………………………………………… 44
　　3.1.1　汽车消费者市场的概念及组成 ……………………………………… 44
　　3.1.2　消费者购买行为模式 ………………………………………………… 45
　　3.1.3　汽车消费特点 ………………………………………………………… 46
　3.2　影响汽车购买行为的因素 ……………………………………………………… 47
　　3.2.1　外部因素 ……………………………………………………………… 47
　　3.2.2　内部因素 ……………………………………………………………… 51
　3.3　汽车消费者购买行为分析 ……………………………………………………… 54
　　3.3.1　汽车消费者购买行为类型 …………………………………………… 55
　　3.3.2　汽车消费者购买决策过程 …………………………………………… 56
　　3.3.3　顾客满意 ……………………………………………………………… 58
　本章小结 ……………………………………………………………………………… 62
　习题 …………………………………………………………………………………… 62
　【案例分析】 造车新势力齐跨界 …………………………………………………… 62
　思考题 ………………………………………………………………………………… 63

第4章　汽车市场调研与市场预测 ……………………………………………………… 64
　【教学要点】 …………………………………………………………………………… 65
　导入案例：吉利收购沃尔沃的调查分析 …………………………………………… 65
　4.1　汽车市场调研 …………………………………………………………………… 66
　　4.1.1　汽车市场调研的概念 ………………………………………………… 67
　　4.1.2　汽车市场调研的内容 ………………………………………………… 67
　　4.1.3　汽车市场调研的意义 ………………………………………………… 70
　4.2　汽车市场调研的方法及步骤 …………………………………………………… 71
　　4.2.1　汽车市场调研的方法 ………………………………………………… 71

目录

  4.2.2 汽车市场调研的步骤 ………………………………………………………… 73
 4.3 汽车市场预测 …………………………………………………………………………… 77
  4.3.1 汽车市场预测的概念 …………………………………………………………… 77
  4.3.2 汽车市场预测的形式及步骤 …………………………………………………… 78
  4.3.3 汽车市场预测的注意事项 ……………………………………………………… 80
 4.4 汽车市场调研问卷设计 ………………………………………………………………… 80
  4.4.1 问卷设计的原则 ………………………………………………………………… 81
  4.4.2 问卷设计的构成 ………………………………………………………………… 81
  4.4.3 问卷设计的注意事项 …………………………………………………………… 82
 本章小结 ……………………………………………………………………………………… 85
 习题 …………………………………………………………………………………………… 85
 【案例分析】 领克汽车进军欧洲市场 …………………………………………………… 85
 思考题 ………………………………………………………………………………………… 87

第5章 汽车目标市场 ………………………………………………………………………… 88
 【教学要点】 ………………………………………………………………………………… 89
 导入案例：腾势汽车 ………………………………………………………………………… 89
 5.1 汽车市场细分 …………………………………………………………………………… 91
  5.1.1 汽车市场细分的作用 …………………………………………………………… 92
  5.1.2 汽车市场细分的依据 …………………………………………………………… 93
  5.1.3 汽车市场细分的原则 …………………………………………………………… 98
 5.2 汽车目标市场选择 ……………………………………………………………………… 99
  5.2.1 目标市场的评估 ………………………………………………………………… 99
  5.2.2 目标市场的营销策略 …………………………………………………………… 101
  5.2.3 目标市场策略选择应注意的问题 ……………………………………………… 102
 5.3 汽车市场定位 …………………………………………………………………………… 104
  5.3.1 汽车市场定位的概念与作用 …………………………………………………… 104
  5.3.2 汽车市场定位的步骤 …………………………………………………………… 105
  5.3.3 汽车市场定位的方式 …………………………………………………………… 107
  5.3.4 汽车市场定位的战略 …………………………………………………………… 108
 本章小结 ……………………………………………………………………………………… 109
 习题 …………………………………………………………………………………………… 109
 【案例分析】"易三方"平台首搭腾势Z9GT亮相 ……………………………………… 110
 思考题 ………………………………………………………………………………………… 111

第6章 汽车企业战略规划与营销管理 …………………………………………………… 112
 【教学要点】 ………………………………………………………………………………… 113
 导入案例：华为不造车，帮助车企造好车 ……………………………………………… 113

6.1 汽车企业战略规划	114
6.1.1 汽车企业总体战略规划	114
6.1.2 汽车企业经营战略规划	121
6.2 汽车企业营销管理	127
6.2.1 汽车企业市场营销管理过程	127
6.2.2 汽车企业市场营销计划	130
本章小结	135
习题	135
【案例分析】 华为与长安汽车强强联合	135
思考题	136

第7章 汽车市场营销策略   137

【教学要点】	138
导入案例：奇瑞营销	138
7.1 汽车产品策略	140
7.1.1 产品整体概念	140
7.1.2 汽车产品组合概念及策略	142
7.1.3 汽车产品生命周期及其营销策略	146
7.1.4 汽车新产品开发策略	151
7.2 汽车价格策略	156
7.2.1 汽车价格概述	156
7.2.2 影响汽车价格的因素	157
7.2.3 汽车定价方法	164
7.2.4 汽车定价策略	168
7.3 汽车分销渠道策略	175
7.3.1 汽车分销渠道概述	175
7.3.2 汽车分销渠道构建	177
7.3.3 汽车分销渠道的设计和管理	180
7.3.4 物流策略	186
7.4 汽车促销策略	188
7.4.1 汽车产品促销策略概述	188
7.4.2 汽车促销方式	190
7.4.3 汽车促销策略	191
本章小结	209
习题	210
【案例分析】 奇瑞·"村超"公益战略合作项目	210
思考题	212

目录

第8章 汽车品牌与服务营销 ··· 213

【教学要点】 ··· 214

导入案例：宝马 MINI 品牌营销 ··· 214

8.1 汽车品牌营销 ··· 216
- 8.1.1 汽车品牌的概念及内涵 ··· 216
- 8.1.2 汽车品牌的作用 ··· 220
- 8.1.3 汽车品牌营销策略 ··· 221
- 8.1.4 我国汽车自主品牌的发展历程及现状 ··· 222

8.2 汽车服务营销 ··· 230
- 8.2.1 汽车服务的概念 ··· 230
- 8.2.2 汽车服务营销与情感营销 ··· 231
- 8.2.3 汽车服务营销策略 ··· 236

本章小结 ··· 239

习题 ··· 239

【案例分析】 全新红旗探寻《万里国境》——红旗的品牌建设之道 ··· 239

思考题 ··· 240

第9章 汽车电子商务与网络营销 ··· 241

【教学要点】 ··· 242

导入案例：互联网时代蔚来汽车的营销模式 ··· 242

9.1 汽车电子商务营销 ··· 245
- 9.1.1 汽车电子商务综述 ··· 245
- 9.1.2 汽车电子商务功能 ··· 248
- 9.1.3 汽车电子商务优势 ··· 249
- 9.1.4 汽车电子商务发展策略 ··· 251
- 9.1.5 国内外汽车电子商务发展状况 ··· 253

9.2 汽车网络营销 ··· 260
- 9.2.1 汽车网络营销综述 ··· 260
- 9.2.2 汽车网络营销功能 ··· 263
- 9.2.3 汽车网络营销优势 ··· 264
- 9.2.4 汽车网络发展策略 ··· 266
- 9.2.5 我国汽车网络营销发展现状 ··· 266

本章小结 ··· 267

习题 ··· 267

【案例分析】 互联网汽车平台 ··· 268

思考题 ··· 269

XI

第10章 汽车销售实务 270
 【教学要点】 271
 导入案例：让客户无法拒绝的销售话术 271
 10.1 汽车销售实务流程 272
  10.1.1 售前 272
  10.1.2 售中 275
  10.1.3 售后 280
 10.2 汽车商务谈判技巧 280
  10.2.1 汽车商务谈判内容 280
  10.2.2 汽车商务谈判步骤 281
  10.2.3 汽车商务谈判技巧 281
 10.3 汽车销售注意事项 290
  10.3.1 汽车销售基本法则 290
  10.3.2 汽车销售人员仪表 291
  10.3.3 顾客接待注意事项 293
  10.3.4 处理异议注意事项 297
 本章小结 298
 习题 298
 【案例分析】 汽车销售流程 298
 思考题 299

参考文献 300

第 1 章 / Chapter 1

绪论

【教学要点】

知识要点	掌握程度	相关知识
市场营销	掌握市场营销的基本理论 掌握市场营销的主要概念	市场营销的含义 市场营销的概念
汽车市场营销	掌握汽车市场营销的基本概念 掌握汽车市场营销的功能和意义	汽车市场营销的概念 汽车市场营销的功能和意义
汽车服务业	了解我国汽车服务业的现状 了解我国汽车服务业的发展	我国汽车服务业的现状 我国汽车服务业的发展

导入案例

小米汽车的营销之道

从上市到第 10 万台 SU7 下线,小米汽车用 230 天的时间向汽车行业展示了营销的力量。若以最初的 7 万台目标计算,其年度目标达成率为 192.86%,排新能源车企第一。那么,小米汽车为什么会如此火爆?

2021 年 3 月 30 日,小米公司宣布造车。小米公司创始人雷军在演讲时谈到,这是他最后一个重大创业项目,他愿意押上人生所有积累的战绩和声誉,将以巨大的投入、无比的敬畏和持久的耐心来面对这个全新的征程。由此,小米汽车开始备受关注。

2023 年 12 月 27 日,雷军在其官方微博向比亚迪、蔚来、小鹏、理想、华为等中国新能源汽车先行者致敬,并将致敬语同步在了北京、上海、广州、深圳等城市的地标建筑上,除了表达对行业前辈的景仰,也成功地为第二天的发布会进行了预热。那些被致敬的车企在小米汽车发布致敬后均予以回应。

2023 年 12 月 28 日,小米公司发布小米 SU7 海湾蓝官方实拍照。同日下午,小米公司正式召开小米汽车技术发布会。雷军用"卷"参数、比数据的方式,对小米 SU7 在电驱、电池、大压铸、智能驾驶、智能座舱 5 个方面的亮点进行了详尽的讲解,并将业内早已熟知的技术以精准的数字进行呈现,放大了产品的价值。比如 21000r/min 转速的超级电机和 5.35m^2 的整车玻璃,观众其实未必真的对这些技术感兴趣,但经雷军一讲就觉得这些技术特别厉害。雷军把那些同行们习以为常,觉得人人都应该知道的事情重新包装、重新定义,刷新了用户的认知。这场技术发布会的热度堪称"科技春晚",将小米汽车推向了舆论高潮。但他并没有公布小米 SU7 的价格,而是说:"定价确实有点贵,但一定让大家觉得贵得有道理,同时一定会在体验上超出大家预期。"在这之后的三个月里,小米汽车的价格常常成为舆论的热点。频频的热搜让舆论一度失控,各大新能源汽车品牌都推出了不同程度的优惠,老款车型降价不断、新车迭次发布,但小米营销节奏仍然有条不紊。

2024 年 2 月 9 日,小米 SU7 车模登陆央视春晚。

第1章 绪论

> 2024年2月22日,小米公司举行首场"人、车、家全生态"发布会。
> 2024年2月26日,小米SU7在2024年世界移动通信大会上举行全球首秀。
> 2024年3月14日,小米汽车开启线上预约品鉴。
> 2024年3月25日,小米SU7在29个城市开启静态展示。
> 2024年3月28日,小米SU7正式发布。在3个月的宣传周期里,小米用其擅长的社会化传播,成功发挥了流量势能。小米汽车设计对标保时捷,价格对标特斯拉,借助锚点效应,暗示该车很高端且价格不菲。最后21.59万元的价格从天而降,让消费者彻底"疯狂"。小米汽车4min内预定突破1万台,7min突破2万台,27min突破5万台,上市仅24h,小米汽车被预定88898台。
>
> 市场竞争不单是产品的竞争,也是营销的战争,尤其在产品拉不开很大差距的时候,营销能够拉开极大的差距。小米的这场营销尽在雷军的掌握中。在设计初期,雷军要求汽车的每个功能都要考虑女性需求,产品细节更要做到用户至上。雷军在交付现场亲自给第一批车主开门,用户对小米的感情认同度直接拉满。正如雷军所说,"优秀的公司赚取利润,伟大的公司赢得人心"。用真诚打败一切,才是营销的终极之道。

1.1 市场营销

市场营销是随着经济发展和企业经营管理的需要而出现的。改革开放以来,市场营销受到我国企业界的极大关注,营销活动的开展越来越广泛和深入。

汽车产业作为国民经济重要的支柱产业之一,在经济发展的过程中起着举足轻重的作用。目前,全球汽车市场竞争日趋激烈,我国汽车工业发展的机遇与挑战并存。面对能源、交通、环境等因素的制约以及更为激烈的国际竞争等的严峻挑战,我国的汽车工业必须采取有效的措施以保证汽车产业的可持续发展。因此,我们必须对汽车营销工作给予高度重视,借助学习科学的营销策略、认识新的营销特点、探索新的营销规律、创造新的营销方法来开展市场营销,促进汽车市场及营销活动的发展。本章将讨论市场与市场营销的含义、汽车市场营销及汽车服务业的概况。

1.1.1 市场与市场营销的含义

1. 市场的含义

市场通常是指买卖双方进行商品交换的场所,哪里有商品交换,哪里就会有市场。但是市场的概念不是一成不变的,它是随着商品经济的发展而不断深化和拓宽的。市场的概念可以从以下几方面来理解:

(1) 市场是商品交换的场所 在商品经济尚不发达的时候,市场的概念总是同时间概念和空间概念联系在一起的。人们总是在某个时间聚集到某个地方完成商品的交换,因而市场被看作是商品交换和市场交易的场所。至今,人们仍习惯性地将市场看作商品交换的场所，这种市场形式目前仍很普遍，如商场、集贸市场、汽车交易市场等。

（2）**市场是各种商品交换关系的总和** 在现代社会里，商品交换关系渗透社会生活的方方面面，交换的商品品种和范围日益扩大，交易方式也日益复杂。特别是随着交通运输、信息通信、金融信用的发展，交换已经突破时间和空间的限制，人们可以在任何时间和任何地方达成交易，实现交换。因此，现代的市场已经不再是指具体的交易场所。

（3）**市场是某种商品现实和潜在的总需求** 市场可以描述为：市场=购买者+购买力+购买欲望。此描述揭示了市场的三要素，即购买者、购买力及购买欲望。事实上，市场专指买方及其需求，而不包括卖方。卖方与其竞争对手一起组成某个产业，它们之间属于竞争的关系，而不构成市场。所以，在市场营销中，市场往往等同于需求。

市场的发展是一个由消费者（买方）决定，生产者（卖方）推动的动态过程。市场除了有购买力和购买欲望的现实购买者，还包括暂时没有购买力，或是暂时没有购买欲望的潜在购买者。这些潜在购买者，一旦其条件发生变化，如收入提高有了购买力，或受宣传介绍的影响有了购买欲望，其潜在需求就会转变成现实需求，即有潜在需求的购买者是卖方的潜在市场。对卖方来说，明确现实和潜在市场，以及其需求量的大小，对正确制定生产以及营销决策具有重要意义。

在现代社会里，市场成为整个社会经济的主宰者，是社会经济的指挥棒和调节器。现代交换经济中市场流通的基本关系如图1-1所示。

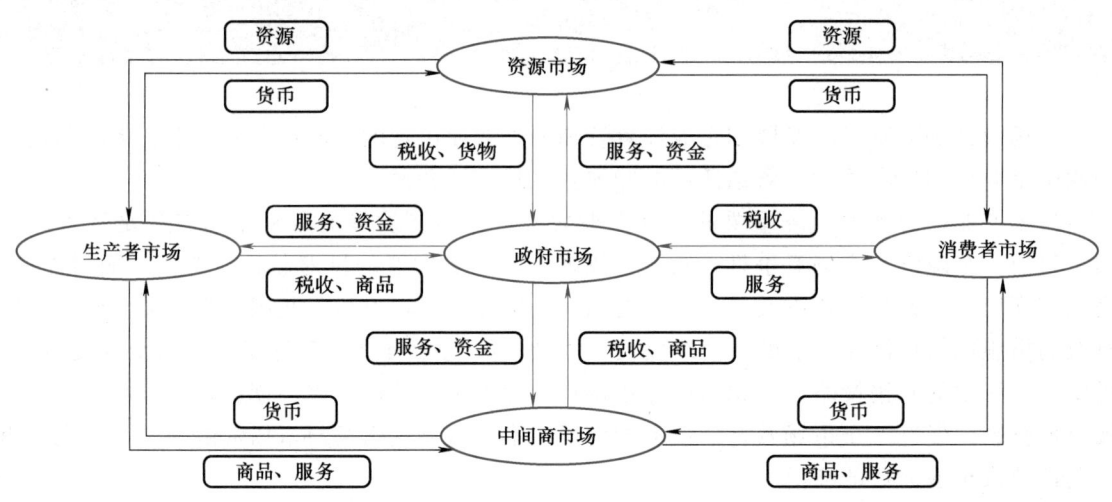

图1-1 现代交换经济中市场流通的基本关系

2. 市场营销的含义

在很长一段时间里，我国把"市场营销"称为"市场学"，这来源于对英文"Marketing"一词的翻译。长期以来，许多人仅仅把市场营销理解为推销（Selling）。其实，推销只是市场营销多重功能中的一项，并且通常还不是最重要的一项功能。正如美国著名管理学家彼得·德鲁克（Peter Drucker）所言："可以设想，某些推销工作总是必要的，然而，营销的目的就是要使推销成为多余，从而使产品或服务完全适合顾客需要而形成产品的自我销售；理想的营销会产生一个已经准备购买的顾客群体，剩下的事情就是如何便于顾客得到这

第1章 绪论

些产品或服务。"

"Marketing"作为一种企业经营综合活动的描述,其含义绝不只是限于对市场的静态描述和解释,也不只是对销售活动的研究。按照现代经营观念,企业不仅要考虑如何把生产出来的产品卖出去,而且在生产前就要考虑产品是否适销对路。可见,"Marketing"应有更完整的内涵,它既包括市场需求研究,又包括丰富多彩的营销活动。

市场营销是一个动态发展的概念。近几十年来,西方学者从不同角度给市场营销下了许多不同的定义,归纳起来可以分为如下三类:

1)把市场营销看作一种为消费者服务的理论。
2)强调市场营销是对社会现象的一种认识。
3)认为市场营销是通过销售渠道把生产企业与市场联系起来的过程。

世界营销权威大师菲利普·科特勒(Philip Kotler)提出以下定义:"市场营销是个人和群体通过创造产品和价值,并同他人进行交换以获得所需所欲的一种社会及管理过程。"

根据这一定义,可以将市场营销概念归纳为以下要点:

1)市场营销的终极目标是满足需求和欲望。
2)市场营销的核心是交换,而交换过程是一个主动、积极寻找机会,满足双方需求和欲望的社会和管理过程。
3)交换过程能否顺利进行,取决于营销者创造的产品和价值满足顾客需要的程度和交换过程管理的水平。

市场营销学是一门具有综合性和边缘性特点的应用科学,是一门经营管理的"软科学"。在某种意义上说,它既是一门科学,又是一门艺术。市场营销的研究对象是企业的市场营销活动和营销管理,即如何在最适当的时间和地点,以最合理的价格和最灵活的方式,把适销对路的产品送到用户手中。

名人故事1-1

菲利普·科特勒(Philip Kotler)博士生于1931年,是现代营销集大成者,被誉为"现代营销学之父",现任美国西北大学凯洛格管理学院终身教授,拥有麻省理工学院博士学位、苏黎世大学等其他8所大学的荣誉博士学位。科特勒提出全面营销概念,认为单一的顾客营销不全面,企业有必要进行全面的营销。他的著作众多,许多被翻译为多种语言,被多个国家的营销人士视为营销宝典。其中,《营销管理》一书更是被奉为"营销学的圣经"。他的书被采用为教科书的有《营销管理》《非营利机构营销学》《新竞争与高瞻远瞩》《国际营销》《营销典范》《营销原理》《社会营销》《旅游市场营销》《市场专业服务》及《教育机构营销学》。

他曾担任许多跨国企业的顾问,这些企业包括:IBM、通用电气(General Electric)、AT&T、默克(Merck)、霍尼韦尔(Honeywell)、美洲银行(Bank of America)、北欧航空(SAS Airline)、米其林(Michelin)等。此外,他还曾担任美国管理学院主席、美国营销协会董事长和项目主席以及彼得·德鲁克基金会顾问。

1.1.2 市场营销的概念

市场营销的概念根据不同发展阶段可分为以下几类：

1. "4Ps"概念

"4Ps"概念产生于20世纪60年代的美国，随着营销组合理论的提出而出现。"4Ps"的四要素包括：产品（Product）、价格（Price）、渠道（Place）和促销（Promotion）。"4Ps"是人们对汽车厂商营销工具的统称，是汽车厂商为了满足顾客需求，促进市场交易而运用的市场营销手段，这些营销工具在促进交易和满足顾客需求中发挥着不同的作用。

（1）**产品** 注重开发的功能，要求产品有独特的卖点，把产品的功能诉求放在第一位。一个完整的产品包括外观、质量、花色、体积、规格、品牌、样式、包装、标签、商标等。

（2）**价格** 根据不同的市场定位制定不同的价格策略，包括基本价格、折扣、津贴、付款时间、信贷条件等。产品定价应依据汽车厂商的品牌战略，并注重品牌的含金量。

（3）**渠道** 汽车厂商并不直接面对消费者，而是注重经销商的培育和销售网络的建立。汽车厂商与消费者的联系是通过分销商来进行的。渠道包括销售渠道、储存设施、运输、存货控制等。

（4）**促销** 促销即传递营销信息，是广告、宣传、个人销售等的结合，包括人员推销、公共关系、营业推广、售后服务等。

"4Ps"的提出奠定了管理营销的基础理论框架。该理论以单个汽车厂商作为分析单位，认为影响汽车厂商营销活动效果的因素有两种：一种是汽车厂商不能够控制的，如社会、人口、技术、经济、环境、自然、政治、法律、道德、地理因素等，称为不可控因素，这是汽车厂商所面临的外部环境；另一种是汽车厂商可以控制的，如产品、价格、渠道、促销等营销因素，称为可控因素。汽车厂商营销活动的实质是一个利用内部可控因素适应外部环境的过程，即通过对产品、价格、渠道、促销的计划和实施，对外部不可控因素做出积极动态的反应，从而促成交易的实现，满足个人与组织的目标。

2. "4Cs"概念

随着市场竞争日趋激烈，媒介传播速度越来越快，"4Ps"理论越来越受到挑战。"4Ps"实际上代表了销售者的观点，这对于如何适应日益挑剔的消费者并不十分贴切。1990年，美国学者罗伯特·劳特朋（Robert Lauterborn）教授提出了与传统营销"4Ps"相对应的"4Cs"营销理论。"4Cs"理论是指顾客（Customer）、成本（Cost）、便利（Convenience）和沟通（Communication）。

（1）**顾客** 这里主要是指顾客的需求。汽车厂商首先要了解和研究顾客，并根据顾客的需求来提供产品。同时，汽车厂商提供的不仅是产品和服务，更多的是由此产生的客户价值。

（2）**成本** 除了汽车厂商的生产成本，这里的成本还包括顾客的购买成本。同时成本也和产品定价情况有关，合理的成本应既低于顾客的心理价格，又能让汽车厂商赢利。而顾客的购买成本包括其货币支出，以及为此次购买耗费的时间、体力、精力，购买行为承担的风险等。

（3）**便利** 是指为顾客提供最大的购物和使用便利，如一种产品是否容易购买，及销售网点的数量和可提供的服务。便利性对于顾客来说属于服务范畴，汽车厂商在制订分销策略时，要考虑顾客的便利性，而不单是汽车厂商自己的便利性。通过高质量的售前、售后服务让顾客在购物时享受到便利是客户价值必备的一部分。

（4）**沟通** 是指顾客喜欢接受哪一种信息获得方式。汽车厂商应该通过同顾客进行积极有效的双向沟通，建立能实现双赢的关系。这不是汽车厂商单向的促销和劝导顾客，而是在沟通中找到能同时实现各自目标的方式。

整个"4Cs"营销活动的重点目标是现实顾客和潜在顾客。通过使顾客得到最大限度的满意，建立顾客对汽车厂商及其产品的信任。通过营销过程中顾客、成本等基本因素的组合，努力做到产品、成本、服务的和谐统一，最终达到汽车厂商与顾客的双赢。

但由于"4Cs"是以顾客需求为导向的，看到的是顾客的需求，而市场经济要求的是竞争导向，要求不仅看到需求，还要注意竞争对手，分析自身在竞争中的优势、劣势及采取的对策，因此"4Cs"只看到满足顾客需求的一面，没有注意到汽车厂商为之付出的额外成本，不利于汽车厂商实现双赢。根据市场发展，"4Cs"需要从更高层次，以更有效的方式在汽车厂商和顾客之间建立有别于传统的新型主动关系。

3．"4Rs"概念

由于营销要素及营销环境在不断地发展变化，美国学者唐·舒尔兹（Done Schultz）在20世纪90年代提出了"4Rs"营销组合理论，即包含关联（Relevancy）、反应（Reaction）、关系（Relation）、回报（Reward）四个要素的营销组合策略。

（1）**关联** 这里是指汽车厂商运用多种营销技术和方法建立供需之间的价值链，与顾客形成长期稳定的互需、互惠的关联关系，即认为汽车厂商与顾客是一个命运共同体。

（2）**反应** 在相互影响的市场中，对经营者来说最现实的问题不在于如何制订和实施计划，而在于如何倾听顾客的需求，并从推测性商业模式转为高度回应需求的商业模式。反应速度是指汽车厂商对市场变化和顾客需求的反应快慢，反应策略是指汽车厂商对顾客需求变化迅速做出反应并满足顾客需求的营销策略与能力。汽车厂商要运用反应策略，就要建立快速反应的营销信息系统、敏捷的制造系统以及灵活便捷的分销系统，而且要实现组织结构的柔性化。

（3）**关系** 在汽车厂商与客户的关系发生了本质性变化的市场环境中，抢占市场的关键已转变为与顾客建立长期而稳固的关系。关系策略是指关系营销，是以系统论思想为指导，将汽车厂商置身于宏观营销环境之中来考虑汽车厂商的营销活动，认为汽车厂商营销是一个与顾客、供应商、竞争对手、分销商、政府、其他社会组织等利益相关者发生互动作用的过程。关系策略要求汽车厂商应当在提高客户关系管理能力的同时转变营销观念，包括转变五种关系：从一次性交易转向建立长期友好合作关系；从着眼于短期利益转向重视长期利益；从顾客被动适应汽车厂商的单一销售转向顾客主动参与生产过程中；从相互利益冲突转向和谐发展；从管理营销组合转向管理汽车厂商与顾客的互动关系。

（4）回报 任何交易与合作关系的巩固和发展都是经济利益问题。因此，一定的合理回报既是正确处理营销活动中各种矛盾的出发点，也是营销的落脚点。回报策略是指汽车厂商以满足顾客需求为前提，通过让顾客满意、员工满意和社会满意来实现汽车厂商满意的营销策略。

"4Rs"营销组合理论重视顾客需求，同时强调以竞争为导向。"4Rs"营销组合理论强调满足顾客在购买和使用过程中对综合服务的需求，其营销组合的目标在于为客户提供全套解决方案，满足顾客多层次需求，产生某种利益回馈机制等关联、关系形式，使客户成为汽车厂商忠实的合作伙伴。

与"4Ps"和"4Cs"理论相比，"4Rs"理论在新的平台上搭建了营销的新框架。它不但重视汽车厂商的内部和外部结构，而且更加注重内部和外部的联系。它的最大特点是在以竞争为导向，不断整合内外资源，快速响应需求，建立多方关联，实现互动与双赢的同时，延伸和升华了便利性，体现并落实了关系营销的思想。通过关联、反应和关系，"4Rs"提出了汽车厂商应主动创造需求，通过建立关系和长期拥有客户来保证长期利益的营销方式；而回报兼顾了成本、价格和双赢方面的内容。可以说，"4Rs"是新世纪营销理论的创新与发展，它必将对营销实践产生积极而重要的影响。

但"4Rs"要求的条件较为苛刻，操作起来困难，在短期内难以见到效益。当然，"4Ps""4Cs""4Rs"三者之间不是取代关系，而是不断完善和发展的关系。由于现代汽车厂商层次不同，情况千差万别，经营者不可能把三者割裂开来甚至对立起来看待。在实际应用中，汽车厂商应根据自身所处的行业、产品的特性、所面对的消费者以及营销任务，灵活地选择营销策略及其组合。

1.2 汽车市场营销

汽车市场营销的任务是指通过努力解决汽车生产和消费的各种分离、差异和矛盾，使得汽车企业各种不同的供给与消费者各种不同的需要与欲望相适应，最终实现汽车生产与消费的统一。

1.2.1 汽车市场营销概论

1. 汽车市场营销的含义

汽车市场营销是指汽车商品从生产领域到消费领域转移过程中所采取的经营方法、策略和销售服务。

2. 汽车市场营销的功能

汽车市场营销作为汽车企业的一项经营管理活动，有如下四项基本功能：

（1）发现和了解消费者的需求 现代市场营销观念强调市场营销应以消费者为中心，汽车企业只有通过不断满足消费者的需求，才能实现企业的最终目标。因此，发现和了解消费者的需求是市场营销的首要功能。

（2）指导企业制定战略决策 企业战略决策正确与否是企业成败的关键。企业要谋得生存和发展，必须制定成功的经营决策。汽车企业应通过市场营销活动分析外部环境的动向，了解消费者的需求，了解竞争者的现状和发展趋势，并结合自身的资源条件，指导汽车企业在产品、定价、分销、促销和服务等方面做出相应的、科学的决策。

（3）开拓市场 通过对消费者现在需求和潜在需求的调查、了解与分析，充分把握和捕捉市场机会，积极开发产品，建立更多的分销渠道及采用更多的促销形式，以开拓市场，增加销售。

（4）满足消费者的需求 满足消费者的需求是企业市场营销的出发点和中心，也是市场营销的基本功能。汽车企业通过市场营销活动，从消费者需求出发，针对不同目标市场的消费者采取不同的市场营销策略，合理地组织企业的人力、财力和物力等资源，为消费者提供适销对路的产品，搞好产品售后的各种服务，让消费者获得最大限度的满意。

3. 汽车市场营销的特征

（1）政策性强 国家鼓励汽车生产企业和金融、服务贸易企业借鉴国际上成熟的汽车营销方式、管理经验和服务贸易理念，积极发展汽车服务贸易。汽车销售商应在工商行政管理部门核准的经营范围内开展汽车经营活动。其中不超过九座的乘用车（含二手车）品牌经销商的经营范围，经国家工商行政管理部门依照有关规定核准、公布。品牌经销商营业执照统一核准为品牌汽车销售。同时，要加强营销网络的销售管理，规范维修服务；有责任向社会公告停产车型，并采取积极措施保证在合理期限内提供可靠的配件供应用于售后服务和维修；要定期向社会公布其授权和取消授权的品牌销售或维修企业名单；对未经品牌授权和不具备经营条件的经销商，不得提供产品。

（2）技术性较高 仅从汽车销售企业来看，在汽车营销过程中，无论是进货时选择车型，提车时检查、验收产品质量情况，还是销售时宣传汽车产品性能特点，售后发生质量问题的处理等，都需要对各种汽车技术状况有所了解。而且，大多数消费者会提出一系列技术问题，在了解清楚、弄明白后才决定购买。而对于汽车制造商来讲，其产品的科学技术水平已经成为企业获得生存和发展的重要因素之一，是企业核心竞争力的主要内容。

（3）需用资金多 现在买一辆汽车少则3万~5万元，多则100万元以上。所以，汽车营销必须有足够的启动和流动资金，满足进料、进货、运输和储存的需要。对于汽车经销商来讲，为了使消费者有挑选的余地，还要有一定数量的库存。由于占用资金多，随之而来的是银行贷款多，利息负担重，因此汽车经销商必须慎重地考虑如何加速资金周转，避免金融风险。

（4）商品车维护复杂 汽车营销必须要有一定的库存车辆，以便客户选择，而且从外地远程进货时，一般是一批批运来，要求有较大的仓库。存放时间长的应当在室内存放，尤其是轿车，长期露天存放，日晒雨淋，接触风沙泥土，会对车辆造成损伤，塑料管件和密封件也易老化。库存车辆要有专人维护，机件要及时检查和涂油，冬天要把水套中的冷却液放干净以免冻坏气缸体，蓄电池要定期充电等。如果将商品车放在储运公司，每年要付仓储费，会增加流通费用。总之，这些工作都是区别于其他产品市场营销的。

1.2.2　汽车市场营销的意义

汽车市场营销学强调适时、适地,以适当价格把产品从生产者手中传递到消费者手中,求得生产与消费在时间、地区上的平衡,从而促进社会总供需平衡。同时,汽车市场营销学通过指导社会营销活动,引导生产与消费,满足整个社会的需求,对实现我国现代化建设有着重要的意义。汽车市场营销的意义主要体现在以下几个方面:

1)促进产品适销对路,提高社会经济效益。成功的市场营销可减少滞销产品的生产,促进产品适销对路,从而加快产品的周转和销售,减少产品的积压,减少资金的占用,节约有效劳动,大大提高社会的经济效益。

2)引导消费者的需求,提高人民生活水平。有效的市场营销不仅能成功地销售产品,而且在产品的宣传过程中传播了新观念。当人们接受了新的流行观念时,一种新的价值观往往在他们身上潜移默化地起着作用。汽车即为典型,它使原有的习俗、价值观和社会规范发生一定变化,并直接影响艺术、文化、政治等社会生活的各个方面,从而提高了人民的生活水平,推动了社会发展。

3)发展汽车市场营销,加强第三产业的发展。第三产业在社会主义经济的发展中起着重要的作用,没有第三产业的发展,整个经济就不可能得到健康的发展。而汽车市场营销尤其是汽车服务市场营销是第三产业得以发展的重要条件与内容。只有树立市场营销的观念,努力提高服务质量和顾客满意度,我们的服务市场才会不断地发展壮大,社会主义经济才会健康、稳定、协调地发展。

4)开展汽车市场营销是我国汽车企业走向世界的需求。在经济全球化愈演愈烈,市场经济发展模式获得普遍认同的今天,我国汽车企业走市场营销之路是与国际汽车市场接轨的必然。我国汽车企业要想在世界汽车企业中占有一席之地,除了努力提高汽车制造技术,还应不断运用汽车市场营销理论指导实践。这样才能跻身世界汽车企业前列。

1.3　汽车服务业概论

汽车服务业被称为汽车市场的黄金产业。截至2024年12月底,我国机动车保有量达4.53亿辆,其中新能源汽车3140万辆,汽车服务业的发展潜力巨大。

1.3.1　汽车服务业概况

1. 汽车服务业的定义

汽车服务业是指各类汽车服务彼此关联形成的有机统一体,是由所有汽车服务提供者组成的产业。人们购买汽车后,需要定期对汽车进行加油、保养、修理和购买保险,消费支出贯穿汽车购买和使用始终。汽车服务业涉及的范围相当广泛,从汽车下线进入市场开始,到整车成为废弃物为止的全过程都涉及各种类型的汽车服务需求。

第 1 章 绪论

汽车服务可以分为汽车销售前的服务、汽车销售过程中提供的与汽车相关的服务和汽车销售后的服务。汽车服务的类型见表 1-1。

表 1-1 汽车服务的类型

服务类型	服务内容
售前服务	产品咨询、签订购车合同、办理登记手续、提供信息等
售中服务	汽车保险、汽车贷款、上牌等相关服务
售后服务	零部件供应、维修、保修、索赔、新车抵押、二手车处理、汽车加油服务、汽车停车、汽车检测等

2. 汽车服务业的经济特征

汽车服务业涉及的行业非常庞杂,很多技术经济特征也不相同,比如汽车金融与保险的行业规模经济效应比较强,但汽车销售就不一定。对一定区域的销售店来说,并不是规模越大,销售量就越大。一般来说,销售店有一定的规模经济,但这种规模经济是有限的。尽管如此,由于这些行业都归属于服务业,又因汽车而结合在一起,因此仍有一些共同的经济特征。

(1) **没有明显的行业生命周期** 一辆汽车生产出来就会产生各种服务需求。有的服务需求是一次性的,如汽车上牌,但更多的服务需求是周期性的,如汽车维修或配件更换、汽车保险、汽车加油。汽车上市时间不同,进入二手车市场的时间也不相同。汽车进入二手车市场将引发一系列服务需求。这些服务需求在时间上有时是继起的,有时是交错的。因此,从总体上看,汽车服务需求基本上是不会衰减的,没有明显的行业生命周期。

(2) **价格弹性比较弱** 汽车产品是一种高速移动的交通工具,其安全性是国家和使用者最为关注的问题。因此,国家出台一些强制措施来保证这种安全性,因而引发相应的需求。比如:国家要求定期对汽车进行检测,检测结果不合格不许上路;强制给汽车上部分品种的保险。这些都是为了保证使用者的安全使用,以及出现事故后能得到妥善处理而做出的规定。

对汽车使用者来说,很多服务是必须接受的,区别只是选择接受谁的服务的问题,如汽车维修、汽车加油等。即使有很多服务方可供选择,但由于信息不对称,汽车使用者可能更愿意选择熟悉和信任的服务方,而不仅仅是价格便宜的服务方。汽车使用的这些特点使汽车服务的价格弹性相对较弱。

名人故事 1-2

雷军,1969 年 12 月出生于湖北仙桃,毕业于武汉大学,小米创始人,著名天使投资人,第十二届、十三届、十四届全国人大代表,现任全国工商联副主席、北京市工商联副主席、小米科技有限责任公司董事长兼首席执行官。

雷军在大学期间就展现出了对计算机技术的浓厚兴趣和天赋。仅用了两年时间,雷军修完了所有学分。毕业后,他加入金山软件公司,并在公司中担任多个重要职位。在金山软件工作期间,雷军积累了丰富的技术和管理经验。2010 年,雷军离开金山软件,创立了小米科技公司,致力于打造高品质、高性价比包括智能手机的智能硬件产品。

小米科技公司在成立后迅速崛起，成为我国智能手机市场的领导者之一。雷军提出了"互联网+"的商业模式，通过线上销售和社交媒体营销等方式，将小米手机推向了全球市场。小米手机以其高性价比、优秀的用户体验和创新的设计赢得了广泛的用户群体和市场份额。

雷军一直强调创新的重要性，并将创新作为小米科技公司的核心价值观之一。小米科技公司在技术研发、产品设计和市场营销等方面不断创新，推出了一系列创新性的产品和服务，如小米智能家居、小米智能手表等。

雷军是一位具有亲和力和领导力的企业家。他的创业故事和商业成就激励着无数的创业者和年轻人。雷军的成功经验告诉我们，只要有梦想、有勇气、有创新精神，就能在竞争激烈的市场中取得成功。

1.3.2 我国汽车服务业的现状及发展

1. 我国汽车服务业的现状

我国汽车后市场起步较晚，但发展很快，汽车服务质量得到了很大的提升。但与国外成熟的汽车服务业相比，我国汽车后市场仍然是一种低层次、粗放型的市场。在成熟汽车市场的整个汽车产业利润中，汽车销售利润约占20%，零部件供应利润约占20%，而50%~60%的利润是在服务领域中产生的。但在我国，汽车销售利润占汽车产业利润的比重较大，超过50%，而汽车服务利润还不到20%。这说明我国的汽车服务业还有巨大的上升空间。

1）相关政策逐步规范汽车服务业发展。近年来，政府有关部门出台了一些与汽车服务业相关的重要制度与政策措施，以逐步规范汽车服务业的发展。如《道路交通安全法》《缺陷汽车产品召回管理规定》《汽车品牌销售管理实施办法》《二手车流通管理办法》《汽车贷款管理办法》《汽车金融公司管理办法》和2013年1月15日国家质量监督检验检疫总局公布的汽车三包政策等，这些政策措施对促进我国汽车服务业的发展产生了积极、重要的影响。

2）对汽车服务业的重视和投入仍有不足。汽车服务业虽然受到关注，但由于"重制造、轻服务"的产业发展观在汽车行业中占据主导地位，国内对汽车服务业发展的重视程度不足。汽车制造业产值大，对地方GDP的贡献多，因此各地对发展汽车制造业积极性高，将较多的资源投向了汽车制造，而对发展汽车服务业的投入相对较少。

3）规模化程度低，品牌优势不突出。国内汽车服务市场最显著的特点是企业规模较小、持续经营能力差、品牌优势不突出。与国外连锁化汽车服务巨头相比，我国的汽车服务提供商普遍缺乏较成熟的服务品牌。这样的市场结构难以满足我国汽车市场快速发展对服务的强劲需求，同时服务质量难以保证，影响服务企业规模的扩大与品牌经营战略的实现。

尽管我国汽车服务市场已经开始改进，但目前整个市场良莠不齐，尚未形成全方位立体化服务体系，在规模化、品牌化等方面与国外汽车服务水平相比差距较大。

4）汽车维修市场亟待完善。汽车维修与每个车主密切相关，是汽车服务业的重要组成部分。在我国汽车维修市场上，无证经营的维修店占据一定比例，配件以次充好甚至使用假冒伪劣产品、费用收取不规范、维修从业人员水平参差不齐等现象依然存在，使得消费者权益难以受到保护，汽车维修市场亟待完善。

5）专业人才不足，服务理念相对落后。从业人员知识结构的不合理制约了汽车服务贸易快速发展。由于汽车业发展相对较快和相关培训较少，从业人员不能及时进行自我知识更新，造成目前汽车服务贸易专业人才奇缺。企业缺乏提高服务标准的推动力，从而不能满足消费者日益增长的汽车服务需求。与国外的汽车服务相比，我国汽车服务业的服务意识相对落后。国外售后服务的立足点是延长保质期限，保证正常使用期，推行"保姆式"品牌服务，而我国售后服务的立足点是"坏了保证修理"；国外售后服务项目多，零部件、销售、维修和保养"一条龙"，而我国售后服务则相对单一。

6）国际汽车服务业加快向我国转移。我国汽车服务市场的巨大潜力吸引着越来越多的跨国企业到我国投资。例如，AC 德科公司、博世公司等均在我国建立了维修网络，通用、福特、大众、丰田等国际汽车企业都纷纷在我国开展了汽车金融业务。

无论是在维修领域还是在汽车金融领域，汽车服务贸易外资进入的趋势都在初步显现。这一方面反映了我国汽车产业正在融入世界市场，另一方面也体现出我国汽车服务业竞争国际化已初见端倪。随着我国汽车服务市场的放开，更多的国际品牌将进入这一领域，届时竞争会更为激烈。

2. 我国汽车服务业的发展

未来我国汽车服务业的发展主要体现在以下几个方面：

1）运作规范化。随着我国社会主义市场经济日益成熟，在考虑我国汽车业以及汽车服务业发展的内在要求，并借鉴国外发展汽车服务业成功经验的前提下，主管部门对我国汽车服务业制定了一系列专门的规章制度，对汽车服务业组织形式、工商登记、纳税、从业人员以及质量控制、责任界定等，都提供了严密、科学的法律要求和保障，从而促进我国汽车服务业在法制化轨道上的运作与发展。

2）业务多元化。目前，我国汽车服务业的主要业务主要集中在维修方面，而汽车美容、二手车交易、汽车租赁等业务处于起步发展阶段。随着消费者对汽车产品服务多元化需求的增加，特别是随着政府日益放松对非战略行业的投资限制，打破地区间、部门间的限制与垄断，更多的企业必将在汽车服务方面大显身手，开展多元化业务。

3）发展规模化。从发展状况看，国内汽车服务业规模化程度相对较低，难以形成规模优势，无法满足消费者需求，很难从规模层面上与跨国汽车服务业巨头展开竞争。为此，国家应通过适当的产业政策加以引导、扶持，以培育产业基础好、服务水平高以及规模适度的汽车服务企业走规模化发展之路。

4）合作国际化。国内汽车市场的全面开放以及我国进一步扩大对外开放的程度，既为跨国汽车服务企业进入国内汽车市场提供了契机，同时也为国内汽车服务企业开展国际合作提供了机遇。合资经营、合作经营等国际合作形式使国内汽车服务企业在管理水平、运作机制、服务质量等方面缩小了与跨国企业的差距，为国内汽车服务企业走出国门、参与国际市场竞争创造了条件。

阅读材料 1-1

营销密码

消费者消费，是因为有需求；让消费者为你消费，是因为你有价值。人们对于产品的购买有时会成为一种情怀。小米 SU7 在最终收获 4min 1 万台、27min 5 万台、24h 88898 台大定的那一刻，已经彻底成功。

小米的流量密码是雷军，"为什么我会成为小米第一帅呢？因为凡是比我帅的全部被开除了"，这句玩笑话出自雷军。一个没有架子、爱开玩笑的企业家是人们对他的普遍印象。在如今的互联网上，"雷军"就是一个自带流量的关键词，频频不断的金句总在人们脑海中浮现，而"雷军"已经和"小米"融为一体。渐渐地，雷军在"米粉"心目中的地位已经类似于"果粉"心中的乔布斯。

从小米手机到小米汽车，小米熟练运用"饥饿营销""粉丝经济""社区营销""微博营销"等另类且前卫的营销策略，让小米"一炮而红"。而其中的营销密码是"卖神秘、卖人设、卖预期、卖文字"。

1) 卖神秘。小米汽车虽然亮相已久，但在公布价格之前，一直"犹抱琵琶半遮面"，保持神秘感。在技术发布会上，雷军不止一次地提醒客户"我们的车有点贵"，同时抛出"50 万以内"的心理预期。于是网友们开始猜价格，每个价格都会引起一波讨论。之后，小米继续制造神秘感，举办"人、车、家全生态"发布会，官宣 SU7 将于 2024 年 3 月 28 日举行发布会，小米汽车超级工程将揭幕。2024 年 3 月 25 日，SU7 在 29 个城市开启静态品鉴，但客户只能观看外观，不能打开车门。每增加一分神秘感，大家的期待就多一分。在人们对于小米汽车的最终定价有了较高预期时，发布会上最终报价"21.59 万元起"，这在无形中低于客户的心理预期，彻底点燃了消费热情。

2) 卖人设。雷军在互联网上主动将自己暴露在公众的视野之中，积极地与用户交流，采纳建议，建立信任，让用户觉得自己得到了企业的尊重，得到了产品商的重视，久而久之便建立了一个十分庞大的粉丝群体。在小米 SU7 正式发布前的几个月里，雷军微博账号的更新开始变得频繁，他在社交平台上频频"出招"，上演"雷军八部曲"，大卖个人 IP，吸引了一大波流量。这样的营销方式怎能不吸引消费者眼球呢？

3) 卖预期。小米 SU7 的预期管理从 2023 年年底的发布会就开始了，当时雷军说要造媲美保时捷、特斯拉的车，并从车身长度、宽度、高度、轴距、加速性能五个方面做比较，宣布小米 SU7 全面碾压保时捷。发布会现场更是如此，雷军先将小米跟特斯拉做各种对比，得出 SU7 整体品质不输于 25 万元的 Model 3 的结论，然后表示要赠送价值几万元的服务，总之强调小米可以卖得很贵。最后 21.59 万元的价格从天而降，全场沸腾。这是小米营销的一贯做法，即先把预期拉高，再给一个超出预期的低价，让大家觉得物超所值。

4) 卖文字。也就是文字游戏，小米 SU7 上市 27min 内大定破 5 万台，创下行业记录。但是之前的"大定"指的是不可以退定金，可退定金的叫"小定"。而小米的"大定"是指7天内可退定金,可以说重新定义了"大定"。小米的"大定"数据好,能引发从众心理,使营销效果加倍。但是狂欢过后,留下来的真实订单能有多少呢?也许小米不会公布。

可以说,这是一场成功的"雷氏营销"案例,或许会成为未来汽车行业营销模式的经典案例。

小米汽车发布会

本章小结

本章从市场营销的概念入手,介绍了市场营销不同发展阶段的几种营销理论。通过对汽车市场营销的含义、功能、特征,以及汽车市场营销对汽车生产企业意义的阐述,让读者更好地认识到汽车服务业的重要性。最后介绍了汽车服务业的类型、行业特点,以及我国汽车服务业的现状和发展。

习　　题

1. 概念理解
（1）市场
（2）市场营销
2. 思考与讨论
（1）如何理解彼得·德鲁克所言:营销的目的就是要使推销成为多余?
（2）如何理解"4Ps""4Cs""4Rs"营销组合理论三者之间的关系?
（3）简述汽车市场营销的意义。
（4）简述我国汽车服务业的现状及发展趋势。

【案例分析】

小米汽车的营销战略

为何一辆车都还没卖的小米汽车,却已成为2024上半年汽车圈最引人注目的汽车品牌?回顾小米汽车自2023年12月以来的重大动态:

2023年12月28日,小米召开小米汽车技术发布会。

2024年1月8日,小米汽车官方微博开始推送"小米汽车答网友100问"的文章,一共有上、中、下三集,分三天放出,集中回答了自预发布以来网友对小米汽车的疑问。

2024年1月22日,有网友拍到路上停着多辆灰色版小米SU7测试车,小米汽车开始在全国范围内开展全面路测。

2024年2月9日,小米SU7车模登陆央视春晚。

2024年2月22日,小米史上首场"人、车、家全生态"发布会举行,展示多个人、车、家全生态的使用场景。

2024年2月26日，小米SU7在2024年世界移动通信大会上迎来全球首秀。

2024年3月12日，雷军在微博官宣，小米SU7将于3月28日正式举行上市发布会。

2024年3月19日，小米汽车超级工厂正式揭幕。

2024年3月25日，小米SU7在全国29个城市开启了静态品鉴。

可以看到，从首次预发布到正式上市的3个月内，小米SU7陆陆续续公布一些进展和信息，确保始终在公众面前保持存在感。

雷军曾在个人微博称："这是我人生中最后一次创业，我愿意押上我全部的声誉，为小米汽车而战。"

从实际来看，雷军的确为小米汽车奉献了所有精力，不仅亲自上场开发布会、在社交媒体上解答关于小米造车及SU7的各种问题，还拍摄了不少关于小米汽车工厂、车辆测试和答网友问等宣传物料。在他的个人抖音号上，自12月25日宣布"小米汽车技术发布会即将到来"的视频后，陆续发布了众多视频。雷军穿工装亲自出镜，亲民的个人形象影响并带动了小米SU7的讨论度。

在"人人都有15秒的展示时间"的自媒体时代，车企在传播造势时只需做好内容引导和流量池的选择，之后便可以依靠算法和财力让内容自然发酵，在社交媒体上形成病毒式传播。不过，这对企业自身的互联网营销思维以及对热点的敏锐度提出了更高的要求。

思 考 题

1. 你认为小米汽车采用的是什么样的营销组合理论？
2. 请结合本章阅读材料及拓展资料，谈谈小米汽车的这种营销模式能给传统车企提供哪些借鉴？

第 2 章 / Chapter 2
汽车市场营销环境

【教学要点】

知识要点	掌握程度	相关知识
汽车市场营销环境	掌握市场营销环境的概念和特点	汽车市场营销环境的概念和特点
市场宏观环境与微观环境	掌握市场宏观环境与微观环境的概念	宏观环境与微观环境的概念
汽车市场营销分析方法	掌握汽车市场营销具体的分析方法	SWOT分析法

导入案例

新势力造车之理想

2014年以来，在我国市场上崛起了一批新能源汽车品牌，其中2015年成立的理想汽车致力于研发和生产高品质的智能电动汽车，从自建工厂、自主研发，到2019年年底理想ONE上市，2020年月销量破万。为什么理想可以取得成功呢？

首先，也是最重要的一点在于理想瞄准了一群非常有潜力的客户——奶爸，他们属于高购买力人群。

李想对我国人口的变化预测得非常精准，这可能和他之前创办"汽车之家"网站，长期了解互联网数据有关，李想对市场的变化非常敏锐。中国有这样一群人，他们现在在开BBA，随着二胎、三胎政策的实施，市面上暂时还没有车型能满足他们升级换代的要求。有些进口车面对的是全球客户，没有为我国市场量身定做的车型。

当前，消费者不只追求豪华品质、超大空间，更加注重高科技。同时，消费者希望产品能更具性价比，而新能源汽车当前的续驶里程现阶段仍处于很大挑战，所以增程式电动汽车——理想ONE的出现，同时满足了性价比、豪华性、智能化的要求。

其次，理想有三种力量：

一是理想的洞察力。理想对市场与目标客户群具有精准的洞察力，包括政策的变化、人口结构的变化、客户需求的变化等，理想不是只观察今天、明天，而是观察未来两三年后的更新迭代。

二是理想的纠错力。针对快速变化的市场，理想一边开发产品，一边调整，直至上市前最后一刻，只为满足当前市场需求。这种纠错能力是一般的汽车企业无法做到的。

三是理想的执行力。理想在选择供应商时，大胆启用很多新的供应商，调动供应链来支持配合，实现共创共赢。理想加强了对物料成本的控制，提升了对产品质量的要求。

最后，理想在营销方面是最有效率的。董事长李想亲自宣传，利用微博传播，产生流量效应。同时理想邀请很多汽车媒体人参与技术、生产等各个环节，确保最终产品有效且评价良好。

2.1 汽车市场营销环境概述

任何一个企业都处于不断变化着的社会经济环境之中，环境对企业的生死存亡有着重要的甚至是决定性的影响。美国著名营销学家菲利普·科特勒将市场营销环境定义为："企业的营销环境是由企业营销管理职能外部的因素和力量组成的。这些因素和力量是影响企业营销活动及目标实现的外部条件。"也就是说，市场营销环境是指与企业有潜在关系的所有外部力量与机构的体系。现代营销学则认为，企业经营成败的关键在于企业能否适应不断变化着的市场营销环境，也就是所谓的"适者生存"。因此，对汽车营销来说，汽车市场营销环境的研究是汽车营销活动最基本的课题。

2.1.1 市场营销环境的含义

市场营销环境是指与企业营销活动相关的、影响企业营销活动和营销目标实现的各种因素，包括宏观环境和微观环境。

宏观环境是外在的、不可控的环境因素，即影响企业营销活动的巨大社会力量，包括人口、经济、自然、政治、法律、科技、社会文化等多方面的因素。所以，通常情况下企业对各种宏观环境因素只能适应，却不能改变。

微观环境是指企业的内部因素、外部活动者等，即与企业紧密相连，直接影响其营销能力的各种参与者。内部因素是指那些对于企业来说是内在的、可以控制的环境因素，如企业的经济实力、经营能力和企业文化等，企业对各种微观因素可以施加不同的影响；外部活动者主要包括供应商、营销渠道、竞争者、顾客及有关公众等。

宏观环境和微观环境处于市场环境系统中的不同层次，所有的微观环境都受宏观环境的制约，而微观环境对宏观环境也有影响，如图 2-1 所示。企业的营销活动就是在这种外界环境相互联系和作用的基础上进行的。

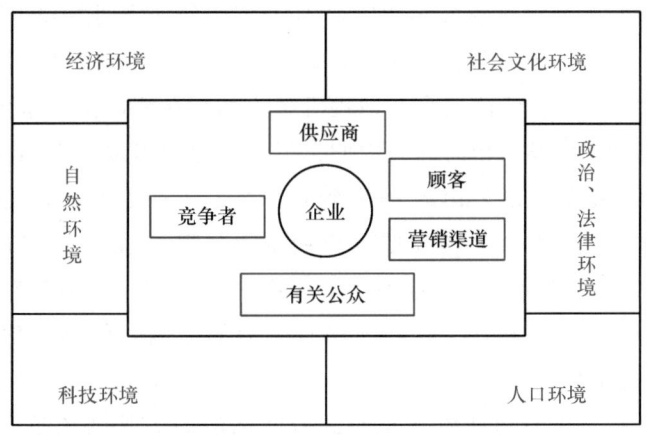

图 2-1 市场营销环境的构成

汽车市场营销环境是汽车营销活动的约束条件，汽车营销管理者不仅要适当安排营销组合，使之与外面不断变化着的营销环境相适应，而且要创造性地适应和积极地改变环境，创造或改变顾客的需求。这样才能实现潜在交换，扩大销售，更好地满足目标顾客日益增长的需求。汽车市场营销环境分析具有以下意义：

1）汽车市场营销环境分析为汽车企业进行营销决策和管理提供科学依据。汽车企业的营销受到很多因素的制约，准确把握市场信息和科学决策对于一个企业进行营销活动是至关重要的。企业要充分了解自己的优势与缺陷、市场环境的有利因素和不利因素，以便于企业从营销活动中取得较好的经济效益。

2）汽车市场营销环境分析有利于汽车企业及时把握市场机会。社会在不断发展，汽车市场变化莫测。较好的营销环境分析可以使企业迅速地发现市场上潜在的机会，并进行及时的营销策划。

3）汽车市场营销环境分析有助于企业准确地进行市场定位，满足不同消费群的差异化需求。

在轿车市场早已成为买方市场的今天，个性化产品已经成为社会的主流趋势。因此，汽车企业需要对市场营销环境的变化进行详细分析，制定正确的市场定位。在营销理念上要敢于创新，提供差异化服务，针对不同顾客的不同需求提供不同的服务，这样才会收到更好的效果。

2.1.2 市场营销环境的特点

汽车产业作为国民经济支柱产业，对宏观环境与微观环境的变化反应非常敏感。汽车市场营销环境是一个多因素、多层次而且不断变化的综合体。一般来说，有如下几个特点：

（1）客观性 企业总是在特定的社会经济和其他外界环境条件下生存、发展的。汽车企业要从事市场营销活动，必须处理好与供应商、营销渠道及顾客的关系，汽车企业的营销行为要受到法律的约束和社会公众的监督，营销决策更要受到经济、法律、社会文化等因素的约束。

（2）差异性 汽车市场需求的多样化使得不同汽车企业受到不同市场营销环境的影响，同一种环境因素的变化对不同汽车企业的影响也不相同。不同的国家、民族、地区之间在人口、经济、社会文化、政治、法律、自然地理等各方面存在着广泛的差异性，这些差异性对企业营销活动的影响显然是很不相同的。因此，汽车企业应当采取不同的营销策略以适应不同的营销环境。例如，德国大众公司的 Polo 曾是一款欧洲热卖车，但是在我国的销售成绩却未能达到其预期的水平，大众公司高层分析的结果是 Polo 是一款"复杂"的"小"车，而中国人喜欢"简单"的"大"车。这说明了这样一个问题，中国汽车市场和世界其他汽车市场相比存在一些独有的差异性，这些差异性背后的原因一般是文化（如当时不太接受两厢掀背车型）、历史等因素。

（3）动态性 汽车市场营销环境是企业进行营销活动的基础和条件，随着时间的推移而发生变化。如我国汽车消费者的消费倾向已从追求生活的基本满足转变为追求汽车的档次及个性化等,这些转变会对汽车企业的营销行为产生直接影响。因此,企业的营销活动必须适应环境的变化,不断地调整和修正自己的营销策略。

(4)关联性 市场营销环境是一个系统,各因素相互依存、相互作用、相互制约。如:国家宏观调控政策中的财政与税收政策、通货膨胀、需求过旺、原材料短缺等因素都能导致商品价格的上涨;科技、经济的发展会引起政治、经济体制的相应变更或变革,从而影响企业产品的质量及其更新换代的速度等。这种相关性给企业开展市场营销营造了更加复杂的客观环境。因此,要充分注意各种因素之间的相互作用。

(5)不可控性 影响市场营销环境的因素是多方面的,也是比较复杂的,且表现出不可控性。有的因素对某些企业来说是可控的,而对另一些企业来说则可能是不可控的;有些因素今天是可控的,而到了明天则可能变为不可控的。比如企业不能控制国家的政治、法律制度,企业不可能控制人口增长和变化趋势、消费者的经济情况以及竞争对手的生产经营情况等。

名人故事 2-1

李想,1981年10月出生于河北省石家庄市,汽车之家、理想汽车创始人,理想汽车董事长兼首席执行官。

李想有过三次创业经历:第一次创业成立了泡泡网;第二次创业将汽车之家推上巅峰;第三次创业使理想汽车成为一匹"黑马",以势不可挡的气势在新势力领域越走越远。

李想从小就与众不同。李想在上初中的时候就对计算机情有独钟,1998年还在上高中的李想开始做个人网站,仅仅每月的广告收入就可以达到1万多元。他在高三那年,就对自己的未来有着清楚规划——不参加高考,要自己创业。

2000年,李想注册泡泡网并开始运营。为了能让网站运营得更好,他每天6点起床开始工作,一直工作到晚上9点才去休息,就连吃饭都是坐在计算机旁边工作边吃。终于,李想将网站做成了同行业的领军者。

2005年,李想带领团队从IT产品向汽车业扩张,创建汽车之家网站。三年后,这个网站凭借实力成了同类网站中的佼佼者,并于2013年12月在美国纽约证券交易所上市。汽车之家网站的浏览量名列世界前茅。

前两次的创业成功让李想对自己的未来有了新的规划,他不甘于此,认为自己还有更多的可能。

2015年6月,李想卸任汽车之家总裁,继续担任董事股东;同年7月,李想创办车和家(后改名为理想汽车)。他给自己定下的目标是打造一个资产超过千亿美元的公司,因为有目标才会有压力,有压力才会有动力。

2018年10月18日,理想汽车发布首款产品:理想ONE,这是一款智能电动中大型SUV,搭载领先的增程式电动技术与智能科技。该产品于2019年11月20日开始量产,2019年12月向用户交付。

2020年7月30日,理想汽车在美国纳斯达克上市。

2023年1月,李想获得"2022中国十大品牌年度人物"荣誉。

在造车这条路上充满了无法想象的困难。但李想凭借自己的努力实现了双重上市,未来理想汽车也许还能达到更高的成就。李想的创业道路在别人看来是充满传奇色彩的,然而只有他自己知道这其中经历了多少无奈。从泡泡网到汽车之家,再到如今的理想汽车,李想凭借着自己聪明的头脑、敏锐的嗅觉、对市场前景的分析,终于走出了一条属于自己的汽车制造之路。正如李想自己所说,人生因为痛苦而改变,因为受益而坚持。他善于抓住机遇,顺应发展趋势,每次转型虽困难重重,但都成功了。李想为了梦想而努力奋斗的精神值得我们学习。

李想简介

2.2 汽车市场营销环境

市场营销环境是一个不断完善和发展的概念,随着商品经济的发展,发达国家的企业越来越重视对市场环境的研究,企业只有不断地适应各种营销环境的变化,才能顺利地展开营销活动。

随着汽车市场的不变发展,汽车市场的宏观环境受技术、全球化、消费分级和政策驱动,微观环境则聚焦营销创新、用户参与和渠道变革。车企需结合趋势灵活调整策略,例如通过技术体验建立信任、借势IP提升情感价值,并利用数字化工具优化销售链路。

2.2.1 汽车市场营销的宏观环境

汽车市场营销的宏观环境通常是指能够影响企业营销活动的广泛性因素,通常是指一个国家的人口环境、政治环境、法律环境、经济环境、自然环境与使用环境、社会文化环境、科技环境。宏观环境一般具有强制性、不确定性和不可控性等特点。企业可以通过调整营销策略和控制内部管理来适应宏观环境的变化。

1. 人口环境

市场营销对人口环境极其关注。市场是由具有购买力和购买欲望的人组成的,有人才能有顾客。人口环境对汽车企业的市场购买量、产品的品种结构等市场状况都具有决定性影响。人口环境是指一个国家和地区的人口数量、人口质量、人口结构、人口分布等因素的现状及其变化趋势。一般情况下,人口数量意味着市场容量和市场潜量;人口结构意味着消费选择和消费结构。为满足不同年龄结构的需求,不同公司会推出具有不同市场定位的车型。

(1)**人口数量** 在收入不变的情况下,人口越多,对汽车的需求量也就越大。

(2)**人口结构** 目前,人口结构变化对我国汽车企业营销产生的较明显影响主要有以下三个方面：

1）女性消费市场巨大，成为消费热点之一。随着职业女性的增加、经济地位的提高以及其自主、自立意识的增强，越来越多的女性成为现实的或潜在的汽车消费者。女性已经成为汽车消费市场中一股举足轻重的力量。

2）青少年人口比重下降，但消费档次不断提高。汽车企业要根据青少年活跃、感性的特点，生产动感、时尚的车型，占领青少年汽车市场。

3）人口结构老龄化，老年汽车市场成规模。汽车企业应针对60岁以上的老年人动作、反应灵活性下降的特点，生产车门较宽、门槛较低、助动型驾驶座、放大型仪表盘和后视镜、按钮制动、自动锁车及价格较低的车型，占领老年汽车市场。

（3）**家庭状况** 婚姻状况与家庭的住址、规模在很大程度上会影响以家庭为消费单位的汽车需求。我国家庭结构发展趋势中最显著的特征是家庭小型化，子女一般不再和父母一起生活和居住，相互之间的联系工具主要是汽车。

（4）**人口分布** 人口分布的动态变化对汽车企业的营销活动会产生一定的影响。目前，城市尤其是大城市，随着人口数量的增加，其规模不断扩大。许多从前人口较少的郊区，也逐渐发展成为繁华的居住区。人们居住在这些远郊地区，却都要到市区上班，这无形中增加了市民买车的需求。

这些情况使得汽车企业有了更多的消费群体，从而使家用车市场不断繁荣。

 阅读材料 2-1

理想汽车

2015年7月，李想创立了车和家，代表想把汽车像家一样建造的理念，后来更名为理想。理想致力于打造高品质、智能化的新能源汽车。2016年8月，理想开始了常州工厂的建设，并于2019年12月交付。理想ONE从2018年10月上市到开始交付共花了14个月。理想从2015年创立到2019年年底交付，5年磨一剑，这5年里，理想实现了自建工厂，成功开发了第一款车。

理想ONE是一款智能电动中大型SUV，目标是为家庭用户提供6座的宽敞空间。为解决电车的续驶问题，理想ONE采用自研的增程式技术。在缺电的情况下，理想采用燃油充电，续驶里程提高至1080km。自交付以来，正好赶上了2020年新能源电动汽车市场的爆发，理想ONE凭借出色的产品力和性价比，拿下了2020年中国新能源SUV市场销量冠军，迅速成了我国新能源汽车市场的爆款车型。通过增程式技术，理想成功打开了新能源汽车市场，成为这一细分领域的标杆。同时，理想ONE的6座车型打破了大家对5座和7座的执念，从理想ONE开始，6座SUV火了。

随着理想ONE的成功，理想汽车在不断扩大产品线和市场份额。2021年理想推出了更大的6座SUV——理想L9，再到后来的L8、L7，受到了消费者的广泛关注和好评。理想MEGA从空气动力学角度出发，解决了大空间与长续驶相矛盾的行业难题，为大家庭打造了全球风阻系数最低的MPV，为我国大家庭用户创建了"超级大平层"。从增程式汽车到纯电动汽车，未来，理想汽车将继续秉承"创造移动的家，创造幸福的家"的品牌理念，不断推出更加优质的产品和服务，为消费者提供更加美好的出行体验。同时，理想汽车将积极推动新能源汽车技术的发展和应用，为实现碳中和目标做出贡献。

2. 政治环境

政治环境是指外部政治形势给企业市场营销带来的或可能带来的影响。在国际市场上，随着经济全球化和国际经济一体化的发展，各国政府、不同意识形态以及政党、政局、政策的变化，也会直接或间接地影响汽车市场营销。

在国内市场上，政府通过改革经济体制和制定经济政策的方式来制约、管理汽车的生产和经营。在意识形态方面，主要是通过对汽车市场营销组合的影响表现出来的。如汽车的结构、造型、品牌、商标、销售服务、定价、分销、促销策略等会最终影响消费者的价值判断和购买选择。另外，一个社会的国情、民情、民俗和民风等也会影响消费者的兴趣和爱好，形成不同的消费需求和消费时尚。

因此，我国汽车营销者应密切注意的政策包括市场经济体制及中长期基本经济政策、汽车工业产业政策、税收政策、进口管理政策。

3. 法律环境

法律环境是影响汽车市场营销中最具约束力的力量，既包括对企业市场营销产生重要影响的各项法律，也包括产品的技术标准、技术法规、商业惯例等。法律对汽车企业营销的影响主要体现在以下三个方面：

1）保护消费者。如《中华人民共和国产品质量法》《中华人民共和国消费者权益保护法》《中华人民共和国广告法》等法律，其目的主要是维护消费者利益，阻止企业非法牟利。

2）促进或限制企业的营销活动。如《中华人民共和国公司法》《中华人民共和国企业法》等法律，有利于企业健全经营机制和加强对整体营销活动的控制。《中华人民共和国反垄断法》《中华人民共和国反不正当竞争法》等法律则是用来监督、指导企业行为，保护企业之间的公平竞争的。

3）维护社会利益。如《中华人民共和国环境保护法》《中华人民共和国环境噪声污染防治法》等主要用来维护生态平衡，保护公众利益。

以上每部法律都会对汽车企业的市场营销活动形成某种约束，因此企业的市场营销人员必须掌握有关消费者权益、环境保护和社会利益方面的法律知识。保护消费者权益已经成为现代法律的重点，把握这一点对企业开展市场营销尤为重要。在政策方面，国家的汽车政策主要包括汽车产业政策、汽车企业政策、汽车产品政策和汽车消费政策四个方面：

1）汽车产业政策。国家的汽车产业政策可分为抑制汽车产业发展的政策和促进汽车产业发展的政策。

2）汽车企业政策。汽车产业是国家的支柱产业，重点汽车企业更是国家的栋梁，无论国内还是国外，重点汽车企业都享受优待政策和保护政策。

3) 汽车产品政策。现代市场营销学把企业的产品结构划分为宏观和微观两部分。其中宏观结构是指一个汽车企业所拥有的产品线的多少，即货车、客车、轿车三种汽车所占的比例。微观结构是指某种产品的整体结构，是指汽车的车型，即某一种汽车在大、中、小型等方面的细分。宏观结构和微观结构都受国家汽车产品政策的影响。微观结构首先表现在汽车的功能上，而汽车排量是表现汽车功能的主要指标。为了降低环境污染，发展小排量汽车已经成为当今世界汽车技术发展的方向。

4) 汽车消费政策。政府制定相关消费政策可以更为直接地促进国家汽车工业的发展。汽车消费政策通常可以分为鼓励汽车更新与鼓励汽车消费两类。前者是针对现实的汽车消费者而言，后者则是针对潜在的汽车消费者来说的。鼓励汽车更新政策主要分为两种：一是新车更换政策，对愿意更换新车的消费者给予一定的经济补贴；二是旧车报废政策，执行科学的汽车报废标准以促进汽车更新。如我国曾实行的根据汽车排量调整购置税的政策和家用轿车行驶600000km即报废的报废年限都在一定程度上促进了汽车的消费和汽车市场的良性发展。在制定鼓励汽车消费政策方面，德国是一个典型的例子。德国不仅是汽车生产大国，还是世界闻名的汽车消费大国，这不但得益于其国民经济的高速发展，还得益于德国政府制定的刺激汽车消费的政策。该政策主要包括四方面内容：尽量简化消费者购车手续、尽量降低消费税率、支持消费者灵活付款、实施道路畅通工程。在上述汽车消费政策的影响下，德国的汽车工业和汽车消费水平都得到了大幅提升。

4. 经济环境

经济环境影响汽车产品的市场需求，从而对汽车市场有着重要的影响。汽车市场不仅需要人口，还需要购买力。购买力是指社会购买力，包括消费者个人购买力和社会集团购买力。实际消费者的购买力取决于收入、支出、储蓄、信贷情况等。营销者必须密切注意与公司业务有紧密关联的收入与消费者支出模式中的主要趋势，特别是高收入和对价格敏感的消费者。

(1) 消费者收入分析 消费者收入主要是指工资、奖金、补贴、福利以及存款利息、债券利息等一切可以视为收入的全部现金收入，最关键的是可支配收入。个人可支配收入是指在个人收入中扣除消费者个人缴纳的各种税款和交给政府的非商业性开支后的剩余部分，亦即可用于消费或储蓄的那部分个人收入，它构成实际购买力。个人可支配收入是影响汽车消费者购买力的决定性因素。家庭和个人可任意支配收入是指在家庭和个人可支配收入中减去用于购买生活必需品的费用支出（如房租、水电、食物、服装、药品、子女教育、保险以及贷款等项开支）后剩余的部分。这部分收入是消费需求变化中最活跃的因素，一般用于购买高档耐用消费品、娱乐、教育和旅游等服务，也是企业开展营销活动时所要考虑的主要因素。

(2) 消费者支出分析 随着消费者收入的变化，消费者支出也会相应发生变化，继而使一个国家或地区的消费结构发生变化。德国统计学家恩格尔于1857年发现了消费者收入变化与支出模式，即消费结构变化的规律性。恩格尔所揭示的这种消费结构的变化通常用恩格尔系数来表示，即恩格尔系数＝食品支出金额/家庭消费支出总金额。恩格尔系数越小，食品支出所占比重越小，表明生活越富裕，生活质量越高；恩格尔系数越大，食品支出所占比重越大，表明生活越贫困，生活质量越低。恩格尔系数是衡量一个国家、地区、城市以及家庭生活水平高低的重要参数。企业通过恩格尔系数可以了解目前市场的消费水平，也可以推知今后消费变化的趋势及对企业营销活动的影响。居民恩格尔系数的变化，甚至各社会阶层、各地区居民的消费支出结构的变化，都会使得汽车消费的层次和需求不断变化。当某个地区的居民可以自由支配的资金越来越多，足以支付个人购买汽车的费用时，这个地区购买家用汽车的个人消费支出必将增加，个人汽车消费的市场也会越来越大。

（3）**消费者储蓄分析** 消费者的储蓄行为直接制约着市场、购买量的大小。当收入一定时，如果储蓄增多，现实购买量就会减少；反之，如果用于储蓄的收入减少，现实购买量就会增加。储蓄倾向受到利率、物价等因素的影响。人们储蓄的目的是不同的，有的是为养老，有的是为未来的购买而积累。当然，储蓄的最终目的还是消费。消费者储蓄是种潜在的、未来的购买力。消费者的储蓄形式有银行存款、债券、股票以及不动产等。它们被称为现代家庭的"流动资产"，大都可以随时转化为现实的购买力。汽车企业应关注居民储蓄的增减变化，了解居民储蓄的不同动机，从而制定相应的营销策略，获取更多的商机。

（4）**消费者信贷分析** 消费者信贷也称信用消费，是指消费者以个人信用为保证先取得商品的使用权，然后分期归还贷款的商品购买行为。随着我国金融体制改革的不断深入及银行体系的改组，国家将更多地采用经济手段进行金融调控。信贷规模的大小、信贷控制的松紧，与汽车营销市场需求规模的扩张与收缩形成同向运动。银行在汽车金融领域内实施的政策对于个人消费将起到决定性作用，同时也会对汽车营销产生深远影响。目前，在个人汽车消费市场中，个人消费信贷仍占很大比重。因此，研究消费者信贷状况与了解消费者储蓄状况都是现代企业市场营销的重要环节。

5. 自然环境与使用环境

（1）**自然环境** 自然环境是指影响社会生产的自然因素，主要包括自然资源和生态环境。在自然资源日渐枯竭，生态平衡不断遭到破坏，污染问题日益严重的今天，环境已成为涉及各个国家、各个领域的重大问题，环保呼声越来越高。自然资源的减少将对汽车企业的市场营销活动构成一个长期的约束条件。生态环境的恶化对汽车的性能提出了更高的要求。

汽车企业为了适应自然环境的变化，应采取的对策包括：①发展新型材料，提高原材料的综合利用水平，如第二次世界大战以后，由于大量采用轻质材料和新型材料，每辆汽车消耗的钢材平均下降10%以上，自重减轻达40%；②开发汽车新产品，加强对汽车节能、改进排放新技术的研究，如汽车燃油电子喷射技术、主动和被动排气净化技术等都是汽车工业适应环境保护要求的产物；③积极开发新型动力和新能源汽车，如国内外目前正在广泛研究电动汽车、燃料电池汽车、混合动力汽车、其他能源汽车等。

（2）**使用环境** 使用环境是指影响汽车使用的各种客观因素，一般包括自然气候、地理、车用燃油、道路交通等因素。

1）自然气候。自然气候包括大气的温度、湿度、降雨、降雪、风沙等情况以及它们的季节性变化。自然气候对汽车使用时的冷却、润滑、起动、充气效率、制动等性能以及对汽车机件的正常工作和使用寿命都会产生直接影响。因而，汽车厂商在市场营销的过程中，应向目标市场推出适合当地气候特点的汽车，并做好相应的技术服务，及时解决用户的使用困难以使用户科学地使用本企业的产品。

2）地理。这里所指的地理因素主要包括一个地区的地形地貌、山川河流等自然地理因素和交通运输结构等经济地理因素。汽车企业应面向不同地区推出地域性的汽车产品。

3）车用燃油。车用燃油是汽车使用环境的重要因素，包括汽油和柴油两种成品油。汽车燃油对汽车营销的影响有：车用燃油受世界石油资源不断减少的影响，将对汽车企业市场营销及汽车工业发展起着很强的制约作用，如两次石油危机给世界汽车工业以严重冲击，全球汽车产销量大幅度下降；车用燃油中汽油和柴油的供给比例影响汽车工业的产业结构，进而影响汽车企业的产品结构。

4）道路交通。道路交通是汽车使用的重要环境，包括城市的道路面积占城市面积的比例、城市交通体系及结构、道路质量、道路交通流量，以及车辆使用附属设施等因素的现状及其变化。它是评价一个城市经济状况的重要内容，能从侧面反映出一个城市的文明程度。

道路交通对汽车营销有如下影响：一是良好的道路交通条件不但有利于提高汽车运输在交通运输体系中的地位，而且有利于提高汽车使用的经济性等，从而有利于汽车的普及。反之，道路交通条件差，则会减少汽车的使用。二是汽车普及程度的提高有利于改善道路交通条件，从而为企业的市场营销创造更为宽松的道路交通使用环境。

6．社会文化环境

社会文化环境主要是指一个国家或地区的民族特征、价值观念、生活方式、风俗习惯、宗教信仰、伦理道德、受教育水平、语言文字等的总和。它包括主体文化和次级文化。主体文化是占据支配地位的，起到凝聚整个国家和民族的作用，是由千百年的历史所形成的文化，包括价值观、人生观等；次级文化是在主体文化支配下所形成的文化分支，包括种族、地域、宗教等。文化对所有营销参与者的影响是多层次、全方位、渗透性的。它不仅影响企业营销组合，而且影响消费心理、消费习惯等，这些影响多半是通过间接的、潜移默化的方式来进行的。这里主要分析以下几个方面：

（1）受教育水平 受教育水平不仅会影响劳动者的收入水平，而且会影响消费者对商品的鉴别力，影响消费者心理、购买的理性程度和消费结构，从而影响企业营销策略的制定和实施。

（2）价值观念 价值观念是指人们对社会生活中各种事物的态度和看法。在不同的文化背景下，价值观念差异很大，从而影响消费者的消费需求和购买行为。把汽车作为身份象征的观念，也在一定时期影响着汽车消费。对于不同的价值观念，营销管理者应研究并采取不同的营销策略。

（3）消费习俗 消费习俗是指历代传承下来的一种消费方式，是风俗习惯的一项重要内容。消费习俗在饮食、服饰、居住、婚丧、节日、人情往来等方面都表现出独特的心理特征和行为方式。

（4）消费流行 由于社会文化多方面的影响，消费者产生共同的审美观念、生活方式和兴趣爱好，从而导致社会需求出现一致性，这就是消费流行，如现在流行的自驾游对汽车企业的影响等。

7. 科技环境

科技环境是指一个国家和地区整体科技水平的现状及其变化。科学与技术的发展对一国的经济发展具有非常重要的作用。

科技环境对市场营销的影响如下：

1）科技进步促进综合实力的增强，国民购买力的提高给企业带来更多的营销机会。

2）科学技术在汽车生产中的应用改善了产品的性能，降低了产品的成本，使得汽车产品的市场竞争力提高。而今，随着差异需求的日益明显，汽车生产的柔性多品种乃至大批量定制现象日益增加，这些都是现代组装自动化、柔性加工、计算机网络技术发展和应用的结果。再从汽车产品看，汽车在科技进步作用下，经历了原始、初级和完善提高等几个发展阶段，汽车产品在性能、质量、外观设计等方面获得了长足的进步。

3）科技进步促进了汽车企业市场营销手段的现代化，引发了市场营销手段和营销方式的变革，极大地提高了汽车企业的市场营销能力。企业市场营销信息系统、营销环境监测系统以及预警系统等手段的应用，提高了汽车企业把握市场变化的能力；现代设计技术、测试技术以及试验技术加快了汽车新产品开发的步伐；现代通信技术、办公自动化技术提高了企业市场营销的工作效率和效果等。

当今世界汽车市场的竞争日趋激烈，各大汽车公司十分注重高新技术的研究和应用，以赢得未来市场竞争的主动权。相对世界汽车工业而言，我国汽车工业科技水平的落后状况尚很明显，科技进步的潜力巨大，我国汽车企业应不断地加强科技研究和加大科技投入，缩小同世界汽车工业先进水平的差距，以谋求更多的营销机会。

 阅读材料 2-2

1. 技术革新与消费者体验升级

（1）沉浸式技术体验　车企通过智能驾驶技术体验活动建立用户信任。例如，问界智驾体验营通过全场景智能驾驶技术展示，增强消费者对智能驾驶技术的直观感知；新奥迪Q家族与《中国国家地理》合作极境体验，展现车辆性能与科技结合。

（2）短视频与直播营销　东风商用车、一汽解放等企业布局短视频团队，通过直播带货、搞笑段子吸引用户，推动线上销售转型。懂车帝推出CPS（按成交付费）模式，以数字化工具提升经销商成交效率。

2. 全球化与出海战略加速

中国车企加速海外布局，如岚图的"共岚图"战略覆盖全球六大洲，零跑SUV家族通过欧洲自驾巡游提升品牌信任度。沃尔沃通过本土化生产和供应链优化，增强在中国市场的竞争力，同时推广新能源车型如EX30和EM90，适应全球低碳需求。

3. 社会文化变迁与消费分级

女性市场崛起：奔腾小马精准定位女性用户，通过明星代言、IP营销实现销量增长；东风奕派与小红书合作情人节营销，聚焦女性情感需求。

> 市场分级显现：消费需求分化为极致性价比（如小米SU7）、质价比、心价比（情绪价值）和奢价比市场，车企需差异化定位。
> 4. 政策与可持续发展驱动
> 环保政策推动新能源车发展，如沃尔沃全面电气化战略，推出低碳车型；奔驰、捷豹路虎等长期投入公益项目（如青少年教育、非遗保护），强化品牌社会责任感。

2.2.2　汽车市场营销的微观环境

汽车市场营销的微观环境是指与企业关系密切、能够影响企业服务顾客能力的各种因素——企业内部环境、企业营销渠道、消费者、竞争者和社会公众。这些因素构成企业的价值传递系统。营销部门的业绩建立在整个价值传递系统高效运行的基础之上。

1. 企业内部环境

企业内部环境是指企业的类型、组织模式、组织机构、经济实力及企业文化等因素。企业的组织机构，即企业的职能分配、部门设置及各部门之间的关系，是企业内部环境最重要的因素。

（1）企业的经济实力　经济实力是支撑企业市场营销成功的物质基础，往往以企业规模、生产能力和市场占有率等指标表现出来，为企业的生存和发展提供空间。企业的经济实力对汽车市场营销的影响主要表现在企业的营销能力和企业的竞争能力上。

（2）企业的经营能力　经营能力是支撑企业市场营销成功的精神基础，它往往以企业效益、产品销量和销售增长率等指标表现出来。世界各大汽车公司的经营者们无一不是资本或资产运营的高手。他们或者通过控股来取得其他汽车企业的所有权，或者通过参股来取得其他汽车公司的经营权。总之，都是通过对其可支配资本或资产的经营来求得经济效益的最大化。

（3）企业文化　企业文化是作为独立经济实体的企业在长期的生产经营过程中逐步生成和发育起来的，以企业哲学、企业精神为指导及核心的价值准则、行为规范、道德规范、生活信念和企业的风俗、习惯、传统等，以及在此基础上生成、强化起来的经营指导思想、经营意识等。许多经营业绩良好的企业表明，谁拥有文化优势，谁就可以获得更大的竞争优势、效益优势和发展优势。所以说，企业文化对企业的市场营销有着重要影响，企业应当重视文化建设。

企业内部环境是企业提高市场营销的工作效率和效果的基础。因此，企业管理者应强化企业管理，为市场营销创造良好的营销内部环境。

2. 企业营销渠道

企业营销渠道主要包括生产供应者和营销中介。

（1）生产供应者　生产供应者是指向企业提供生产经营所需资源（如设备、能源、原材料和配套件等）的组织或个人。供应者的供应能力包括供应成本的高低和供应的及时性，这是营销部门需要关注的。这些因素短期将影响企业的销售额，长期将影响顾客的满意度。我国不少汽车企业对其生产供应者采取"货比三家"的策略，既与生产供应者保持大体稳定的配套协作关系，又让生产供应者之间形成适度的竞争，从而使本企业的汽车产品达到质量和成本的相对统一。实践表明，这种做法对企业的生产经营活动具有较好的效果。

（2）营销中介 营销中介是指协助汽车企业从事市场营销的组织或个人，包括中间商、实体分配公司、营销服务机构和财务中间机构等。

中间商能帮助公司找到顾客从而将产品销售出去。实体分配公司帮助企业从原产地至目的地之间存储和移送商品。企业必须综合考虑成本、运输方式、速度及安全性等因素，从而决定运输和存储商品的最佳方式。营销服务机构包括市场调查公司、广告公司、传媒机构、营销咨询机构，它们帮助公司正确地定位和促销产品。财务中间机构包括银行、信贷机构、保险公司和其他金融机构，它们能够为交易提供金融支持或对货物买卖中的风险进行担保。而大多数企业和顾客都需要借助金融机构为交易提供资金。营销中介对企业市场营销的影响很大，关系企业的市场范围、营销效率、经营风险和资金流通等。因此，企业应处理好与营销中介之间的合作关系。

3. 消费者

消费者是企业市场营销的起点和终点，是企业赖以生存和发展的"衣食父母"。不同的市场需求要求汽车企业和经销商提供不同的产品和服务。

一般来说，汽车市场可以分为五类：消费者市场、企业市场、经销商市场、政府市场和国际市场。消费者市场由个人和家庭组成，是为了自身消费购买商品和服务的市场。企业市场购买商品和服务是为了在深加工或在生产过程中使用。经销商市场购买产品和服务是为了转卖，以获取利润。政府市场由政府机构组成，购买产品和服务用以服务公众，或作为救济物资发放。国际市场则由其他国家的购买者组成。每个市场都有各自的特点，都在一定程度上影响汽车企业营销决策的制定。

上述每一种市场都有其特有的顾客，而这些市场上不同的顾客需求必定要求汽车营销企业以不同的服务方式提供不同的产品（包括劳务），从而制约着汽车企业营销决策的制定和服务能力的形成。因此，汽车营销企业要认真研究为之服务的不同顾客群，研究其类型、需求特点以及购买动机等，使企业的营销活动能针对顾客的需求，符合顾客的愿望。我国消费者有如下三大特征：低购买力水平者所占比例较大；收入增长速度较快；地区之间和城乡之间差异大。汽车企业必须时刻关注消费者的需求和变化，并对此做出仔细分析。

4. 竞争者

所谓竞争者，广义上指的是向企业所服务的目标市场提供产品的其他企业或个人。竞争者的范围是非常广泛的，包括现实竞争者、潜在竞争者、直接竞争者、间接竞争者、国内竞争者与国际竞争者等。从满足消费需求或产品替代的角度看，每个企业在试图为自己的目标市场服务时通常都面临着以下四种类型的竞争者：

（1）愿望竞争者 愿望竞争者是指提供不同产品以满足不同需求的竞争者。对汽车制造商来说，生产摩托车等不同产品的厂家就是愿望竞争者。汽车企业想要促使消费者更多地购买汽车，摩托车企业想要促使消费者购买摩托车，这就是一种竞争关系。

愿望竞争主要是从行业乃至产业之间的竞争关系来看的，它既不属于生产经营相关产品的企业之间的竞争，也不属于生产经营相同产品的企业之间的竞争。愿望竞争将使购买力的投向在不同行业或不同产业之间发生转移，从而使不同行业或产业的市场规模发生或大或小的变化。

（2）**一般竞争者** 一般竞争者是指向一个企业的目标市场提供种类不同但可以满足同一种需求的产品的其他企业。例如，一个消费者打算通过某种形式来解决上下班的交通问题，而购买一辆自行车、购买一辆摩托车，或购买一辆轿车都可以满足他的要求，那么提供自行车、摩托车以及轿车的各个企业之间就在这部分市场上形成了竞争关系，互为一般竞争者。

实际上，某些类型不相同的产品却有相同或类似的功用，它们在满足某种需求上是可以相互替代的，这些产品就是所谓的相关产品。一般竞争考察的主要是不同行业间生产经营相关产品的企业之间的竞争问题，一般竞争将使购买力的投向在不同行业生产经营相关产品的企业之间发生转移。一般竞争的强度主要取决于科技进步所带来的相关产品的多少以及相互替代的程度。在科技进步较快的情况下，企业应对一般竞争问题予以较多的关注。

（3）**产品形式竞争者** 产品形式竞争者是指生产同类产品，但提供不同规格、型号、款式或者不同质量、价格以满足消费者相同需求的竞争者。例如，奥迪、奇瑞之间的竞争就是产品形式的竞争。

（4）**品牌竞争者** 品牌竞争者是指向某个企业的目标市场提供种类相同，产品形式也基本相同，但品牌不同的产品的其他企业。由于主客观原因，消费者往往对同种、同形而不同品牌的产品形成不同的认识，具有不同的信念和态度，从而导致选择差异，因而这些产品的生产企业之间便形成了竞争关系，互为品牌竞争者。

上述第（3）（4）种竞争是在相同产品之间进行的，属于同行企业间的竞争。这两种竞争将使同行业内不同企业的市场占有率和市场地位发生变化。市场营销学中所讲的竞争较多地是指品牌竞争、产品形式竞争以及一般竞争。上述这些不同而且不断变化着的竞争关系是汽车企业在开展营销活动时必须密切注意和认真对待的。一般地说，竞争对手的力量越强，其在产品及市场营销组合的有关方面则越有竞争力，其威胁也就越大。企业要制定正确的营销策略，除了要了解市场的需要与购买者的购买决策过程，还要全面了解现实竞争对手的数量、分布状况、综合能力、竞争目标、竞争策略、营销组合状况、市场占有率及其发展动向等方面的情况，要对潜在竞争对手进行全面分析。

5. 社会公众

社会公众是指对企业的营销活动有实际的潜在利害关系和影响力的一切团体和个人，一般包括金融机构、新闻媒介、政府机构、协会、社团组织和普通民众等。汽车企业要满足公众的需求及感受，与公众保持良好的关系，提高品牌知名度与美誉度。社会公众会关注、监督、推进及制约企业的营销活动，对企业的生存和发展产生巨大影响。例如：金融机构会影响一个公司获得资金的能力；新闻媒介对消费者具有导向作用；政府机构决定政策动态；普通民众的态度影响消费者对企业产品的信念等。企业应当采取积极有效的措施，树立良好的企业形象，与重要的社会公众保持良好的关系。

企业的市场营销活动除了应重视研究本企业微观营销环境的具体特点，更重要的是要研究市场营销的宏观环境。

阅读材料 2-3

1. 企业营销策略创新

跨界 IP 联动：东风奕派与泡泡玛特联名，吸引年轻用户；阿维塔深耕网球 IP，提升品牌价值。

情感共鸣营销：一汽红旗国风婚礼 IP 整合传统文化，吉利星愿以"都市追梦"主题引发情感共鸣。春节营销中，品牌通过感恩主题微电影和 H5 互动，强化用户情感连接。

2. 用户共创与社群运营

纳米 01、雷克萨斯等品牌让用户参与产品设计，构建"情感共同体"；一汽大众通过"带你去阿勒泰"话题营销，结合热点场景增强用户归属感。

3. 竞争格局加剧与新势力崛起

新势力品牌如小鹏、理想、问界竞争白热化。2025 年初，小鹏以微弱优势反超理想，凭借新车 MONAM03 和 P7+ 的爆款效应实现销量逆袭。

传统车企转型：沃尔沃通过本土化策略和数字化营销（如 AED 公益项目）稳固豪华品牌地位。

4. 渠道与销售模式变革

懂车帝 CPS 模式颠覆传统线索付费，以成交为导向提升经销商效率，覆盖超 2.8 万家经销商。蔚来通过"系列发布会+直播+多圈层传播"组合拳，强化线上营销效果。

2.3　汽车市场营销环境分析

企业的一切营销活动都必须和营销环境相适应，这是企业经营成败的关键。现代营销理论认为，企业的营销是一种主动的、能动的活动。因此，企业应该积极主动地分析环境、认识环境，用不同的方式增强适应环境的能力，避免来自营销环境的威胁。企业也可以在变化的环境中寻找机会，并在一定条件下改变营销环境。

2.3.1　市场营销环境分析方法

通过分析营销环境，企业可以知道当前和未来环境中存在哪些营销机会和威胁，以便能充分利用机会，有效应对威胁，保证企业的生存和持续发展。下面主要介绍一下 SWOT 分析法。

SWOT 分析法又称为态势分析法，是一种企业战略分析方法，即根据企业自身既定的内在条件进行分析，找出企业的优势、劣势及核心竞争力。SWOT 分析法是由美国旧金山大学的管理学教授韦里克于 20 世纪 80 年代初提出来的，其中，S 代表优势（Strength），W 代表劣势（Weakness），O 代表机会（Opportunity），T 代表威胁（Threat）。按照企业竞争战略的完整概念，战略应是一个企业的强项、弱项与环境的机会、威胁之间的有机组合。

S（Strength），优势是组织机构的内部因素，具体包括：有利的竞争态势、充足的资金来源、良好的企业形象、强大的技术力量、规模经济、优良的质量、较大的市场份额、成本优势、广告攻势等。

W（Weakness），劣势是组织机构的内部因素，具体包括：设备老化、管理混乱、缺少关键技术、研究开发落后、资金短缺、经营不善、产品积压、竞争力差等。

O（Opportunity），机会是组织机构的外部因素，具体包括：新市场、新需求、市场壁垒解除、竞争对手失误等。

T（Threat），威胁是组织机构的外部因素，具体包括：新的竞争对手、替代产品增多、市场紧缩、行业政策变化、经济衰退、客户偏好改变、突发事件等。

SWOT分析法常常被用于制定集团发展战略和分析竞争对手情况，在战略分析中，它是最常用的方法之一。进行SWOT分析时，基本步骤包括：分析企业的内部优势、劣势，既可以是相对企业目标而言的，也可以是相对竞争对手而言的；分析企业面临的外部机会与威胁，可能来自与竞争无关的外部环境因素的变化，也可能来自竞争对手力量与因素的变化，或二者兼有，但关键性的外部机会与威胁应是确定的；将外部机会和威胁与企业内部优势和劣势进行匹配，形成可行的战略。

SWOT分析法的优点在于考虑问题较全面，是一种系统思维，便于发现问题和解决问题，条理清楚，便于检验。

SWOT分析有四种不同类型的组合：优势机会组合（SO）、劣势机会组合（WO）、优势威胁组合（ST）及劣势威胁组合（WT）。SWOT矩阵见表2-1。

表2-1　SWOT矩阵

	机会（O）	威胁（T）
优势（S）	SO战略	ST战略
劣势（W）	WO战略	WT战略

SO战略是指一种发展企业内部优势与利用外部机会的战略，是一种理想的战略模式。当企业具有特定方面的优势，而外部环境可以为发挥这种优势提供有利机会时，可以采取该战略。例如，良好的产品市场前景、供应商规模扩大和竞争对手有财务危机等外部条件，配以企业市场份额提高等内在优势可成为企业收购竞争对手、扩大生产规模的有利条件。

WO战略是指利用外部机会来弥补内部劣势，使企业摆脱劣势获取优势的战略。虽然有时存在外部机会，但企业由于存在一些内部劣势而妨碍其利用机会，可采取措施先克服这些劣势。例如，企业的劣势是原材料供应不足或生产能力不足，从成本角度看，前者会导致生产能力闲置、单位成本上升，后者会导致加班从而产生一些附加费用。在产品市场前景良好的前提下，企业可利用供应商扩大规模、新技术设备降价、竞争对手财务危机等机会，实行纵向整合战略，重构企业价值链，以保证原材料供应，同时可考虑购置生产线来克服生产能力不足及设备老化等劣势。通过克服这些劣势，企业可进一步利用各种外部机会，降低成本，取得成本优势，最终赢得竞争优势。

ST战略是指企业利用自身优势，回避或减轻外部威胁所造成的影响的战略。如在竞争对手利用新技术大幅降低成本,给企业造成较大成本压力的同时材料供应紧张,其价格可能上涨,这些都会导致企业成本状况进一步恶化,使之在竞争中处于非常不利的地位。但若企业拥有充足的资金、技术娴熟的工人和较强的产品开发能力,便可利用这些优势开发新工艺,简化生产工艺过程,提高原材料利用率,从而降低材料消耗和生产成本。

WT战略是指一种旨在减少内部劣势,回避外部环境威胁的防御性战略。当企业存在内忧外患时,往往面临生存危机,降低成本也许将成为改变劣势的主要措施。当企业成本状况恶化、原材料供应不足、生产能力不够、无法实现规模效益,且设备老化,使企业在成本方面难以有大的作为时,企业应采取目标聚集战略或差异化战略,以回避因成本方面的劣势带来的威胁。

汽车企业可在完成环境因素SWOT分析的基础上制订营销方案。汽车企业制订营销方案时应遵循的基本原则是发挥优势因素、克服劣势因素、利用机会因素、化解威胁因素。汽车企业应运用系统分析的综合分析方法,将各种环境因素相互组合,从而制订企业的未来实施方案。

为得到准确的分析结果,在应用SWOT法进行汽车企业环境分析时应遵循一定的规则:对本企业的优势和劣势有客观的认识;能准确区分本企业的现状与前景;进行SWOT分析时,影响因素必须考虑全面;分析时必须与竞争对手进行优势和劣势的比较;分析尽量简洁,避免复杂化及过度分析;SWOT法在应用时会因各企业不同而有所差异,要具体问题具体分析。

SWOT分析也存在一些常见的错误,尤其在初学者进行SWOT分析时容易出现。在整体目标尚未明确或达成共识前就进行SWOT分析,会导致分析结果七零八落,最后无法落实。这是因为最主要的目标可能有3~5个,且不停改变,如此将造成多头出击的状况,有时这样的错误会严重误导分析结果。此外,有时整体目标已经提出,但每个人理解的状况仅停留在各自脑海中,没有经过分享与确认,也容易造成误解。

 阅读材料2-4

理想汽车SWOT分析

理想汽车SWOT分析如下:

S(优势)	W(劣势)	O(机会)	T(威胁)
1. "奶爸车"细分市场,定位精准,瞄准以家庭用户为主的大空间6座SUV市场 2. 公司成本控制较优 3. 采用"2S+2S"营销模式,快速下沉销售网络,攻占2、3、4、5线城市的燃油车市场	1. 产品矩阵不完善,销量和市占率提升相对较慢 2. 无法享受国家新能源补贴红利,部分城市限牌 3. 公司业务发展以及服务模式对比其他新势力相对单一 4. 自动驾驶布局晚于其他头部新势力,核心研发能力偏弱	1. 碳达峰、碳中和趋势推动新能源汽车快速发展 2. 全球新能源汽车市场火爆,政府支持政策频出 3. 二胎、三胎政策鼓励,"奶爸经济"被认为是目前以及未来最有潜力的市场之一	1. 新能源汽车高端市场面临其他头部造车新势力和BBA传统车企的竞争威胁 2. 新能源汽车市场竞争全面加剧,特斯拉、比亚迪带来的"鲶鱼效应"显现,多家车企布局增程式车型

(续)

S(优势)	W(劣势)	O(机会)	T(威胁)
4. 创始人和运营团队源自汽车之家,充分了解国内汽车消费者的消费行为和心理 5. 全系标配免费自动驾驶服务,OTA升级快速迭代	5. 核心零部件布局偏弱,产业链话语权有待加强 6. 海外市场布局比较缓慢	4. 纯电技术路线仍有冬天续驶短、充电慢、充电难等问题,给增程式电动汽车提供了很大的市场空间 5. 资本市场看好新能源汽车行业发展,利于企业融资	3. 增程式混合动力是过渡性技术,优势随着纯电动汽车平台的发展逐渐弱化 4. 从增程式平台到纯电高压平台跨度大,试错成本高 5. 高压平台产品体验依托高压充电站,超充网络需要大量的用电负荷,资源与布局难度增加

通过SWOT分析,理想提出如下战略:

1. SO战略

1)充分激发"奶爸经济",加速布局以家庭为主的产品,同时开拓周边的商业场景和服务的活动。

2)依托目前线上、线下的营销优势,开展高端亲子类活动,加深品牌的认知度。

3)加强用户的体验需求研究,以大数据为导向,提高产品的迭代速度。

4)加强与地方政府的合作,继续争取政策扶持资金,降低企业运营的成本。

2. WO战略

1)加速产品矩阵的拓宽以及相关产品的交付,集中于"奶爸车"市场,形成规模效应。

2)继续加大研发的投入,利用好国内良好的政策和人才红利。

3)加强产业链上下游的深度合作和共创共投。

4)借助国家充电设施的政策,加速目前理想汽车超充站的建设和运营。

5)需要借助全球政策红利,把握好机会,基于目前产品的优势,寻找合作伙伴,加快海外市场布局。

3. ST战略

1)加大布局,针对传统汽车市场的营销方案,依托目前比较有优势的线上营销以及线下布点的优势,加速提升品牌认知力,尽可能占领更多的市场份额。

2)对标目前的竞品,尤其是竞品公司的新能源汽车爆款产品,从外观、成本、续驶能力、智能化、品控等各个方面加强产品的竞争力。

3)加强高压平台的产品研发,跟拥有核心技术的企业比如英伟达、华为、比亚迪,形成战略合作开发关系,实现优势共赢。

4. WT战略

1)加大高阶自动驾驶功能的演进和搭载,增强目前产品在自动驾驶方面的竞争力。

2)增强高压平台型的测试力度,尽可能把风险控制在上市和交付之前。

3)加强与电力公司的合作,提供一个共赢的储能方案来应对未来对电力的高要求。

4)发展海外业务,在共享出行、智慧出行的新模式下,寻求布局和合作的机会。

2.3.2 市场营销环境分析步骤

汽车企业生存在复杂多变的环境之中，各种环境因素对企业的经营管理活动都会产生一定程度的影响，但它们不是同时、均等地发挥作用的。在不同时期、不同条件下，环境因素对企业经营管理活动的影响是有区别的，有时甚至会有较大的差异。因此，在研究营销环境时，要根据不同的情况做不同的分析，只有区别对待，才能更有效地利用环境因素。

市场营销环境分析一般按以下步骤进行：

（1）营销环境信息收集 汽车企业对直接营销环境和间接营销环境的信息收集工作主要由企业内部报告系统和市场调研系统来完成。内部报告系统能够让企业清楚地认识自己，市场调研系统则能够让企业及时了解外部营销环境。进行市场营销调研可以让企业及时、准确地掌握市场动态，使企业决策建立在坚实可靠的基础之上。

（2）营销环境威胁分析 环境威胁是指企业营销环境因素中对企业发展不利的因素的总和。如果汽车企业不采取果断的营销措施，这种不利因素将会降低企业所占的汽车产品市场份额。因此，可以按威胁的潜在严重性和威胁出现的可能性进行分析，威胁的潜在严重性表示环境威胁出现后给企业带来利润损失的大小，威胁的可能性一般用概率值表示，数值越大表示出现威胁的可能性越大。对汽车企业来讲，威胁的潜在严重性和威胁出现的可能性存在以下四种情况：

1）潜在严重性和出现威胁的可能性均大。这种情况一旦出现，将给企业造成极大的利益损失，应予以高度重视。

2）潜在严重性大，出现威胁的可能性小。这种情况一旦出现，会给企业造成较大的利益损失，不可掉以轻心。

3）潜在严重性小，出现威胁的可能性也小。这种情况一般不构成对企业的威胁，是较为理想的市场营销环境。

4）潜在严重性小，出现威胁的可能性大。这种情况出现以后对企业造成的损失虽小，但也应加以注意。

（3）营销环境机会分析 环境机会是指汽车企业营销环境因素中对企业发展有利的因素的总和。同样的环境对于不同的企业带来的市场机会和市场容量大小往往不一样，由此带给企业的潜在利润不一样，其潜在吸引力也不同。企业在利用各种市场机会时，取得成功的可能性有大小之分。潜在的吸引力是指潜在的盈利能力。在环境机会中，潜在吸引力和成功的可能性存在以下四种情况：

1）潜在吸引力和成功的可能性都很大。这种市场机会属于最好的营销环境机会类型，企业应全力以赴加以发展。

2）潜在吸引力大而成功的可能性小。企业应设法找出导致成功可能性小的原因，察看是不是企业内部存在组织管理不善、技术水平低等方面的原因，然后设法改善不利因素，使企业自身条件加以改善。

3）潜在吸引力小且成功的可能性也小。企业一方面应积极改善自身的条件，一方面观察其发展变化趋势，以准备随时利用市场机会。

4）潜在吸引力小但成功的可能性大。对于大型企业来说，遇到这样的机会往往应观察其变化趋势，而不是积极加以利用；但对于中小型企业来说，因其产生的利润空间已足够企业的生存与发展，所以中小型企业应积极加以利用。

（4）机会—威胁综合分析　通过对环境机会与环境威胁的分析，企业可以准确地找到自己面临的环境机会和环境威胁的位置，确定企业营销战略的方向与重点。如果将环境机会矩阵和环境威胁矩阵结合起来分析，就可以得出机会—威胁综合分析结果。

在机会—威胁综合分析过程中，通过分析机会水平和威胁水平，可以总结出以下四种不同的环境状况：

1）机会水平高，威胁水平高。这种环境为冒险环境。
2）机会水平高，威胁水平低。这种环境为理想环境。
3）机会水平低，威胁水平低。这种环境为成熟环境。
4）机会水平低，威胁水平高。这种环境为困难环境。

企业处于何种环境状态在很大程度上是由宏观环境决定的。因此，企业要经常监测和预测宏观环境的变化，以便及时采取适当的营销策略，使企业发展战略与环境变化相适应，以便在汽车市场的竞争中立于不败之地。

2.3.3　市场营销环境分析策略

市场营销环境分析的基本策略主要从以下两个方面分析：

1. 企业在宏观环境变化中应采取的策略

对于汽车企业市场营销来说，最大的挑战莫过于环境变化，其会对汽车企业造成威胁。而这些威胁的来临一般不为汽车企业所控制，因此汽车企业应做到冷静分析、沉着应对。面对宏观环境变化，汽车企业可以采取以下三种策略：

（1）对抗策略　这种策略要求尽量限制或扭转不利因素的发展。比如企业通过各种方式促使或阻止政府或立法机关通过或不通过某项政策或法律，从而赢得较好的政策法律环境。显然企业采用此种策略时必须以企业具备足够的影响力为基础，一般只有大型企业才具有采用此种策略的条件。此外，企业在采取此种策略时，其主张和所作所为不能逆潮流而动，而应同潮流趋势一致。

（2）减轻策略　这种策略适合企业处于有较多不利因素时采用。它是一种尽量降低销售损失程度的策略。一般而言，环境威胁只对企业市场营销的现状或现行做法构成威胁，并不意味着企业别无他途。企业只要认真分析环境变化的特点，找到新的营销机会，及时调整策略，不仅能使营销损失降低成为可能，还能谋求更大的发展。

（3）转移策略　这种策略要求企业将面临环境威胁的产品转移到其他市场上，或者将投资转移到其他更为有利的产业上，实行多角经营。例如，合资组装方式转移生产、产品技术等都是转移市场的做法。但转移市场要以地区技术差异为基础，即在甲地市场受到威胁的产品，在乙地市场应仍有发展前景。企业在决定是否多角经营（跨行业经营）时，必须对企业是否在新的产业上具有经营能力做谨慎分析，不可贸然闯入。

总之，当企业遇到威胁和挑战的时候，营销人员，尤其是管理者应积极寻找对策，带领全体员工努力克服困难，开创光明前景。

2. 企业在微观环境变化中应采取的策略

成功的企业都离不开机遇。市场机遇是指企业所处的微观市场环境中出现的利于企业发展的机会。研究市场机遇，及时抓住有利的市场机遇，能够使企业走向成功。但是，机遇具有偶然性、时效性和不确定性，如不能及时发现和利用则转瞬即逝，还可能使原本对企业有利的因素变为对企业不利的因素。因此，任何一家企业都应认真分析和研究企业的微观环境，尤其是有关市场竞争的各种信息，使之为企业所用。企业在面对各种微观环境变化时，可采取以下五种策略：

（1）**开发性策略** 当消费者对企业的现有产品或服务不满意而产生更高层次的需求时，企业就面临着一种微观环境的改变，即原有市场发生变化，潜在需求出现。这时如不能及时抓住机会改变原有产品，就有可能失去已占领的市场。因此，必须立即组织研究人员在短期内开发出能满足消费者需求的新产品。假如这种新产品开发的过程较复杂、需要投入大量人力和财力或所需的时间很长，应在产品开发的不同阶段，把开发信息传递给消费者。这样，不仅能使消费者知道自己的需求将得到满足，还可以起到刺激需求、扩大影响和促销的多重作用。

（2）**同步性策略** 当企业的市场竞争者以相同质量、相同价格的产品打入市场时，企业面对的可能是十分复杂和难以独家取胜的市场环境。这时，如果企业处于领先地位，则应保持住原有的市场地位；如果处于市场竞争中的次要地位，则应与同类型企业步调一致。所谓同步性是指在资金、人力和物力一定的情况下，避免出风头，与市场上大多数同类企业保持一致的步调，否则将有可能很快被挤出市场。在任何国家，不管它的经济多么发达，任何一家企业都不可能完全垄断市场，总要与众多企业共同生产或经营同类产品。那么，假如在条件不允许的情况下，与领先的企业竞争，就可能很快被击垮；与大多数企业共同生存，则可能会保持住企业现有阵地从而生存并发展起来。

（3）**改变性策略**（扭转性策略） 扭转性策略是指当微观环境中的某一部分对企业的产品或服务不产生需求或产生抵触性需求且这种情况具有暂时性或可扭转性时，企业不应立即放弃在这一领域的营销活动，而应该采取相应措施改变这部分消费者的意念或需求倾向，把负需求倾向转变为正需求。具体做法是在这部分消费者集中的区域内，大范围、大轮回地进行促销活动，通过示范性使用、名人效应以及其他一切可行的促销方法去促使他们改变自己的行为。如果这部分消费者中多数消费者属于理性消费者，应考虑多用实例和数据来说明其产品的效果；如果多数属于感性或冲动消费者，则应多用刺激性事例或场面较大的、能引起即时效应的方法来引导购买。很多实例证明，当企业产品质量过关且未处于市场生命周期末端时，一部分消费者的负需求是完全可以通过策略加以改变的。

（4）**适应性策略**（差别性策略） 当消费者存在较明显的购买力差别时，企业应适应这种状况，把相同产品的销售价格分别定在不同的档次上，即在不同地区、不同时间、不同的交易形式下，将同一产品定为不同的价格。这种营销方法的基础是由于购买力水平不同而产生的不同消费心理。当然，并不是所有产品在任何条件下都可以采用这一策略。比如：以较低价格购买产品的消费者能够很容易地以较高价格把该产品倒卖给其他消费者；对于以高价销售产品的竞争者,便不适合采用这种以低价格倾销占领市场的策略。企业在实际运用这一策略时可以灵活变通,比如同质量产品以不同形式出现时,可以稍加改变产品的外形,也可以把产品的包装变得华丽些,或者在高价产品上加些饰物。这样,既能保证生产时不改变工艺流程,生产出与原产品或低价产品"不同"且可以以高价出现在市场上的产品,又能使消费者产生以高价购回的产品有别于一般产品的想法,以满足消费者求名的消费心理。

(5) **转移性策略** 转移性策略是指当微观环境中原有消费者的消费习惯或消费行为改变,或企业的产品不被消费者接受而产生市场威胁时,应把产品及时、迅速地转移到其他地区以求发展。比如在两个地区生活水平或购买力水平存在差异的情况下,当产品在购买力水平高的地区被多数消费者放弃时,可转移到购买力水平低的地区继续销售。当然,采取这种策略时必须考虑产品的市场生命周期和消费状况以及区域间的差别,不能一概而论地把此地滞销的产品转移到彼地销售而不做任何市场调查和预测。在商品经济发达的情况下,各地区市场消费状况的差异性会逐渐缩小。因此,若要采用此方法进行营销,必须先进行周密的市场调查研究,切不可轻举妄动。

本 章 小 结

本章从汽车市场营销环境的概念入手,阐述了汽车市场营销环境的特点。汽车市场营销环境可分为宏观环境和微观环境。宏观环境主要包括人口、经济、自然、政治、法律、科学技术、社会文化等多方面因素;微观环境主要有企业内部环境、营销渠道、消费者、竞争者和社会公众等环境因素。汽车企业必须研究营销环境,以寻找机遇,规避威胁。同时,可借助一些分析方法来更好地分析汽车市场营销环境,如 SWOT 分析法。

习 题

1. 概念理解
(1) 市场营销环境
(2) SWOT 分析法
2. 思考与讨论
(1) 汽车营销环境的分析对汽车企业营销有什么意义?
(2) 如何分析汽车企业的宏观环境?它由哪些因素组成?
(3) 如何分析汽车企业的微观环境?它由哪些因素组成?
(4) 分析"80后"的成长环境对未来15年轿车消费市场的影响。

【案例分析】

新势力汽车品牌

我国新势力汽车通常具有以下特点:

1. 创新的技术和设计

新势力汽车品牌注重技术创新,不断推出具有竞争力的电动车型,同时在设计上更加时尚、个性化。

2. 互联网思维

新势力汽车品牌通常采用互联网思维，注重用户体验和服务，通过线上、线下相结合的方式，为用户提供更加便捷的购车和售后服务。

3. 资本支持

新势力汽车品牌在发展过程中通常获得了大量的资本支持，这为它们的技术研发、生产基地建设和市场推广提供了有力保障。

我国新势力汽车品牌有：

1）蔚来汽车：成立于2014年，总部位于上海，是一家全球化的智能电动汽车公司，致力于通过提供高性能的智能电动汽车与极致的用户体验，为用户创造愉悦的生活方式。

2）小鹏汽车：成立于2014年，总部位于广州，是我国领先的智能电动汽车设计及制造商，也是融合前沿互联网和人工智能创新的科技公司。

3）理想汽车：成立于2015年，总部位于北京，是一家新能源汽车制造商，致力于研发和生产高品质的智能电动汽车。

4）威马汽车：成立于2015年，总部位于上海，是一家新能源汽车制造商，致力于推动智能电动汽车的普及和发展。

5）哪吒汽车：成立于2014年，总部位于浙江桐乡，是一家新能源汽车制造商，致力于为用户提供高品质的智能电动汽车产品和服务。

6）零跑汽车：成立于2015年，总部位于浙江杭州，是一家新能源汽车制造商，致力于为用户提供高性价比的智能电动汽车产品和服务。

7）爱驰汽车：成立于2017年，总部位于上海，是一家新能源汽车制造商，致力于为用户提供高品质、高性能的智能电动汽车产品和服务。

思 考 题

1. 新势力汽车能够在怎样的市场环境中发展？
2. 请谈谈新势力汽车比传统汽车有何优势和劣势？

第 3 章 / Chapter 3

汽车购买行为分析

【教学要点】

知识要点	掌握程度	相关知识
消费者市场	理解消费者市场的基本概念 理解消费者购买行为模式 了解汽车消费特点	消费者市场的含义 消费者购买行为模式
购买行为因素	掌握影响消费者购买行为的因素	政治、经济、社会、文化因素 个人、心理因素
购买行为分析	掌握消费者购买行为类型 掌握消费者购买决策过程	购买行为类型 消费者角色、决策过程 顾客满意战略

导入案例

跨界营销

跨界营销是指两个或多个不同行业的品牌或企业，通过合作、联合推广等方式共同开展营销活动，以达到互利共赢的目的。跨界营销的好处在于可以整合双方的资源和优势，扩大品牌影响力，提高市场占有率，同时为消费者带来更多的价值和体验。

比如可口可乐与魔兽世界合作推出了一系列限量版包装和主题活动，吸引了大量游戏玩家和可口可乐消费者的关注；迪士尼收购漫威后，将漫威的超级英雄角色引入迪士尼的主题公园、电影、电视剧等产品中，为迪士尼带来了新的增长活力。实践表明，跨界营销可以为品牌带来新的机遇和挑战，但需要双方在合作前充分了解对方的品牌定位、目标受众和市场需求，制定合适的营销策略和合作方案，以确保合作的成功。

跨界营销的本质是借助外力解决品牌问题，最终可以获得1加1大于2的营销效果。跨界营销可以分为4类：跨界品牌、跨界用户、跨界场景、跨界产品。

很多汽车品牌都在跟上跨界的浪潮，集中诉求，通过跨界营销来解决和推动品牌的年轻化。那么汽车品牌是如何向年轻群体跨界的？

1. 跨界动漫

《灵笼》是一部通过B站独家播放的科幻题材原创动漫，评分高达9.6分。奥迪跨界国漫推出的《灵笼》，以科幻为支点，深度融入剧情，推出了番外篇。奥迪作为末日战车霸气出场，其与剧情衔接自然流畅，为漫粉们带来了无限期待。同时锁定独播平台B站圈定流量，成功助力平台年轻化，收割了一大波好感，打通了《灵笼》的粉丝圈层。B站圈和国漫圈帮助奥迪成功圈定了目标受众。科幻题材进一步强化了奥迪品牌的科技感与未来感，使品牌与国漫方名利双收。

2. 跨界游戏

游戏早已成为年轻消费群体的热门兴趣之一，雷克萨斯通过游戏直播平台跨界合作，

《灵笼》片段

紧贴游戏主题，打造了一款以游戏为主题的 IS 特别版车型。该车基于新款 IS F Sport 车型打造，并在车内配备了专业的游戏设备，内饰整体氛围极为酷炫。活动中，雷克萨斯通过用户共创的形式给予了用户自由的创作空间，激发了高涨的参与热情，共征集了超过 55 万名用户的意见。通过此次跨界，雷克萨斯借助游戏直播的沉浸氛围将目标受众成功锁定。

雷克萨斯跨界
游戏简介

3. 跨界产品

保时捷关注生活方式，在运动手表、眼镜、电子产品、文具等领域与众多品牌开展合作。保时捷在运动领域与彪马达成长期合作，在拓宽品牌使用场景的基础上，助力品牌年轻化。在纪念保时捷 911 60 周年时，彪马和保时捷推出联名限量鞋款，灵感来自 911 S/T 和最初的 911 S（T），分别限量 1972 双和 1963 双。新鞋的发售形式颇为亮眼，全面激活线上的推广方式，紧贴销售导向活动。前期发布 AI 试穿小程序，不断促进话题发布活动；中期搭建销售触点，在网上销售页面发起"2.7 秒购买世界上最快的运动鞋"活动，购买按键只出现 2.7 秒便会消失，提高了活动的趣味性与互动性，赚足了噱头；活动后期，线下实体店全面上线，联名产品进行发售。

3.1 汽车购买行为概述

企业市场营销的目的就是在使消费者满足需求并感到满意的基础上获得利润。这就需要企业首先要识别消费者的需求并进行引导,最终促成消费者购买产品。消费者的行为有其自身的规律,汽车企业的市场营销要围绕满足消费者需求这一中心展开各种活动,要想取得成功,就必须了解消费者购车行为的产生、形成过程和影响因素,把握消费者购车行为的规律,从而使企业正确制定营销战略,实现其经营目标。

3.1.1 汽车消费者市场的概念及组成

1. 汽车消费者市场的概念

汽车消费者是指为了购买和使用汽车而消费的人。一般把汽车消费者所组成的市场称为汽车消费者市场。

市场营销的最终目标就是要满足消费者的欲望与需求。而消费者市场是商品或服务的最终市场,是实现企业利润的最终环节。所以对企业来说,无论是生产企业还是商业、服务企业,无论是否直接为消费者服务,都必须研究消费者市场。其他市场,如生产者市场、中间商市场等,虽然购买数量很大,常常超过消费者市场,但其最终服务对象还是消费者,仍然要以最终消费者的需要和偏好为出发点。从这个意义上说,消费者市场是一切市场的基础,是最终起决定作用的市场。

2. 汽车消费者市场的组成

汽车消费者市场的组成如下:

(1) 个人消费者市场 个人消费者指的是将购买汽车作为个人或家庭的消费,满足其在工作、生活上需求的消费群体。在当今世界范围内,个人汽车消费者市场人数众多,对汽车的需求十分强劲，占据了每年世界汽车消费者市场的绝大部分。目前，个人消费者市场是我国汽车消费者市场增长最快的一个细分市场，汽车消费以个人消费、新增需求为主。

（2）集团消费者市场 集团消费者是指将汽车作为集团消费性物品使用，维持集团事业运转的集团用户。集团消费者市场是我国汽车市场中比较重要的一个细分市场，其重要性不仅表现在具有一定的需求规模，还常常对全社会的汽车消费起着示范性作用。政府机关、学校、企业等组织构成了汽车集团消费者市场。企业单位的用车在日益激烈的市场竞争的压力下实行按需购车，而不是按照部门的意愿购车。汽车营销人员应该密切注意相关政策的变化。

（3）经营用户市场 经营用户市场是指以运营为基本特征，将汽车作为生产资料使用，满足生产、经营需要的组织和个人构成的汽车经营用户市场。在经营用车中主要有高档公路运输客车、旅游客车、中轻型客车、城市公交车、出租车以及旅游用车等。目前，这一市场在我国汽车市场上也占有重要位置。

（4）其他直接或间接用户市场 这个市场指的是以上用户以外的各种汽车用户及其代表，主要包括以进一步生产为目的的各种再生产型购买者（汽车租赁业），以及以进一步转卖为目的的各种汽车中间商。在此有必要强调一下汽车租赁业。在发达国家，汽车租赁业是左右汽车市场发展的一股非常重要的力量，很多汽车制造商都与汽车租赁公司有着深度的业务联系，最新、最好的车会首先出售给汽车租赁公司使用，几年后再折价更换新车，回收的旧车进入特约经销站的旧机动车市场。

3.1.2 消费者购买行为模式

1. 消费者购买行为简单模式

对于市场营销人员来讲，其主要任务是分析和研究有关消费者市场的"6W1H"问题。

1）Who——谁构成市场，即购买者（Occupant）。
2）What——他们在购买什么，即购买对象（Object）。
3）Why——他们为何购买，即购买目的（Objective）。
4）Who——谁参与了购买，即购买组织（Organization）。
5）When——他们何时购买，即购买时间（Occasion）。
6）Where——他们在何地购买，即购买地点（Outlet）。
7）How——他们怎样购买，即购买方式（Operation）。

由于以上7个英文单词的开头均为字母"O"，所以也称"7O"研究法。要解决以上问题，必须研究消费者购买行为模式。

消费者购买行为模式实质上是一种刺激-反应模式，即消费者在一定的外界刺激下，会产生一定的反应。该模式的主要内容是：首先，消费者总是处于一定的外界刺激下。这些外界刺激可分为两类。一类是企业营销刺激，即企业所提供的产品、价格、分销和促销；另一类是其他环境刺激，即消费者所处的经济、技术、政治、文化等外部环境。其次，上述两类外界刺激必然会对消费者产生一定影响，导致消费者做出某种最终反应。这些最终反应体现在消费者对产品、品牌、经销商、购买时机及购买数量等的选择方面。通过一系列选择，消费者最终实现其购买行为。

2. 消费者购买行为模式与"购买者黑箱"

不同的消费者对相同的外部刺激会产生不同的反应，其原因是消费者从受到刺激到做出反应，其间还会经历一个看不见的中间过程，即具有不同特征的消费者做出不同购买决策的过程。在消费者购买行为研究中，人们通常将看不见的中间过程称为"购买者黑箱"，包括购买者特征、购买者决策过程。市场营销人员的任务就是研究"购买者黑箱"，即研究影响消费者对外部刺激做出反应的因素，了解消费者对特定刺激的反应，揭示消费者行为规律，从而有的放矢地制定营销策略。

消费者对于外部刺激的反应（即消费者决策）取决于两方面因素：一是消费者的特征，它受多种因素影响，并进一步影响消费者对刺激的理解和反应；二是消费者的购买决策过程，它影响最后的决策。

综上所述，研究消费者购买行为模式的实质就是对"购买者黑箱"进行分析，分析消费者对刺激因素的反应，也就是回答两个问题：消费者的特征如何影响购买行为？消费者的购买决策如何影响其购买行为？

3.1.3 汽车消费特点

汽车消费有以下几个特点：

1）汽车的价格比较高。虽然随着我国加入世界贸易组织（WTO）后，跨国汽车公司的介入冲击了我国的汽车市场，汽车的价格出现了明显的降低，但是下降只是相对的，汽车的价格便宜的要几万元，贵的达到几十万元，甚至百万元、千万元。所以，相对于目前我国平均消费水平来说，买车仍然需要一定的经济实力。

2）汽车的使用成本比较高。汽车在使用过程中，除了油费，每年还要交保险费、年检费以及日常的维护、修理费用等，出行时要交过桥费、高速公路的过路费、停车费等，这让部分消费者产生了"买得起车，却养不起车"的感叹。

3）汽车的消费将更多、更直接地受宏观经济的影响。当前已经进入汽车市场政策敏感期，政策信息、政策动态都将对汽车市场产生重大影响，甚至是决定性的影响。2019年新能源补贴大幅下降，导致从7月起新能源汽车销量持续下滑。2020年补贴或不再大幅下降，有助于2020年新能源销量回暖。此外规模效应及技术进步带来产业链持续降本有助于企业盈利能力的提升。

4）汽车的消费需求随时代的发展而变化。个人购买需求一般从简单到复杂、由低级向高级发展。在现代社会中，各类消费方式、消费观念、消费结构的变化总是与需求的发展性和时代性息息相关的。所以，汽车产品个人购买需求的发展也会永无止境。一汽大众的捷达轿车就是一个很好的实例。它最早投入市场时为化油器式的发动机燃油系统，后来进一步发展为二气门式多点电喷汽油机、六气门式多点电喷汽油机，接着开发了自然吸气式柴油机。

5）汽车消费者购买行为相对复杂。这方面主要表现在影响消费者购车行为的因素比较多，消费者从有需求到购买汽车受到一系列复杂因素（如经济、文化、性格等）的影响。

3.2 影响汽车购买行为的因素

分析影响消费者购买行为的因素有助于企业制订有效的市场营销活动方案。消费者的购买行为受到诸多因素的影响，可以大体将其归为外部因素和内部因素两大类。

3.2.1 外部因素

外部因素是指外在的、对消费者购买行为产生间接影响的因素，一般包括政治因素、经济因素、社会因素和文化因素。

1. 政治因素

一个国家的政策会对消费者的购买行为产生间接的影响。汽车消费政策包括购买阶段的政策、保有阶段的政策、使用阶段的政策。随着私人购车比例的增加，汽车消费政策对汽车市场的影响越来越大。在我国市场，消费者在汽车的购买和使用过程中除负担日常的消耗费用，还要承担不少杂费，比如购置税、保险费等，这些都影响了汽车工业的发展。但是近几年国家正在努力改善这一状况，陆续制定了各项合理的政策。相关机构和部门越来越意识到，一个良好、宽松的汽车消费环境对于汽车消费的激励作用很大。

2. 经济因素

影响汽车市场购买行为的经济因素主要是社会生产力水平和消费者收入水平。具体如下：

（1）**社会生产力水平对市场购买活动的影响**　购买行为的对象——商品的提供，归根到底受社会生产力发展水平的影响。它决定着一个社会所能提供的商品的种类、数量和质量，同时也影响着人们的消费观念。例如，在卡尔·本茨发明汽车以前，无论多么富裕的组织和个人都不可能产生购买汽车的想法和购买到汽车这种产品。

（2）**消费者收入水平对市场购买活动的影响**　大多数企业真正关心的并不是社会的生产力发展水平，而是它所面对的消费者的收入水平。

轿车的私人购买与人均 GDP 之间有着必然的联系。人们用 R 值来表示这两者之间的关系：$R=$ 轿车的价格/人均 GDP。一般来说，当 R 值为 2~3 时，私人更倾向于购买轿车。

消费者的收入是有差异的，同时又不断发生变化，因此会影响消费的数量、质量、结构以及消费方式，从而影响市场购买行为。

1）消费者绝对收入变化影响购买行为。引起消费者绝对收入变化的主要因素是消费者工资收入变化、财产价值意外变化等。同时，政府的税收政策变化、企业经营状况变化，都会导致消费者绝对收入的变化。同样是在购买汽车的问题上，当消费者收入较低时，最关注的往往是汽车的价格和耗油量。而随着收入的提高，可能会对汽车的安全性能和外观提出要求，对汽车售后维修、零部件的供给更为关注。

2）消费者相对收入变化影响购买行为。消费者相对收入变化是指当其绝对收入不变时，由于其他社会因素（如商品价格、分配方式等）产生变化，而使收入发生变化。

3)消费者预期收入变化影响购买行为。消费者在购买贵重商品时,往往要对未来的收入情况做出一定的预估,尤其在打算采用贷款或者分期付款的购买方式时更是如此。现今,对于我国大多数消费者来说,购买汽车仍然属于一项重要开支,因此汽车生产企业必须考虑到消费者对未来收入的预期可能对其购买行为产生比较大的影响。除了消费者自身的工作环境和能力,总体经济环境、社会的稳定程度以及社会保障体制的健全与否都会影响到消费者对未来收入的预估。

3. 社会因素

消费者的购买行为还会受社会因素的影响。这些社会因素主要有社会阶层、相关群体、家庭和角色地位四类。

(1) 社会阶层的影响　划分社会阶层的主要标准是消费者的职业、收入、受教育程度和价值观等。不同层次的消费者由于具有不同的经济实力、价值观念、生活习惯和心理状态,最终会产生不同的消费活动方式和购买方式。企业的营销工作应当集中于为某些特定的阶层(即目标市场)服务,制定相应的营销组合策略,而不是同时满足所有阶层的需要。

(2) 相关群体的影响　个人的行为会受到许多群体的影响,相关群体可分为三类:

1) 紧密型群体,即与消费者个人关系密切、接触频繁,对其影响最大的群体,如家庭成员、邻里街坊、同事等。

2) 松散型群体,即与消费者个人关系一般、接触不太密切,但对其仍有一定影响的群体,如个人所参加的学会和其他社会团体等。

3) 渴望群体,即消费者个人并不是这些群体的成员,但却渴望成为其中一员,羡慕该类群体中某些成员的名望、地位,因此效仿他们的消费模式与购买行为。这类群体的成员主要是各种社会名流,如文体明星、政界要人、学术名流等。

相关群体对消费者购买行为的影响是潜移默化的。有研究表明,汽车个人消费者的购买行为容易受到相关群体的影响。例如,当一个家庭购买了一辆满意的轿车时,就会向周围群体传达关于产品的积极信息,在其影响下,其朋友和同事等相关群体很有可能会选择这款车型。

(3) 家庭的影响　消费者家庭成员对消费者的影响极大,人们的消费习惯、消费观念、消费方式和行为最先是从家庭继承而来的。在个人消费者购买决策的参与者中,家庭成员的影响作用排在首位。家庭对消费活动的影响表现在三方面:家庭决定了其成员的消费行为方式,常常是父母影响子女,子女继承父母的消费行为方式;家庭影响其成员的价值观,但并非绝对,有时子女会接受新时代的价值观;家庭消费的决策方式会随家庭成员的变化而发生变化,家庭的多种消费价值观对消费者购买行为的影响程度根据家庭的购买权威中心的差别进行区分。

家庭购买行为类型基本上可以分为四类:丈夫决策型、妻子决策型、协商决策型和自主决策型。私人汽车的购买,在买与不买的决策上,一般体现为丈夫决策型或协商决策型;但在款式或颜色的选择上,一般体现为妻子决策型。在具体购买活动中,夫妻购买决策的形式会因商品性质的不同而有所不同,见表3-1。从营销角度来看,认识家庭的购买行为类型有利于营销者明确自己的促销对象,以便实施更好的营销策略。

表 3-1　丈夫和妻子对购买决策的影响

购买因素	汽车	白衬衫	电视机	洗衣机
品牌	H	*	H	W
功能	H	H	H	W
式样	W	H	W	W
规格	H	H	H	W
售后保障	*	—	H	W
价格	H	W	H	H
商店	H	*	W	H
服务	H	—	H	H

注：H 为丈夫影响大；W 为妻子影响大；* 为夫妻影响相同；— 为没有意义。

（4）角色地位的影响　营销学中的角色地位是指个人消费者在不同的场合所扮演的角色及所处的社会地位。个人在一生中会加入许多群体，如家庭、俱乐部以及各类组织。每个人在各群体中的位置可用角色和地位来确定。每个角色都对应着一种地位，这一地位反映了社会对他的总评价。因而，消费者在购买商品时除考虑自身的经济实力，还往往结合自己在社会中所处的地位和角色来考虑，部分人将自己所购买的产品看成个人地位的标志。

4. 文化因素

文化是指人类从生活实践中建立起来的文学、艺术、教育、科学等的总和，包括民族传统、宗教信仰、风俗习惯、审美观和价值观等。影响个人购买汽车的文化因素主要有民族传统、审美观和价值观。

（1）民族传统　国人一向在消费上表现出重积累、重计划等特点，在选择商品时追求实惠和耐用。但同时我国是一个快速发展的国家，许多青年人在文化上与西方国家的差异已经缩小，在消费行为上表现为注重当前消费，购买时不太追求实用而讲究时尚等。

（2）审美观和价值观　不同的消费者有不同的审美观和价值观。审美观和价值观不是一成不变的，往往受社会舆论、社会观念等多种因素的影响，并制约着消费者的欲望和需求的取向。如我国汽车消费者一般认为美国车以宽敞、舒适胜出；德国车以精密、操控感强胜出；日本车和韩国车以配置丰富、各方面均衡胜出。在 20 世纪八九十年代，国人对两厢车有着严重的排斥心理，认为三厢车才是真正的轿车，且两厢车在追尾碰撞时不安全。现在两厢车反而很受欢迎。在现阶段的我国汽车市场，各种类型的汽车在我国私车消费领域都有拥护者，说明消费者对汽车的审美观是不一致的，也很容易变化。这要求汽车生产企业必须花更多的精力用于市场调研，从而推出适合不同消费群的车型。

阅读材料 3-1

汽车跨界篮球

篮球是年轻人最喜爱的体育运动之一，NBA 是年轻人最喜欢看的赛事之一。那么，NBA 与汽车会碰撞出怎样的火花呢？

时间追溯到2007年,最早在我国和NBA合作的车企是丰田汽车(中国)投资有限公司(以下简称丰田),当时NBA在我国正处于迅速发展的时期,出现了姚明等体育明星。面对这个非常好的时机,丰田选择成为NBA中国赛的赞助商。2008年开始,丰田分别在广州、北京、天津、成都、长春举办了各种各样的NBA关怀活动。通过比赛、捐赠体育设备设施,丰田让当地的孩子们体验篮球比赛,体验体育带来的快乐。

2015年10月,东风日产开展了与NBA的合作,双方在篮球与汽车的文化推广、品牌营销方面达成了共识并开启了一系列的活动,如球星见面会。同时推出猛龙、雄鹿、勇士等球队核心主题的精品礼包,包括印有球队LOGO的脚垫、手机支架等。双方合作让更多的年轻人了解篮球、了解日产品牌。

2021年6月22日,小鹏汽车与NBA中国共同宣布结为官方市场合作伙伴关系,开启为期三年的合作。

小鹏汽车围绕NBA 3X等重要赛事活动推出创新营销方案,并作为官方市场合作伙伴深度参与。同时,小鹏汽车在品牌展示、营销推广、鹏友体验活动等方面融入NBA元素,为热衷于小鹏汽车、热爱NBA的用户提供了更多的惊喜和福利。

小鹏汽车董事长兼首席执行官何小鹏表示:小鹏汽车非常荣幸能够与NBA中国建立正式的业务合作伙伴关系。作为世界著名的体育赛事联盟,NBA不仅有悠久的文化积淀,在中国同样拥有庞大的球迷根基,已经超越了篮球本身,形成了独特的体育精神文化。NBA体育精神是让人所敬仰和钦佩的一种精神,相信很多球迷因为这种精神一直热衷于NBA的赛事。

不断突破界限,尝试挑战不可能。伴随着球场上激情的表现,往往会给车迷带来超出预期的意想不到的结果——这正是小鹏汽车自成立以来所追求的。小鹏汽车之所以能够以不断挑战的发展理念成为NBA中国的合作伙伴,就是因为大家的理念一致,价值观相同并且相互认可。

此外,NBA中国区总裁马晓飞表示:我们邀请小鹏汽车加入NBA大家庭。小鹏汽车致力于通过创新的产品和体验紧密联系消费者,这与NBA的理念不谋而合。我们期待未来与小鹏汽车合作,以卓越的产品和丰富的活动服务我们的球迷,给球迷朋友们带来难忘的经历和不同的体验。

小鹏汽车提出了"敢想敢做,随时突破边界"的口号。当智能驾驶和篮球体育邂逅,新的探索乐趣即将同步焕新。小鹏汽车在营销上的确花了不少工夫,并且在销量上实现了大幅增长。在新势力造车企业中,小鹏汽车能从二线梯队跻身一线阵营,除了产品本身具有实力,和其丰富的营销手段不无关系。

3.2.2 内部因素

内部因素是指内在的、对消费者购买行为产生直接影响的因素，一般包括个人因素和心理因素。

1. 个人因素

消费者的购买决策受到个人因素的影响，体现在以下几个方面：

(1) 年龄及人生阶段 消费者的购买行为与所处的年龄阶段密切相关，人们在一生中购买的商品和对服务的需求会随着年龄的增长而变化，不同年龄的消费者购买行为有所不同。企业可以把产品和服务定位于一个或多个特定的年龄群。例如，青年人的品牌意识较强，而老年人更注重产品的实用性。

消费者购买行为还受家庭生命周期的影响。在家庭生命周期的不同阶段，消费者的行为呈现不同的主流特性。根据年龄、婚姻状况、子女状况的不同，一个家庭可以划分为不同的生命周期，传统家庭的生命周期可划分为以下八个阶段：

1) 单身阶段。这一阶段以年轻人为主。随着结婚年龄的推迟，这一阶段的群体数量正在增加。虽然收入不多，但由于没有其他方面的负担，所以他们往往拥有较多的可支配收入。收入的大部分用于支付房租，购买护理用品、基本的家电和交通、度假等方面。这一阶段的群体比较关心时尚、崇尚娱乐和休闲。

2) 新婚阶段。这一阶段从新婚夫妻正式组建家庭开始，到他们的第一个孩子出生结束。在这个阶段，两人一方面要共同决策和分担家庭的责任，另一方面对许多新的问题，如储蓄、购买住房和家具等，必须认真思考并做出决策。这个阶段的特点是年轻、无子女、经济状况好、购买力强、耐用品购买力高。他们是昂贵服装、高档家具、餐馆饮食、奢侈度假等产品和服务的主要消费者。

3) 满巢Ⅰ阶段。这个阶段的家庭通常由6岁以下孩子和年轻夫妇组成。第一个孩子的出生常常会给家庭生活方式和消费方式带来很大变化。一方面，婴儿用品、家具、食物和保健用品等成为家庭主要购买对象；另一方面，生活方式大大改变，家庭随意性支出减少，度假、餐饮、汽车的选择均要考虑孩子的需要。

4) 满巢Ⅱ阶段。在这一阶段，最小的孩子一般已超过6岁，大多数已入学读书。家庭用于孩子教育的支出会大幅度增加。

5) 满巢Ⅲ阶段。这一阶段家庭通常由年纪较大的夫妇和仍未完全独立的孩子所组成。在此阶段，有的孩子已经工作，家庭财务压力有所减轻。由于夫妻双双工作，加上孩子能不时地给家里一些补贴，所以家庭经济状况明显改善。通常家庭会更新一些大件商品，购买一些更新潮的家具，还会花钱外出就餐、旅游等。

6) 空巢Ⅰ阶段。这一阶段子女已经成年并且独立生活，夫妻仍有劳动能力。这一阶段父母用于身体保健、培养新的爱好、单独外出旅游、购买高档物品等方面的支出会上升。

7) 空巢Ⅱ阶段。这一阶段子女早已离家分居，家庭由已退休的老年夫妻组成。在这一阶段消费者收入大幅减少，消费更趋谨慎，倾向于购买有益于健康的产品。

8) 家庭解体阶段。当夫妻中的一方去世，家庭即进入解体阶段。如果在世的一方身体尚好，有工作或有足够的储蓄，并有亲朋的关照，家庭生活的调整会容易些。由于收入减少，他们会更加节俭。而且，这样的家庭会有一些特殊的需要，如更多的社会关爱和照看。

消费者在家庭生命周期不同阶段的需求和消费行为有较大差别，企业可以制订专门的市场营销计划来满足处于某一或某些阶段消费者的需要。

（2）职业 一个人所从事的职业会直接影响人们的生活方式和消费习惯，不同职业的消费者的购买模式有所不同。例如，蓝领工人与公司总裁的需要是不同的，农民和演员的需要也有巨大的差别。这不仅是由不同的工作性质和劳动环境所造成的，也与人们处在不同的社会阶层中所具有的价值观念、生活方式、经济状况等方面不同具有密切的关系。因此，营销人员应该对各种不同职业群体的需要进行深入的调查研究，找出对自己产品或服务感兴趣的职业群体，并根据其职业特点制定适当的营销组合策略。

（3）经济状况 经济状况直接决定了消费者的购买力。一般说来，收入较低的消费者往往比收入较高的消费者更关注商品价格的高低。因此，消费者个人收入、储蓄及存款利率的变化等影响企业对目标市场的选择和营销策略的制定。

（4）生活方式 从经济角度看，一个人对产品和服务的选择的实质在于声明他是谁、他想拥有哪类人的身份。消费者经常选择这样而不是那样的产品、服务和活动，是由于他们把自己与一种特定的生活方式联系在一起。因此，企业必须明确产品或品牌与消费者生活方式之间的关系，对目标消费者的生活方式有一个清晰的把握，并在整体市场营销活动中做出相应的决策，以便尽可能吸引拥有相关生活方式的消费者的注意和购买。

（5）个性 个性是指人的气质、性格、能力和兴趣等心理特征的统一体，是个人带有倾向性的、比较稳定的、本质的心理特征的总和，是个体独有的。消费者千差万别的购买行为往往是以他们各具特色的个性为基础的。一般说来，气质影响消费者行为活动的方式，性格决定消费者行为活动的方向，能力标志着消费者行为活动的水平。

2. 心理因素

消费者购买行为除受个人因素影响，还会受心理因素的影响。心理因素包括动机、知觉、学习、信念与态度等。

（1）动机 动机是一种驱使人满足需要、达到目标的内在驱动力，能够及时引导人去探求满足需要的目标。行为科学认为，动机是影响人的行为的直接原因，并规定了行为的方向。因此，研究消费者购买行为必须研究其动机。人的行为是由动机支配的，而动机又是由需要引起的。人的需要是多种多样的，这些需要可以从多个角度予以分类。美国心理学家亚伯拉罕·马斯洛（Abraham Maslow）的需要层次理论（如图3-1所示）将人类的需要按由低级到高级的顺序分为生理需要、安全需要、社会需要、尊重需要和自我实现需要五个层次。

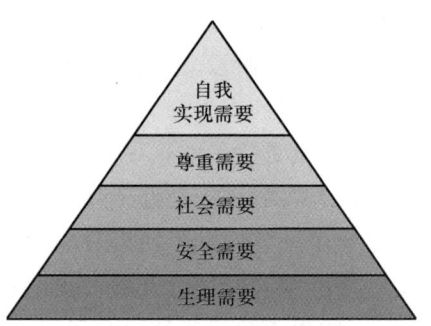

图3-1 马斯洛需要层次理论

一个人会同时存在多种多样的需要，包括物质和精神需要。但是每种需要的重要性在特定时期并不一样。每个人都会首先寻求满足他最重要、最迫切的需要，即需要结构中的主导需要。这个主导需要形成的驱动力就是人们的行为动机。在成功地满足这个主导需要之后，人们才会注意下一个相对较为重要的需要。一般来说，人们对需要的满足，是从较低的层次向较高的层次发展的。

（2）**知觉** 人们通过各种感觉器官来感知外界刺激，不同消费者对同样的外界刺激会产生不同的知觉。知觉是指人们收集、整理、解释信息，形成有意义的客观世界影像的过程。具体地说，人们要经历以下三种知觉过程：

1）选择性注意。人们在日常生活中会受到很多刺激，但大部分会被过滤掉，只有少部分刺激会引起人们的注意。有统计数据表明，发达国家每人平均每天见到的广告超过1500条，人们不可能被每条广告吸引，大多数的刺激物都会被过滤掉。

2）选择性曲解。每个人都会按自己的思维模式来接受信息，并趋向于将所获信息与自己的意愿结合起来，即人们经常按先入为主的想法来解释信息。例如，某种名牌商品在消费者心目中早已树立起信誉并形成品牌偏好，另一种新的品牌即使实际质量已优于前者，消费者也不会轻易认同，总以为原先的那个品牌更好些。

3）选择性记忆。人们对所接触的信息不可能全部记住，其中大部分信息都会忘记，只会记住符合自己态度和信念的信息。例如，消费者往往会记住自己喜爱的品牌的优点，而忘掉其他竞争品牌的优点，这种心理机制就是选择性记忆。

（3）**学习** 人类的行为有些出于本能，但大多数行为是从后天经验中得来的，也就是通过学习得来的。学习是指人在生活过程中，因经验而产生的行为或行为潜能比较持久的变化。人类的学习模式主要包括四个阶段：驱策力、刺激物、反应、强化。

驱策力是引发人行动的内在动力；刺激物或诱因是决定人何时、何处以及如何反应的微弱刺激因素；反应是人为满足某一动机所做出的选择；强化则是指如果某一反应能使人获得满足，那么人便会不断做出相同的选择。营销人员可以通过把产品与强烈的驱策力联系起来，利用刺激性的诱因并提供正面强化等手段来建立消费者对产品的需要。

（4）**信念与态度** 人们通过实践和学习获得了自己的信念与态度，它们反过来又影响人们的行为。信念是指人们对事物所持的描述性思想。对企业来讲，信念构成了产品和品牌的形象。错误的信念会阻碍消费者的购买行动，企业可以通过营销活动来帮助消费者树立对产品和品牌的正确信念。态度是指人们对客观事物所持的主观评价与行为倾向。人们几乎对所有事物都持有态度，这种态度不是与生俱来的，而是后天习得的。态度决定人们喜欢或不喜欢某些事物，并一经形成就成为一种固定模式。企业应尽可能使其产品适应消费者的意向，激起消费者的购买欲望，从而赢得更多的顾客和市场。

综上所述，政治、经济、社会、文化、个人、心理等因素综合影响消费者的购买行为。企业对这些因素进行分析，可以更好地识别哪些消费者对自己的产品和服务最感兴趣，从而为市场细分和选择目标市场提供必要的线索，也为制定恰当的营销组合策略提供依据。

 阅读材料 3-2

小 鹏 汽 车

2014年，何小鹏、夏珩、何涛等人共同创立了小鹏汽车，总部位于广州。

2018年1月，小鹏汽车发布了首款量产车型小鹏G3，定位为智能电动SUV。

2018年12月，小鹏G3在经过了众多测试后开始交付给用户。但在接下来的2019年，新能源汽车进入了补贴大幅降低的寒冬，小鹏汽车遭遇了严重的品牌危机。2020年以后，新能源汽车高速增长。8月，小鹏汽车在美国纽约证券交易所上市，成为我国第三家在美国上市的新势力造车企业。此后，公司通过多次融资获得了大量资金支持，9月，首批100台G3i出口欧洲。2021年6月23日，小鹏汽车通过港交所上市。

2021年8月，小鹏P7首次实现出口至欧洲。

2021年11月18日，小鹏汽车宣布品牌焕新，发布全新Logo标识、理念、核心价值。

2022年3月11日，小鹏P5正式在丹麦、荷兰、挪威和瑞典欧洲四国开启预订。

2022年7月19日，小鹏汽车宣布与一嗨出行正式达成战略合作关系。

2022年9月21日，小鹏汽车CEO何小鹏在G9发布会上表示，小鹏通过软硬件提升以及算法迭代，推出首个全场景辅助驾驶系统，并命名为X-NGP。

2022年10月3日，小鹏汽车发布公告：2022年9月共交付8468辆智能电动汽车，其中包括4634辆小鹏智能轿跑P7、2417辆智能家轿P5及1233辆G3i智能SUV。

2023年3月26日，小鹏汽车宣布，旗下全新中型轿车——小鹏P7i正式开启交付。

2023年8月28日，滴滴出行与小鹏汽车共同宣布，双方将达成战略合作，将利用各自优势资源，携手推广智能电动汽车及相关技术在全球的应用与普及，共同推动交通和汽车产业的变革。

小鹏汽车注重技术研发，投入了大量资源，在自动驾驶、智能互联等领域取得了多项技术突破，推出了具有竞争力的产品和服务。同时，积极拓展海外市场，提升品牌国际影响力。未来，将继续致力于技术创新和产品升级，推出更多智能电动汽车产品并拓展相关业务领域，如充电设施、出行服务等。

更多小鹏汽车资讯

小鹏汽车在短短几年内取得了显著的发展成就，成为我国新能源汽车市场的重要参与者之一。未来，小鹏汽车将继续努力，为用户提供更智能、更环保的出行解决方案。

3.3 汽车消费者购买行为分析

要正确地引导消费者展开购买行为，就必须对消费者的购买行为进行分析。消费者的购买行为会因为购买决策类型的不同而变化。同一个消费者在购买日常生活用品和购买耐用品时会有不同的购买行为。越是贵重的耐用品，决策过程越复杂，参与决策的人员就越多。消费者在复杂决策的过程中会产生十分复杂的心理活动，这种复杂的心理活动支配着消费者的购买行为。同时，消费者的心理素质已日趋成熟，对产品和服务的需求也发生了变化，于是靠优质服务使顾客感到满意已成为众多汽车企业的共识，以服务营销为手段来提高顾客满意度是企业在市场竞争中的理性选择。

3.3.1 汽车消费者购买行为类型

美国学者阿萨尔根据消费者在购买过程中参与者的介入程度和品牌的差异程度,将汽车消费者的购买行为分为四大类型,如图 3-2 所示。参与者的介入程度是指参与购买人数的多少以及他们在购买活动中投入的时间、精力的多少。参与者介入程度越高、品牌间差异程度越大,整个购买行为就越复杂。

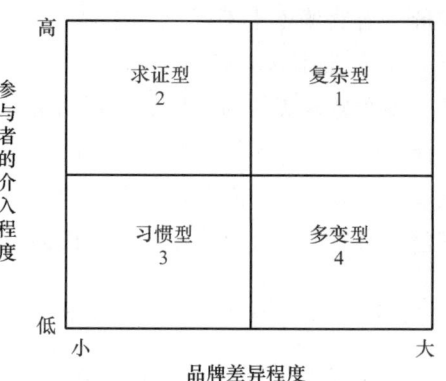

图 3-2 消费者购买行为类型

1. 复杂型购买行为

复杂型购买行为是指所需购买的商品品牌多,品牌之间差异较大,购买过程中参与购买的人员甚多,意见众多,方案也不少,决策前有必要进行一个复杂的运作过程。汽车购买属于典型的复杂型购买行为。首先,过去我国只有少数几种汽车品牌,自从我国加入 WTO 后,各跨国公司通过合资形式进入我国汽车制造业,同时引入许多先进车型,新的品牌每年有多种,车型更多,再加上进口车,使汽车市场上的产品目不暇接,在短期内使消费者的汽车购买行为变得十分复杂。其次,汽车商品是有风险的商品,不少名牌汽车常会因产品缺陷而大批地被召回。这是由汽车消费市场竞争激烈,产品开发周期相对较短而零部件需全球采购,新技术可能还未十分成熟,耐久考验不足等诸多原因引起的,这也引起了购买行为的复杂性。最后,即使经济型轿车也可以选装大部分中高级轿车的配置,面对诸多新品牌的车辆和诸多选装配置,仅选装方面哪怕是专业人士也要大费脑筋。因而,消费者在购买时往往会格外小心谨慎。购买者在实施购买汽车行为的前期,基本上是一个学习、了解商品的阶段,若拟定购买目标是中高档车辆,由于价格问题,进口与国产车均可供选择,这将使得学习过程和购买行为更趋复杂化。

2. 求证型购买行为

求证型购买行为是指所需购买的是价格昂贵的耐用品,且各种品牌差异不大时,消费者常常反复探询求证的购买行为。

由于汽车产品价格昂贵,消费者在购买时态度往往十分谨慎。在这种购买行为中,消费者购买之后易因发现所购商品存在弱点而产生不平衡心理。这时消费者往往会收集更多的资料、信息,力图证明自己购买选择的正确性,以避免与购买前感觉之间的失调。这种求证心态或避免失调的行为就是购买行为类型名称的由来。针对这种类型的消费者购买行为,企业营销人员应明确销售产品所处的市场竞争地位,合理定价,向消费者提供有关商品评价的有利信息,增强消费者对汽车产品和品牌的信念,消除消费者的不平衡心理,使其相信自己的购买决策是正确的。

3. 习惯型购买行为

许多产品的购买是在消费者低度介入、品牌差异不大的情况下完成的。消费者习惯于某一品牌后通常就延续使用下去,这种购买行为叫作习惯型购买行为。

大部分食品和日用品的购买行为属于这类购买行为。消费者常常因为习惯而长期购买某品牌的产品,并未经过学习过程,主要原因在于大量的广告重复宣传导致消费者对该品牌的熟悉程度逐渐增加。由于消费者对这类产品的购买决策不太重视,故而购买后很少做出使用评价,当然谈不上对品牌的忠诚。

4. 多变型购买行为

多变型购买行为是指对一些消费者低度介入的有很大差异的品牌,消费者会经常改变品牌选择。典型的商品如各类软饮料的购买,改变品牌选择并非因为对产品不满意,而是由于品牌众多,各有所长,满足好奇心在购买行为中起了很大作用。对于这类商品的营销,企业应保持特色,加强广告宣传来保持市场份额,或者用降价、广告和各类促销活动来增加市场销售额。

3.3.2 汽车消费者购买决策过程

企业除需了解消费者的行为模式、影响消费者的各种因素以及消费者购买行为类型之外,还必须了解消费者如何做出购买决策及消费者做出购买决策的过程,以便采取相应的措施,实现企业的营销目标。

1. 消费者的购买角色

消费者在购买活动中,虽然经常以一个家庭为单位购买,但参与购买决策的通常并非一个家庭的全体成员,许多时候是一个家庭中的某个成员或某几个成员,他们分别扮演了不同的角色,即发起者、影响者、决策者、购买者和使用者。

(1) **发起者**　这里是指首先想到或提议购买某种产品或劳务的人。

(2) **影响者**　这里是指其看法或建议对最终决策具有一定影响的人。

(3) **决策者**　这里是指对实施购买活动具有完全或部分决定作用的人。

(4) **购买者**　这里是指实际执行购买决策的人。

(5) **使用者**　这里是指实际使用所购产品的人。

有时,一个家庭成员会扮演好几个角色;有时,一个角色由几个家庭成员共同扮演。通常,营销人员最关心谁是决策者。对于有些产品或服务很容易辨别谁是决策者。例如,烟酒一般由男性做出购买决策,而化妆品一般由女性做出购买决策。但是有些产品则不易找出购买决策者。因此,企业必须了解每个购买者在购买决策中所扮演的角色,并针对其角色地位与特性,采取有针对性的营销策略,才能较好地实现营销目标。例如,购买一辆汽车,提出这一要求的是孩子,是否购买由夫妻共同决定,丈夫对汽车的品牌做出决定,妻子在汽车的造型、颜色方面则有较大的决定权等。只有了解购买决策过程中参与者的作用及其特点,企业才能够制订有效的生产计划和营销计划。

2. 购买决策过程

消费者的购买决策过程如图3-3所示,一般可分为以下五个阶段:确认需要、信息收集、评估选择、购买决策、购后行为。这是个复杂而完整的过程。这一购买决策模式表明,购买过程在购买行为之前就已经开始了,并且要延续到购买行为之后的很长一段时间才结束。当然,这五个阶段并不是每一个消费者在购买时都要经历的,比如对汽车的相关知识了解比较多的消费者经历的阶段就会少一点。下面对每一个阶段进行简要的分析。

(1) **确认需要**　消费者的购买行为过程从对某一问题或需要的认识开始。由于有了某

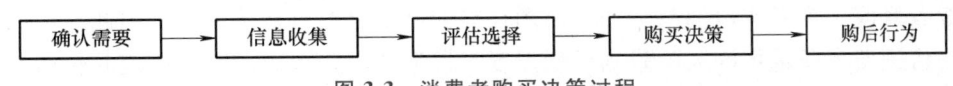

图 3-3 消费者购买决策过程

种需求，而这种需求未得到满足，人们才会通过购买行为使之满足，所以消费者在购买过程中总要首先确认自己的需求。需求有时是产生动机的重要因素，也是购买行为的起点。需求一般可以由内在的或者外在的刺激引起。比如有的消费者由于上班交通不方便而确认需要汽车，这就属于内在的刺激；如果这种需求是由于外在的因素或营销活动引起的，那就属于外在的刺激。可见，汽车市场营销人员应当进行缜密的市场调查，了解人们的需求并根据人们的需求提供合适的汽车产品。

（2）信息收集 消费者一旦确认了自己的需求，接下来就将进入信息收集这个阶段。根据消费者购买类型的不同，信息收集这个阶段的持续时间长短不一。消费者通过信息收集来确定需要的品牌或品种。市场营销人员在这一阶段的主要任务是：

1）了解消费者获取信息的途径及其作用。消费者一般从以下四种途径获得信息：个人来源，如家人、朋友、邻居和同事等；商业来源，如广告、推销员、经销商和展览会等；公共来源，如大众传媒、消费者团体和机构等；经验来源，如产品的检查、比较和使用等。

2）市场营销人员必须重视整合信息传播渠道的重要性。除了利用商业来源传播信息，还要设法利用和刺激公共来源、个人来源和经验来源，特别要展开口碑管理。

（3）评估选择 消费者在信息收集的过程中，自然会形成一种或几种备选方案。评估选择就是对已经形成的备选方案加以细分和对比从而做出选择。有时，消费者的评估选择阶段和信息收集阶段是不断穿插进行的。

消费者的评估选择过程有以下几点值得市场营销人员注意：产品性能是消费者所考虑的首要问题；不同的消费者对产品性能的重视程度不同，或评估标准不同；多数消费者的评选过程是将实际产品同自己理想中的产品相比较。

对于营销人员来讲，了解消费者在评估选择时的心理活动和选择方案的依据是十分重要的。一般情况下，消费者首先对两三家汽车公司进行比较，然后选择其中一家，再对这家公司旗下的产品系列以及型号进行选择。据此，市场营销人员可采取如下对策，以提高自己产品被选中的概率：

1）修正汽车产品的某些属性，使之接近消费者理想的产品。

2）改变消费者心目中的品牌信念，通过广告等手段努力消除其不符合实际的偏见。

3）改变消费者心目中理想产品的标准。

（4）购买决策 做出购买决定和实现购买，是决策过程的中心环节。消费者对商品信息进行比较和评选后，已形成购买意图，然而从形成购买意图到决定购买之间，还要受两个因素的影响：第一个因素是他人的态度。例如，某人已经决定购买某品牌的汽车，但他的家人或亲友持反对意见，那么就会影响购买意图。反对态度越强烈，或持反对态度者与他的关系越密切，修正购买意图的可能性就越大。第二个因素是意外的情况。购买意图是在预期家庭收入、预期价格的基础上形成的。如果发生了意外的情况，如消费者失业、产品涨价等，消费者则很可能改变购买意图。

消费者修改、推迟或取消某个购买意图往往受已察觉的风险的影响。因此，市场营销人员应设法将消费者所承担的风险降到最低限度，以促使消费者做出购买决定并付诸实现。

（5）购后行为　消费者购买之后的问题主要有两个：一是购后的满意度；二是购后的活动。

1）消费者购后的满意度。消费者购买汽车产品后会投入使用，并且通过使用或与使用者交换意见，从而产生对这款产品在某种程度上满意或不满意的态度。这种购后的感受对于企业的市场营销有着重要的意义。满意和基本满意的感受对企业的营销有利，这些消费者会将满意和基本满意的信息传递给周围的群体。反之，如果消费者不满意，就会向相关群体传播不利于企业的信息。因此，对于汽车企业，在做宣传广告等售前服务时，一定要实事求是地介绍自己的产品，不要搞虚假宣传，否则容易引起消费者的失望，传递对企业不利的信息。

2）消费者购后的活动。购买后的满意程度，决定了消费者是否会重复购买某款产品，决定了消费者对产品的态度，并且会影响其他消费者，形成连锁反应。有商业谚语这样说道："最好的广告是满意的顾客。"因此，市场营销人员应积极主动地与消费者进行购后联系，采取一些必要措施，促使消费者确信其购买决策的正确性，同时还要加强售后服务。例如：汽车企业可向新车买主致函祝贺，向消费者询问改进意见用以改进产品，或者寻找新需求从而进行新产品或新功能的开发研究；列出各维修站的地点，印刷使用手册等；尽快解决消费者投诉的问题，尽量减少消费者购买后可能产生的不满意感。

3.3.3　顾客满意

美国市场营销学者菲利普·科特勒在《市场营销管理》一书中明确指出，"企业的整体经营活动要以顾客满意为指针，要从顾客角度出发，用顾客的观点而非企业自身利益的观点来分析考虑顾客的需求。"此话现已成为市场营销业界的经典名言。从某种意义上讲，只有使顾客感到满意的企业才是不可战胜的。

1. 顾客满意的含义

顾客满意（Customer Satisfaction，CS）作为现代企业的一种手段，常被称为CS战略或顾客满意战略。顾客满意是指顾客对一件产品满足其需要的绩效与期望进行比较所形成的感觉状态。顾客是否满意取决于其购买后实际感受到的绩效与期望（顾客认为应当达到的绩效）的差异。若绩效小于期望，顾客会不满意；若绩效与期望相当，顾客会满意；若绩效大于期望，顾客会十分满意。顾客满意分为以下三个层次：

（1）物质满意层　物质满意层是顾客满意中最基础的层次，是顾客在对企业提供的产品核心层的消费过程中所产生的满意。物质满意层关注的是产品的使用价值，如功能、质量、设计、包装等。

（2）精神满意层　精神满意层是顾客在对企业提供的产品形式层和外延层消费过程中产生的满意。精神满意层关注的是产品的外观、色彩、装潢品位和服务等。

（3）社会满意层　社会满意层是顾客在对企业提供的产品的消费过程中所体验到的社会利益维护程度。社会满意层的支持者是产品的道德价值政治价值和生态价值。产品的道德价值是指在产品的消费过程中不会产生与社会道德相抵触的现象；产品的政治价值是指在产品的消费过程中不会导致政治动荡、社会不安；产品的生态价值是指在产品的消费过程中不会破坏生态平衡。

以上三个满意层次一般具有递进关系。从社会发展过程中的满足趋势看，人们首先寻求的是产品的物质满意层，只有这一层次基本满意后，才会推及精神满意层，而精神满意层基本满意后，才会考虑社会满意层。

2. 顾客满意度的测量

顾客满意是一种积极的购后评价，是顾客在感受到所购买产品或服务与先前的期望相一致时而做出的积极评价。它本身是一种心理活动过程，可以通过问卷调查的方式直接测出。这也是许多学者所主张的顾客满意度测量的含义，即"调查人们在购买和消费产品与服务过程中，心理经过判断后的结果"。例如，汽车销售服务企业询问顾客对所提供的产品和工作人员的服务是否满意时，一定可以得到"很好""较好""一般""较差""很差"等表示满意程度的回答。但是，对于顾客满意管理来说，顾客满意度测量一方面需要直接测量结果，即顾客满意程度，另一方面还应该测量顾客形成该满意水平的心理过程，即顾客对满意度影响因素的感知情况。这是因为：第一，顾客满意度测量建立在某一概念模型的基础上，测量两方面的内容使得测量人员能够检验数据是否符合先前假设的概念模型，是否具有判别有效性和会聚有效性，从而确认该次测量效果。第二，测量两方面的内容有助于企业利用测量结果指导自身的营销实践。因为对企业来说，单纯顾客满意度高低的结果只意味着企业的整体现实表现，而无法对企业未来的营销实践活动起到具体的指导作用。如果了解顾客满意度判断的心理过程，能使企业了解自己的表现与顾客的期望、需要等影响因素之间的差距，从而指导企业制定有针对性的营销措施。

顾客满意度测量的全过程包括测量准备、实施测量、测量结果分析三大部分。

（1）测量准备 在实施顾客满意度测量之前，必须先做一些准备工作，主要包括确定测量对象、确定关键的绩效指标以及设计问卷。

1）确定测量对象。进行顾客满意度测量时，首先要确定测量对象。不同的企业、不同的产品拥有不同的顾客。不同群体的顾客，其需求结构的侧重点是不相同的。他们购买什么产品，从哪个商家购买，购买预期乃至购买后的满意程度常常受其他人的影响。在确定顾客满意度测量的对象时，要考虑是将顾客设定为实际使用者，还是购买决策者。这一点常随产品或服务的性质而异。对于个人购买而言，消费者购买汽车及其相关产品后大多自己使用，购买者与使用者几乎一致。在这种情况下，可以把购买者作为对象。但对于组织购买而言，购买决定和实施者一般是采购部门，往往不是实际使用者。虽然采购部门在购买前会征询使用部门的意见，但购买时未必完全按照使用部门的要求去办。当然，同时获得购买者和实际使用者的满意是最理想的，因此从理论上讲，应将双方都列为顾客满意度测量的对象。但在实际操作中如何均衡地满足双方需要，要具体情况具体分析。

2）确定关键的绩效指标。顾客满意度测量的核心是确定产品和服务在多大程度上满足了顾客的欲望和需求。顾客会因为欲望和需求对自己所获的信息产生期望。满足顾客的期望会带来满意，超越顾客期望还可能带来更强烈的顾客忠诚。相反，没有满足顾客期望会带来不满意。

要求和期望可以归纳为一系列绩效指标，这些指标表明顾客如何判断一个产品或一个公司。顾客满意度调查不仅要揭示顾客满意的程度，而且应该找出满意和不满意的内在原因。通过制定绩效指标可以达到这个目的。一般情况下，这类绩效指标可根据以下两个主要原则予以确定。

第一，绩效指标对顾客而言必须是重要的。确保选择的绩效指标是顾客认为最关键的绩效标准的唯一途径是倾听顾客的意见。

第二，绩效指标必须能够控制。顾客满意度测量会使顾客产生期望，认为公司即将进行改进。如果公司在某一领域无法或不愿意采取行动加以改变，则不应在这上面耗费时间和精力。

3) 设计问卷。在设计问卷之前，必须先确定该次测量所用的顾客满意概念模型，随后要确定问卷设计是采用封闭式问题——问卷提供备选答案，还是采用开放式问题——由被测量对象根据自己的想法完成，问卷本身不提供备选答案。在调查中，一般都有时间限制，还需要为统计分析提供量化的答案，所以主要采取封闭式问题。

在设计顾客满意度测量问卷时，另一个非常重要的问题是选择何种量表。测量是否成功、问卷设计是否合理，关键在于其使用的测量量表是否合理、可行。因为顾客满意度测量主要测量态度、观点等人们的心理感受，如何将这类主观描述转换为可供计量的数量指标来供数据处理是非常重要的。

（2）实施测量 顾客满意度测量的实施包括抽样、确定测量方法与实施，其过程与一般营销调研过程基本类似。

（3）测量结果分析 测量结果分析（数据分析）是指将原始数据转化为易于理解和解释的形式。它是对数据的重新安排、排序和处理，以提供描述性信息。正确分析测量结果对理解顾客的感觉并确定改进的战略计划极为关键。

3. 顾客满意的战略

实施 CS 营销战略，应主要从以下几个方面入手：

（1）开发令顾客满意的产品 从顾客需求出发，把顾客需求作为企业开发产品的源头，这是 CS 营销战略中的重要一环。因此，企业必须熟悉顾客，了解其现实和潜在需求，分析他们的购买动机和行为，研究他们的消费传统和习惯、消费能力和水平。只有这样，企业才能科学地确定产品的开发方向。

（2）提供令顾客满意的服务 企业要不断完善服务系统，真正为顾客着想，最大限度地使顾客感到安心和便利。为顾客着想的真诚服务能给顾客带来满意，而满意是顾客再次光顾的主要因素。

（3）增加实用、实惠的服务项目 为顾客服务不能只唱高调，搞华而不实的花架子，应从小事着手，将"顾客第一"的理念落到实处。如：除了一些技术性强、价值高的产品，实行开放式、自选式、展销式售货，充分方便顾客挑选；增加电话订购服务、电视直销服务、咨询导购服务、技术指导服务和送货上门服务，全方位地为顾客服务。

（4）实行超值服务工程 超值服务是指企业不仅经营质量好、价格低的产品，而且提供全过程周到、齐全、快捷以及出其不意的服务并主动承担各种风险。换言之，就是将为顾客服务贯穿于经营活动的全过程，使顾客始终能领略到文明、尊重、信任和享受周全、细致的服务。

1）售前服务。在产品销售前，除备足、备全产品，还应及时向顾客充分提供有关产品的质量、性能、操作方法、适用对象等方面的信息，以便顾客正确决策。

2）售中服务。在顾客选购产品时，要主动热情接待，认真展示、介绍产品，激发购买欲望，真正做到"百拿不厌，百问不烦"。

3）售后服务。在产品售出后，进行跟踪服务。售后服务不是企业对顾客的回报或施舍，而是顾客购买行为的延伸，是企业的一种义务。

（5）**创造悠闲的购物环境** 随着生活水平的提高，现代人的休闲意识日益增强，"购物也是休闲"是顾客的新需求，也是大型零售商新的利润增长点。在休闲化趋势的浪潮下，如何留住顾客并满足其多方面的需求是商业经营者的新课题。如今的汽车4S店不仅环境幽雅，还能提供休息区、交流区，有的还定期举办活动，使之成为车主们的一个休闲场所。

（6）**建立一套顾客满意分析评价系统** 企业需要建立顾客满意分析评价系统，用科学的方法和手段来检测顾客对企业产品和服务的满意程度。首先，按照顾客满意标准，实施顾客满意度测量，根据顾客满意指数，找出不满意的原因；其次，将结果及时反馈给企业管理层，采取措施改进工作流程和方法，提高顾客满意程度。

（7）**开展顾客满意观念教育** 企业通过全员教育，使"顾客第一"的观念深入人心，使全体员工能真正了解和认识到顾客满意行动的重要性，并形成与此相适应的企业文化，建立一种对顾客充满爱心的人文观念。

名人故事 3-1

何小鹏，1977年出生于湖北黄石，1999年毕业于华南理工大学计算机专业，是UC优视联合创始人，小鹏汽车的创始人。

1999年，何小鹏毕业后并没有像大多数人一样进入国企，而是选择加入曾被誉为"中国IT界黄埔军校"的亚信集团。加入公司不到两年时间，何小鹏接触了亚信的核心岗位，积累了大量知识和技能。

2000年，亚信集团上市。作为公司的"能人"，何小鹏获得了1500股原始股份，市值接近3万美元。后来，何小鹏的工作稳步推进，收入再创新高，但他开始对自己的事业感到迷茫。

2004年，何小鹏离开亚信，和同在亚信的梁捷共同创办了UC优视。他带领团队打造的UC浏览器、UC乐园等产品取得了用户的高度认可。

2014年，何小鹏成立小鹏汽车，何小鹏作为核心投资人正式进军电动汽车领域。小鹏汽车致力于推动智能电动汽车的发展，将科技创新与汽车制造相结合。

2017年8月，何小鹏出任小鹏汽车公司董事长。凭借强大的互联网人脉圈，小鹏汽车在一年内完成20亿元融资，并陆续推出小鹏G3、小鹏P7、小鹏P5三款车型。2020年8月，小鹏汽车在纽交所成功上市。2021年7月，小鹏汽车在港交所上市。

何小鹏以其敏锐的商业洞察力、创新精神和领导能力受到广泛关注。他积极推动我国新能源汽车产业的发展，为行业的进步做出了重要贡献。

本 章 小 结

本章从汽车消费者市场的概念入手，介绍了消费者购买行为的模式及汽车消费的特点，分析了影响汽车购买行为的因素，包括外部因素和内部因素。外部因素主要有政治、法律、经济、社会和文化等；内部因素有个人因素和心理因素。汽车企业必须研究消费者购买行为，分析其类型以及购买决策过程，以寻找机遇，并学会实施顾客满意营销战略。

习 题

1. 概念理解
（1）消费者市场
（2）顾客满意
2. 思考与讨论
（1）简述汽车消费者购买行为的类型。
（2）你认为哪个年龄阶段的人购车的可能性最大？
（3）请描述一下你自己的第一辆汽车：用途、何时购买、价位、颜色、功能要求等。
（4）实施 CS 营销战略主要应从哪些方面入手？

【案例分析】

造车新势力齐跨界

在当前的汽车市场上，非常多的新企业纷纷加入造车的行列中，在不同的汽车赛道中大展身手。

第一，在智能电动汽车的赛道上，造车的门槛在极大地降低，很多核心零部件供应商已经有了非常强的系统集成能力，尤其在电池领域。所以越来越多新造车企业和这些公司加强合作，能够快速在制造环节实现突破。特斯拉在我国的国产化是一个非常好的证明。

第二，随着多种技术的融合发展，造车的整体周期在快速变短，现在从新品的研发到批量上市可以达到 10~12 个月，意味着资产的投资利用率在提高，这增加了大家投入汽车产业的兴趣。

第三，过去一辆汽车 85% 是硬件、10% 是软件、5% 是内容。随着智能互联、自动驾驶、电动汽车及共享出行的兴起，未来的汽车可能 40% 是硬件、40% 是软件、20% 是内容。这意味着未来的汽车价值不再由容易退化的硬件来决定，而由持续升级的软件来决定，而行业竞争风向将由硬件逐步转向软实力。这就是为什么很多科技公司愿意加入进来，因为在软件内容和用户运营上，它们有自己的核心优势。对于汽车行业而言曾经属于边缘学科的 IT 行业与汽车的融合度越来越高。

第四，盈利方式的改变。过去车企通过卖汽车、卖产品来进行盈利；现在越来越多的车企通过硬件导入用户，然后通过软件升级来拉长用户的生命周期，还可以围绕用户的车家生活来进行新的业务延伸。

第五,年轻人对于我国自主品牌的接受度越来越高,因为自主品牌产品从设计到理念都围绕本土消费者,所以现在对于创造一个新的车企品牌应该是一个绝佳的窗口期。

第六,有蔚来、小鹏、理想汽车的成功经验,以及越来越多资本的助推,智能电动汽车的市场规模将会持续高速增长。

思 考 题

1. 请讨论当前的造车新势力为何都在跨界?

2. 请结合消费者购买行为类型,谈一谈造车新势力更容易引起哪类消费者的购买?对于其他消费者,请给造车新势力提出改善建议。

第 4 章 / Chapter 4
汽车市场调研与市场预测

第 4 章 汽车市场调研与市场预测

【教学要点】

知识要点	掌握程度	相关知识
汽车市场调研	理解汽车市场调研的概念 掌握汽车市场调研的内容及意义 掌握汽车市场调研的方法及步骤	调研准备 调研实施 分析总结
汽车市场预测	理解汽车市场预测的概念 掌握汽车市场预测的方法及步骤	汽车市场需求预测
问卷调查	掌握问卷设计的原则 掌握问卷设计的构成 掌握问卷设计的注意事项	问题与答案设计 确定调查对象数量 回收和审查

导入案例

吉利收购沃尔沃的调查分析

2010 年 3 月 28 日,吉利控股集团宣布在沃尔沃公司所在地瑞典哥德堡与福特汽车公司签署最终股权收购协议,以 18 亿美元的代价获得沃尔沃轿车公司 100%的股权以及包括知识产权在内的相关资产。作为中国汽车业最大规模的海外收购案,吉利上演了一出中国车企"蛇吞象"的完美大戏。吉利董事长李书福评价说:"这如同一个农村来的穷小子追求一个世界顶级明星,这是一场盛大的跨国婚礼。"

整个收购历程如下:

2009 年 4 月,福特汽车公司对中国企业发出出售沃尔沃的情况说明。

2009 年 10 月,吉利和福特双方首次正式宣布,吉利成为沃尔沃的首选竞购方。

2009 年 12 月,吉利引入两名拥有跨国公司管理经验的重量级高管,负责沃尔沃项目。

2009 年 12 月 23 日,吉利控股集团和福特汽车公司就收购沃尔沃轿车公司的所有重要商业条款达成一致,并表示将在次年 2 季度完成交易。

2010 年 3 月 28 日,双方签署最终协议,整个并购过程结束。

吉利收购沃尔沃的原因分析:

1. 吉利战略转型对技术和品牌的诉求

其一,渴望技术:作为国际化的品牌,沃尔沃轿车公司的知识产权和先进技术是毋庸置疑的,它的先进技术、安全性能、节能环保的特点正是吉利实现战略转型最需要的。

其二,提升品牌:一直以来,吉利在价格和品牌方面都给人以"草根"的印象。依当时的形势看,吉利虽有三大品牌,但尚缺乏一个顶级豪华品牌,这个空缺沃尔沃轿车公司正好可以补上,有了沃尔沃轿车公司,吉利在行业内的品牌竞争地位无疑会大大提升。

2. 民营企业走出去的一种方式

吉利是民营企业,打入国际市场困难重重,但是只有进入欧美发达国家市场,才能越做越强。吉利需要打入国际市场的"通行证",而收购品牌无疑是捷径。所以,代表品牌市场的沃尔沃轿车公司毫无疑问地成了吉利走出中国的桥梁。

3. 学习系统的市场营销手段

沃尔沃轿车公司通过体育营销和大成本营销让自己的品牌和"绅士精神、挑战极限、高尚生活"紧密地联系在一起,锁定了追求生活质量、关注安全和环境并且不爱张扬的用户群体。能够近距离地学习外资品牌的营销策略,对吉利这种中国自主品牌的车企来说,是未来走向世界的前提。

沃尔沃轿车公司选择吉利的原因分析:

首先,沃尔沃轿车公司销售额在过去数年一直下滑,随着2008年国际金融危机的蔓延,沃尔沃轿车公司出现巨额亏损,成为福特汽车公司的巨大包袱。2009年,沃尔沃轿车在全球销售约33.5万辆,同比下降10.6%。出售沃尔沃轿车公司这个亏损大户,并获得一笔宝贵的流动资金,对于正执行拯救计划的福特汽车公司而言,是一个必须完成,而且要尽快完成的任务。

其次,选择吉利其实也是选择了中国。受国际金融危机的冲击,2009年,全球豪华车市场大幅萎缩。奔驰、宝马、奥迪等一线豪华品牌年销量均出现了较大幅度的下滑,与此同时,中国豪华车市场却以超过40%的增速高速增长,其中,沃尔沃轿车公司2009年在中国的销量增长了80%以上。因此,对于沃尔沃轿车公司来说,若想尽快扭亏为盈,选择吉利这一中国买家,显然是个明智的选择。

当然,吉利近年来的快速发展、对知识产权的尊重、善于学习的企业文化、海外收购的成功经验、为沃尔沃轿车公司制订的雄心勃勃的发展规划,以及掌舵人李书福的个人魅力,也是福特选择吉利的重要原因。

4.1 汽车市场调研

市场营销面对的是不断变化和充满竞争的市场,企业每一步决策都将对企业的发展产生很大的影响。我国汽车工业正处于迅速发展时期,从近年来的汽车销量来看,已呈现市场需求大、市场上新车型推出多、市场竞争日趋激烈、潜在消费者中持币待购者众多、消费者日趋成熟、消费者对车型十分挑剔等特点。汽车企业要想发展良好,只有对市场的发展变化进行调研和预测,掌握市场的基本情况和发展趋势,寻找营销机会,避免或减少风险,才有可能稳定发展。企业通过对市场产品、市场需求和竞争程度进行调研分析、预测,可以根据自身特点,制订客观、科学的生产计划和营销计划,从而提高企业的市场竞争力。

第4章 汽车市场调研与市场预测

4.1.1 汽车市场调研的概念

美国市场营销协会将市场调研定义为：市场调研是一种通过信息将消费者与公共部门营销者连接起来的职能。

市场调研是指运用科学的方法，有目的、系统地搜集、记录、整理有关市场营销的信息和资料，分析市场情况，了解市场的现状及其发展趋势，为市场预测和营销决策提供客观、正确的资料。

汽车市场调研是指运用科学的方法，有目的、系统地搜集、记录、整理有关汽车市场营销的信息和资料，分析汽车市场情况，了解汽车市场的现状及其发展趋势，为汽车市场预测和营销决策提供客观、正确的资料。

汽车市场调研是汽车企业营销活动的出发点，它运用科学的方法，对获取的数据与资料进行系统、深入的分析和研究，从而得出合乎营销活动客观发展规律的结论。营销调研是企业经营的一项经常性工作，是企业增强经营活力的重要基础。

从定义出发，在理解上需要注意以下几点：

1）市场调研是一种管理工具，目的是提高市场营销的效果。由于市场营销的各个阶段和所有问题都是互相联系、互相制约的，因此市场调研应对市场营销活动的全过程及所有问题进行充分、细致的查究。

2）市场调研具有协助解决问题的功能，要从调研分析中提出解决问题的办法。市场调研要给管理者提供有关消费者及市场行为丰富而又精确的资料和建议，并作为市场营销决策的依据。这样营销活动就不是以消费者的主观判断为基础，而是以对客观资料的收集、整理和分析为指导。

3）市场调研的进行必须符合科学的原则。市场调研所采用的询问法、观察法、实验法等，都必须符合科学的要求。在市场调研中，必须尽力保持客观的态度，对所有事实不抱成见，不问其结论是否有利；对于资料的搜集必须力求完整，并依据一定的设计、逻辑的推理，进行系统的整理和分析。

4.1.2 汽车市场调研的内容

市场调研的内容有很多，有市场环境调研，包括政策环境、经济环境、社会文化环境的调研；有市场基本状况调研，主要包括市场规范、总体需求量、市场的动向、同行业的市场分布占有率等；有销售可能性调研，包括现有和潜在顾客的人数及需求量，市场需求变化趋势，本企业竞争对手的产品在市场上的占有率，扩大销售的可能性和具体途径等。此外，还可对消费者及消费需求、企业产品、产品价格、影响销售的社会和自然因素、销售渠道等开展调研。汽车市场调研的内容涉及厂商市场营销的各个方面，具体地说，可概括为以下五个方面：

1. 汽车市场环境调研

汽车市场环境调研主要是对汽车市场的宏观和微观环境因素进行调研，以掌握环境的变化对市场营销的影响，从而指导企业的市场营销策略的制定和调整。

从市场调研的角度，关注的调研内容主要包括以下几项：

（1）政策环境　主要对有关汽车方面的方针、政策和各种法令、条例等可能影响汽车企业销售的诸因素进行调研。

（2）经济环境　主要对各种重要经济指标，如全国及各主要目标市场的人口总数及构成，国民生产总值及其构成，社会商品零售总额，消费水平和消费结构，币值是否稳定及价格水平，重要输入品、输出品及其数量、金额，能源及其他资源情况等进行调研。

（3）科技环境　主要对国际国内新技术、新车型的发展速度、变化趋势、应用和推广等情况进行调研。

（4）社会文化环境　主要对社会文化、风气、时尚、爱好、习俗、宗教、当地人的文化水平、民族特点和风俗习惯等进行调研。

2. 目标客户情况调研

（1）汽车消费需求量　消费需求量直接决定市场规模的大小，影响需求量的因素包括货币收入和适应目标消费人群两个方面。评估消费需求量时，要将适应目标消费的人口数量和货币收入结合起来考虑。

（2）消费结构调研　消费结构是指客户将货币收入用于不同商品的比例，它决定了客户的消费投向。对消费结构的调研包括：人口构成、家庭规模和构成、收入增长状况、商品供应状况及价格的变化。

（3）客户购买心理和购买行为调研　它是指通过调研了解客户所思所想和购买行为的特征，使销售人员以积极主动的方法影响客户消费全过程，从而扩大销售。

（4）潜在市场调研　潜在市场调研的主要目的是发现潜在目标市场。调研渠道是驾驶学校、老客户、目标群体、汽修场所等。

3. 汽车企业竞争对手调研

我国汽车市场竞争日益激烈，既有国内汽车厂家的市场争夺，又有加入WTO后进口车辆的强大威胁。做好竞争对手调研是企业自身发展的重要一环。竞争对手可以分为现实竞争对手和潜在竞争对手。调研内容主要是对竞争对手的营销组合、其产品的市场占有率和企业实力等进行调研，以了解竞争对手的情况。

一般来说，汽车企业的竞争对手分析大体包括以下几个方面：

1）确认公司的竞争对手。广义而言，公司可将制造相同产品或同级产品的公司都视为竞争对手。

2）确定竞争对手的战略。公司战略与其他公司的战略越相似，公司之间的竞争越激烈。在多数行业里，竞争对手可以分成几个追求不同战略的群体。战略性群体是指在某行业里采取相同或类似战略的一群公司。确认竞争对手所属的战略性群体将影响公司某些重要认识和决策。

3）确认竞争对手的目标。要研究竞争对手在市场里找寻什么，以及竞争对手行为的驱动力是什么。此外，还必须考虑竞争对手在利润目标以外的目标，以及竞争对手的目标组合，并注意竞争对手用于攻击不同产品或市场细分区域的目标。

4）确认竞争对手的优势和劣势。这就需要收集竞争者近几年内的资料，一般而言，公司可以通过二手资料、个人经历、传闻来弄清楚竞争对手的强弱，也可以进行客户价值分析

第4章 汽车市场调研与市场预测

来了解这方面的信息。

5)确定竞争对手的反应模式。了解竞争对手的目标、战略、强弱,都是为了解释其可能的竞争行动及其对公司的产品营销、市场定位及兼并收购等战略的反应,也就是确定竞争对手的反应模式。此外,竞争对手特殊的经营哲学、内部文化、指导理念也会影响其反应模式。

6)确定公司的竞争战略。竞争战略不等同于企业战略,竞争战略只是企业战略的一部分。它是指通过分析确定客户需求、竞争者产品以及公司产品这三者之间的关系,而采取的一系列维持市场地位的战略。

4. 汽车企业营销组合策略调研

汽车企业营销组合策略调研主要从汽车产品、汽车产品价格、汽车销售渠道和汽车促销这四个方面开展。

(1)汽车产品调研 产品(包括服务)是汽车厂商赖以生存的物质基础。一个厂商要想在竞争中求得生存和发展,必须始终如一地生产令顾客满意的产品。

汽车产品调研的内容包括:产品设计的调研,包括对功能设计、用途设计、使用方便和操作安全的设计、产品的品牌和商标设计及产品的外观和包装设计等的调研;产品和产品组合的调研;产品生命周期的调研;对老产品改进的调研;对新产品开发的调研;对于如何做好销售技术服务的调研;等等。

(2)汽车产品价格调研 价格对产品的销售和厂商的获利情况有重要的影响,尤其在市场经济条件下,积极开展产品价格的调研,对于厂商制定正确的价格策略有重要的作用。

汽车产品价格调研的内容包括:目标市场不同阶层消费者对产品的承受能力;竞争车型的价格水平及销售量;提价和降价带来的反应;目标市场不同消费者对产品的价值定位;现有定价能否使企业赢利,盈利水平在同类企业中居于什么样的地位;替代产品价格的调研;新产品定价策略的调研。

(3)汽车销售渠道调研 销售渠道的调研也是市场调研的一项重要内容。汽车销售渠道的选择是否合理,产品的储存和运输安排是否恰当,对于提高销售效率、缩短交货期和降低销售费用有重要的作用。

销售渠道调研的内容包括:中间商(包括批发商、零售商、代理商等)的选择和利用情况的调研;仓库地址的调研;运输工具的安排和利用的调研;交货期、销售费用的调研;等等。

(4)汽车促销调研 促销调研包括广告的调研、人员推销的调研、各种营业推广的调研,以及厂商形象的调研等多方面的内容。例如,在广告制作前要为制作适应目标消费者的广告进行调研,广告制作发布后需要针对广告效果进行调研。促销活动要调研促销后销售量、市场占有率的变化等。

具体调研的内容包括:广告的调研,包括广告信息的调研、广告媒体的调研、广告时间的调研、广告效果的调研等;人员推销的调研,包括销售力量的调研、销售人员素质的调研、销售人员分派合理性的调研、销售人员报酬的调研;各种营业推广措施及其效果的调研;公共关系利用与厂商形象的调研等。

以上各项内容是从市场调研的一般情况来讲的，各个汽车厂商在不同时期，在市场营销中遇到的问题不同，所要调研的问题也就不同。所以，不同的厂商必须根据自己的具体情况来确定市场调研的重点，并组织力量把调研工作做好。

5. 汽车售后服务调研

汽车售后服务调研包括维护修理的水平与质量调研、顾客满意程度调研、客户关系维系方法与效果调研、维修企业管理水平与管理能力的调研等。

名人故事 4-1

李书福，1963年出生于浙江省台州市路桥区，现任吉利集团董事长。经济师职称，台州市人大代表，全国政协委员。

1997年，李书福怀揣"造老百姓买得起的好车"的梦想，创办了我国第一家民营汽车企业——吉利汽车。经过十几年的发展，吉利汽车集团实现了"从零造车、持续创新、开放共赢、拥抱世界"的发展轨迹。2010年，吉利汽车并购了沃尔沃轿车，此后几年并购宝腾、路特斯、戴姆勒，收购美国太力飞行汽车等。这一系列的国际化战略布局成为中国汽车工业"走出去"的典范。此外，吉利还投资8亿多元创建了全国最大的民办大学——北京吉利大学。2017年福布斯中国富豪榜中，李书福、李星星父子以1100亿元列第十位。

李书福出生在一个农民家庭里，他在四兄弟中排行第三，整个学生时代，他都是在台州度过。由于环境影响，高中毕业的他没有继续求学，19岁就试水商海，1982年拿着父亲给的120块钱做起了照相生意，掘到了第一桶金。一年以后，李书福迈出办企业的第一步，在"垃圾"中提取金银。1984年—1986年开始生产冰箱蒸发器。1986年，李书福在自己研发、生产出电冰箱关键零部件蒸发器后，组建了黄岩县北极花电冰箱厂，生产北极花电冰箱。1989年6月，国家电冰箱实行定点生产，北极花没有列入定点生产企业名单。李书福最大的商业投资失败是在海南。1992年前后，海南房地产热潮正猛，李书福带着数千万元赶赴海南。李书福说，海南房地产投资的失败给他最大的教训就是："我只能做实业。"

李书福的几次起起落落集中体现了商人的突出精神气质：敢为天下先和认准的事不放弃且对失败无所惧。

4.1.3 汽车市场调研的意义

市场调研具有三种功能：描述、诊断和预测。

描述功能是指收集并陈述事实。例如，介绍汽车行业的历史及销售趋势是什么样的，消费者对某产品及其广告的态度如何。

诊断功能是指解释信息或活动。例如，分析调价对销售会产生什么影响，解释为了更好地服务现有顾客和潜在顾客，应该如何对产品和服务进行调整。

预测功能是指对事物进行预先的推测或测定。例如，说明持续变化的市场及其发展趋势以及企业如何更好地利用有可能出现的市场机会。

基于市场调研的三种功能，汽车市场调研的意义主要体现在以下三个方面：

1）提高质量和顾客满意度。质量和顾客满意度已成为企业的关键竞争武器。但是，企业对质量的追求常常是以产品为导向的，这对于顾客毫无意义。对顾客没有意义的高质量通常不能带来销售额、利润和市场份额的增长，只能浪费资源、精力和金钱。现代营销的新观念是强调质量回报。质量回报有两层含义：第一，企业所提供的高质量应是目标市场所需要的；第二，质量改进必须对获利产生积极的影响。企业能够获得质量回报的关键是开展营销调研，因为它有助于企业确定哪些类型和形式的质量对目标市场是重要的，有时也可以促使企业放弃一些它们自己所偏爱的想法。

2）留住现有顾客。顾客满意和顾客忠诚（即留住顾客）之间存在一种必然的联系，它根植于企业传递的服务和价值。留住顾客可以给企业带来丰厚的回报，重复购买和顾客的推荐可以提高企业的收入和市场份额。由于企业可以不必花更多的资金和精力去争夺新顾客，因而成本可以下降。同时，不断提高的顾客保留率会给企业员工带来工作上的满足感和成就感，从而形成更高的员工保留率。员工在企业工作时间越长，获得的知识越多，越能促进生产效率的提高。企业留住顾客的能力建立在企业对顾客需求详细了解的基础上，而这种了解主要来自市场调研。

3）及时了解持续变化的市场。市场调研有助于管理者了解市场状况以及抓住市场机会。凡是与企业市场营销活动直接或间接相关的问题都可以成为调研的对象，如国际、国内汽车产业发展政策、法律法规、竞争状况等营销环境调研，汽车及零部件市场需求调研，价格走势、产品开发和技术发展趋势、产品与服务质量状况等营销组合策略调研，竞争对手调研，用户购车心理与购买行为调研等。进行市场调研有利于企业在科学的基础上制订营销战略与营销计划，有利于发现企业营销活动中的不足并做出快速反应，以保持与市场的紧密联系，有利于企业进一步挖掘和开拓新市场，发挥竞争优势。

4.2 汽车市场调研的方法及步骤

营销环境是指与企业营销活动相关的、影响企业营销活动和营销目标实现的各种因素，包括宏观环境和微观环境。宏观环境是外在的、不可控的环境因素，通常情况下企业对各种宏观环境因素只能适应，却不能改变。微观环境是指企业的内部因素和企业外部的活动者等因素，企业对各种微观因素可以施加不同的影响。

市场营销环境是一个不断完善和发展的概念，随着商品经济的发展，发达国家的企业越来越重视对市场环境的调研，企业只有不断地适应各种营销环境的变化，才能顺利地展开营销活动。

4.2.1 汽车市场调研的方法

市场调研的方法是多种多样的，调研者应根据实际需要，审慎地选择适宜的调研方法。

这里主要介绍直接资料调研法和间接资料调研法。

1. 直接资料调研法

直接资料调研法是指通过调研法收集的资料进行调研分析。直接资料调研法一般分为观察法、专题讨论法、问询法和试验法等。

（1）**观察法** 它是指调研者在调研现场利用一定的手段对被调研对象进行实地观察从而获取调研资料的方法。采用这种方法的调研结果比较准确，但工作量大，时间耗费较多，调研面受到一定的限制。

观察法是一种有效收集信息的方法。与其他方法相比，观察法可以避免让调研对象感觉到正在被调研，被调研者的活动不受外在因素的干扰，从而提高调研结果的可靠性。但现场观察只能看到表面的现象，而不能了解到其内在因素，并且在使用观察法时，需要反复观察才能得出切实可信的结果。观察法要求调研人员必须具有一定的业务能力。

观察法的优点在于它是一种非介入式的收集信息的方式，是直接获取第一手资料的方式，可以避免语言交流中的误解、暗示以及人际交往中的感情因素等对信息的干扰。观察法也有缺点，如不能深入探讨原因、态度和动机，无法探讨调研对象的历史背景情况，对调研人员的要求较高，调研费用也较高。

在实际的操作中，不管采用何种观察调研方式，都应制订详细的观察计划和观察清单，进行有目的、有计划的观察。

（2）**专题讨论法** 它是指有目的地邀请6～10人，在一个富有经验的主持人的引导下，花几个小时讨论汽车营销中的某一个话题，如一项服务、一种设计要素等。主持人应保持客观的立场，并使讨论始终围绕主题进行，激发参与者的创造性思维，令其自由发挥，这种方法对主持人的素质要求较高。谈话应在轻松的环境下进行，如在家中进行，并可通过供应饮料使大家感到轻松自如，从而得到较自然真实的看法。

专题讨论法通常用于进行大规模调研之前所进行的试探性调研中，它可以了解汽车消费者的态度、感受和满意的程度。调研人员应避免将调研结果推广给所有的消费者，毕竟这种方法的样本规模太小，很难具有完全的代表性。

（3）**问询法** 这是一种双向调研方法，可用口头询问与书面询问的方式来调研，可以采用普通询问与专家询问，可以逐个询问单个调研对象，也可以借助座谈会的形式同时对多个调研对象进行询问。总之，询问方式多种多样。书面询问成本低，一次调研面广，还可以用计算机等先进手段迅速处理，是国外常用方法之一。询问时应注意采用多项选择法、自由回答法、顺序排列法、程度评定法等。设计问卷要注意语气自然、温和、有礼貌，而且简单易答、不占较长时间，以免令人望而生畏，拒绝回答。

（4）**试验法** 它是指将选定的刺激措施引入被控制的环境中，进而系统地改变刺激程度，以测定顾客的行为反应的一种方法。由于排除或控制了许多没有调研意义的因素，因此，调研人员所观察到的影响可以被认为是采取的某些刺激措施所致。实际上，人们可以把试验本身视为一个由许多投入影响主体并导致产出的系统。在这个试验中，试验主体是指可被施以行动刺激，以观测其反应的单位。在汽车市场营销试验里，主体可能是汽车消费者、4S店或销售区域等。试验投入是指调研人员用来试验其影响力的措施变量，它可能是汽车价格、颜色、销售奖励计划或市场营销变量等。环境投入是指影响试验投入及其主体的所有因素，其中包括竞争者行为、天气变化、不合作的经销商等。试验产出就是试验结果，这种结果主要包括销售额的变化、顾客态度与行为的变化等，其中销售额既是最后的产出，也是最有力的产出。

2. 间接资料调研法

间接资料调研法是指通过搜集各种历史和现实的动态统计资料，从中获取与调研项目有关的信息进行统计分析的调研方法，也叫资料分析法或室内调研法。它的优点是调研费用低、速度快、范围广，而且反映的信息内容较为真实、客观，但调研的目的性没有直接资料调研法明显，获得的资料可能存在时效性不强，还需进一步加工处理的问题，且其分析工作的难度较高。另外，由于间接资料是各个企业都有可能获得的，企业无法形成信息方面的优势，因而在市场营销调研中更多采用直接资料调研法。

4.2.2 汽车市场调研的步骤

为了保证准确性、客观性和工作质量，市场调研必须遵循一定的调研工作程序。汽车市场调研一般可分为调研准备、调研实施和分析总结三个阶段。

1. 调研准备阶段

调研准备阶段非常重要，准备工作充分与否直接关系整个调研工作的成败。这一阶段主要应做好如下两方面工作：

（1）确定调研目标 市场调研的第一步就是确定调研目标。也就是说，在进行市场调研之前，要先确定调研的目的、范围和要求，即把调研的主题确定下来。为了保证市场调研成功、有效，首先要明确所调研的问题既不可过于宽泛，又不宜过于狭窄，要有明确的界定并充分考虑调研成果的实效性；其次要在确定问题的基础上，提出特定调研目标。

确定调研目标必须先搞清以下几个问题：为什么要调研；调研中想要了解什么；调研结果有什么用处；谁想知道调研的结果。企业一般是为解决生产经营中某些方面的问题才进行市场调研的，如新产品开发问题、企业产品的市场占有率下降问题等。企业一定要根据问题来确定调研目标，使整个调研过程围绕明确的调研目标而展开，否则便会使调研工作带有盲目性，造成人、财、物的浪费。

例如，某汽车专营店所售车型出现销售额增长停滞和压库现象，应考虑制定新的促销策略。但是，对于这个构想是否恰当，企业面临如下问题：①由于公司刚进入汽车行业，内部资料搜集不够，无法进行科学分析；②车型出现销售额增长停滞现象的具体原因不明确，经济衰退、消费者偏好转变、促销手段不得力、销售人员销售策略出现偏差、竞争对手实力增强等都可能是原因。假如原因是竞争对手实力增强，以何种指标来判断呢？可从消费者是否认为所售车型落伍，是否因新增加了经销商导致市场空间缩小，是否因竞争车型的广告设计较佳，售后服务是否存在问题等几个方面进行判断。

市场营销人员对这些测定指标进行沟通后，决定对竞争者和促销手段展开调研，以准确了解汽车市场消费趋势，进而决定是改变营销策略，还是保持现状。因此，此项消费者购买调研的重点在于：①寻找最合适的测定指标，测定该车型处于什么样的竞争阶段；②摸清竞争对手的分布与经营状况；③确定调研应采取叙述性调研还是假设检定调研，抑或两者兼具；④明确哪一种促销策略更适合目标消费群。

（2）拟订调研计划 调研目标确定之后就要拟订调研计划，也就是要确定实现调研目标的行动计划和方案。具体内容包括确定调研项目、选择调研方式、确定调研方法、确定经费预算、安排调研进度和编写调研计划书等。

1）确定调研项目。确定调研项目是指根据已确定的调研目标具体设置调研项目。与调研目标有关的因素很多，在不影响调研结果的大前提下，应综合考虑人力、时间和费用等诸多因素，选择重要的因素进行调研。

2）选择调研方式。应根据调研项目选择具体的调研地点、调研对象。调研对象的确定要以能客观、全面地反映消费者的看法和意见为宗旨。

3）确定调研方法。每种调研方法都有一定的优点、缺点和适用的条件。调研者应根据资料的性质、精确度及经费预算情况来确定调研方法。如果采用抽样调研方法，还要做好抽样设计。

4）确定经费预算。每次市场调研都需要支出一定的费用，因此在拟订计划时，应编制调研费用预算，合理估计调研的各项开支。在进行预算时，要认真核算、合理估计，尽可能考虑全面，以免影响进度。调研费用一般包括总体方案策划费、抽样方案设计费、调研问卷设计费、印刷费、调研实施费（包括调研员培训费、差旅费、礼品费、劳务费等）、数据统计分析费、办公费、咨询费等。

5）安排调研进度。日程安排要根据调研过程中所要做的各项工作和每项工作所需要的时间来确定。合理安排调研进度是调研工作能按质、按期完成的有力保证。调研进度的安排要服从于调研项目，应将各个调研项目具体化、明确化。每一进度中所要完成的工作内容，所需人力、经费、时间限定等都应在进度表中呈现出来。

6）编写调研计划书。在进行正式调研之前，应把前几个步骤的内容编成调研计划书以指导整个调研的进行。

2. 调研实施阶段

这一阶段包括收集、整理和分析信息资料等工作。调研中的数据收集阶段是花费时间最多且最容易出现失误的阶段。为了保证调研工作按计划顺利进行，应事先对有关工作人员进行培训，而且要充分估计调研过程中可能出现的问题，并建立报告制度。只有提高调研人员的素质，使调研人员在计划实施过程中按计划进行，使获取的数据尽可能反映事实，使整个信息搜集过程能排除干扰，才能获得理想的信息资料。

由于从调查问卷和其他调研工具获取的原始资料是杂乱无章的，因此无法直接使用。调研人员应协同营销人员利用计算机等现代数据处理方法和分析系统，按照调研目标的要求进行统计分析，以整理出那些有助于营销管理决策的信息。

3. 分析总结阶段

这个阶段的工作有调研资料的汇总整理、编写调研报告等。

（1）调研资料的汇总整理 资料的汇总整理工作主要有资料校核、资料编码、数据统计和资料分析。

1）资料校核。首先应对资料进行校核，剔除不必要的、不可靠的资料，以保证资料的可靠性和准确性。在核校时，如发现资料存在不清楚、不完整、不协调之处，应采取各种措施予以澄清、补充和纠正。

2）资料编码。为了方便查阅、统计和利用调研资料，经过审核且合乎要求的调研资料应分类汇总，按不同的标志分门别类进行资料编码。

3）数据统计。数据统计是指先累计计算某一问题选择各个答案的人数，然后再计算相应的百分比，即答案的分布情况。

4）资料分析。资料分析是整个市场调研工作中资料工作的最后阶段。市场调研人员应运用统计方法对资料做必要的分析，并将分析结果提供给有关方面作为参考。一般使用的统计方法有多维分析法、回归分析法和相关分析法等。

整理分析资料是一项烦琐而艰辛的工作，因而调研人员必须有耐心、细致的工作作风，同时要注意工作的条理性和效率。现在一般采用计算机等先进手段辅助进行信息处理。

（2）编写调研报告 市场调研的最后一道工序就是编写调研报告，这是市场调研的最终成果。报告的内容、质量决定了企业领导据此决策行事的有效程度。

调研报告一般包括以下内容：①题目、调研人、调研日期；②目录，最好有内容提要；③序言，说明调研研究的原因、背景、目的、任务、意义；④调研概况，说明调研地点、对象、范围、过程、方法、步骤、查表内容、统计方法及数据、误差估计、在技术上无法克服的问题、调研结果等；⑤调研结论与建议，这是调研报告的主要部分，根据调研的第一手资料、数据，运用科学的方法对调研事项的状况、特点、原因、相互关系等进行分析和论证，提出主要理论观点，得出结论，提出建设性意见；⑥调研的不足、局限性与今后工作的改进意见；⑦有关资料、材料的附件，一般包括调研表副本、统计资料原稿、访问者约会的记录、参考资料目录等有关论证和说明正文的资料。

撰写调研报告前，需要做大量的实地调研工作，以大量的资料为依托，然后对材料予以取舍、分析、加工。在编写调研报告时，要注意紧扣调研主题，力求客观、扼要并突出重点，使企业决策者一目了然，避免使用或少用专业技术性名词，必要时可用图表形象说明。

 阅读材料 4-1

吉利持有的汽车品牌

吉利汽车作为国内第一家民营汽车，拥有将近30年的发展历史。吉利通过一系列战略收购，逐步建立起一个涵盖多个汽车品牌的强大阵容。现阶段吉利持有的汽车品牌包含吉利汽车、沃尔沃、宝腾、路特斯、英国伦敦电瓶车、远程汽车、领克汽车、Polestar、几何汽车。

1. 吉利汽车

吉利汽车标志的轮廓为巨盾形状，喻义归属感和信任感，也代表吉利自创立以来所具有的"安全性关爱与稳定发展趋势"的品牌文化。吉利汽车品牌全新LOGO延续了品牌3.0时代的六块宝石设计理念，以延展的宇宙为设计源点，将星光银、深空灰和地球蓝融汇其中，展示了吉利汽车从品牌3.0时代的蓝天大地，升级为对广袤宇宙的追求。全新LOGO更具质感和科技感，令吉利汽车品牌的形象焕发全新气息，象征着吉利汽车将迈入全新的年轻化、科技化、全球化战略时代。

2. 沃尔沃

沃尔沃的汽车标志灵感来自古罗马帝国，环形意味着古罗马帝国战将玛尔斯的盾，箭头意味着玛尔斯的匕首。沃尔沃车标底部是一道对角线框，这条线框原来仅仅是为了更好地固定汽车标志，之后则演变成车标底的一部分。

沃尔沃问世于1927年，是一个德国汽车品牌。轿车是沃尔沃的第一产业，之后扩展至货车、客运车、游船这些领域。1999年，福特汽车从沃尔沃集团公司处收购了沃尔沃汽车业务；2010年由吉利集团公司收购。

吉利收购沃尔沃可谓互利共赢，不但引入资产让沃尔沃起死回生，还学习了沃尔沃的技术。在吉利收购了沃尔沃以后，沃尔沃持续两年实现正收益。

3. 宝腾汽车

宝腾汽车的标示是一只老虎，看上去好像在猎食，代表宝腾汽车勇往直前。

宝腾汽车问世于1983年，是马来西亚最大的汽车公司，也是东南亚地区唯一成熟的整车制造商，业务范围覆盖英国、中东、东南亚及澳大利亚。1996年成功收购了英国LOTUS（路特斯集团）国际公司。

2017年，吉利集团收购宝腾汽车和豪华跑车品牌路特斯，将不断提升宝腾和路特斯的技术创新能力和市场竞争力，推动两家汽车公司的长期可持续发展及品牌复兴。

4. 路特斯

路特斯的英文名"Lotus"是荷花的含意，因此路特斯曾被称为莲花汽车。但由于我国已有一家公司注册了荷花的商标，因此Lotus只能以音译"路特斯"作为名字。

路特斯是全球著名的超级跑车生产商，1948年问世于美国，创办人是柯林·查普曼。一直以来，路特斯以生产制造轻量的超级跑车而出名，20世纪60年代至90年代曾活跃于F1比赛场。但因为销量不好，1982年柯林·查普曼过世以后，路特斯遭遇了明显的经济危机。

1996年，路特斯的股权被宝腾汽车收购，后来宝腾汽车又被吉利集团公司收购，如今吉利是路特斯较大的公司股东。

5. 英国伦敦电瓶车

2013年，吉利收购了伦敦出租车公司，在2017年将其更名为伦敦电动汽车公司，目的是发展国外的新能源技术商用车市场，顺带操纵了国外的出租车业务。

伦敦电动汽车依然维持着以前的产品造型设计，但采取了一套增程式油电混合系统软件替代以前的柴油发动机，混合动力方式的最大里程数可以达到643km，而且耗油量比原先的柴油发动机更低。

6. 远程汽车

远程汽车是一个新能源技术商用汽车知名品牌，创立于2016年，先发的几款车系分别是远程控制 E200 轻卡货车和远程控制 E21 客车。在其中远程控制 E200 大货车有着一台 100kW、800N·m 的电动机，最大可安装 2.5t、76kW·h 的磷酸铁锂蓄电池，并可给予 200km 的续驶能力。除此之外车里还有车联网平台，让买车人可以远程控制并查询车子的情况及寻找电池充电设备。

7. Polestar

Polestar 的中文名译为极星，是吉利与沃尔沃协作发布的性能卓越纯电品牌汽车。极星创立于 2017 年，总公司在德国哥德堡。极星选用极简风格的设计方案，车内饰材质使用新型环保材料，提升了用户使用体验。

极星 1 是极星的第一款车系，此车配备了一套油电混合系统软件，最大能够输出 600 马力和 1000N·m 转矩，34kW·h 锂电池组可给予最大 135km 的纯电续航能力。极星 1 在全世界限定开售 500 辆，市场价达到 145 万元。

8. 几何汽车

几何汽车是吉利与领克汽车协作发布的高档纯电品牌汽车，2019 年创立，先发车系是几何图形 A。几何图形 A 配用了一台 130kW 的电机，有 410km 和 500km 两种续驶里程，30%~80% 电池充电时间只需半小时。几何汽车将发布 SUV 和 MPV 等细分化行业的车系，争取在 2025 年共发布十余款车系，包含全部销售市场，使顾客可以仔细挑选。

9. 领克汽车

领克是吉利汽车和沃尔沃汽车联合推出的高端合资品牌，成立于 2017 年。领克定位于我国和欧洲中高端市场。

吉利收购戴姆勒

4.3 汽车市场预测

企业进行市场调研的目的之一就是寻找市场机会，尤其在打算进入某一适合进行调研活动的市场时，要根据企业的资源来判断这一市场是否具有竞争能力，是否符合企业的经营目标，是否能获取最大的利润。这就需要对目标市场的潜在规模、市场增长率和预期利润等进行预测。对于汽车市场营销来讲，汽车市场预测至关重要。

4.3.1 汽车市场预测的概念

汽车市场预测是建立在汽车市场调研的基础上的，是指根据汽车市场的相关信息以及汽车市场宏观环境和微观环境的状况，运用科学方法和逻辑推理，对未来发展趋势进行估计和推测，定性或定量地估计汽车市场的发展前景。企业通过市场预测，对汽车市场的变化趋势进行揭示和描述，不仅可以为汽车企业的经营提供依据，还可以使汽车企业在经营中克服盲目性，增强竞争能力、应变能力，达到预期的经营目标。

汽车市场预测主要包括汽车市场需求预测、汽车供给预测、汽车产品价格预测、汽车技术发展趋势预测、汽车企业的竞争形势预测、汽车企业本身经营能力预测等方面。对于汽车销售企业而言，最重要的就是汽车市场需求预测。

市场预测的基本原则主要有：

（1）**可知性原则**　这里是指市场预测对象的未来发展趋势是可知的，人们可以通过对市场规律的认识和运用科学的方法对其进行预测。

（2）**系统性原则**　这里是指把预测对象看作一个系统，以系统管理指导预测活动。

（3）**服务性原则**　这里是指市场预测本身不是目的，它是为企业经营决策服务的，即为了对企业的战略目标和发展方向做出正确的决策提供科学的依据。

4.3.2　汽车市场预测的形式及步骤

汽车企业生存在复杂多变的环境之中，各种环境因素对企业的经营管理活动都会产生一定程度的影响，但它们不是同时、均等地发生作用，在不同时期、不同条件下，环境因素对汽车市场预测产生的影响不同。因此，预见其发展趋势，掌握市场供求变化的规律，选用合适的预测方法，能为企业经营决策提供可靠的依据。

1. 汽车市场预测的形式

汽车市场是一个极其复杂的大系统，影响因素多，包括的内容也很丰富，所以汽车市场预测的范围宽广，预测方法也很多。汽车市场预测的形式有如下几种划分方法：

（1）**按预测范围划分**　汽车市场预测可以分为宏观市场预测和微观市场预测。宏观市场预测是指对国民经济发展趋势的预测，如汽车市场的总供给和总需求、国民收入水平、物价水平等。微观市场预测是指在一定的国民经济宏观环境下，对影响汽车企业生产经营的各种微观因素进行研究和预测。

（2）**按预测期限划分**　汽车市场预测可以分为长期市场预测、中期市场预测和短期市场预测。长期市场预测的预测期限为 5 年以上，一般是对汽车市场的发展趋势进行推断，预测误差较大。中期市场预测的预测期限为 1 年以上 5 年以下，用于企业制订中期发展规划。短期市场预测期限为 1 年以下，用于确定汽车企业短期任务及制订具体实施方案。

（3）**按预测方法划分**　汽车市场预测可以分为定性预测、定量预测和综合预测。定性预测也称为直观判断，在市场预测中经常使用。定性预测主要依靠预测人员所掌握的信息、经验和综合判断能力，预测市场未来的状况和发展趋势。定性预测的方法包括专家会议法、德尔菲法、销售人员意见汇集法和顾客需求意向调查法。定量预测是指利用比较完备的历史资料，运用数学模型和计量方法来预测未来的市场需求。定量预测基本上分为两类：一类是时间序列模式，另一类是因果关系模式。在汽车市场预测中，常常将这些预测形式联合使用，以提高预测的准确性和可靠性。

2. 汽车市场预测的步骤

运用科学的方法，对汽车及零部件市场供求关系及其发展趋势和相联系的各种因素加以分析和判断，必须按一定的步骤进行。

（1）**确定预测目标**　可以从不同的目标出发对市场经济活动进行预测。预测目标不同，需要的资料、采取的预测方法也会有一些区别。因此，进行汽车市场预测首先要明确预测的具体对象的项目和指标,其次还要分析预测的时间性、准确性(如果是短期预测,允许误差范围较小,而中长期预测允许误差20%~30%),划分预测的商品以及地区范围等具体问题。只有有了明确的预测目标,才能根据目标的需求收集资料,确定预测进程和范围。

(2) **收集和整理资料** 汽车市场预测要求有充分的市场信息资料。因此,在确定市场预测目标以后,首要工作就是广泛、系统地收集与预测对象有关的各方面数据和资料。收集资料是汽车市场预测工作的重要环节。按照汽车市场预测的要求,凡是影响市场供求发展的资料都应尽可能地收集。资料收集得越广泛、越全面,预测的准确性就越高。

收集的市场资料可分为历史资料和现实资料两类。历史资料包括历年的社会经济统计资料、业务活动资料和汽车市场研究信息资料。现实资料主要包括目前的社会经济和市场发展动态,生产、流通形势和消费者需求变化等。收集到的资料需要进行归纳、分类以及整理,最好分门别类地编号保存。在这个过程中,要注意标明市场异常数据,还要结合预测进程,不断增加、补充新的资料。

(3) **选择预测方法** 收集完资料后,要对这些资料进行分析、判断。常用的方法是首先将资料制成表格和图形,以便直观地进行对比分析,观察汽车市场活动规律。分析判断的内容还包括寻找影响汽车市场的因素与市场预测对象之间的关系,分析预测汽车市场供求关系,分析判断当前的消费需求及其变化,以及消费心理的变化趋势等。

在分析判断的过程中,要考虑采用何种预测方法进行正式预测。汽车市场预测有很多方法,选用哪种方法要根据预测的目的和掌握的资料来决定。各种预测方法都有不同的特点,适用于不同的市场情况。

汽车市场预测方法是根据预测期的长短、范围以及所占有的资料多少来确定的。若不能占有较充分的数据,如新产品的需求信息、劳动力需求结构信息等,则应采用定性的预测方法;若能够占有较充分的数据,并且未来的市场变化与以往的规律差异不大时,宜采用定量的预测方法。在实施预测时应根据具体的预测目的选用不同的预测方法。为保证预测结果有效,通常将几种预测方法综合运用,以互相补充。

(4) **建模和预测** 汽车市场预测是运用定性分析和定量测算的方法进行的市场研究活动。在预测过程中,运用一些定性预测方法,经过简单的运算,可以直接得到预测结果。定量预测方法要应用数学模型进行计算、预测,预测中要建立数学模型,即用数学方程式构成市场经济变量之间的函数关系,抽象地描述经济活动中各种经济过程、经济现象的相互关系,然后输入已掌握的汽车市场信息资料,运用数学方法求解,得出初步的预测结果。

定量预测方法在采用几种不同模型或方法进行预测时,如果预测结果相差很多,要结合定性分析对结果做必要的调整或修改。运用模型预测时,要先进行试预测,对模型的预测精度进行评价,如对精度较为满意,才宜进行正式预测。

(5) **预测结果评价及编制报告** 通过计算产生的预测结果是初步的结果。这一结果还要经过多方面的评价和检验才能最终使用。一般来说,初步结果检验方法有理论检验、资料检验和专家检验。理论检验是指运用经济学、市场学的理论,采用逻辑分析的方法,检验预测结果的可靠程度。资料检验是指重新验证、核对预测所依赖的数据,将新补充的数据和预测初步结果与历史数据进行对比分析,检查初步结果是否符合事物发展逻辑以及市场发展情况。专家检验是指邀请有关方面专家,对预测初步结果做出检验、评价,综合专家意见,对预测结果进行充分论证。

评价完预测结果,并不意味着预测活动的终结。事实上,没有一种预测方法所得到的预测结果能与实际情况完全符合。一个成功的汽车市场预测应尽可能接近实际,使其预测误差降到最小,如果偏差过大,将失去预测的意义。由于预测是为决策服务的,因此预测的好坏在很大程度上决定着决策的成败。在分析评价预测结果的精确性时,预测人员要对预测结果的近期变化幅度进行追踪,最后在充分研究分析预测结果可靠性的基础上,形成预测的分析报告。

当采用定量预测方法时,对汽车市场同一预测对象的预测,人们既可以采用多种预测模型,也可以对同一模型采用不同的自变量。像这样对同一预测对象采用多种途径预测的方法,称为组合预测方法。它是现代预测科学理论的重要组成部分,其思想就是认为任何一种预测方法都只能部分反映预测对象未来发展的变化规律,只有采用多种途径进行预测,才能更全面地反映事物发展的变化。实践证明,对于改善预测结果的可信度,采用组合预测方法比采用单一预测方法有更显著的效果。因此,现代预测实践大多采用组合预测方法。

4.3.3 汽车市场预测的注意事项

预测人员在实际进行汽车市场预测活动时,应注意以下问题:

(1) 政策变量 汽车市场受国家各种政策的影响很大,在建立预测模型时需要考虑政策突变的影响。政策变量虽然不是很好把握,但并不是不可预知的。政策的制定总有其目的性,它往往是针对某些经济或社会问题而制定的,最终目的是促进经济和社会的稳定发展。因此,预测人员应该加强对经济运行和政策的研究,建立预警系统,加强对营销环境的监测,从大体上把握政策的变化。

(2) 预测精度及其提高办法 市场预测的目的是根据预测结果来制订计划、规划或对有关问题做出决策,因此预测结果和未来实际情况应接近一些,预测误差应小一些。预测误差是指预测值与实际值之间的偏差,它表明了预测精度的高低。实际的预测误差通常要在计划、规划或某项决策实施之后,通过预测追踪进行预测值和实际值的比较才能知道。知道预测误差后才能进一步分析产生误差的原因,以便改进预测工作,提高预测精度。对于企业来说,提高预测精度的办法主要有三种:一是保证数据资料的充分、可靠;二是提高预测人员的素质;三是决策者积极参与。

(3) 及时调整市场预测方案 市场预测的结果做出来之后,并不意味着这是一成不变的结果。经济在不断发展,市场在不断变化,因此对于汽车企业来说,营销人员应该及时调整市场预测方案,从而指导企业不断向前发展。

4.4 汽车市场调研问卷设计

问卷调查是指利用统一设计的问卷,向被调查者调查搜集关于市场需求方面的事实、意

第 4 章　汽车市场调研与市场预测

见、动机、行为等情况的一种间接、书面、标准化的调查方法。汽车市场的各种调研方法都是通过问卷完成的。调查问卷的设计或称调查表的设计是市场调研的一项关键工作。

问卷设计质量的优劣直接影响调查目的是否能够实现，问卷内容的覆盖面关系所收集信息是否全面，问卷的措辞和语气会影响调查对象是否配合。调查表往往需要认真仔细地拟定、测试和调整，才可大规模使用。为了设计一份受欢迎的调查表，设计者不仅要懂得市场营销的基本原理和技巧，还要具备社会学、心理学等知识。

4.4.1　问卷设计的原则

一份设计完好的问卷必须具备将问题准确传达给被调查者和使被调查者乐于接受两个功能。要实现这两个功能，问卷设计时应当遵循一定的原则和程序，运用一定的方法和技巧。

（1）**目的原则**　目的原则是问卷设计最重要的原则，也是问卷设计首先要遵循的原则。问卷市场调查与预测设计的根本目的是设计出符合调查需要，能获得足够、适用和准确的信息资料的调查问卷，以保证调查工作的顺利完成。对于任何一项问卷设计工作来说，调查的目的都是其灵魂，因为它决定着问卷的内容和形式，涉及问卷必须问什么、不必问什么等重大问题。采用什么样的问句形式，也应服从调查目的的需要。

（2）**接受原则**　接受原则是设计问卷必须考虑的原则，也是获得被调查者支持的关键。比如，调查的内容与被调查者的生活相关度较低，调查的问题涉及被调查者的隐私，调查问卷过长等，都是因为没有从被调查者的角度去考虑问题，通常使得被调查者难以接受。所以，在设计问卷时，必须从被调查者的角度来设计。

（3）**简明原则**　简明原则是保证问卷质量的关键，如果不能很好地遵循简明原则，就会事倍功半，最终使得调查工作的质量受影响。简明原则具体可体现在整体设计要简明、问卷要简明、问句要简明等方面。

（4）**匹配原则**　匹配原则是问卷设计中一个十分重要的原则。在进行资料整理和统计分析的时候，遵循匹配原则是十分重要的。

（5）**排序原则**　进行问卷设计时，有关问句的排列要依照一定的顺序来安排。通常考虑的顺序主要有时间顺序、类别顺序、逻辑顺序等。

4.4.2　问卷设计的构成

在调查目标确定后，如采用问卷形式获取所需资料，就要把调查目标分解成详细的题目，同时还要针对调查对象的特征进行设计，如考虑调查对象是企业、消费者还是老顾客。一般的调查问卷由以下几部分组成：

（1）**卷首语**　卷首语是给被调查者的一封短信。它的作用在于说明调查者的身份、调查内容、调查目的、调查意义、抽样方法、保密措施和表示感谢等。例如：

您好！

欢迎您填写这份调查问卷。我们××公司准备在我市筹建一家一汽丰田4S店，针对一汽丰田品牌和建店情况进行此次调查，请把您真实的情况和想法提供给我们。本问卷不记姓名，且您的回答将按照国家统计法予以保密。

衷心感谢您花费宝贵的时间填写问卷，我们会为您送上一份小礼品。

（2）问卷说明 问卷说明是指用来指导被调查者填写问卷的说明。问卷说明主要包括填答方法、要求、注意事项等。例如：

填表说明：

1）请在每个问题后适合自己情况的答案号码上画圈，或者在_____处填上适当的内容。

2）问卷每页右边的数码及短横线是计算机用户填写的，您不必填写。

3）若无特殊说明，每个问题只能选择一个答案。

4）填写问卷时，请不要与他人商量。

（3）被调查者的基本情况 基本情况包括被调查者姓名、家庭地址、电话号码、年龄、性别和月收入等，一般来讲，如果被调查者不愿意透露，可以免填。

（4）主要问题 这是调查问卷的核心内容。

（5）调查过程记录 调查过程记录可以放在问卷的最前面，也可以放在问卷的最后面，主要记录调查员的姓名、督导员的姓名、在调查过程中有无特殊情况发生、被调查者的合作情况等。这部分内容不要让被调查者看到。调查过程记录的一般形式如下：

调查员姓名：

督导员姓名：

调查过程中有无如下情况发生：

在调查过程中有其他人在场（是什么人）。

在调查过程中有客人来访，但没有打断调查。

在调查过程中有客人来访，中断过调查（多长时间）。

在调查过程中被调查者对调查内容或语言有不明白的地方。

在调查过程中被调查者有顾虑。

其他（请详细说明）。

在调查过程中被调查者的合作情况：

A. 合作　　　　　　B. 一般　　　　　　C. 不合作

4.4.3 问卷设计的注意事项

问卷设计中的核心部分是问题。在设计问题时，通常要考虑问题的形式、表述方式、顺序、问题与答案的设计和问卷的应用等。

（1）问题的形式 问题的形式有封闭式和开放式两类。封闭式问题有一组事先设计好的答案供调查对象选择。这类问题比较容易提问、回答、处理和分析。但是，这类问题的回答受设计者思维定式的影响和限制。例如：

对于购买私人汽车，您认为是否应有适当限制？

A. 是　　　　　　　B. 否　　　　　　　C. 看情况而定

开放式问题不提供事先设计好的答案供调研对象选择。例如：

您对私人购车有何看法？（　　　　　　　　　　　　　　　　　　）

（2）问题的表述方式　在调查问卷中，问题的表述方式对调查结果有绝对的影响，以下是值得注意的几个方面：

1）问句表达要简洁、通俗易懂，不要模棱两可，避免用"一般"或"经常"等词语。例如：

"您最近经常驾驶汽车吗？"这里"最近"是指"近一周""近一个月"还是"近一年"，"经常"是指间隔多久，意思不明。

"您会购买捷达轿车吗？"这一问句实际上将买汽车和喜欢的品牌放在一起，让人不易回答。

"购车时您首要考虑的是汽车的输出功率吗？"这一问题有专业术语，被调查者可能不理解。

2）问题要单一，避免多重含义。例如，"您认为我公司的维修技术和服务质量怎样？"维修技术和服务质量是两个问题，被调查者不好作答。

3）要注意问题的客观性，避免有诱导性和倾向性的问题，以免使答案和事实产生误差。例如，不应该问"捷达车皮实耐用，维修方便，您是否喜欢？"而应该问"府上用的是××牌子的汽车吗？"

4）避免涉及个人隐私。例如，不应该问"您今年多大岁数？""您结婚了吗？"，而应该问"您是哪一年出生的？""您先生从事何种工作？"

5）问题要具体，避免抽象和笼统。问题太抽象和笼统会使被调查者无从答起。例如，"您认为当前汽车行业的发展趋势怎样？"这一问题过于笼统，涵盖的调查范围可以是全国，可以是全省，也可以是各种汽车车型的未来发展趋势，被调查者很难回答。

6）语句要有亲切感，并考虑到被调查者的自尊。例如：

您暂时不买小轿车的原因是：

A．买不起　　　　　B．款式不好　　　　　C．使用率不高　　　　　D．不会驾驶

这种提问方式易引起反感，可以调整为：

您暂时不买小轿车的原因是：

A．对价格不满意　　B．款式不合适　　　　C．使用率不高　　　　　D．未考驾照

（3）问题的顺序　关于提出问题的顺序应当注意以下几点：

1）第一个问题必须有趣且容易答复，以引起被调查者的兴趣。

2）问卷中问题之间的间隔要适当，营造视觉舒适感。

3）将容易回答的问题放在前面，慢慢引入比较难答的问题。

4）问题要一气呵成，且前后要有连贯性，不要让被调查者情感或思绪中断。

5）私人问题和易引起被调查者困扰的问题应最后提出。

6）为了解被调查者的答题可靠与否，在调查结束时不妨再次抽问重要问题。

7）问卷要简短，为避免被调查者反感，一般以15分钟内全部答完为宜。

（4）问题与答案的设计　封闭式问题在市场调查问卷中占有重要地位，因此在答案设计中要注意掌握以下原则：

1）答案的互斥性。这是指同一个问题的若干个答案之间是相互排斥的，不能有重叠、

交叉、包含的情况，这样才能保证答案的特定含义，避免被误解。

2）答案的完备性。这是指所排列的问题答案应是所提出问题的全部可能，不能有遗漏。这种情况一般多出现在多选题中，即选项有时很难把所有的答案列出。对此，调查者通常在列出主要问题选项后，再列"其他"一项备选。

3）问题的设计要考虑调查对象的实际情况，答案的划分要符合客观事实，问卷设计有以下几种方法：

① 填空法。多用于几个字或一个数字就能回答的简单问题。例如：

您现有的轿车用了（　　）年。

② 两项选择法。这种问题的答案非此即彼，简单明了。例如：

您是否已购买家用轿车？

A. 是　　　　　　　　B. 否

这类问题的答案通常是互斥的，调研结果统计"是"与"否"的比例。由于回答项"是"与"否"之间没有任何必然的联系，因此得到的只是一种定性分析，说明不同答案所占比例，比例大的部分影响力和重要性比较大。

③ 多项选择法。有些问题为了使被调查者完全表达要求、意愿，还需采用多项选择法，根据多项选择答案的统计结果，得到各项答案重要性的差异。例如：

您买家用轿车是因为：

A. 经济条件允许　　　B. 自己开着玩，个人喜好　　C. 上下班驾驶，代步工具

D. 气派，赶时髦　　　E. 周围邻居或熟人都有　　　F. 为了旅游、出行方便

G. 其他（具体写出）

④ 等距离量表法。研究同质问题的不同程度差别，通常用"很好""较好""一般""较差""差"一类的回答来表述。例如：

您是否想买一辆家用轿车？

A. 很想买　　　　　　B. 想买　　　　　　　C. 不一定

D. 不想买　　　　　　E. 不会买

您觉得当前家用轿车的价格如何？

A. 很贵　　　　　　　B. 贵　　　　　　　　C. 适中　　　　　　D. 便宜

⑤ 顺位法。这种方法是指列举出若干项目，然后按重要程度排序。例如：

您所知道的家用轿车品牌有哪些？

A. 桑塔纳　　　　　　B. 捷达　　　　　　　C. 富康　　　　　　D. 奇瑞风云

E. 别克　　　　　　　F. 飞度　　　　　　　G. 凯越　　　　　　H. 其他

您最喜欢哪两种品牌？

A. 首先（　　）　　　B. 其次（　　）

（5）问卷的应用

1）要想通过调查问卷进行市场调查，首先要认真对待问卷的设计，问卷严谨、全面有利于被调查者作答。

2）发放调查问卷要根据问题的需要和调查的范围来选择调查对象，但考虑到问卷的回

第4章 汽车市场调研与市场预测

收率和有效率的影响,调查对象的单位数应大于研究数。例如,研究数定为300份,预计回收率为60%,有效率为85%时,则调查对象单位数为:300份÷60%÷85% = 588份。

3)回收和审查调查问卷时,对于遗漏项太多或漏选关键项太多的资料,可进行作废处理;还可用时,一般将遗漏项用空白表示或以其他代号表示;对含义模糊的答复,根据情况,要么作废,要么参考前后几个问题的回答来判断。

本 章 小 结

本章从市场调研的概念入手,阐述了汽车市场调研的内容和意义,以及调研方法和步骤。在汽车市场调研的基础上进行汽车市场预测,最重要的是进行汽车市场需求预测。问卷调查是市场调研和预测中的一项关键工作,汽车市场的各种调查都是通过问卷完成的。本章介绍了汽车市场预测的方法、步骤,以及汽车市场调查问卷的设计,包括设计原则、设计构成及注意事项。

习 题

1. 概念理解
(1) 汽车市场调研
(2) 汽车市场预测
2. 思考与讨论
(1) 如何进行新产品市场调研?
(2) 如何进行某一区域市场规模的预测?
(3) 针对当地汽车品牌,做一份市场调查问卷。

【案例分析】

领克汽车进军欧洲市场

烘托情绪的灯光,轻松的沙发背景音乐,具有艺术气息甚至有点怪诞的空间设计——没有人会把这些与汽车销售网点联系在一起。

领克是沃尔沃和本土企业吉利汽车共同投资创业的品牌。该品牌于2016年成立后开始在本土市场投放产品,并逐步在欧洲市场开展销售。领克的品牌愿景是让出行方式向个性、开放、互联的趋势变革。

领克在欧洲所创立的领克俱乐部功能丰富,有供举办活动的区域,如酒廊、咖啡吧,并售卖其他品牌产品。后者与领克有相同的价值观,可持续地、有创意地造福社区,当然里面还陈设了一辆领克汽车。

为什么领克在欧洲不像在本土市场一样开设4S店,而选择这种看似费力不讨好的方式呢?

领克作为后来者,为了与先行者争夺消费者,必须深挖市场,寻找消费者未满足的需求,并开发出相应的产品方案,以此打造自身的品牌力。领克在欧洲采用非传统4S店布局,本质上是基于对欧洲汽车消费市场结构性变化的精准回应,消费升级倒逼渠道革命、数字化重构用户旅程、圈层文化赋能品牌溢价。

数据显示,30%的美国消费者宁愿去牙医诊所,也不愿去汽车销售门店,这也许是因为传统的汽车销售网点位置偏远,手续烦琐,耗时过长,这些都是新一代消费者所反感的。另有数据表明,由于用车成本高昂和大众交通的普及,欧美地区年轻消费群体的车辆保有率持续下降,但使用车的需求依然存在。为了满足这部分消费者的需求,领克提出的方案是改卖为租,用户可以通过缴纳月租费获得车辆使用权。对于那些愿意拥有车的消费群体,如何吸引他们购买领克呢?数据显示,私家车的有效使用时间只有4%,车辆有大量的闲置时间。基于这样的洞察,领克提出的方案是在消费者成为车主后,可以将闲置车辆租给其他人,用获得的报酬去偿还购车按揭费用。

新的产品方案、新的品牌,在一个全新的市场,首先要做的是打响知名度。根据广告营销的AIDMA模型,消费者的注意力首先转化为兴趣,然后转化为欲望,接着转化为记忆,最后才转化为消费者的行动。

对于一个全新品牌的启动,传统的市场营销方式是在消费者花时间最多的地方做广告以引起他们的注意,然后通过广告里的产品信息让他们产生兴趣,接着通过广告里营造出来的调性和创意让他们产生欲望,最后通过广告的多次曝光,让他们产生记忆。消费者感知过产品和品牌价值后,当有使用需求时就会购买该品牌产品。对于汽车品类,传统营销方式就是在热门地方打广告,最后让消费者去销售门店试车、买车,但这在现在的消费者身上不再像过去那样行得通了。领克品牌本身标榜年轻、有个性,对于这样的市场现状,如果在营销方式上因循守旧,肯定不符合品牌定位,也不利于吸引消费者挑剔的目光。

营销必须另辟蹊径,领克是怎么做的呢?

领克通过调研目标消费者发现年轻的千禧一代有强烈的社交需求,拥抱潮流和个性化。于是领克采取的策略就是把汽车销售融入消费者的生活中,先满足他们在社交生活上的需求,在此过程中巧妙地导入产品。既然消费者喜欢去咖啡馆、酒吧、音乐活动现场等,领克就创新地建造一个社交场所,在里面陈设产品。和传统营销不同,这样的方式让消费者从被动变为自发主动地接受信息,是真正意义上的用户至上,让销售更加自然有效。

与此同时,这让领克的销售内容发生了一个显著的改变。领克原先的目标是让消费者购买领克汽车,现在的目标是让消费者购买领克牌社交场景。也就是说,新产品是社交场景,原产品变成了场景的一部分。场景营销的好处在于场景更能培养消费者的行为习惯。大家都知道习惯的力量是强大的,而习惯的养成离不开场景,在场景的强作用下,涉及的产品和品牌更容易被消费者打上标签。建立标签是品牌持有者梦寐以求的,因为标签经过广泛传播,能吸引更热衷该标签的消费者群体。

领克在欧洲的营销策略很大胆、有新意,并且背后的商业逻辑非常清晰。作为品类的挑战者,领克深挖消费群体的新需求,在产品方案和营销两个维度上做出了创新,力求赢得市场。领克启发我们做市场营销首先应满足消费者的需求,然后想办法把产品融入使用场景,这样既能培养牢固的消费习惯,又能塑造品牌个性标签,从而吸引更多志同道合的消费者。

思 考 题

1. 结合案例,请分析市场调研的内容及意义?
2. 请谈谈领克在欧洲的营销策略对你有何启示?

第 5 章 / Chapter 5

汽车目标市场

第5章 汽车目标市场

【教学要点】

知 识 要 点	掌 握 程 度	相 关 知 识
汽车市场细分	掌握市场细分的依据与市场细分的原则	市场细分原则
汽车目标市场	掌握目标市场的评估及目标市场的营销策略	目标市场营销策略
汽车市场定位	掌握市场定位的概念、方式及战略	产品定位、品牌定位、企业定位 产品、品牌、企业定位策略

 导入案例

腾势汽车

从12年前的鲜为人知到备受关注；从销量惨淡到细分市场的销冠；从持续亏损到逐步走向盈利。一个曾经连奔驰也无法拯救的品牌，如今却被比亚迪重赋生机，这就是比亚迪和奔驰的合资品牌——腾势汽车。

一、腾势的诞生

2010年，新能源汽车被国务院确定为七大战略性新兴产业之一。我国新能源汽车实现弯道超车的奇迹就此拉开序幕。

作为燃油汽车的发明者与引领者，奔驰敏锐地察觉到了这一机会——我国将迎来巨大的电动汽车消费升级。然而，此时奔驰的三电技术不够成熟，想要抓住历史的机遇必须借助外力。于是，奔驰将目光瞄准了国内的新能源车企比亚迪。

彼时的比亚迪受困于汽车品质问题，渴望实现产品升级，而奔驰的整车制造工艺显然正是比亚迪需要学习的，双方都希望取长补短，于是一拍即合，达成合作。

2010年3月，王传福与戴姆勒共同签署备忘录，双方约定共同出资打造一家高端新能源汽车品牌。7月，深圳比亚迪戴姆勒新技术有限公司正式挂牌成立，比亚迪和奔驰分别持股50%。经过两年的打磨后，2012年3月30日，比亚迪和戴姆勒举行主题为"EV the Future"的品牌发布会，推出品牌"DENZA 腾势"，正式宣告我国首个专注于电动汽车的品牌诞生。

二、腾势品牌内涵

DENZA源自中文名"腾势"的音译，为"腾势而起，电动未来"之意，希望借助双方资源整合，乘我国及全球电动汽车崛起的大势，呈现腾飞而起的气势，带给消费者超越性的汽车生活体验。

"腾势"的品牌标识（LOGO）由中央的水滴和外围的合拢造型构成。水滴之蓝是科技的蓝、未来的蓝，体现了品牌追求纯净自然的环保愿景；而合拢的造型则呈现出合资双方共同呵护自然与环境，共同致力于电动汽车事业的愿景。

腾势品牌目标是成为新能源汽车市场的先行者、领航者。核心价值是卓越、进取、责任。

腾势品牌主张是"EV the Future"。新能源汽车是汽车的未来,DENZA愿积极致力于推动新能源汽车技术的发展,服务于新能源汽车时代。

三、腾势之初

腾势成立之初,由于当时市场上几乎没有可以参照的高端电动汽车版本,所以首款车经历了漫长的4年多的研发周期才问世。

2014年11月28日,腾势推出首款车腾势至臻,续驶里程能达到300km,所以也叫作腾势300。这款车是由奔驰设计总监奥利弗·布雷教授设计的,相比燃油汽车,这款车的外观并不惊艳,但也有不少亮点,比如按下前脸格栅的LOGO可以看到充电口。

这款车的起步售价为36.9万元,即使补贴后的售价依然接近30万元。可以想象,在2014年花30万元买个续驶里程300km的电动汽车,这在当时只有少数人能接受,所以当年销量并不乐观,2015年仅销售2888台。

2016年,腾势推出腾势400,续驶里程有了明显提升,但年销量仍未能突破3000台。

2017年,腾势入驻奔驰销售服务体系,将腾势汽车放到奔驰的4S店里出售。腾势的表现终于有所好转,2017年的销量达到4713辆。

2018年,腾势推出腾势500。虽然这次续驶里程有了进一步的提升,但当时市场上续驶里程可以超越500km的汽车越来越多。并且腾势500的外观仍然延续了前代车型,仅仅做了微调,这样陈旧的外观成为腾势一个很大的硬伤。而在价格方面,腾势的售价仍维持在近30万元,而同期的竞品则便宜很多。所以腾势的销量再次开始下滑,全年销量仅1974台。

虽然腾势已经连续4年亏损,但比亚迪和奔驰仍选择继续注资。2019年年底,腾势推出一款7座SUV腾势X。腾势X的外观和续驶能力有了明显的提升,因此销量稍有起色。但是在不少消费者看来,腾势X只是一台换壳的比亚迪唐,并且价格要比唐高出许多,所以腾势X最终未能掀起太大的波澜,2021年的销量仅为4175台。而与此同时,以蔚小理为代表的新势力如雨后春笋般冒出,纷纷取得了不错的销量与成绩。

腾势虽然入局最早,但与后起之秀的新势力已经拉开了极大的差距。腾势是如何一步一步走向"高不成低不就"的局面呢?这背后其实有很多因素,比如腾势的车型过于单一,车型更新速度慢以及竞争对手的迅速崛起,还有一个原因是比亚迪和奔驰都没有给予腾势全力的支持。可能奔驰只是想从比亚迪这里学习一些新能源汽车技术,而比亚迪只是想借奔驰品牌的影响力打造一个高端品牌。所以本来应该以技术驱动的腾势缺乏技术积淀,导致腾势这个品牌还没有开始走强就没落了。

四、腾势崛起

2021年12月,比亚迪和戴姆勒进行了股权调整,比亚迪和奔驰分别持有腾势90%和10%的股份。也就是说,腾势变成了比亚迪绝对控股的品牌。

2020年,比亚迪销量已经突破了40万台。虽然销量达到了一定的规模,但是王朝系列和海洋系列车型都难以支撑起35万元以上以及更高的价格。而走在新能源最前列的比亚迪必然要争夺这部分市场——30万~50万元的细分市场。正如王传福所说,腾势只做

第 5 章 汽车目标市场

豪华品牌，坚定不移地走豪华车路线。

此时，如果比亚迪创造一个全新的品牌，用户接受起来需要一定时间。而腾势已经建立了一定的知名度，同时有奔驰的血统，所以比亚迪决定借着转型的机会重新发展腾势品牌。

2022 年 2 月 14 日，比亚迪注册成立腾势汽车销售服务有限公司。从公司人员组织调整到视觉系统的更新，从销售模式的调整到产品的升级换代，比亚迪从相对细分的 MPV 市场切入推出腾势 D9。从目前的销量来看，可以看到腾势的强劲崛起。

12 年的不温不火确实让腾势错失了很多机会，但正是因为这 12 年的试错，才让腾势更加明白如何才能做好一款车。腾势的成长离不开新能源汽车产业加速发展的背景，更离不开每个愿意支持它的用户。

任何一个产品市场都是由许多需求各异的消费者所组成的，汽车市场更是如此。一家汽车生产或销售企业开展营销活动时，面对的是非常复杂的市场，市场中的消费者由于经济水平、爱好、兴趣、生活习惯等的不同，对汽车产品和服务的要求也不同。通常情况下，一家企业不可能同时满足市场上所有消费者的所有需求，只能满足部分消费者的部分需求。因此，企业应根据自身的条件，选择那些对本企业有吸引力并能有效占领的那部分市场作为目标，制订相应的产品计划和营销计划，为其提供周到完善的服务。这样企业就可以把有限的资源用在能产生最大效益的地方，从而获取竞争的优势地位，也就是实行目标营销。一个完整的目标营销过程要经过三个步骤，即市场细分（Segmentation）、选择目标市场（Targeting）和市场定位（Positioning），简称"STP 策略"。

5.1 汽车市场细分

营销人员通过市场调研发现了这样一个事实：无论哪家企业都不能独自满足市场上的所有需求，而只能满足其中一部分需求。由于市场需求存在广泛性和复杂性，市场上需求的差异性很大。市场细分就是根据需求的差异性，用一定的标准划分出不同的消费群体，并依此把一个市场分割为若干个子市场的过程。

市场细分是 20 世纪 50 年代中期由美国著名营销学家温德尔·斯密在总结了企业市场营销实践经验的基础上提出来的，是第二次世界大战结束后企业营销战略思想的一个重要发展。市场细分理论已被广泛地用来指导企业的市场营销活动，在加强企业市场竞争能力方面起了重要作用。它的产生和发展经历了以下三个阶段：

（1）大量营销阶段 西方发达国家在工业化初期，由于物资短缺、商品供不应求，卖方市场居于主导地位，因此生产观念在企业中甚为流行。与此相适应，企业普遍实行了大量营销方式，即企业大量生产某种产品，并通过众多的渠道进行推销，试图以这种产品来吸引市场上的众多消费者。企业采取这种营销方式的目的在于大大降低成本和价格，以便创造巨大的潜在市场，获取最多的利润。

(2) 产品差异营销阶段 自20世纪20年代之后，随着科学技术的进步、科学管理和大规模生产的推广，在西方发达国家，商品产量迅速增加，逐渐出现了供过于求的现象，卖方市场开始向买方市场过渡。企业间的竞争日趋激烈，并导致了产品销售困难、价格跌落、利润下降，从而对企业构成了很大的威胁。这时，由于同一行业中的各企业生产经营的产品大体相同，因此任何企业都难以有效地控制产品的销量和价格。这种情况促使一些企业逐渐认识到了产品差异的潜在价值，并开始实行产品差异市场营销方式，即企业以现有产品为基础进行改型变异，推出多种外观、式样、型号和质量的产品，或千方百计使自己的产品与竞争者的产品保持一定的差异性，以此来吸引消费者，争取在市场竞争中取得主动权。但是，这种对产品的改型变异以及追求产品的差异性，往往并不是从特定的消费群的需要出发的，而是企业提供自己认为有某种特色的产品供消费者选择，因而带有较大的主观性和盲目性。

(3) 目标市场营销阶段 随着收入水平和生活水平的提高，人们的消费需求日趋多样化而且加速变化。在这一形势之下，一些企业在市场营销观念的指导下开始实行目标市场营销方式，即企业将某一产品的整体市场划分为若干个消费群或市场部分，然后选择其中一个或多个市场部分为目标市场，开发适销对路的产品，发展相应的市场营销组合，以此来适应和满足目标市场的需要，实现企业的任务和目标。这就是已为企业普遍采用的目标市场营销方式。

对市场细分的理解，应注意下列几点：

1）市场细分不是对产品进行分类，而是对消费者的需求和欲望进行分类。消费者的需求和欲望是由一系列因素引起的。因此，企业在实施市场细分时，应以影响消费者需求和欲望的有关因素为基本线索。

2）每个细分市场都是由若干有相似欲望和需求的消费者构成的群体，分属于同一细分市场的消费者具有相近的需求倾向，分属于不同细分市场的消费者则在需求倾向上存在明显的差异。

3）不同的细分市场在需求倾向上的差异性不仅可以表现在对产品的要求上，还可以表现在对市场营销组合其他构成因素的要求上，甚至可综合表现在对企业整个市场营销组合要求的异同上。

4）市场细分不是简单的分解，而是一个分类组合过程。市场细分从某种意义上可以说是企业从更具体的角度寻找和选择市场机会，以使企业能够将具有特定需要的消费群与企业的营销组合对策有机衔接起来。

汽车市场细分是指汽车企业根据汽车市场需求的多样性和购买者行为的差异性，把整个汽车市场划分为若干具有某种相似特征的用户群，以便执行目标市场营销的战略和策略。

5.1.1 汽车市场细分的作用

汽车市场细分的作用集中表现在以下几个方面：

1）有利于发现汽车市场营销机会。运用汽车市场细分可以发现汽车市场上尚未加以满足的需求，并从中寻找适合本汽车企业开发的需求。这种需求往往是潜在的，一般不容易发现，而运用汽车市场细分的手段便于发现这类需求，使汽车企业抓住市场机会。

2）有效地制定最优营销策略。汽车市场细分是目标市场选择和汽车市场定位的前提，是目标市场选择的基础。汽车企业营销组合的制定针对的是所要进入的目标市场，离开目标市场的特征和需求的营销活动是无的放矢，是不可行的。

3）有效地与竞争对手相抗衡。通过汽车市场细分，有利于发现汽车消费群的需求特性，使汽车产品富有特色，甚至可以在一定的汽车细分市场形成垄断的优势。汽车行业是竞争相当激烈的一个行业，几乎每一种车型都有相类似的车型作为其竞争对手，但是如果市场细分选择正确，也可以在一定程度上具有垄断的优势。

4）有效地扩展新的汽车市场，扩大市场占有率。汽车企业对汽车市场的占有是从小至大逐步拓展的。通过汽车市场细分，汽车企业可以先选择最适合自己占领的某些子市场作为目标市场。当占领这些子市场后，再逐渐向外推进、拓展，扩大汽车市场的占有率。

5）有利于汽车企业扬长避短，发挥优势。每个汽车企业的营销能力对于整体市场来说都是有限的。汽车企业必须将整体市场细分，确定自己的目标市场，这一过程正是将汽车企业的优势和市场需求相结合的过程，有助于汽车企业集中优势力量，开拓汽车市场。

5.1.2 汽车市场细分的依据

消费者市场是一个复杂多变的市场。消费者人数众多，消费需求各不相同，但是总有一些消费者有某些类似的特征，这些特征正是市场细分的依据。从消费者市场来看，可以按照以下六类方式进行细分：

（1）按地理位置细分 按地理位置细分是指把市场分为不同的地理区域，如国家、地区、省市、南方、北方、高原、山区等。各地区因自然气候、经济文化水平等因素形成了不同的消费习惯和偏好，影响消费者的需求和反应。汽车企业在进行销售时，应根据不同的地理因素，采取不同的营销方案。例如，市场上出现家用经济型轿车时，由于经济发展速度和人民生活水平的不同，华东和沿海地区与西部和边远地区的消费者相比，显然其需求标准比较高，因此汽车企业纷纷将华东和沿海地区作为主要购买市场。

（2）按人口特点细分 这是指按照人口的一系列性质因素来辨别消费者需求上的差异。在众多人口因素中，消费者的收入水平始终是汽车营销进行市场细分必须考虑的因素。一辆汽车即使性能再好，设计再新，但如果消费者的收入不足以负担这种汽车的价格，那么这种汽车的市场就不会做大。

（3）按购买心理细分 按购买心理细分是指按照消费者的生活方式、个性和偏好等心理因素上的差别对市场加以细分。生活方式是指一个人或一个群体对于生活消费、工作和娱乐所持的不同看法或态度。个性不同也会产生消费需求的差异。因此，国外有些企业根据消费者的不同个性对市场加以细分。例如，有的市场学家研究发现，有活动折篷的汽车和无活动折篷的汽车的购买者的个性存在着差异，前者比较活跃、具有动感性、爱好交际等。另外，世界上著名的汽车品牌往往都被赋予了个性色彩。比如，奔驰象征上流社会的成功人士，福特是中产阶级白领的最爱，而劳斯莱斯则象征身份显赫的贵族。

（4）按消费者的行为细分 所谓行为的细分化，是指根据消费者对产品的知识、态度、使用与反应等行为将市场细分为不同的消费群。这些因素有多种，主要有：

1）购买理由。它是指将消费者按照购买产品的理由分成不同的群体。例如，有的人购买汽车是为自己上下班使用，有的是为了出游使用。汽车企业可根据消费者不同的购买理由提供不同的产品，以满足其需要。

2）利益寻求。消费者购买商品所要求的利益往往各有侧重。这可以作为市场细分的依据。这其中，有的人追求产品价廉实用，有的人追求名牌赶时髦，还有的人将汽车作为身份地位的象征。世界著名的整车生产企业都有适合不同利益追求的汽车产品。例如，福特汽车公司的产品中，既有适合注重实用性的中产阶级的"福特"，也有作为身份象征的豪华的"林肯"；既有适合爱冒险、活泼的年轻人的"运动型"汽车，也有充满时尚色彩的适合时尚人士需求的车型。

3）使用者情况和使用率。对于消费品，很多市场可按使用者的情况，细分为某一产品的未使用者、曾使用者、以后可使用者、初次使用者和经常使用者等类型。在某种程度上，经济状况决定了企业把重点集中在哪一类使用者身上。一般来说，大企业对潜在使用者较感兴趣，而小企业则以经常使用者为服务对象。不同使用状况的消费者，在营销方式及广告宣传等方面都会有所不同。

市场按某一产品使用率进行细分，可分为少量使用者、中量使用者和大量使用者等类型。大量使用者的人数虽然相对较少，但他们在总消费中所占的比重却很大。企业的营销通常偏好吸引大量使用者群体，而不是少量使用者群体。

4）品牌忠诚程度。消费者的忠诚程度包括对企业的忠诚和对产品品牌的忠诚，忠诚程度也可作为细分的依据。按忠诚程度，可以将消费者分为四类：坚定忠诚者、中度忠诚者、转移型忠诚者和多变者。企业应考察和研究各类消费者的特征，以不断地扩大自己产品的消费群。

5）待购阶段。消费者对各种产品特别是新产品，总处于不同的待购阶段。据此可将消费者细分为六大类：即根本不知道该产品、已经知道该产品、知道得相当清楚、已经产生兴趣、希望拥有该产品和打算购买。按待购阶段不同对市场进行细分，便于企业针对不同阶段运用适当的市场营销组合，以促进销售。

6）态度。消费者对于产品的态度可分为五类：热爱、肯定、冷漠、拒绝和敌意。对待不同态度的消费者应当结合其所占比例采用不同的营销策略。

（5）按最终用户对同一种产品追求的利益不同细分　通过分析最终用户，企业可针对不同用户的不同需要制定不同的对策。我国的汽车市场用户类型可分为生产型企业、非生产型组织、非生产型个人（家庭）和个体运输户等细分市场，还可分为民用、军用两个市场。

（6）按客户规模细分　根据客户规模，可将汽车市场划分为大、中、小三类客户。一般来说，大客户数目少但购买额大，对企业的销售市场有举足轻重的作用，企业应特别重视，注意保持与大客户的业务关系；而对于小客户，企业一般不应直接供应，可以通过中间商销售。

在大多数情况下，市场细分通常不是依据单一标准细分，而是把一系列划分标准结合起来进行细分，目标市场取各种细分市场的交集。

第 5 章 汽车目标市场

阅读材料 5-1

腾势 D9

作为 2023 年 MPV 的年度销量冠军，2024 年连续 5 个月蝉联 MPV 销量冠军，腾势 D9 的成功秘诀是什么？

第一，在外观方面，腾势 D9 是一款定位于豪华轿车市场的中型 MPV，外观很霸气，能引起消费者的购买欲望。除了延续 MPV 传统的方形盒子造型，还针对插电式混合动力（简称混动）与纯电动两种类型的前脸设计了不同的造型。其中，混动版的前脸采用菱形的镂空格栅，以大气为主。纯电动汽车的前脸采用"扁平瀑布式"的设计风格，以简约为主。这样一款产品有着鲜明的区分度，给人一种视觉上的冲击力，让人觉得很舒服，这款产品的定位确实很巧妙。

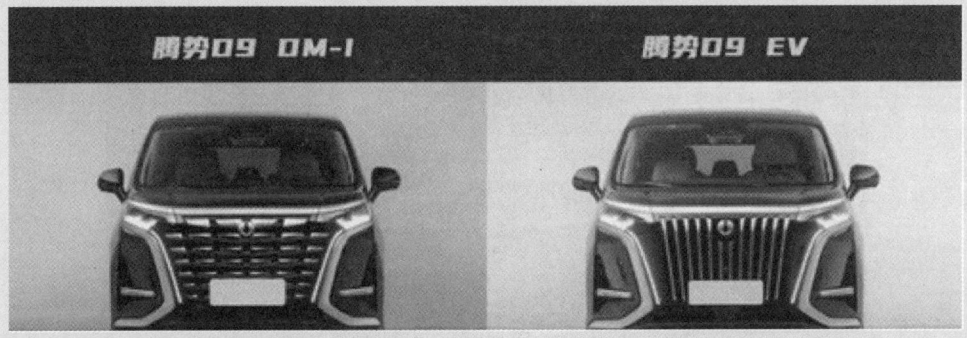

第二，在内饰方面，腾势 D9 采用传统的内饰设计，大量物理按键被保留了下来。腾势 D9 配备了 10.25 寸仪表，15.6 寸触控屏，中控屏是可以自适应转动的，这在比亚迪车型中属于"祖传配置"。同时座椅采用了 Nappa 面料，提供了 7 座与 4 座两种布局。7 座 "2+2+3" 的布局中，第二排座椅又厚又大，并且配备了多向电动调节、座椅通风、加热、按摩、小桌板等功能，可以很好地满足第二排的各种需要。第三排座椅也是如此，支持前后、靠背角度调节，让驾驶空间与舒适有保障，更能照顾车内每位乘员的实际乘坐感受。总体来说，在 30 多万元的 MPV 市场中，腾势 D9 的座椅舒适度是出类拔萃的，因此每月近万名消费者选择它并不令人感到意外。

第三，在动力方面，腾势D9的动力选择有很多，除了插电式和纯电动两种，还有另外两种不同的动力形式可以满足不同的需求。DM-i车型搭载1.5T发动机，专供骁龙混动系统使用，两驱和四驱分别为221kW和299kW、571N·m和681N·m；而纯电动则是230kW、275kW，综合转矩分别为360N·m和470N·m。插电式的腾势D9可以同时使用汽油与电力，虽然在动力形式上并不少见，但是比亚迪DM-i的超级混动系统却是目前行业内较早、较可靠、较忠诚的一款。所以，抛开腾势D9 DM-i这款车的综合续驶里程不谈，单从可靠性和实际使用体验上来说就足以让人安心了。

第四，腾势D9的热销是因为迎合了这个价位大部分消费者的实际需要，不管是外观、内部空间、动力和油耗，还是隔音效果，都是同级车中的佼佼者。所以市场上出现这么一款"宜商宜家"的MPV并不令人感到意外，因为它的受众面很广，买家也很多，腾势D9凭借精准的产品定位和领先的产品力赢得了用户的信赖和选择。

名人故事 5-1

王传福，1966年2月15日出生于安徽省芜湖市无为县的一个农民家庭。王传福13岁时父亲因病离世，家中姊妹8个失去了顶梁柱。迫于无奈，哥哥将读书的机会让给了他，自己主动退学出去赚钱，撑起了这个家。王传福作为家里唯一的希望，被哥哥和母亲寄予厚望。王传福发誓要考上中专，让母亲和哥哥过得好一点，谁知道两年后母亲在他中考当天突然离世。

15岁时父母双亡，前途黯淡，这就是王传福的人生开局。

为了不拖累家里，王传福一度决定辍学打工，被哥哥严厉地教训了一顿。因为他们的父亲在去世前的唯一嘱托便是一定要让弟弟王传福考上大学，走出农村。为了供他读书，哥哥、嫂子每周从牙缝里省出10块钱。王传福终于没有辜负哥哥、嫂子的期望，考上了中南大学冶金物理化学系，成了村里唯一一个考上重点大学的学生。进入大学后，王传福的兄嫂依然负担着他的生活费，这才让他得以和其他学生一样安心享受自己的大学生活。

之后，王传福的人生一路开挂，毕业后考取了北京有色金属研究院的研究生，三年后留在该院301室工作，按部就班地历任副主任、主任、高级工程师、副教授。

1993年，研究所在深圳成立比格电池有限公司，王传福被派去任总经理，此时的王传福已是妥妥的人生赢家。换做普通人，可能别无所求，一辈子安于现状了，可平凡的幸福注定不属于不平凡的人。

当时，通讯业兴起，一部"大哥大"的售价高达2万元，尽管售价极高，但购买者仍趋之若鹜。而手提电话的发展势必会使得充电电池的需求与日俱增，一块镍镉电池就能卖到上千元，而电池正是王传福的研究专长。于是王传福找到表哥借了250万元用于创业。1995年2月，王传福毅然带着借来的创业资金下海经商，在深圳注册了比亚迪实业公司。

一次，王传福从一份国际电池行业的动态中得知，日本宣布将不再生产镍镉电池，他意识到："对中国电池行业来说，这将是一个前所未有、千载难逢的机遇！"王传福认为想活下来就必须抓住这次镍镉电池生产基地的国际大转移。

不同于有些企业靠花钱引进国际领先水平的生产线，比亚迪从头到尾靠自主开发研制产品。此外，比亚迪在改善工艺、控制原料和质量、降低成本等方面投入了大量的精力。

1995年，王传福试着将比亚迪的产品送给台湾省最大的无绳电话制造商——大霸试用。意想不到的是，比亚迪产品优秀的品质和低廉的价格使大霸对他们的电池颇为满意。当年年底，大霸毫不犹豫地将原本给三洋的订单给了比亚迪。

1997年，金融风暴席卷东南亚，全球电池产品价格暴跌了20%~40%。许多日本企业已处于亏损边缘，但比亚迪以低成本优势在这场淘汰赛中越发显得游刃有余。

3年时间内，比亚迪抢占了全球近40%的市场份额，从一个名不见经传的小角色成长为一个年销售近1亿元的中型企业，成为镍镉电池领域当之无愧的执牛耳者。紧接着，王传福开始研发蓄电池市场具有核心技术的产品——镍氢电池和锂电池，还专门成立了比亚迪锂离子电池公司。6年时间内，比亚迪一跃成为三洋之后的全球第二大电池供应商，占据了近15%的全球市场。2002年7月，比亚迪在香港上市。

此后，入局电池行业的公司越来越多，涌现出了众多下游企业。王传福又把目光投向门槛高、竞争相对较低的汽车行业。他认为我国的汽车市场非常大。在当时，我国有几千万摩托车用户、4亿自行车用户。随着经济不断发展，若干年后，这些人也许就是汽车用户。另外，他认为今后汽车发展的方向是节能、清洁，而比亚迪一直有生产电动汽车的打算，这也是生产电池的比亚迪的一种产品延伸策略。

2003年，王传福不顾众人反对，收购了秦川汽车，比亚迪股价应声暴跌，市值两天内蒸发了27亿港元。投资者给王传福打电话，声嘶力竭地喊："我们要抛掉你的股票！"面对外界的质疑，王传福没有放弃。此后，比亚迪造出第一款比亚迪汽车F3，外型与丰田花冠几乎一模一样，但价格只有丰田花冠的一半，售价不到7万元，不到一年就狂卖了10万台。值得一提的是，2018年，比亚迪股票受到巴菲特的青睐，他用18亿港元收购比亚迪10%的股份，并在第二年的巴菲特股东大会上称王传福是"真正的明星"。2009年，王传福以350亿元身家成为当年胡润富豪榜的中国首富。

比亚迪转战新能源汽车后，销量连续数年位居全球第一。除了玻璃和轮胎，核心电动机、减速器、电池、控制系统全是自研，它是目前我国唯一一家不被"卡脖子"，靠自己搞定电动汽车"三大件"的厂家。可以说比亚迪是最不可被低估的中国企业，没人知道它的天花板在哪里。

王传福依旧在拼命地努力，几乎天天加班、晚归，没有周末，他不仅为了挣钱，也为了给中国人争口气，证明中国人不比别人差。为了争一口气，王传福还把汉字用在了车标上，不管别人怎么说他都不换，只是说："我们还是坚持，我们是中国人。"

从一个父母双亡的穷小子到如今身价百亿的企业家，王传福用半生奋斗证明了"没有比人更高的山，没有比脚更远的路。"

5.1.3 汽车市场细分的原则

1. 可衡量性

可衡量性是指各个细分市场的购买力和规模的大小能被衡量的程度。用以细分市场的特征必须是可测量的、便于量化的，细分出的市场应有明显的特征和区别度。

2. 可进入性

可进入性是指企业有能力进入所选定的细分市场。也就是说，所选定的细分市场必须是企业以当前的资源状况足以进入并可占有一定的市场份额。对于企业无法进入或难以进入的市场，进行市场细分的现实意义不大。

3. 可赢利性

在细分市场中，被企业选中的部分必须具有一定的规模和购买力，足以使企业有利可图，并能实现预期利润目标。同时，还应注意，由于汽车行业具有关联度高、规模效益显著、资金密集和技术密集等特点，因此对汽车市场不能细分到企业难以获利的程度。此外，细分市场的规模不能过大，否则企业会"难以消化"。

4. 可区分性

可区分性是指不同的细分市场的需求特征可以清楚地加以区分。例如，消费者对轿车的需求依据轴距、排量、重量等参数，分级标准有 A00 级（微型车）、A0 级（小型车）、A 级（经济型车）、B 级（中高档型车）、C 级（高档车）和 D 级（豪华车）。

5. 稳定性

细分后的市场应具有相对的稳定性，如果变化太快、太大，会使企业制定的营销组合策略很快失效，造成营销资源重新分配调整的损失，形成企业营销活动前后脱节的被动局面，不利于企业目标的实现。

【营销视野】

误区一：市场细分越细越好

市场细分是建立在差异化的基础上的，企业只有做好市场细分，才能有效选择目标市场，从而为不同目标市场提供差异化、个性化的产品和服务。因此，现在有一种观念认为市场细分越细越好，市场细分越细就表示对客户越了解，就越能推进差异化营销，营销效率也就越高。然而市场细分是有成本的，市场细分越细必将要求增加相应的人员、机构为其服务，为诸多子市场开发量身定制的产品、服务和制定差异化营销策略。目标市场过细，市场规模较小，必然会增加市场细分成本，不利于提高规模效益。

误区二：市场细分要渠道全覆盖

要真正做到资源优化配置、营造竞争优势，需要进一步对不同消费群进行市场细分，需要立体式、多维度的市场细分，发现市场机会并寻找最有价值的客户。简单地以渠道全覆盖是不可取的，而且渠道全覆盖还会增加企业人力和营销成本。

误区三：执着于细分

当今已进入客户导向的时代，加强市场细分是大势所趋。现实中有一种倾向是盲目照搬国外先进模式，强调从各个方面对市场进行细分，进而选择有效目标市场。然而一味地追求细分而不讲究细分质量和效果是不可取的，必须摒弃无价值的市场细分。市场细分是必要的，一定要建立与企业自身发展相适应的市场细分体系。

误区四：为细分而细分

市场细分的目的是发现市场机会，针对不同市场制定差异化的策略和开发差异化的产品。如果目标市场营销策略跟不上，不能有效执行，市场细分就只能停留在市场细分阶段，不能为企业创造更高的客户价值。

5.2 汽车目标市场选择

5.2.1 目标市场的评估

选择目标市场的首要步骤是分析评价各个细分市场，即对各细分市场在市场规模和增长率、市场结构吸引力、企业目标和资源等方面的情况进行详细评估，在综合比较的基础上选择最优的目标市场。在进行市场评估时，需要考虑以下因素：

（1）细分市场的规模和增长率　这项评估主要研究潜在细分市场是否具有适当的规模和增长率。当然，适当的规模是一个相对的概念。大的汽车公司可能偏好销量很大的细分市场，对小市场不感兴趣。小的汽车公司可能会有意避开较大规模的细分市场，因为要立足较大规模的市场通常需要具有较强的竞争实力。细分市场的增长率也是一个重要因素，所有的企业都希望目标市场的销量和利润具有良好的上升趋势，但竞争者也会迅速进入快速增长的市场，从而使利润率下降。

（2）细分市场的结构吸引力　一个具有适当规模和增长率的细分市场有可能缺乏盈利潜力。著名管理学家波特认为，决定一个市场或一个细分市场长期盈利潜力的有五个因素：细分市场内部竞争、新加入竞争者、替代产品、购买者和供应商的威胁。

1）细分市场内部竞争的威胁。大部分行业中的企业，相互之间的利益都是紧密联系在一起的，作为企业整体战略一部分，各企业竞争战略目标都是使自己的企业获得相对于竞争对手的优势。所以,在实施中就必然会产生冲突与对抗现象。这些冲突与对抗构成了现有企业之间的竞争。现有企业之间的竞争常常表现在价格、广告、产品介绍、售后服务等方面,其竞争强度与许多因素有关。

2) 新加入竞争者的威胁。如果某个细分市场需求量大,可能会吸引新的增强生产能力和增加大量资源并争夺市场份额的竞争者。问题的关键是新的竞争者能否轻易进入这个细分市场。新加入竞争者在给行业带来新生产能力、新资源的同时,也希望在已被现有企业瓜分完毕的市场中赢得一席之地,这就有可能会与现有企业发生原材料与市场份额的竞争,最终导致行业中现有企业盈利水平的降低,严重的话还有可能危及这些企业的生存。新加入竞争者所带来的威胁的严重程度取决于两方面的因素,即进入新领域的障碍大小与预期现有企业对于新加入竞争者的反应情况。

进入障碍主要包括规模经济、产品差异、资本需要、转换成本、销售渠道开拓、政府行为与政策、不受规模支配的成本劣势、自然资源、地理环境等方面。其中,有些障碍是很难借助复制或仿造的方式来突破的。预期现有企业对新加入竞争者的反应情况主要是指现有企业采取报复行动的可能性的大小。这取决于有关厂商的财力情况、报复记录、固定资产规模、行业增长速度等。总之,新企业进入一个行业的可能性的大小取决于新加入竞争者主观估计进入该行业所能带来的潜在利益、所需花费的代价与所要承担的风险这三者的相对大小情况。

3) 替代产品的威胁。如果某个细分市场存在替代产品或潜在替代产品,那么该细分市场就可能失去吸引力。例如,摩托车、电动汽车从某种意义上说就是传统汽车的替代产品,美国电动汽车特斯拉上市之后,传统汽车行业即感受到强烈的冲击。所以,汽车企业也应当密切关注替代产品的技术发展和价格状况,以及时应对其带来的竞争威胁。

4) 购买者的威胁。如果某个细分市场中购买者的议价能力很强或正在增强,该细分市场就没有吸引力。购买者会设法压低价格,对产品质量和服务提出更高的要求,并且使竞争者相互斗争。这些都会使经销商的利润受损。在下列情况下,购买者往往具备较强的议价能力。

① 购买者的总数较少,但每个购买者的购买量较大,占了卖方销量的很大比例。

② 卖方行业由大量相对来说规模较小的企业所组成。

③ 购买者所购买的基本上是一种标准化产品,同时向多个卖主购买产品在经济上完全可行。

④ 购买者有能力实现后向一体化,而卖主不可能实现前向一体化。

5) 供应商的威胁。如果企业的供应商——原材料和设备供应商、公用事业部门、银行等提价,降低产品、服务的质量,减少供应数量或延长供货周期等,那么该企业在所在细分市场中的竞争力就会下降。如果供应商集中或有组织,或替代产品较少,或供应的产品是重要的投入要素,或者供应商可以向前实现联合,那么供应商的议价能力就会增强。在下列情况下,供应商往往具备较强的议价能力:

① 供方行业为一些具有稳固市场地位而不受市场激烈竞争困扰的企业所控制,其产品的买主很多,以致每一个买主都不可能成为供方的重要客户。

第 5 章 汽车目标市场

② 供方各企业的产品各具一定的特色,以至于买主难以转换或转换成本太高,或者很难找到可与供方企业产品相竞争的替代品。

③ 供方能够轻易地实行前向联合或一体化,而买主难以进行后向联合或一体化。

例如,博世(Bosch)公司作为一家汽车零部件供应商,在电子控制单元(ECU)、燃油喷射系统、多媒体系统、车身电子稳定系统(ESP)等零部件领域拥有较强的议价能力。因此,与供应商建立良好的关系和开拓多种供应渠道对提高企业的防御能力有较大帮助。

(3) 企业目标和资源 如果某个市场具有一定规模、增长潜力和吸引力,企业还必须对该市场是否符合企业的长远目标,是否具备获胜能力以及是否具有充足的资源等情况进行评估。

企业对目标市场进行科学评估后,当决定进入时,还必须选择目标市场的营销策略。

5.2.2 目标市场的营销策略

1. 无差异性市场营销策略

实行无差异性市场营销策略的企业把整体市场看作一个大的目标市场,不进行细分,用一种产品、统一的市场营销组合对待整体市场。例如,某汽车厂生产载货汽车,以一种车型、一种颜色行销于全国,无论是企业还是机关,无论是城市还是农村都不例外。实行此策略的企业基于两种不同的指导思想:①从传统的产品观念出发,在看待市场消费需求上,强调需求的共性而漠视消费需求的差异。因此,企业为整体市场生产标准化产品,并实行无差异的市场营销策略。②企业经过市场调查之后,认为某些特定产品的消费者需求大致相同,或者差异较小。因此,企业对需求相同的产品可以采用大致相同的市场营销策略。采用无差异性市场营销策略的最大的优点是经济性。大批量地生产销售必然降低单位产品的成本,无差异的广告宣传可以减少促销费用。不进行市场细分相应减少了市场调研、产品研制与开发,以及制定多种市场营销策略、战术方案等带来的成本开支。然而,无差异性市场营销完全忽略了市场需求的差异性,将消费者视为完全相同的群体,这样就很难满足消费者的需求,从而导致消费者的流失。

2. 差异性市场营销策略

采用差异性市场营销策略的企业通常把整体市场划分为若干个需求与愿望大致相同的细分市场,然后根据企业的资源及营销实力选择不同数目的细分市场作为目标市场,并为所选择的各目标市场制定不同的市场营销组合策略,有时甚至设计不同的产品来满足不同目标市场上不同的需求。当一个企业采取差异性市场营销策略并在数个或更多细分市场上取得良好的营销效益时,就能够树立起良好的市场形象,吸引更多的消费者和潜在消费者。采用差异性市场营销策略的最大长处是可以有针对性地满足具有不同特征的消费群的需求,提高产品的竞争能力。但是,差异性市场营销策略也不是完美无缺的。由于产品品种、销售渠道和广告宣传的扩大化与多样化,市场营销费用大幅度增加。因此,汽车企业在市场营销中需要进行"反细分"或"扩大消费者的基数",尽量避免市场的过度细分。

3. 集中性市场营销策略

前面两种策略都是以整个市场为目标的，而集中性市场营销策略则选择以一个或少数几个子市场为目标。其实对汽车行业的中小型企业而言，集中性市场营销策略是更好的选择。它强调不能把力量在每个市场上平分，而是要把企业资源及人力、财力、物力集中在一个或几个小型市场。采取这一策略的企业不求在一个较大的市场上得到一个较小的市场份额，而要求在一个较小的市场上得到较大的市场占有率，甚至是支配性的比率。这种策略，有人把它称为"弥隙策略"，即弥补市场空隙，它非常适合资源薄弱的中小型汽车企业。中小型汽车企业要想在市场竞争中站稳脚跟，如果与大企业硬性抗衡，弊大于利。它们必须学会寻求对自己有利的小生存环境，也就是说，如果它们避开大企业竞争激烈的市场，选择几个能够发挥自己技术、资源优势的小市场，往往容易成功。由于目标集中，可以大大节省企业的营销费用和增加盈利；又由于生产、销售渠道和促销的专业化，能够更好地满足这部分特定消费者的需求，企业可以在某一个或某几个市场上取得优越的市场地位。

这一策略的不足之处在于经营者承担的风险较大。如果目标市场的需求情况突然发生变化，或者市场上出现了更强有力的竞争对手，企业就可能陷入困境。因此，企业在采取集中性市场营销策略的同时，应该局部采用差异性市场营销策略，将目标分散于几个细分市场，以便可以有回旋余地。

5.2.3 目标市场策略选择应注意的问题

企业往往根据具体情况组合应用几种目标市场策略。一般来说，在选择目标市场策略时应考虑以下几个方面：

（1）**企业能力** 企业能力是指企业在生产、技术、销售和管理等方面力量的总和。如果企业资金雄厚，且市场营销管理能力较强，即可选择差异性市场营销策略或无差异性市场营销策略；反之，如果企业能力有限，无力兼顾整体市场，则宜选择集中性市场营销策略。

（2）**产品特性** 对于一些相似性很强的产品以及不同工厂或地区生产的在品种、质量方面相差较小的产品，宜采用无差异性市场营销策略。而对消费者要求差别很大的产品，宜采用差异性市场营销策略或集中性市场营销策略。大多数轿车都属于消费者要求差别大的产品，适合使用差异性市场营销策略。

（3）**产品所处的生命周期阶段** 新的汽车产品上市时，往往以较单一的汽车产品探测市场需求。由于品种单一，产品价格和销售渠道基本上也相同。因此，新产品在引入阶段可采用无差异性市场营销策略。而待产品进入成长、成熟阶段，市场竞争加剧，同类产品增加，再采用无差异性市场营销策略就难以奏效，所以在成长阶段改为差异性市场营销策略或集中性市场营销策略效果更好。

（4）**市场特性** 如果消费者的需求、偏好较为接近，对市场营销刺激的反应差异不大，可采用无差异性市场营销策略，否则应采用差异性市场营销策略或集中性市场营销策略。对于汽车企业来说，消费者需求的差异性一般较大，因此，企业应该采取后两种市场营销策略。

（5）**竞争对手所采用的市场策略**　一般来说，企业如果比竞争对手强，可采用差异性目标市场营销策略，差异的程度可与竞争对手一致或更强；如果企业的实力不及竞争对手，一般不应采取与竞争对手完全一样的市场营销策略。在此情况下，企业可采取集中性市场营销策略，坚守某一细分市场，也可采取差异性目标市场营销策略，但在差异性方面，应针对竞争对手薄弱的产品项目形成自己的优势。

 阅读材料 5-2

比亚迪海豚引领细分市场新风向

近年来，我国的电动汽车市场发生了革命性的变化，其中比亚迪旗下的海豚电动汽车成了这场变革的代表之一。在仅仅 26 个月的时间里，海豚实现了 50 万辆的下线，不仅成为 A0 级轿车市场的冠军车型，还颠覆了整个市场格局，带来了全面的变革。

一、全面电动化

在海豚上市之前，10 万~15 万元级别市场的电动汽车选择有限，消费者常常因产品不足望而却步。然而，海豚的上市改变了这个局面。从销量数据可以看出，海豚以其令人印象深刻的"海豚速度"，用不到两年的时间让 A0 级轿车市场的电动化水平大幅提升。这引发了其他车企的跟随潮流，使得 A0 级轿车市场的月均销量在短短几年内增加了数倍。

二、中国品牌主导市场

以海豚为代表的中国品牌车型已经占据了 A0 级轿车市场的头部地位，市场份额超过了 88%。这是中国品牌车型在短时间内重新划分江湖地位的典型案例。中国品牌的崛起不仅改变了市场格局，还提升了 A0 级轿车市场的产品形态，使消费者对中国品牌产生了更多的兴趣。

三、定价权的转变

海豚的成功让中国品牌拥有了定价的主导权。消费者现在将海豚的价格作为标杆，如果竞品车型的价格明显高于海豚，但无法提供明显的附加价值，消费者不会认同。这个转变意味着海豚不仅在产品力和销量方面领先，还掌握了细分市场的定价权。

四、以用户为中心的设计

比亚迪的成功不仅是产品和市场策略的成功，还彰显了以用户为中心的设计理念。海豚 50 万纪念版车型的推出，十项设计升级、两项智能强化，以及用户权益的考量，都体现了比亚迪的用户关怀。这种关注用户需求的态度是比亚迪成功的一个关键因素。

比亚迪的海豚不仅是一辆电动汽车，它代表了我国电动汽车市场的巨大变革。它颠覆了传统的市场格局，让中国品牌成为 A0 级轿车市场的主导力量，改变了消费者对电动汽车的认知。海豚的成功是中国品牌在新能源领域的一次胜利，也是以用户为中心的设计和定价权的胜利。这个成功的案例为整个行业提供了深刻的思考和借鉴。

5.3 汽车市场定位

5.3.1 汽车市场定位的概念与作用

通常企业在选定自己的目标市场的同时，也就确定了自己的顾客和竞争对手。企业应怎样维持自己的顾客并尽可能地限制竞争对手的数量呢？这涉及市场营销活动中的市场定位问题。换句话说，企业选定目标市场决定了企业在所选定的目标市场中如何使自己处于一种有利的竞争优势地位。

1. 市场定位的概念

市场定位是指根据竞争者现有产品在市场上所处的地位，针对消费者对产品某一特征或属性的重视程度，强有力地塑造出本企业产品与众不同的、给人印象鲜明的个性或形象，并把这种形象和特征有力、生动地传递给目标消费者，使该产品在市场上确定强有力竞争位置的过程。这表明市场定位是企业通过为自己的产品创立鲜明的特色或个性，从而塑造出独特的产品市场形象来实现的。产品的特色或个性可以从产品实体上表现出来，如形状、构造和性能等，也可以从消费者心理上反映出来，如豪华、朴素、时髦和典雅等，还可以表现为价格水平、质量水准等。市场定位的关键是企业要设法在自己的产品上找出消费者或用户重视的、比竞争者更具优势的特性。市场定位并不是对产品本身做些什么，而是在潜在消费者的心目中做些什么。市场定位的实质是使本企业与其他企业严格区分开来，使消费者明显感觉和认识到这种差别，从而在消费者心目中占有特殊的位置。

2. 市场定位的作用

（1）有利于企业把握市场机会 企业进行市场定位，分析目标市场中各个位置的情况，能够结合自己的实力，找出最适合自己开展营销的位置。同时，当市场环境发生变化时，通过市场定位分析，企业一旦发现自己的目标市场不适应市场环境的要求，就可以重新定位，尽量拉近目标市场与企业之间的距离。因此，它能帮助企业及时把握住市场机会。

（2）有利于创造差异 每种产品不可能满足所有消费者的需求，每家公司只有选定市场上的某一部分特定消费者为其服务对象，才能充分发挥其优势，提供更有效的服务。因此，明智的汽车企业会根据对消费者需求的判断将市场细分化，并从中选择有一定规模和发展前景并符合本企业的目标和能力的细分市场作为目标市场。但只是确定目标市场是不够的，令目标消费者以本企业的产品作为他们的购买目标才更为关键。为此，企业需要将产品定位在消费者所偏爱的位置上，与其他竞争对手的产品形成差异，并通过一系列营销活动向目标消费者传达这一定位信息，这样才能形成独特的品牌优势。

（3）有利于企业的市场竞争 市场定位是适应市场竞争需要而进行的活动。企业通过市场定位，分析目标市场各个位置市场竞争的情况，了解哪个位置竞争者多，哪个位置竞争者少，哪个位置空缺，同时了解各个位置的市场容量，各个竞争者的长处和短处，从而帮助企业根据自己的实力来确定自己的市场位置。在确定企业的市场位置时，如果企业要与竞争

第 5 章　汽车目标市场

者展开竞争，则企业的市场定位应尽量靠近竞争者的市场；如果企业要避开竞争者的锋芒，则企业的市场定位要远离竞争者的市场。企业只有确定了市场位置之后，才能更好地制定目标市场营销计划，采用更为有效的竞争策略。

（4）有利于改变消费者的偏好　市场定位虽然依赖于消费者的心理状态，但在通过市场定位，分析企业所确定的市场位置、消费者的偏好及其改变的可能性后，可利用广告进行反复宣传以及通过其他促销途径促使消费者形成新的偏好。

5.3.2　汽车市场定位的步骤

市场定位的关键是企业要设法在自己的产品上找出比竞争者更具竞争优势的特性，这就要求企业在产品特色上下功夫。因此，企业市场定位的全过程可以通过以下三个步骤来完成：

1. 确认潜在的竞争优势

要明确企业的竞争优势，企业应该先明确以下三个方面的问题：

1）竞争对手的产品定位如何？

2）目标消费者对产品的评价标准和关注的点有哪些？

3）针对竞争者的市场定位和潜在消费者真正需要的利益要求，企业应该及能够做什么？

带着这三个问题，企业要在营销过程中利用一切可以利用的条件，系统地展开调研活动，通过市场调查，充分搜集竞争者产品定位及目标消费者的利益诉求，并将这些数据加以分析整理，形成报告，以确认竞争者在市场上的定位，判断竞争者的潜力和自身的实力，并确认目标消费者最关心的问题，从而把握和确定本企业在市场当中的潜在竞争优势。

2. 准确选择竞争优势

一个企业的竞争优势是指本企业能够胜过竞争者的能力。这种能力既可以是现有的，也可以是潜在的；既可以是竞争者不具备的能力，也可以是竞争者虽然具备，但本企业能够胜其一筹的能力。真正具有开发价值的优势应该是较强的、开发成本较低的优势。选择竞争优势实际上就是一个企业与竞争者各方面实力相比较的过程。通过比较，选出最适合本企业的优势项目，以初步确定企业在目标市场上所处的位置。

3. 传播独特的竞争优势

企业在做出市场定位决策后，还必须将定位观念准确地传播给潜在的和现实的消费者，以引起消费者对本企业产品的注意和兴趣。为此：①企业应当使目标消费者了解、熟悉、认知、喜欢甚至偏爱本企业的市场定位，在消费者心目中树立与该定位相符合的形象；②企业要通过后续努力来强化在目标消费者心目中的形象，帮助目标消费者坚定对本企业的信念，通过与目标消费者建立深厚的感情来巩固企业的形象；③企业应当注意目标消费者对本企业市场定位产生的异议，避免因宣传上的失误或消费者理解上的偏差使目标消费者对企业形象或产品形象产生模糊、混乱等印象，及时纠正与市场定位不相符的形象。

阅读材料 5-3

奔驰汽车的市场定位

一、市场分析

半个多世纪以来，世界经济危机此起彼伏，汽车市场的竞争愈演愈烈，汽车厂家层出不穷。高档轿车市场涌现出了美国的克莱斯勒，英国的劳斯莱斯，德国的宝马、奔驰等品牌，汽车市场呈现品牌林立的局面。为了树立和巩固品牌形象，汽车厂商不惜重金，制作大量的品牌广告和企业形象广告。

世界汽车市场一直处于不断的变化发展之中，众多的影响因素，如供求关系、政府的关税政策、环保法规、经济形势、原材料和能源的价格等，更是加大了汽车市场的复杂性与不确定性。竞争态势、消费者、环保问题是汽车竞争的最重要的三个视角。在汽车行业众多的品牌中，宝马强调"驾驶的乐趣"，沃尔沃强调"耐久安全"，马自达强调"可靠"，萨博强调"飞行科技"，丰田强调"跑车外型"，菲亚特强调"精力充沛"，这些定位各不相同。

二、奔驰的市场定位：元首座驾

奔驰的定位是"高贵、王者，显赫、至尊"，奔驰的TV广告中较出名的系列是"世界元首使用最多的车"。

高品质、可信赖性、安全性、先进技术、环境适应性是奔驰造车的基本理念。凡是奔驰公司所推出的汽车均需达到以上五项理念的标准，缺少其中任何一项或未达标准者均被视为残次品。

奔驰公司对品质的追求精益求精，在价格定位上，选取了高价位。与日本车的价格相比，一辆奔驰车的价格可以买两辆日本车。价值定价成为奔驰公司最重要的制胜武器，消费者为了得到身份与地位的心理满足感而不惜花费重金。

三、新卖点之一：大打"安全"牌

据统计，每年全球因交通事故死伤的人数高达25万人，汽车的安全问题尤其突出。奔驰公司一向重视交通安全问题，它首创的吸收冲击式车身，SRS安全气囊等安全设计被汽车工业界引为标杆，各汽车大厂竞相投入研究开发的行列。

翻开奔驰公司的历史，从20世纪50年代开始它就致力于安全问题的研究。1953年，奔驰公司发明的框形底盘上的承载式焊接结构使得衡量车身制造的标准朝着既美观又安全的方向迈出了第一步。在600型的基础上，奔驰公司又研制出"安全客舱"，载客的内舱在发生交通事故时不会被挤瘪，承受冲击力的是发动机舱和行李舱这两个"缓冲区"；为了不让方向盘挤坏驾驶人，转向柱是套管式的，可以推拢到一起；每部小轿车上，从车身到驾驶室部件，共有136个零部件是为安全服务的。

四、新卖点之二：环保至上

尽管汽车给人们带来很多好处，但遗憾的是汽车加速了环境的污染。汽车发动机的轰鸣增加了城市的噪声，汽车排出的废气污染了人们呼吸的空气……对环境造成污染成为汽车的两大克星之一（另一个是能源危机）。未来的汽车是环保汽车，比如利用电能的电动汽车。石油、太阳能、煤、核能、水力、风力都可以用来发电，这就使得汽车的动力可以不局限于某一种能源，还可彻底地消除噪声与废气的污染。

奔驰公司把对环保问题的关切作为其诉求重点，长期以来重视环保技术的研究，研制节能和保护环境方面的新型汽车。石油危机发生后，奔驰公司着力研究汽油代用能源发动装置，如乙烷、甲烷、电动或混合燃料发动装置。

奔驰公司每年定期推出强化企业形象的广告，表现其对环境问题的高度关心。一般汽车公司以美国环保法规为最终标准，多数的商品开发也以满足美国的标准为前提，但奔驰公司除了满足这些标准，另外制定了一套比美国标准还严格的规定。"使你加入节约能源及环境保护的工作"就是奔驰广告的口号。

5.3.3 汽车市场定位的方式

市场定位战略是一种竞争战略，它显示一种产品或一家企业同类似的产品或企业之间的竞争关系。企业常采用的市场定位方式主要有以下五种：

1. 按照产品属性定位

产品属性包括生产制造该产品的技术、设备、生产过程以及产品的功能等，也包括与产品有关的原料、产地、历史等因素。这些特性都可作为定位的要素。例如，在汽车市场上，德国的大众汽车具有"货币价值"的美誉，日本的丰田汽车侧重于"经济可靠"，瑞典的沃尔沃汽车具有"安全"的特点。

2. 按照质量和价格定位

质量和价格本身就是一种定位。人们一般认为高质量应对应高价格，所以高质高价就是一种产品定位。但是，有时也可以反其道而行之，如日本汽车就是靠将产品定位在"质高而价不高"的位置上获得了竞争的成功。

3. 按照使用者和用途定位

为老产品找到一种新用途是为该产品找到定位的好方法。按照产品使用者的不同也可对产品进行定位。如某公司生产各种品牌的化妆品，以满足不同层次消费群的需要。

4. 按照竞争状况定位

按照市场竞争状况，考虑企业的各种资源，常采用以下四种定位方式：

（1）**创新定位** 创新定位就是寻找新的、尚未被占领但有潜在市场需求的位置，填补市场上的空缺，生产或提供市场上没有的、具备某种特色的产品或服务。例如，日本索尼公司生产的索尼随身听等一批新产品填补了当时市场上迷你电子产品的空缺，并通过不断的创新，索尼公司一跃成为世界级的跨国企业。采用这种定位方式时，企业应明确创新定位所需的产品在技术上、经济上是否可行，有无足够的市场容量，能否为企业带来合理而持续的盈利。

（2）避强定位 避强定位即避开强大的竞争者，将企业和产品定位在竞争不激烈或没有竞争的市场位置。避强定位的优点是能使企业较快地在市场上站稳脚跟，并能在消费者心目中树立形象，且风险小；缺点是避强往往意味着企业必须放弃某个最佳的市场位置，很可能使企业处于最差的市场位置上。采用这一定位策略要具备以下条件：一是技术上可行，即有能力生产或提供符合该市场需要的产品或服务；二是有足够数量的潜在消费者，如果产品的定位与竞争者雷同，且竞争者的产品定位已深入人心，企业就只能改变自己的定位。

（3）迎头定位 这是一种与在市场上占据支配地位的、最强的竞争对手正面竞争的定位方式。显然，迎头定位有时会是一种危险的战术，但也有汽车企业认为这是一种更能激励自己奋发上进的可行的定位尝试，一旦成功就会取得巨大的市场优势。实行迎头定位，必须知己知彼，尤其应清醒地估计自己的实力，不一定试图压垮对方，只要能平分秋色就已是巨大的成功。

（4）重新定位 重新定位又称转移定位，是指已经初次定位的企业根据市场需求和竞争状况的变化为已在某市场销售的产品重新确定某种形象，以改变消费者原有的认识，争取有利的市场地位的定位策略。重新定位是以退为进的策略，目的是实施更有效的定位。

5. 按照战略方式定位

按照战略方式，企业可采用以下四种定位方式：

（1）产品差别化 这里是指从产品质量、功能和款式等方面进行区分。寻求产品的独特性是产品差别化战略经常使用的手段。

（2）服务差别化 这里是指向目标市场消费者提供与竞争者不同的优质服务。企业的竞争力越能体现在对消费者的服务上，市场差别化就越容易实现。

（3）人员差别化 这里是指通过聘用和培训比竞争者更为优秀的员工以获取差别竞争优势。高素质的员工能够按照企业的要求给消费者提供标准化、规范化的服务，并能够创造性地开展工作。

（4）形象差别化 这里是指通过一些标志、媒体、气氛和事件等来表现不同。

1）标志：易于识别企业或品牌的一个或多个标志，可能是图案，也可能是文字、色彩等。以色彩来说，百事可乐的蓝色能够让消费者在众多的同类产品中很轻易地识别出来。

2）媒体：可以传递形象的各种有效载体，如宣传手册、大众传媒、公司的电子邮件、员工的名片等。

3）气氛：在生产或运送产品或服务的有形空间树立形象，营造气氛。如房地产公司通过建造的建筑物树立企业形象。

4）事件：通过赞助的各类活动来塑造形象。如农夫山泉2001年推出"一分钱"活动支持北京申奥，2002年推出"阳光工程"支持贫困地区的基础体育教育事业，通过这样的公益服务活动，农夫山泉获得了极好的社会效益，提升了品牌形象，实现了形象差别化。

5.3.4 汽车市场定位的战略

在企业的目标市场中，通常会存在一些其他企业的产品。这些产品已经在消费者心目中树立了一定的形象，占有一定的地位。它们都有自己的市场位置。企业要想在目标市场上成

第5章 汽车目标市场

功地树立起自己产品独特的形象，就必须考虑这些竞争企业的存在，并针对这些企业的产品，制定适当的定位战略。通常可供企业选择的市场定位战略有以下三个：

1. 竞争性定位

竞争性定位是指将本企业产品定在与现有竞争者产品相似的市场位置上，与竞争对手针锋相对，争夺同一细分市场。这种定位要考虑以下因素：生产技术与质量水平是否具有优势；市场潜力与市场容量是否足够吸纳两个企业的产品；是否有比竞争对手更强的生产经营实力。

2. 拾遗补阙定位

拾遗补阙定位是指企业通过分析市场中现有产品的定位状况，从中找出尚未占领或未被消费者所重视的空缺位置，并以此来为本企业确定市场位置。企业采取拾遗补阙之法为其产品定位，可以使自己的产品具有一定的优势和特色，并可避免与同行业其他企业的竞争。采用这种定位策略应考虑以下因素：是否有足够数量的、确定的消费者需求；这种空缺产品的生产技术是否可行和经济是否合理；企业是否具有开发与经营的能力。

3. 突出特色定位

突出特色定位是指企业通过分析市场中现有产品的定位状况，发掘新的具有鲜明特色的市场位置来为企业的产品定位。企业应根据市场需求情况与自身条件，尽量突出产品特色。这种战略的实施对企业自身条件要求较高，而且一旦成功将给企业带来丰厚的收益。

本 章 小 结

汽车企业面对的是一个非常复杂的市场，不同的消费者需要不同的汽车商品和服务，一家企业不可能同时满足所有消费者的需求，因此汽车企业在市场营销环境分析的基础上，往往采用SPT策略。它由以下三部分内容构成：一是细分市场（Segmenting）。这是企业根据消费者所需求的产品和市场营销组合将一个市场分为若干个不同的消费者群的行为。二是选择目标市场（Targeting）。这是企业在细分市场的基础上，根据企业实力和目标，判断和选定要进入的一个或多个市场的行为。三是产品定位（Positioning）。这是在目标市场上为产品和市场营销组合确定一个富有竞争优势地位的行为。这三部分形成了目标市场战略的全部内涵。它们不仅在逻辑思维上关系密切，而且在顺序上前后不得颠倒。市场细分是选择目标市场和产品定位的必要前提，而选择目标市场和产品定位是市场细分的必然结果。所以对于汽车企业来说，不应试图在整个市场上争取优势地位，而应该在市场细分的基础上依据一定的条件和方法，对各个细分市场的机会进行分析评估，选择对本企业最有吸引力并可以有效占领的那部分市场作为自己经营的目标市场。企业还要进行市场定位研究，为企业及其产品在目标市场上树立一定的特色，塑造预定的形象，以取得竞争的优势地位。

习　　题

1. 概念理解

（1）市场定位

(2) 市场定位战略

2. 思考与讨论

(1) 市场细分的依据是什么？有效市场细分的原则有哪些？

(2) 汽车企业目标市场的营销策略有哪些？

(3) 汽车企业选择目标市场应注意的问题有哪些？

(4) 汽车市场定位的步骤和方式有哪些？

(5) 汽车企业通常采用哪些市场定位战略？

【案例分析】

"易三方"平台首搭腾势Z9GT亮相

2024年8月20日，比亚迪举行"2024腾势汽车科技日暨腾势Z9GT预售"发布会，正式发布腾势全新专属技术"易三方"，腾势Z9GT作为全球首搭车型亮相，预售价区间为33.98万~41.98万元。

发布会上，比亚迪集团董事长兼总裁王传福自豪地回顾了腾势汽车的发展历程，强调这家合资车企在中外合资车企中首次实现了技术对等，融合了比亚迪的三电技术和奔驰的整车开发能力。他还表示，腾势汽车品牌将奔驰的传统豪华与比亚迪的领先科技融合，为消费者带来了前所未有的豪华体验。王传福说："我相信，有了'易三方'的加持，Z9GT将为用户带来独一无二的智驾新体验！"

据了解，"易三方"是全球首个实现三电机独立驱动和后轮双电机独立转向技术融合控制的整车智能控制技术平台，而且融合第五代DM技术、e平台3.0Evo等技术，打造出插电式混合动力、纯电动双一流平台，并将该平台的动力架构、全球首创的三电机独立驱动+后轮双电机独立转向控制架构、智电融合的整车智能架构等三大架构融合，打造极致转向、圆规掉头、"易三方"泊车、低附路面增稳系统、智能蟹行等五大标志性核心功能，带给用户"超安全""超灵动""超智慧""超澎湃"四大核心体验。另外，"易三方"还拥有高速爆胎稳定控制、内八制动增稳、倒车稳定、雷达主动避让等亮点功能，全场景守护用户行车安全，同时进一步提升车辆灵活性。

发布会上，腾势Z9（三厢版）亮相，与腾势Z9GT组成双旗舰，同步开启全球预售。比亚迪方面表示，腾势Z9将搭载"易三方"整车智能控制技术平台，以性能和舒适度满足用户商用、家用等多元化出行需求，不断丰富国产豪华新能源车型矩阵。

Z9GT作为腾势汽车旗下的全新轿跑，定位D级智能豪华旗舰车型，是全球首款搭载易三方平台的车型。基于"易三方"的后轴双电机独立转向，腾势Z9GT可实现全球最大的±10°后轮转向角度，不仅能实现左右后轮的扭矩控制，还可以实现后车轮的内八和外八姿态。腾势Z9GT是一款车长近5.2m的D级轿车，而整车转弯半径仅为4.62m，大幅领先于行业，拥有A0级的转弯半径表现，麋鹿测试成绩超越85km/h。有人说，麋鹿测试能达到80km/h的D级车本来就很少，而Z9GT则刷新了世界纪录。同时，该车搭载CTB电池车身一体化技术，提供多激光雷达选装方案，拥有"天神之眼"高阶智能驾驶辅助系统。车内的配置更加凸显了其豪华定位——四幅式方向盘、全液晶仪表、悬浮式中控屏、副驾娱乐屏、真皮座椅、水晶档把、50W 无线充电等豪华设备一应俱全。此外，后排乘员也可享受电动调节座椅、通风、加热以及 10 点按摩等高端功能。在动力性能方面，Z9GT EV 版的最大功率达到 710kW，实现了 3s 级别的零百加速，最高车速可达 240km/h。而 DM 版则搭载 2.0T 插电式混合动力系统，电机最大功率为 640kW，在 CLTC 工况下纯电续驶里程达到 201km，百公里馈电油耗仅为 5.6L。

2024 腾势
汽车科技日

这款站在巨人肩膀上诞生的腾势 Z9 系列凭借优越的性能、豪华的配置以及深厚的品牌背景，正以崭新的姿态在新能源领域大展宏图。Z9GT 与 Z9 的亮相不仅标志着腾势汽车的一次飞跃，更为中国新能源汽车的发展书写了浓墨重彩的一笔。

思 考 题

1. 请谈谈比亚迪腾势 Z9GT 在选择目标市场时考虑了哪些因素？
2. 请分析腾势汽车的市场定位是什么？

第 6 章 / Chapter 6
汽车企业战略规划与营销管理

第6章 汽车企业战略规划与营销管理

【教学要点】

知识要点	掌握程度	相关知识
战略规划	理解战略规划的概念及层次	战略规划的含义 战略规划的层次
汽车企业总体战略规划	掌握汽车企业总体战略规划的含义、特点及类型	顾客满意战略
营销管理	理解汽车企业的经营战略规划 理解汽车企业的营销管理过程	战略规划管理过程

导入案例

华为不造车，帮助车企造好车

华为不造车的战略早在2018年就已经明确。华为不造车的选择是一种基于长远战略的决策。华为不造车，只做芯片和智能驾驶，从而赋能所有的新能源车企。

华为目前的战略目标是争取在2024年彻底打破美国对我国高端芯片和半导体的"围追堵截"，所以华为要集中所有的精力、人力、物力、财力，在半导体方面突破。华为的核心使命是在我国与美国进行战略竞争的高科技上甘岭战役中，守住中国高科技的底线，不被美国蚕食和抹杀。这是华为的历史使命，也是每个中国人愿意支持华为很重要的一个原因。

2020年，华为内部曾发布过一份不造车决议，有效期为三年，并且任正非警告："以后谁提造车谁走人"。

华为将自己定位成电动汽车增量零部件供应商，对标的是全球知名汽车零部件供应商博世的角色，打出的口号是"帮助车企造好车"。三年期间，华为和北汽合作推出了极狐，和长安合作推出了阿维塔，和赛力斯合作推出了问界。

2023年3月31日，华为董事会发出决议，重申华为不造车，并且将有效期延长到5年，特地强调不能将"华为"字样用在整车宣传和外观上，不能使用华为问界、华为AITO等字样。

目前，华为帮助车企造车主要有三种模式：

第一种是一级供应商模式。华为卖标准零部件，不参与车企造车的任何环节，这种模式下华为的参与度最低。

第二种是HI Huawei Inside模式，华为和车企共同开发，搭载华为全套智能汽车解决方案：智能座舱、智能驾驶、智能网联、计算与通信架构。华为用成熟的技术，帮助车企快速补齐智能化的短板。这个模式的代表案例是长安阿维塔，东风猛士、东风岚图在2024年与华为达成了智能汽车解决方案战略合作，正式加入华为HI模式。

第三种是鸿蒙智行模式，这是目前华为和车企合作最紧密、最深入的模式。华为和车企一起深度参与产品设计、品牌营销、渠道零售等环节。代表案例有和赛力斯合作的问界，和奇瑞合作的智界，和北汽合作的享界，和江淮合作的尊界。可见，华为想要打造一个智选车生态联盟，覆盖全系车型和全段价位。

华为赋予阿维塔11的升级，增加了车主的使用体验，并且实现了全系车型的持续升级。从HI模式到鸿蒙智行模式，从阿维塔、猛士、岚图，到问界、智界、享界、尊界，遥遥领先的不只有科技，也有销量。华为虽然不造车，但在汽车行业的路却越走越宽，华为构建了汽车生态圈，也搭建了华为的朋友圈。无论何种模式，华为的核心优势始终围绕着ICT信息与技术通信领域，这些能力对于汽车行业和各个车企而言都是非常重要的。期待华为利用自身优势，打造出更多、更好的汽车产品，同时也期待整个汽车行业在不断的竞争中变得越来越强大，走得越来越坚实。

华为不造车的原因

6.1 汽车企业战略规划

6.1.1 汽车企业总体战略规划

1. 战略规划概述

（1）**基本含义** "战略"一词源于军事用语，指军事方面事关全局的重大部署。现在，"战略"已成为一般用语，广泛应用于经济、经营管理、市场营销等领域。战略即为各领域事关全局性、长期性、方向性和外部性的重大决定和计划方案。从20世纪70年代起，营销战略逐渐在现代市场营销中占据了中心地位。

汽车企业战略规划是指汽车企业为实现各种特定目标以求自身发展而设计的行动纲领或方案，它涉及汽车企业发展中带有全局性、长远性和根本性的问题。汽车企业根据当前和未来市场环境变化所提供的市场机会和出现的限制因素，考虑如何更有效地利用自身现有的以及潜在的资源能力去满足目标市场的需求，从而实现汽车企业既定的发展目标。

（2）**企业战略规划的层次** 一般来讲，大中型汽车企业的战略可以划分为总体战略、经营战略和职能战略三个重要的层次。

1）总体战略。总体战略是有关企业全局发展的、长期的、整体性的、带有挑战性质的战略，在企业战略中属最高层次的战略，主要回答企业应该在哪些领域里进行活动。从企业的经营范围、经营发展方向选择到企业各经营单位之间的协调，从有形资源的配置和充分利用到整个企业价值观念、文化环境的建立都是总体战略的重要内容。总体战略的制定与推行主要依靠企业的高层管理人员。

2）经营战略。大型企业特别是企业集团往往从组织形态上，把一些具有共同战略因素的二级单位（事业部、子公司）或其中的某些部分组成一个战略经营单位。经营战略是诸如事业部或子公司等经营单位的战略。经营战略在企业总体战略的制约下，指导和管理具体经营单位的计划和行动，为企业的整体目标服务。它主要针对不断变化的外部环境，在各自的经营领域里有效地竞争，并协调各职能层的战略，使之成为一个统一的整体。资源配置、竞争优势通常是经营单位战略中最重要的组成部分。经营单位战略的制定者主要是各事业部或子公司的负责层。

3）职能战略。职能战略是企业内主要职能部门的短期战略计划。它的期限一般在一年左右，以便职能部门管理人员把注意力集中在当前需要注意的工作上，并能够及时根据已变化的条件做出相应的调整。职能战略在总体战略所提出的战略方向的指导下，进一步明确各职能部门在实施企业总体战略中的责任和要求，为负责完成年度目标的管理人员提供具体的指导，使他们知道如何有效运用研究开发、营销、生产、财务、人力资源等各方面的经营职能，实现年度目标。协同作用（单个职能中各项活动的协调与联合）、资源配置是职能部门战略的关键要素。职能部门战略的制定者主要是各职能部门的管理人员。

2. 汽车企业总体战略规划的含义及特点

企业总体战略又称公司战略，是企业最高层次的战略，它需要根据企业使命，选择企业参与竞争的业务领域，合理配置企业资源，使各项经营业务相互支持、相互协调。总体战略的任务主要回答企业应在哪些领域进行活动，经营范围选择和资源合理配置是其中的重要内容。总体战略是企业高层负责制定、落实的基本战略。

企业总体战略具有全局性、长远性、纲领性和抗争性的特性。

（1）全局性　企业战略的全局性是以企业大局为对象，根据企业整体发展的需要而制定的。企业战略规定的是企业整体的行动，追求的是企业的整体效果。

（2）长远性　企业战略的长远性既是企业谋取长远发展要求的反映，又是企业对未来较长时期内生存和发展的通盘考虑。战略的制定要以外部环境和内部条件的当前情况为出发点，并对企业当前运行有指导、限制作用，这是长远发展的起步。因此，凡是为适应环境、条件的变化所确定的长期基本不变的目标和实现目标的行动方案都是战略。

（3）纲领性　企业战略所规定的是企业整体的长远目标、发展方向和重点，以及应当采取的基本方针、重大措施和基本步骤。它具有原则性、概括性和行动纲领意义。

（4）抗争性　企业战略是关于企业在激烈的竞争中，如何与竞争对手抗衡的方案，是针对来自各方面的冲击、压力、危险和困难等挑战的基本安排。而与那些不考虑竞争、挑战，单纯为了改善企业现状、增加经济效益、提高管理水平等的计划、目的不同，只有这些工作与强化企业竞争能力和迎接挑战直接相关、具有战略意义时，才构成企业战略的内容。

3. 汽车企业总体战略类型

(1) 稳定型战略 稳定型战略是指企业在战略期所期望达到的经营状态基本保持在战略起点水平上的战略。其基本特征有三个：继续提供相同的产品或服务；保持现有的市场占有率和市场地位；继续追求与过去相同的经济效益目标。

(2) 发展型战略 发展型战略是一种在现有战略起点上向更高目标发展的总体战略。发展型战略主要有以下三种形式：

1）密集性市场机会——密集性增长。密集性市场机会是指一个特定市场的全部潜力尚未达到极限时存在的市场机会。汽车企业在面对这种市场机会时，可以采取以下战略：

① 市场渗透，是指通过采取积极有效的市场营销措施扩大汽车产品的销售量。具体形式有三种：

a. 刺激现有的顾客更多地购买本企业现有的汽车产品。

b. 吸引竞争对手的顾客，提高汽车产品市场占有率。

c. 激发潜在顾客的购买动机。

② 市场开发，是指通过开拓新市场扩大汽车产品的销售量。主要形式是扩大现有汽车产品的销售地区。

③ 产品开发，是指通过增加新车型，向现有市场提供新的汽车产品。

2）一体化市场机会——一体化增长。一体化市场机会是指汽车企业把自己的营销活动伸展到供、产、销不同环节，从而使自身得到发展的市场机会。汽车企业在面对这种市场机会时，可以采取以下战略：

① 后向一体化，是指汽车企业通过收购或兼并零部件供应商，拥有和控制其供应系统，实行供产一体化。

② 前向一体化，是指汽车企业通过收购或兼并经销商，拥有或控制其分销系统，实行产销一体化。

③ 水平一体化，是指汽车企业收购、兼并竞争者的汽车企业，或者在国内外与其他汽车企业合资生产制造汽车，或者运用自身力量扩大汽车生产规模等。

3）多样化市场机会——多样化增长。多样化市场机会存在于汽车企业例行的经营范围之外。多样化增长是指汽车企业利用经营范围之外的市场机会，新增与汽车产品业务有一定联系或毫无联系的产品业务，实行跨行业的多样化经营，以实现汽车企业业务的增长。汽车企业在面对这种市场机会时，可以采取以下战略：

① 同心多样化，是指汽车企业利用原有的技术、特长、经验等发展新产品，增加产品种类，从同一圆心向外扩大业务经营范围，如东风汽车公司除生产乘用车，还生产客车、货车以及半挂牵引车等商用车。

② 水平多样化，是指汽车企业利用原有市场，采取不同的技术来发展新产品，增加产品种类，如一汽丰田公司的合资企业推出混合动力汽车普锐斯。

③ 集团多样化，是指汽车企业收购、兼并其他行业的企业，或者在其他行业投资，把业务扩展到其他行业中，新产品、新业务与汽车企业的现有产品、技术、市场可以毫无关系。

（3）收缩型战略 收缩型战略主要有抽资转向战略、调整性战略、放弃战略。收缩型战略常常是短期的过渡方案。

（4）产品投资型战略 产品投资型战略是指根据企业总体战略要求，着力维持和扩大生产经营规模，对有关投资活动的全局性谋划。它是将有限的企业资源，根据企业总体战略目标进行评价、比较，选择投资方案或项目，以便获取最佳的投资效果。

4. 汽车企业总体战略制定的原则及其步骤

（1）汽车企业总体战略制定应遵循的原则

1）要贯彻和反映企业的文化特征，即企业文化中蕴含的经营理念、企业精神、宗旨和价值观。

2）要符合企业的内在条件，充分发挥优势，扬长避短，并营造新的优势资源。

3）要考虑企业的能力和优势，要打特色牌，形成自身独特模式。

4）要有前瞻性，要预测到未来规划期内社会、经济、科技、市场诸多方面的重大变化的影响，考虑相应对策，从而使战略有相当的适应性。

5）分析确定企业的资源情况，立足从现有企业基础起步。目标不能太高，也不能太低，应适度。

6）企业战略应划分为若干战略阶段并设定一些战略控制点，渐进式地逼近终极目标。

7）制定企业总体战略事先要小心论证，要符合企业全体员工的共同愿望，反映企业的业主和最高层的未来设想。可邀请社会有关专家参加战略制定和咨询。

8）企业总体战略一经确定或批准，应具有长期指导性、持久性、纲领性和严肃性。除非遇到不可抗拒事件的严重影响，一般不宜对发展战略频繁修改或调整。

（2）汽车企业总体战略规划的制定步骤 汽车企业战略规划过程是指汽车企业为保持企业的目标与变化的环境之间的战略适应而制定长期战略所采取的一系列重大步骤，主要包括：确定企业的任务与目标，选择适宜的市场增长机会，制订汽车产品投资组合计划等。

1）确定企业的任务与目标。市场定向是指使汽车企业目标与市场机会相匹配，它是汽车企业战略的核心。因此，制定汽车企业战略首先要确定汽车企业的任务与目标。

① 汽车企业任务。任何一个企业总有特定的任务，汽车企业也不例外。明确了汽车企业任务，也就明确了汽车企业的活动领域和发展的总方向。汽车企业任务通常是由企业的高级管理层决定的。

在确定任务时，主要应考虑以下因素：

a. 汽车企业历史上的突出特征。

b. 汽车企业周围环境的变化。

c. 汽车企业资源的变化情况。

d. 上级管理部门的意图。

e. 汽车企业的特有能力。

汽车企业决策层应以书面报告形式提出本企业的任务，一份有效的任务报告通常应体现以下原则：

a. 符合消费需要，通常为市场导向型。

b. 切实可行。

c. 鼓舞人心、激励干劲。

d. 方针、措施明确具体。

② 汽车企业目标。汽车企业目标是企业任务的具体体现，是汽车企业未来一定时期内所要达到的一系列具体目标的总称，通常包括：汽车产品销售额和销售增长率、汽车产品销售地区、市场占有率（市场份额）、利润率和投资收益率、汽车产品质量与成本水准、劳动生产率、汽车产品创新以及汽车企业形象等。其中，利润率和投资收益率是汽车企业的核心目标。

制定汽车企业目标一般应符合以下要求：

a. 多重性。汽车企业应有若干具体目标。

b. 时限性。汽车企业应规定各个具体目标的时间界限。

c. 数量化。汽车企业应尽可能使目标数量化，以便易于把握和核查。

d. 可靠性。汽车企业选择的目标水平应从实际出发，与自身资源条件和市场环境相适应。

e. 层次化。汽车企业应使目标有主次，分从属。

f. 阶段性。对于长期目标，汽车企业应分阶段提出具体要求。

g. 协调性。汽车企业应确保各个具体目标之间协调一致，避免矛盾和冲突。

h. 社会一致性。汽车企业应使目标与社会经济发展相协调。这一点尤为重要，它与现代市场营销理念相呼应。

2) 选择适宜的市场增长机会。选择适宜的市场增长机会，就是选择适宜汽车企业增长或发展的市场机会，以便与所确定的体现发展要求的汽车企业目标相匹配，是市场定向、汽车企业战略实施的关键所在。

市场机会是市场上存在的未被满足的需求。汽车企业要想成功地把握市场机会，必须具备以下条件：

① 该市场机会与汽车企业的任务相一致。

② 汽车企业具有利用该机会的资源能力。

③ 利用该机会足以实现汽车企业的目标要求。

汽车企业面对的市场机会可以概括为三种类型：密集性市场机会、一体化市场机会、多样化市场机会。

3) 制订汽车产品投资组合计划。汽车企业确定了发展宗旨和生产目标之后，就要制订产品投资组合计划，这是汽车企业战略制定的第三个主要步骤。由于汽车企业的资金有限，制订产品投资组合计划有利于汽车企业经济效益最高的业务得到发展。

① 汽车企业战略业务单位的划分。汽车企业在制订产品投资组合计划的过程中，首先要把所有的业务分成若干"战略业务单位"。一个战略业务单位具有以下几个特征：

a. 是单独的业务或一组有关的业务。

b. 有不同的任务。

c. 有竞争者。
d. 有认真负责的经理。
e. 掌握一定资源。
f. 能从战略计划中得到好处。
g. 可以独立计划其他业务。

例如，北京汽车控股有限公司旗下有北汽福田公司、北京吉普公司和北京现代公司三个战略业务单位。

② 产品投资组合计划的制订方法。对企业战略业务单位的分类和评估，最著名的是波士顿矩阵和通用电气公司法。

波士顿矩阵由美国著名的管理学家、波士顿咨询公司创始人布鲁斯·亨德森于1970年首创。他认为，一般决定产品结构的基本因素有两个，即市场吸引力与企业实力。市场吸引力包括整个市场的销售增长率、竞争对手强弱及利润高低等。其中最主要的是反映市场吸引力的综合指标——销售增长率（市场成长率），这是决定企业产品结构是否合理的外在因素。企业实力包括市场占有率（相对市场份额）、技术、设备、资金利用能力等，其中市场占有率是决定企业产品结构的内在要素，它直接显示出企业竞争实力。因此，用销售增长率与市场占有率将业务单位划分为四个象限来分类和评价企业的战略业务单位。

销售增长率是指企业某项业务在前后两个统计期的市场销售增长百分比（如年销售增长率），它表示经营业务所在市场的相对吸引力。市场占有率是指企业在一定统计期和市场范围内实现的销售额（量）占整个行业总销售额（量）的百分比，它反映企业在行业中的地位。

如图6-1所示，波士顿矩阵把企业的所有战略业务单位划分为四类。

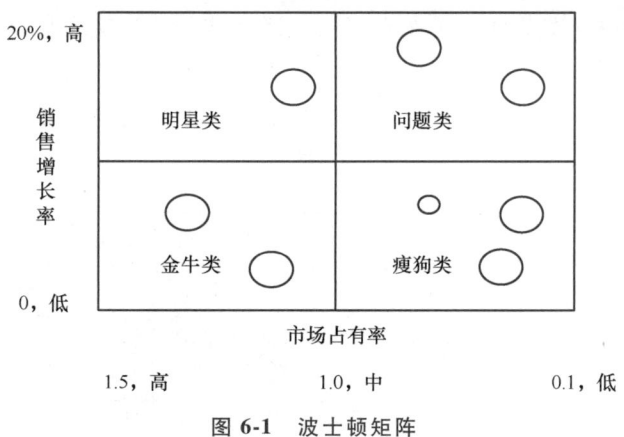

图6-1 波士顿矩阵

明星类：处于高增长率、高市场占有率象限内，这类产品可能发展为企业的金牛产品，需要加大投资以支持其迅速发展。

金牛类：处于低增长率、高市场占有率象限内，意味着已进入成熟期，这类产品盈利多，现金收入多。

问题类：处于高增长率、低市场占有率象限内。高增长率说明市场机会大、前景好，而低市场占有率则说明在市场营销上存在问题，一般需要扩大生产，加强营销，因而需要大量现金。

瘦狗类：处于低增长率、低市场占有率的象限。说明利润率低、处于保本或亏损状态，负债比率高，无法为企业带来收益。这类产品处于微利、保本甚至亏本状态。

在企业战略业务划分的基础上，可以针对不同的业务单元，为每个战略业务单位确定目标、战略，并做出预算计划。企业可采取以下不同的投资策略，如发展、维持、收割或放弃。①发展。目的是扩大战略业务单位的市场份额，甚至不惜放弃近期收入来达到这一目标。"发展"目标特别适用于问题类业务，如果它们要成为明星类业务，其市场份额必须有较大的增长。②维持。目的是维持产品的相对市场占有率，这种策略特别适用于金牛类产品。适用于这种投资策略的产品大多处于市场生命周期中的成熟期，通过维持可以获取大量现金。③收割。目的是尽快收割现有利益，增加战略业务单位短期现金收入，而不考虑长期影响。这种投资策略适用于从成熟期转入衰落期、前途黯淡的产品。同理，也适用于企业即将放弃的问题类和瘦狗类产品。④放弃。目的在于出售或清算业务，以便把资源转移到更有利的领域。它适用于瘦狗类和问题类产品。

在波士顿咨询集团开创了业务组合分析法后没多久，通用电气和麦肯锡公司开发了一个更为复杂的矩阵。如图6-2所示，通用电气公司法（General Electric Business Screen，也称GE矩阵或麦肯锡矩阵）使用9个单元格描述公司的业务组合。该筛选法没有仅仅根据增长率给市场归类，而是引入"长期行业吸引力"的概念。通用电气公司法认为，企业对其战略业务单位加以分类和评价时，除了要考虑销售增长率和市场占有率之外，还要考虑许多其他因素。这些因素可以包括在以下两个主要变数之内：①行业吸引力，包括市场大小，市场年增长率，历史的利润率，竞争强度，资本和技术要求，由通货膨胀引起的脆弱性，能源要求，进入和退出的壁垒，季节性，正在出现的机遇和威胁，环境影响以及社会、政治和法律等因素；②竞争能力，包括市场占有率、市场占有率增长、产品质量、品牌信誉、商业网、促销力、生产能力、生产效率、单位成本、原料供应、业务力量和竞争能力等因素。

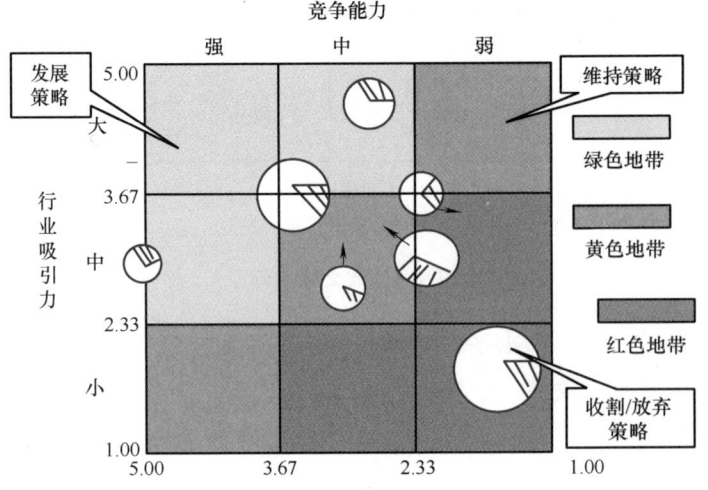

图6-2 通用电气公司法对业务的分类

多因素投资组合矩阵图分为三个地带：

①"绿色地带"。由左上角地带的大强、大中和中强三个区域组成，这个地带的行业吸引力和竞争能力都较强。因此，企业对这个地带的业务单位要"开绿灯"，采取增加资源投入和发展扩大的战略。

②"黄色地带"。由主对角线贯穿的三个区域，即小强、中中和大弱三个区域组成。这个地带的行业吸引力和竞争能力中等。一般来说，企业对这个地带的经营单位应当"开黄灯"，即采取维持原投入水平和市场占有率的战略。

③"红色地带"。由右下角的小弱、小中和中弱三个区域组成。这里的市场吸引力偏小，经营单位的竞争能力偏弱。因此，企业多"亮红灯"，应采用收割或放弃战略。

值得注意的是，企业应对各个经营单位在今后几年的发展趋势进行预测。有的现在看好，以后可能急剧下降；有的现在不好，以后则可能急剧上升。掌握这些情况以后，才可为各个区域的经营单位确定其最终策略。

6.1.2 汽车企业经营战略规划

1. 汽车企业经营战略规划的概述

（1）经营战略规划的含义　经营战略规划又称为市场营销战略规划、业务战略规划、竞争战略规划，它是指在既定的业务领域中如何有效地经营，如何在市场上竞争、创建并维持竞争优势。汽车企业经营战略规划要考虑开发哪些产品或服务，将其提供给哪些市场，如何使顾客满意，以实现经营目标，如市场份额、销售增长率等。

汽车企业经营战略规划是指汽车企业市场营销部门根据企业总体战略计划，在综合考虑外部市场机会及内部资源状况等因素的基础上，确定将来某一时期期望达到的经营活动目标，以及为实现这一目标而预先制订的行动方案。汽车企业经营战略规划是企业在现代市场营销观念的指导下，为了实现企业的经营目标，对于企业在较长时间内市场营销发展的总体设想和规划。汽车企业经营战略规划必须与汽车企业总体规划相吻合，科学、严谨和可行的营销战略对汽车企业的生存和发展具有重要意义。

（2）汽车企业经营战略规划的意义

1）它是保证汽车企业正确进行长期发展决策的必然要求。在现代科技的推动下，产生了更多的资金密集型和技术密集型产品，使经营此类产品的汽车企业初始投资远远高于经营劳动密集型产品的企业，若经营决策失误，造成的损失会很大，后果会很严重，也将更难以挽回。

2）它是有效提升汽车企业竞争力的客观要求。市场体系不断完善，竞争机制作用日益加强，要求企业着眼于长期发展的经营战略规划与管理。正确的战略可使企业在竞争中勇往直前、立于不败之地，没有战略或战略不合理的企业则无法与竞争对手抗衡。

3）它是适应消费结构迅速变化的客观要求。以满足消费者需求为宗旨的企业营销活动，为适应现代社会市场需求的复杂化、分散化、多样化、新奇化、个性化的倾向，必须进行战略规划，以更好地识别消费者需求的发展趋向，并在此基础上把握汽车企业的市场机会。

4）它是增加企业凝聚力的客观要求。依靠企业员工，充分发挥他们的积极性与创造性，是企业发展的基本条件。企业战略可以使企业内部领导与员工统一思想、统一行动。

(3) 汽车企业经营战略规划的特征　汽车企业经营战略规划具有以下几个特征：

1）全局性。企业经营战略规划是以企业的全局为对象，根据企业总体发展的需要而制定的，它所规定的是企业的总体行动，追求的是企业的总体效果。企业经营战略规划是一种全局性的战略管理。在市场营销活动中，企业将遇到各种各样错综复杂的矛盾，这些矛盾对企业运行产生的作用不尽相同，其中必有一种主要矛盾对企业营销活动的方向、规模、速度产生制约作用。企业只有在全面市场调查和预测的基础上，找出主要矛盾和解决主要矛盾，才能抓纲代目、纲举目张。企业解决好了市场营销行为中带有全面性、方向性的问题，其他矛盾就会迎刃而解。

2）长远性。企业总是在一定的市场环境中从事营销活动的。市场环境由多种因素构成，而企业很难通过自己的努力改变这些因素。因此，企业必须研究市场营销环境变化趋势以及如何适应这种变化，从总体上规划市场营销目标和实施方法，这就是企业经营战略规划的实质。企业经营战略规划是一种长期性的目标管理，它要求决策者具有长期发展的战略眼光，高瞻远瞩，不因一时一事的利益而损害企业长期的总体利益。

3）指导性。汽车企业经营战略规划不是仅仅规划企业未来3~5年发展的一系列数字，也不是对过去或未来预算中的数字进行合理解释，而是透过表象研究实质性的问题，解决企业中的主要矛盾，确定企业的发展方向与基本趋势，规定企业具体营销活动的基调。

4）客观性。汽车企业经营战略规划是以未来为主导的，但不是对企业最佳愿望的表述和描绘，不是仅仅靠想象创造出来的未来世界，也不是靠最高领导人的信念和直觉决定的。它是在充分认识企业的营销环境，评估企业自身的经营资源及能力的基础上制定的，是既体现企业目标又切实可行的发展规划。

5）可调性。汽车企业经营战略规划是在企业能力与环境的平衡下制定的，但构成战略的因素在不断变化，外部环境也在不断运动。企业经营战略规划必须具备一定的弹性，做到能够在基本方向不变的情况下，对战略的局部或非根本性方面进行修改和校正，以在变化的诸因素中求得企业内部条件与环境变化的相对平衡。

2. 汽车企业经营战略规划的类型

(1) 汽车市场服务战略　汽车市场服务战略是指汽车自进入流通、销售、购买、使用、报废、回收各个环节中，汽车企业为汽车消费者提供的一系列服务营销策略。

1）汽车服务的含义。汽车服务提供的基本上是一种活动，活动的结果可能是无形的，这种活动有时也与有形汽车产品联系在一起。汽车产品服务不涉及所有权的转移，如提供了汽车维修服务，并不产生汽车所有权的改变。汽车服务对需求者的重要性并不亚于汽车产品本身，如汽车发生故障后，对维修服务的需求就显得尤为重要。

2）汽车服务的特征。汽车服务对规划汽车服务战略影响较大。汽车服务特征主要有以下几点：

① 无形性，也称不可触摸性。顾客在购买汽车服务之前，一般不能看到或感觉到汽车服务。

② 同步性，也称同一性。汽车服务过程与汽车消费过程是同步进行的，两个过程是不可分离的。

③ 差异性，也称异质性。汽车服务人员的文化、修养、能力与专业水平存在差异，不同服务人员的服务质量很难达到完全相同。

④ 即时性，也称不可存储性。由于汽车服务与汽车消费的同步性与其无形性，决定了汽车服务不能进行存储和退换。

3) 汽车服务质量的管理。汽车服务企业可以从以下几个方面进行汽车服务质量管理。

① 保证承诺兑现的管理。明确和暗示汽车服务承诺（如广告、人员推销、服务条款、服务价格等），是汽车企业可以进行控制和直接管理的。

② 强化服务质量的管理。提高汽车服务的质量，既能带来较高的现有顾客保持率，增加顾客赞誉，又可以减少招揽新顾客的压力。

③ 经常性沟通的管理。汽车服务企业通过主动沟通和顾客发起的沟通，可积极传达汽车企业优质服务的经营理念。

(2) 顾客满意战略 顾客满意战略是指汽车企业通过产业价值管理，来提升顾客满意水平的一系列市场营销的策略。顾客满意战略的基本指导思想如下：企业的整个经营活动要以顾客满意度为指导，要从顾客的角度、顾客的观点而不是企业自身的利益和观点来分析考虑顾客的需求，要尽可能全面尊重和维护顾客的利益。顾客不仅是指企业产品销售和服务的对象，还是指企业整个经营活动中不可缺少的合作伙伴。

1) 顾客满意战略的主要内容：

① 站在顾客的立场上研究和设计产品。尽可能地把顾客的不满意从产品体本身去除，并顺应顾客的需求趋势，预先在产品体本身上创造顾客的满意。

② 完善服务系统，提高服务速度、质量；建立以顾客为中心相应的机构组织；对顾客的需求和意见具有快速反应机制；形成创新组织的文化氛围等。

③ 重视顾客的意见。

④ 千方百计留住老顾客，他们是最好的"推销员"。

⑤ 分级授权，这是及时完成顾客满意战略的重要一环。如果执行工作的人员没有充分地处理决定权，什么问题都必须等待上级命令，顾客满意是无法保证的。

2) 顾客满意战略的注意事项。顾客满意战略是以顾客满意为方法和手段，为实现自己的利益而进行策划的战略。

顾客满意战略制定的前提之一是企业产品的无差别化，当企业之间在产品上几乎无差别时，通过顾客满意战略提供给顾客舒适、便利、愉快等满足感和充实感；当企业之间在产品上存在差别时，企业在强调产品差异的同时，还要运用顾客满意战略的积极因素，只有顾客满意，企业产品才能扩大销路，企业才能获利更多。

3) 顾客满意的考量。顾客满意程度可用顾客让渡价值来衡量。

(3) 汽车市场竞争战略 汽车市场竞争战略是指汽车企业通过进行市场竞争环境、竞争对手以及企业自身市场竞争地位分析后，确定汽车企业在市场竞争中地位的策略。基本的竞争战略有三种：成本领先战略、差异化战略、集中化战略。企业必须从这三种战略中选择一种，作为其主导战略。要么把成本控制到比竞争者更低的程度；要么在企业产品和服务中形成与众不同的特色，让顾客感觉到企业提供了比其他竞争者更多的价值；要么企业致力于服务某一特定的细分市场、某一特定的产品种类或某一特定的地理范围。这三种战略架构差异很大，成功地实施它们需要不同的资源和技能。如果企业文化混乱、组织安排缺失、激励机制冲突，夹在中间的企业还可能因此而遭受更大的损失。

1）成本领先战略（Overall Cost Leadership）。成本领先战略也称低成本战略，是指企业通过有效途径降低成本，使企业的全部成本低于竞争对手的成本，甚至是同行业中最低的成本，从而获取竞争优势的一种战略。根据企业获取成本优势的方法不同，成本领先战略有简化产品型成本领先战略、改进设计型成本领先战略、材料节约型成本领先战略、人工费用降低型成本领先战略、生产创新及自动化型成本领先战略。实行成本领先战略企业的优势是显而易见的，即获取更高的利润或市场占有率。但成本领先战略也有缺点：低成本优势是短暂的，容易被技术优势取代；对成本过于关注，就会降低对服务质量、服务特色等其他方面的重视程度；容易被竞争对手模仿。

2）差异化战略（Differentiation）。所谓差异化战略是指为使企业产品与竞争对手产品有明显的区别，形成与众不同的特点而采取的一种战略。这种战略的核心是取得某种顾客有价值的独特性。主要有四种途径：产品差异化战略、服务差异化战略、人事差异化战略、形象差异化战略。实施差异化战略的意义在于：建立顾客对企业的忠诚度，形成强有力的产业进入障碍，削弱购买商讨价还价的能力。

3）集中化战略（Focus）。集中化战略也称为聚焦战略，是指企业或事业部的经营活动集中于某一特定的购买者集团、产品线的某一部分或某一地域市场上的一种战略。这种战略的核心是瞄准某个特定的用户群体，如某种细分的产品线或某个细分市场。具体来说，集中化战略可以分为产品线集中化战略、顾客集中化战略、地区集中化战略、低占有率集中化战略。集中化战略的优势在于能集中使用整个企业的力量和资源，更好地服务于某一特定目标，而且能够更好地调查研究与产品有关的技术、市场、顾客以及竞争对手等各方面的情况，做到"知彼"；使战略目标集中明确，经济效果易于评价。风险在于当顾客偏好发生变化、技术出现创新或有新的替代品时，企业会受到很大的冲击。

3. 汽车企业经营战略的制定方法

汽车企业经营战略的制定应考虑如何更有效地利用汽车企业内部现有实力以及潜在的资源和能力优势，并能够满足目标市场的需要和完成企业既定目标的要求，其过程大致包括以下几个步骤。

(1) 明确企业任务 明确企业任务或使命是企业经营战略的基本内容之一。汽车企业任务一般包括两方面内容，即企业观念与企业宗旨。企业观念提出了企业为其经营活动方式所确定的价值观、信念和行为准则；企业宗旨则指明了企业类型以及现在和将来企业的活动方向与范围。

汽车企业的高层管理者在确立任务时要顾及诸多因素，其中必须考虑的主要方面有：企业以往突出的特征和历史背景条件；企业的业主和决策者的意图；企业周边环境的发展变化；企业的资源技术情况；企业的专长及特有能力，此外还要写一份正式的任务报告书。

(2) 研究经营环境和经营能力　在明确了经营任务后，需要对企业的经营环境和能力进行分析，即把握企业的现状和预测未来发展趋势，以便为确定企业的战略目标收集有关的经济信息，提供必要的资料和依据。

(3) 确定战略目标　企业的战略目标是指把企业的经营任务、经营环境和经营能力结合起来，将企业的经营任务具体化为战略目标。战略目标一般是几个目标的组合，包括利润率、销售增长额、市场份额、风险、创新和声誉等。营销部门建立这些目标，然后对这些目标进行管理。

(4) 制定战略　目标说明企业欲向何处发展，战略则说明如何达到目标。当企业的任务、战略目标确定以后，就要为实现这个目标制定恰当的战略，包括技术战略和资源战略。

(5) 计划形成与执行　营销部门一旦形成了主要战略思想，就必须制订执行这些战略的支持计划。因此，如果企业决策取得技术优势，就必须通过相应的计划来支持其研究与开发部门，以收集可能影响本企业有关新技术的信息；开发先进的尖端产品，培训营销人员，使他们了解技术，制订广告计划，宣传本企业的先进技术地位等。

在计划形成阶段，营销人员必须估算计划成本。测算每项营销活动的实际成本，以判断实际成本与产生的效果是否匹配。

(6) 总结、评价与修正　营销战略在实施过程中，要进行总结、评价，并根据内外环境的变化及时修正不适宜的部分，使营销战略始终保持其适应性，对企业经营活动真正起到指导作用。

阅读材料 6-1

问界

问，是探索与前行；界，是跨越边界、开创境界。问界，用科技探索全新答案，以智慧重塑豪华。正如问界一直秉持的品牌内涵，问界自 2021 年面世之后屡次刷新行业记录，无论在豪华车市场还是社会认知层面，它都达到了此前未曾有过的高度。

2021 年 12 月 23 日，AITO 品牌正式推出旗下首款智能豪华电驱 SUV 车型 AITO 问界 M5，这是首款搭载商用华为 HarmonyOS 智能座舱的智能汽车。通过 HarmonyOS 系统，智能座舱把用户的全感官操作结合起来，融合整套鸿蒙智慧终端生态，再通过底层打通，做到同一账号、不同设备之间信息与交互的无缝流转，彻底打破以往不同设备各为"孤岛"的状态。

2024 年 4 月 23 日，华为举办问界新 M5 发布会，问界新 M5 正式上市。5 月 14 日，赛力斯汽车官方微博宣布，问界新 M5 于 5 月 15 日正式开启全国用户交付。6 月 28 日，鸿蒙智行官方宣布，自上市以来，问界新 M5 的累计交付量已突破 10000 台。7 月 1 日，华为披露，鸿蒙智行 2024 年上半年累计交付 194207 辆汽车，成为中国新势力品牌上半年销量第一的品牌。历时 28 个月，AITO 问界成为我国新能源汽车品牌中最快实现 40 万辆车下线的品牌。

从商业角度看，问界察觉风向、转舵航行的后发优势并不复杂，却难以被复刻，这一方面当然得益于华为在 ICT 领域深耕多年所培养的一流市场洞察力，另一方面则是"赛力斯+华为"这对当初不被看好的组合，的确起到了"1+1>2"的协同效应。而事实再次证明，商业合作的开放性永远是首要因素。

问界在每款车型的设计理念上都保持着高度一致：搭载行业一流的硬件，将功能整合于智慧出行体系，最后把选择权交给消费者。

想要做到这些并非易事，单是问界如今领先的自研"三电"系统，赛力斯早在 2016 年就开始布局，近十年的巨额研发投入不仅在重庆建立了三座汽车智慧工厂，也建立了如今问界赖以为生的生命线。

赛力斯的技术路径虽然简洁，但意识到自研重要性的同行难免要追赶赛力斯储备多年的先发优势。在新能源汽车工厂机器人数量排名上，赛力斯以 5000 多台的数字一骑绝尘，是第二名的数倍之高。再加上问界引以为傲的智慧出行领域，从 HarmonyOS 4.0 智能座舱到 Hi Car 车机系统，从途灵智能底盘到 HUAWEI SOUND 车载音响，这些不仅体现了华为品牌优势赋能造车领域，而且打造了一个全新的核心业务场景。也就是说，问界的"新豪华"理念本质上是让消费者不再做选择题，满足市场一切需求与愿景。

正是从"新豪华"这一理念上，我们得以窥见"赛力斯+华为"的跨界组合在造车领域既不属于代工厂的附属关系，也绝非各司其职、发挥特长这么简单，它不仅开创了新能源汽车企业与 ICT 科技企业跨界合作的先河，还是一次包容开放的深度合作。

赛力斯集团董事长张兴海不止一次说到，赛力斯始终坚信"软件定义汽车，数据驱动体验"的发展道路。正是赛力斯与华为秉持着同一理念，问界的诞生意义才不止于一次合作，它更像一种被验证的智电融合解决方案，由此融合的不仅是问界的品牌和产品，还有对生产和商业模式彻头彻尾的革新。

6.2 汽车企业营销管理

6.2.1 汽车企业市场营销管理过程

汽车企业市场营销管理过程是指汽车企业通过市场营销管理系统发现、分析、选择和利用市场营销机会,以实现汽车企业任务和预期目标的管理过程。它包括分析市场机会、市场细分并选择目标市场、设计营销组合、管理营销活动,如图 6-3 所示。

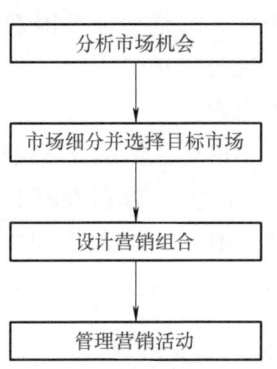

图 6-3 汽车企业市场营销管理过程

1. 分析市场机会

分析市场机会是指寻找适宜的市场机会。汽车企业营销管理者要通过对汽车企业内外部环境的分析,找出市场营销可能利用的条件,分析无法避免的有关威胁,权衡利弊、扬长避短,确定企业经营的总体方向。市场机会是指有市场前景但在市场上尚未得到满足的需求。市场营销理论认为,寻找、分析和评价市场机会,是市场营销管理人员的主要任务,也是市场营销管理过程的首要步骤。在现代市场经济条件下,由于市场需要不断变化,任何产品都有其生命周期,任何企业都不可能永远靠其现有产品维持。所以每个企业都必须经常寻找、发现新的市场机会。汽车企业的市场营销管理者不仅要善于寻找、发现有吸引力的市场机会,而且要善于对所发现的各种市场机会进行评价,分析这些市场机会与汽车企业自身的任务、目标、资源条件等是否一致,进而选择那些比潜在竞争者有更大优势、能享有更大"差别利益"的市场机会作为汽车企业的发展机会。

2. 市场细分并选择目标市场

汽车市场细分就是汽车企业根据不同消费者的需求,将整体汽车市场划分为不相同消费群体的汽车市场的分割过程。要求汽车企业调查分析不同的消费者在需求、资源、地理、位置、购买习惯和行为等方面的差别,然后将上述要求基本相同的消费群体合并为一类,形成整体汽车市场中的若干"子市场"或"分市场"。市场细分的实质就是需求的细分。

目标市场是企业期望能够开拓和占领的市场,也就是企业愿意并有能力进入或为之服务的细分市场。目标市场的选择是企业营销战略性的策略,是市场营销研究的重要内容。企业在市场细分的基础上,对各个细分市场进行认真分析与评估,根据企业的营销目标和资源条件选择企业能提供最佳服务的目标市场,实行市场定位,确定目标市场营销战略,集中力量为目标市场服务,满足目标市场的需要。

3. 设计营销组合

市场营销组合是汽车企业市场营销战略的一个重要组成部分。汽车市场营销组合是指企业为了满足目标市场的需求,有计划地对各种可控的市场营销因素加以优化组合并综合运用,以取得最佳经济效益的策略组合。

企业开展市场营销,可以运用和控制的因素有很多,美国营销专家尤金·麦卡锡把它们概括为四类基本变量和策略子系统,即产品(Product)、价格(Price)、分销地点(Place)、促销策略(Promotion)。因为这四个词的英文开头均为"P",再加上策略,故又称"4Ps"。市场营销组合,也就是这4个"P"的适当搭配。

市场营销组合是多层次的,每类基本变量或策略子系统又是一个亚组合,如产品组合包括产品的设计、技术、质量、性能、特色、用途、品牌(含商标)、包装、规格、型号、服务、品质保证等因素。价格组合则包括基本价格、折扣、津贴、付款方式、信贷条件、价格保证等因素。分销地点组合则包括分销渠道设计、中间商、订货、商品储存、物流与配送等因素。促销组合则包括广告、人员推销、营业推广、公共关系、风险保证等因素。

市场营销组合不仅要对"4Ps"进行适当搭配,而且要安排好每个"P"的内部搭配(亚组合),使所有因素灵活运用从而达到最优营销效果。需要说明的是,市场营销组合中的"4Ps"及每个"P"的构成因素都是动态变化的,每个因素的变动都可能引起整个营销组合的变动,从而形成一个新的市场营销组合。

名人故事 6-1

任正非,1944年10月25日出生于贵州省安顺市镇宁县,祖籍浙江省浦江县,毕业于重庆建筑工程学院,华为公司创始人,华为技术有限公司董事、首席执行官。任正非曾入选《时代》全球一百位最具影响力人物,改革开放40年百名杰出民营企业家,中国最具影响力的50位商界领袖,亚洲百大商业人物等荣誉榜单。

任正非的出身非常困苦,家中父母虽然都是教师,但因为家中弟弟妹妹比较多,生活拮据。但任正非从小就受到了优良的家庭教育,学习成绩十分优异,待人和善,并且他在父母身上学到了一种坚韧不拔的性格。

凭借优秀的学习成绩,任正非考入了重庆建筑工程学院,即如今的重庆大学。在校期间,他选择自学计算机、数控等多项技术,闲暇之余也喜欢自学外语。

任正非毕业后响应国家号召入伍参军,成了一名基建工程兵,他多次代表地方军区参加全国性的比赛,为军区争光。扎实的技术赢得了领导的喜爱,任正非很快就升到了副团级。任正非于1978年加入中国共产党,并作为35岁以下代表出席6000名精英参与的全国科学大会。1982年,任正非当选为中共十二大代表,并出席中国共产党第十二次全国代表大会。1983年,随着国家整建制撤销基建工程兵,任正非复员转业至深圳南海石油后勤服务基地。在南油集团下属一家电子公司任副总经理期间进行一笔数额达200万元的交易时,被买方骗走货物,没能收到货款。为此,任正非被解除职务,并丢掉了工作。此时任正非下有一儿一女要抚养,上有退休老父、老母要赡养,还要兼顾几个弟弟妹妹的生活,正值所谓"上有老下有小""青春不在、未来尚长"的中年之际。于是,家庭的责任、事业的急迫令他走上下海干实事的道路,处于中年危机的任正非开始创业。

1987年,任正非凭借2.1万元启动资金创办华为公司,业务是销售通信设备。创业之初，任正非为了糊口、为了家人而奋斗，这是一个被逼无奈的创业故事。

1988年，任正非通过熟人介绍开始代理销售小型程控交换机。彼时国内尚没有能力自主生产程控交换机，只能依赖进口。任正非得到难得的代理机会，但没有能力负担天价供货费用。最终，他说尽好话，得到对方2000万元的赊货，承诺可以先提货，卖出去后再付款。正是通过这场合作，华为积攒了创业路上第一桶金。也正是这个契机，使华为开启在通信行业的漫长耕耘。同年，任正非出任华为公司总裁。

1992年是任正非创业以来的"幸运年"——有邓小平同志在南方谈话中对国民思想的空前解放，有邬江兴对全国科研人士的极大鼓舞，还有任正非自身卓有成效的赴美学习考察。这些来自不同层面的能量推动着任正非和整个华为团队朝着更有作为的方向飞驰。

此后，华为开始全面发展，期间经历企业变革、转型，战略调整，被列入美国"黑名单"等，最终战胜了各种困难，华为逐渐发展壮大。

任正非十分重视"客户需求"，他提出了"以客户为中心，以奋斗者为本"的企业文化理念，强调员工的奋斗精神和团队合作精神。华为的企业文化成了吸引和留住人才的重要因素之一。

任正非坚信自主研发是企业发展的关键，华为一直没有停下研发的脚步，从通信到企业网、从云计算到手机，华为一直紧跟市场的节奏，打造核心竞争力。他带领华为在通信技术领域取得了多项重大突破，打破了国外企业的技术垄断。华为的自主研发能力为我国的通信产业发展做出了重要贡献。

任正非一直非常重视技术创新，他认为只有不断创新才能使企业保持竞争力。华为在技术研发方面投入了大量的资金和人力，不断推出具有创新性的产品和解决方案，赢得了市场的认可和尊重。

任正非中年创业，早年的贫困生活和军旅生涯锤炼了他不服输的韧性和"狼性"精神，使他带领的华为成为闪闪巨星。如今，任正非仍然工作在岗位上，这种不服输的精神气值得我们学习。

4. 管理营销活动

管理营销活动是指汽车企业在制订了市场营销组合方案以后，对市场营销计划的组织、执行和控制。市场营销组合方案确定以后，汽车企业就要进行组织和实施。执行和控制市场营销计划，包括市场营销组合的确定、营销预算以及对营销过程实施监督、控制等。市场营销计划控制包括年度计划控制、盈利能力控制、效率控制和战略控制。

从本质上来看，营销管理的任务是调整市场的需求水平、时间、构成和特点，使需求与供给相协调，以实现互利交换，达到组织目标。因此，企业营销管理的实质是需求管理，它不但要适当安排营销组合，使之与外部不断变化的营销环境相适应，而且要创造性地适应和积极地改变环境，创造或改变目标顾客的需要。只有这样，企业才能发现和抓住市场机会，因势利导，在激烈的市场竞争中立于不败之地。

6.2.2 汽车企业市场营销计划

1. 汽车企业市场营销计划的制订

汽车企业的战略规划规定了企业的总任务和目标，在此基础上每个战略经营单位还需要制订各项职能计划。市场营销计划是汽车企业整体战略规划在营销领域的具体化。它是在营销调研和分析研究的基础上制订的，通常按年度编制。目前，我国许多汽车企业汽车产品系列宽、品牌多、市场广，这些企业的营销计划一般按产品系列、品牌系列或市场系列分别进行编制。

汽车企业市场营销计划是指导、协调其市场营销活动的主要依据，同时还是企业其他工作计划的起点，其制订得科学与否对于企业的经营有着极为重要的影响。汽车企业市场营销计划包含几个部分，各部分可能因企业要求的不同其详细程度也不同，但通常都包括下列基本内容，见图6-4。

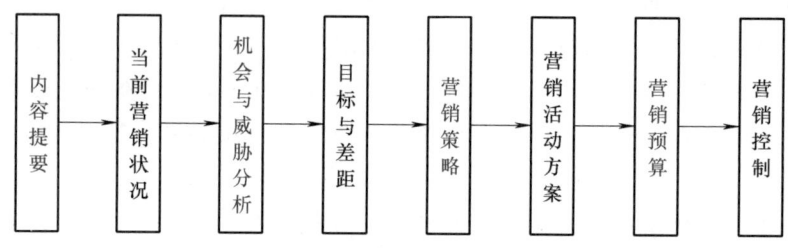

图 6-4 市场营销计划的内容

（1）**内容提要** 它是对主要营销目标和措施所做的简要说明。内容提要之后便是计划内容的目录表。

（2）**当前营销状况** 该部分一般应简要而明确地说明目前市场情况（目标市场、过去几年的销售量等）、产品情况（各产品的价格、销售额、利润率等）、竞争情况（竞争者辨认、竞争者的营销策略、市场份额及发展趋势等）、分销渠道情况（各个分销渠道上的销售数量及变化、分销商力量变化、激发分销商必要的价格和贸易条件等）等几个方面。

（3）**机会与威胁分析** 它是对企业面临的营销机会和可能受到的威胁的说明，是年度计划的依据。

（4）**目标与差距** 它是市场营销计划的核心内容之一。营销目标包括市场占有率、销量或销售收入、利润率、投资收益率等财务目标和营销目标；差距是指要达到计划目标所应解决的主要问题。根据计划目标和现存差距，营销计划还应拟定消除差距的具体措施。

（5）**营销策略** 它是达到营销目标的途径和手段，包括选择目标市场和市场定位、确定营销组合、营销费用预算等。

（6）**营销活动方案** 它是营销活动的具体实施步骤。一般应详细编制，以便执行和检查。

（7）**营销预算** 即盈亏分析报告。它是对销售收入及对生产、运输和营销成本的预算。

（8）**营销控制** 它是营销计划执行的控制原则和方法，其典型情况是将计划目标和预算按月或按季度分解，以便于检查、监督和及时调整。市场营销计划一般由企业的计划部门汇同各营销职能部门共同制订，经营销最高主管领导（甚至企业总经理）审批后，成为企业整个营销系统的年度行动纲领。

第 6 章　汽车企业战略规划与营销管理

2. 汽车企业市场营销计划的实施

市场营销计划的组织实施必须有相关的各级人员和各个职能部门的参与和支持。只有通过整个企业全员的共同合作和协调行动，营销计划才能有效地实施。

市场营销的实施过程包括以下五个相互关联的方面：

（1）制订详细的行动方案　明确指出实施营销计划的关键决策和任务，并将这些任务落实到具体的责任人、责任单位；同时，制作具体的时间表。

（2）建立合理有效的组织结构　组织结构应具有两大基本功能，即合理分工，明确各自的责任、权利；建立畅通的沟通渠道。此外，还要注意增加组织结构的营销弹性，使营销系统能对外部环境变化做出迅速而准确的反应。详见下文对营销部门组织形式的介绍。

（3）确立合理的、激励性强的报酬制度　制度中应明确业绩的衡量和评价标准、报酬的计算（一般应与业绩挂钩）和支付等内容。

（4）开发并合理调配人力资源　主要涉及员工的招募、考核、选拔、培训、安置和激励等问题。企业不仅要通过招募、考核、选拔、培训找到最适用的营销人才，还要通过合理地安置和激励，做到人尽其才，并发挥其最大的潜力。在人才的使用上，还应考虑营销战略的特点，不同的营销战略需要不同个性特点和能力的人才。"开拓型"战略需要具有创业精神、有魄力的人才；"维持型"战略需要具有较强的组织管理能力的人才；"紧缩型"战略则需要擅长精打细算的人才。

（5）营造企业文化和管理风格　企业文化是指企业的员工共同持有的价值观念、信念和行为准则。优良的企业文化能使企业的全体员工团结一致，构筑一个充满活力的有机整体。企业的模范人物是企业员工共有价值观念的人格化，企业应通过各种手段大力宣传企业模范人物。

同企业战略规划的实施一样，市场营销计划在实施过程中，也应密切注意市场监督、信息反馈、适时审查、及时修订和调整等市场营销的控制问题。

3. 汽车企业市场营销计划的控制

企业的营销战略和营销计划在执行过程中总会受各种因素的影响，这就需要企业根据市场情况的变化做出相应的反应，及时调整营销组合策略，实现企业的有效经营。市场营销控制是对市场计划执行情况的监督和检查，其目的是确保企业的经营活动按照计划规定的预期目标进行。

（1）市场营销控制的意义　营销控制是企业进行有效经营的基本保证，来自对竞争者产品和市场的监控。随着市场营销环境的动态变化和市场竞争的加剧，营销控制越来越重要。企业在整个经营过程中，有许多部门、很多人员参加，如果在计划实施过程中某个环节、某个部门或某个具体人员出现了偏差和问题，都可能影响整个营销战略和营销计划的执行。因此，企业要找到对市场营销实施的效果和效率产生重大影响的因素，需要对整个营销计划进行动态的控制，及时纠正偏差和进行调整，以确保计划目标的实现。

营销控制有助于及早发现问题，避免可能发生的事故，采取更有利于企业增收节支的管理方法，充分挖掘企业的潜力。

营销控制还具有监督和激励作用。汽车企业应通过控制成本，检查和监督企业的销售和利润目标是否顺利完成;调动员工的积极性,符合营销目标任务的要求,以取得预期效果;确定产品、地区、市场、顾客群、渠道、市场定位的获利能力。

(2) 市场营销控制的方法 市场营销控制包括年度计划控制、盈利控制、效率控制和战略控制。

1) 年度计划控制。年度计划控制主要检查市场营销活动的结果是否达到了年度计划的要求,并在必要时采取调整和纠正措施。年度计划控制的内容是对销售额、市场占有率、费用率等进行控制。年度计划控制的目的是检查和监督年度计划所规定的销售、利润和其他目标是否顺利完成。主要任务是:分解年度计划指标,跟踪实施情况,对出现的偏差进行分析,提出改进措施,必要时可以根据客观变化情况修订目标。控制过程分为四个步骤:确定年度计划中的月份目标或季度目标;监督市场营销计划的实施情况;对实施情况进行分析,如果市场营销计划在执行过程中出现偏差,要找出其原因;采取必要的补救或调整措施,缩小计划与实际之间的差距。

为了检查计划的执行情况,管理部门可采取五种主要的控制工具,即销售分析、市场占有率分析、营销费用率分析、财务分析和顾客态度分析。

① 销售分析。销售分析是指衡量并评估实际销售额与计划销售额之间的差距。这种差距的衡量有两种主要方法:销售差距分析,主要用于衡量造成销售差距的不同因素的影响程度。微观销售分析,即分别从产品、销售地区及其他有关方面分析未能完成预期销售额的原因。汽车企业不仅要对总的销售情况进行分析,而且要对各细分市场和各产品的销售情况进行分析,找出造成销售差距的真正原因。

② 市场占有率分析。企业的销售分析虽然能评估企业的情况,但是无法真实地反映企业产品的市场占有率。因此,还要分析市场占有率,揭示企业同竞争者之间的相对关系。市场占有率分析是指对企业在整个市场竞争中的地位所做的判断和评价。企业市场占有率上升,表明企业营销业绩提高,在市场中处于有利地位,反之则说明企业在竞争中失利。

市场占有率有三个指标:总体市场占有率,即普遍意义上的市场占有率;服务市场占有率,是指销售额占企业服务市场的百分比;相对市场占有率,是指本企业产品的市场占有率与本行业中最大竞争对手的市场占有率之比。分析市场占有率要结合市场机会同时考虑。市场机会大的企业,其市场占有率一般应高于市场机会小的竞争者,否则就说明其效率就有问题。

③ 营销费用率分析。营销费用率计算公式是:营销费用率=营销费用/销售收入,即市场营销费用占销售收入的比例。营销费用包括推销员费用、广告费、促销费、市场调查费、营销管理费等。在销售额一定的情况下,营销费用越低,企业的效益就越好。营销费用率分析的目的是检查营销费用的支出情况,以确定企业在达到销售目标时的费用支出。年度计划控制要求在实现销售目标时,各项营销费用不超过预算标准,关键在于对营销费用率的控制。如果实际成本费用与计划相比升幅过大,应找出原因,采取有效措施予以控制;如果实际成本费用过低,也要予以关注,是计划订得过高使营销成本下降,还是营销工作人员没有按照计划实施导致的,要根据具体情况予以纠正。

④ 财务分析。财务分析是指对影响企业的净值投资效益率的各项主要因素的分析。汽

第6章 汽车企业战略规划与营销管理

车企业为了改进净值收益率,可以提升资产的净利润比率或提升资产对净值的比率。

⑤ 顾客态度分析,是指追踪顾客、中间商以及营销系统中其他参与者的态度变化,进而监控这些态度对销售产品的影响作用。汽车企业的顾客态度分析主要采取服务质量典型调查,对用户进行电话定期访问、邮寄问卷,收集顾客的意见和建议等,通过顾客的反应评价企业的营销业绩,比企业内部的各种自我分析更有意义。

2)盈利控制。盈利控制一般由财务部门负责,目的是检查不同的销售领域。企业的盈利情况直接关系企业的发展,同时它也是企业营销活动的综合反映,通过检查不同地区、细分市场和分销渠道的盈亏情况,及时发现问题及计划制订和执行中的错误,采取纠正措施,减少经济损失。

① 营销成本控制,是指与营销活动有关的各项费用支出。营销成本直接影响企业的利润,因此企业不仅要控制销售额和市场占有率,还要控制营销成本。营销成本包括直接推销费用、推广费用、仓储费用、运输费用及其他营销费用。企业可以按照销售地区、产品系列、类型分别进行营销成本控制。

② 盈利能力控制,就是通过对财务报表和数据的处理,将获得的利润分摊到产品、地区、渠道、顾客等方面,从而衡量出每一个因素对企业最终盈利的贡献大小,获利水平大小。盈利能力控制的目的在于找出妨碍获利的因素,以便采取相应的措施,排除或削弱不利因素的影响。

3)效率控制。

① 销售队伍效率,包括每个销售人员每天平均的销售访问次数;每次销售访问平均所需的时间、平均收益、平均成本、费用及订单数量;每个时期的新客户数量,丧失老客户的数量;销售成本占总成本的百分比等。

② 广告效率,汽车销售企业至少应该做到以下统计:每一种媒介、每1000人次的广告成本;顾客对每一种媒介注意、联想和阅读的百分比;顾客对广告内容、方法、效果的意见;广告前后顾客对品牌、产品的态度;受广告刺激而引起的询问次数;每次访问的成本。企业管理部门可以采取若干步骤改进广告效率:运用较好的产品定位工作,确立广告目标,预测信息,利用计算机指导广告媒介的选择,寻找较好的媒介以及进行广告效果测定等。

③ 促销效率,包括各种各样的激发顾客兴趣和适用的方式、方法及其效果,每次促销活动的成本,对整个市场营销活动的影响。企业应该观察不同促销手段的效果,并使用最有效果的促销手段。

④ 分销效率,提升分销效率有助于企业实现经营的经济性。分销效率主要通过对企业分销系统的结构、布局及改进方案,存货控制,仓库位置及运输方式进行分析和改进,以实现最佳配置并寻找最佳运输方式和途径。

4)战略控制。战略控制的目的是确保企业营销战略和计划与动态化的市场营销环境相适应,促进企业协调稳定发展。战略控制是对企业整体营销工作的检查和监督,它包括营销活动中所有方面的工作,是一项复杂而又细致的评估工作。由于营销环境变化很快,原有的目标、政策、战略和措施往往容易过时,失去作用。因此,企业在营销战略实施过程中,必然会出现战略控制问题。在新的市场营销环境中，企业必须根据营销环境的变化，及时调整、修改原有的计划，使实际销售工作与战略方案尽可能一致，或在控制中通过不断评审和信息反馈，不断对战略进行修正。

① 确定控制对象，即销售成本、销售收入和销售利润等。

② 设置控制目标，控制销售收入和销售成本。

③ 建立衡量尺度，企业的销售目标决定了它的控制衡量尺度，如目标销售收入、利润率、市场占有率、销售增长率等。

④ 确定控制目标，即为将衡量标准定量化，设立目标必须考虑到产品、地区、竞争所造成的差别。

⑤ 评估执行情况，将执行标准与实际结果进行比较，找出问题的所在。

⑥ 分析偏差原因，对实施过的计划决策过程中的问题进行分析研究，寻找问题的症结所在。

⑦ 采取纠正措施，汽车企业查明计划与实际执行情况产生偏差的原因后，应采取相应的纠正措施，确保营销目标的实现。

 阅读材料 6-2

享　界

享界的英文品牌名"STELATO"其实是由"Stella 星际"和"Auto 汽车"两个词语组成，意指享星河浩瀚，纵寰宇无界——引申其真正含义，享界的征程目标就是"星辰大海"。

享界 S9 作为华为打造的行政级旗舰豪华轿车，以星河为灵感，展现了源自寰宇的豪华气质。其设计融合了科技与美学，追求极致风阻能效，同时配备了华为 ADS 智驾解决方案和流媒体电子外后视镜等科技实力。享界 S9 的推出标志着我国汽车品牌在智能化豪华领域的突破，为我国新能源汽车的崛起树立了新的标杆。

2024 年 8 月 19 日，继北京首交之后，享界 S9 全国首批车主交付仪式来到了上海。华为常务董事、终端 BG 董事长、智能汽车解决方案 BU CEO 董事长余承东现身，为上海首批享界 S9 车主亲自交付新车。其中，令人惊喜的是某位知名演员，成为上海交付 001 号车主。另外，多位明星以及 360 CEO 周鸿祎等都是享界 S9 的车主和准车主。他们给予了高度评价，称赞其"融入了传统豪华车所不具备的先进科技感"，并对享界 S9 赞不绝口，特别提到其令人印象深刻的外观设计。

享界 S9 之所以备受关注，不只因为其有明星车主的加持，它自身的实力也相当出众。首先，它搭载了华为最新的鸿蒙智行系统，为用户带来了流畅、智能的交互体验。在电池方面，享界 S9 标配业界领先的 800V 巨鲸电池包，实现了 CLTC 工况下 816km 或 721km 的超长续驶，这意味着车主们在长途出行时无须频繁为续驶担忧。而且它还支持超级快充技术，仅需 5min 即可补充约 200km 的行驶电量，极大地节省了充电时间，提高了出行效率。

第6章 汽车企业战略规划与营销管理

对于广大消费者来说,大家最关心的或许还是价格问题。享界S9的价格因配置不同而有所差异。基础款的价格相对较为亲民,而顶配版则达到了44.98万元。不过,考虑其出色的性能、智能化的配置以及领先的技术,这个价格在同级别车型中仍具有一定的竞争力。

"科技就是第一生产力",华为享界S9以其强大的性能、先进的技术和时尚的外观成功吸引了众多明星和消费者的目光。相信在未来的市场上,它将成为一款备受瞩目的热门车型。而众多明星的选择无疑为这款车增添了更多的魅力和话题性。在上海交付仪式现场,余承东再次强调"提车只是体验的起点,而不是体验的终点"。相信享界S9经过后续的OTA升级,还会在智能豪华体验方面带来更多惊喜。

本 章 小 结

战略规划关系汽车企业发展的全局,确定了汽车企业营销活动的方向、重点、发展模式、资源配置等。企业必须结合外部环境及自身资源状况,规划企业长期的发展趋势。从整体战略规划到经营战略规划,再到具体的营销计划,形成企业的战略体系,进而开展市场营销管理活动。战略规划为企业的长期生存和发展进行了计划和思考,为市场营销管理过程勾画出基本的活动框架,是市场营销管理的指导方针。市场营销管理过程为战略计划奠定了坚实基础,进而促进和确保战略规划的有效实现。

习　　题

1. 概念理解
(1) 企业战略规划
(2) 汽车企业经营战略
2. 思考与讨论
(1) 请分析企业战略规划的重要性。
(2) 汽车企业总体战略有哪些类型?制定步骤是怎样的?
(3) 如何编制汽车企业营销计划?
(4) 请简述市场营销管理的含义及过程。

【案例分析】

华为与长安汽车强强联合

2023年11月25日,华为与长安汽车在深圳签署了《投资合作备忘录》。经协商,华为拟成立一家新公司,聚焦于智能网联汽车的智能驾驶系统及增量部件的研发、生产、销售和服务,并将华为车BU(智能汽车解决方案事业部)注入该公司。

2024年1月16日,华为完成了目标公司的注册,正式成立深圳引望智能技术有限公司

（简称"引望"），业务范围主要包括汽车智能驾驶解决方案、汽车智能座舱、智能汽车数字平台、智能车云、AR-HUD与智能车灯等。

2024年8月20日，华为与长安汽车全面战略合作暨阿维塔投资引望公司签约仪式在重庆举行。阿维塔科技成为首家入股华为引望的公司，购买华为持有的引望的10%股权，是华为引望的第二大股东。华为公司副董事长徐直军在签约仪式上称："阿维塔是华为帮助车企'造好'车、造'好车'的开创性实践。此次阿维塔科技投资引望，成为引望的战略投资者，是华为把引望打造成汽车产业智能化开放平台的关键一步。后续引望将继续对战略合作伙伴开放股权，携手共同推动汽车产业崛起和智能化全面发展。"华为常务董事余承东则表示："华为将继续全方位支持引望打造领先的产品和技术，成为汽车智能化部件和解决方案的领导者。同时也会支持阿维塔成为领先的高端智能电动品牌。"

全球汽车产业正逢百年未遇之大变革，一场以"电动化""智能化"为特征的技术革命浪潮席卷而来。特别是"智能化"是本轮汽车革命的下半场，而打赢下半场的关键在于占据核心技术制高点。

恰好，"引望"正是在这样的背景之下成立的，装载着华为车BU目前的技术和资源。可以预见，随着更多伙伴加入，引望将成为一个股权多元的技术开放平台。

余承东对引望的形容最为贴切，"中国需要打造一个由汽车产业共同参与的电动化、智能化开放平台，一个有'火车头'的开放平台。"

大变局之下，谁都不甘心落后，一步先就步步先，而搭上华为无疑是车企"弯道超车"的机会。所以，青睐引望汽车平台的除了长安汽车，直言要入股的还有赛力斯，东风汽车、一汽集团也在推进入股引望的事宜。

长安汽车作为传统车企中的佼佼者，在新能源时代却后劲不足，大有被电动车企合围之势。2021年，其果断携手华为、宁德时代两大巨头打造高端纯电SUV品牌阿维塔，长安汽车的未来由此被赋予无限可能。虽说在新能源领域，长安汽车已经有启源、深蓝、阿维塔三大品牌，覆盖了入门级市场到高端市场，但纵观全局，长安汽车面临的挑战并不小。这次阿维塔与华为引望的合作既可以加强阿维塔的市场竞争力，又能使阿维塔在车机智能化领域获得华为更多的支持。

汽车行业发展至今，已然迈入数字化大变革前夜，智能化、电动化是汽车大势所趋，这是万亿级的大市场。

华为的愿景是构建万物互联的世界，手机端互联基本已经做到，新能源汽车将会是下一个承载终端。

如今，长安汽车与华为的合作已尘埃落定，赛力斯即将跟上，下一个会是谁呢？华为这条"鲶鱼"还将给汽车圈带来哪些不一样的玩法呢？

思 考 题

1. 请分析长安汽车总体战略规划是什么？
2. 请谈谈华为在车企的战略规划中的作用？

第 7 章 / Chapter 7

汽车市场营销策略

【教学要点】

知识要点	掌握程度	相关知识
汽车产品策略	了解汽车产品的概念 掌握汽车产品策略 掌握汽车生命周期概念及其相应营销策略	汽车产品的概念包含五个层次 汽车产品策略原则 汽车产品生命周期各阶段的营销策略
汽车定价策略	掌握汽车定价的方法 掌握汽车定价策略 了解汽车新产品定价策略	汽车定价的方法 汽车定价策略原则 汽车新产品的定价策略
汽车分销 渠道策略	了解汽车分销渠道类型和决策过程 掌握汽车分销渠道的设计及管理	分销渠道的概念、作用和类型 汽车分销渠道构建 分销渠道的设计
汽车促销策略	掌握汽车产品的促销策略 掌握汽车广告策略及设计 掌握人员促销策略及人员推销的销售技巧 掌握公共关系促销策略及营业推广	汽车促销的含义 汽车促销方式 促销组合策略 汽车广告策略 广告促销的设计 人员促销策略 人员推销的销售技巧 公共关系促销策略 营业推广

导入案例

奇瑞营销

2024年北京车展上,奇瑞展示了25款重磅车型,吸引了大量外宾参观,展示了其强大的海外影响力。同时,奇瑞老总尹同跃进行物理课直播,展现了奇瑞的技术实力。奇瑞四大品牌各具特色,定位清晰,展现了其品牌实力。奇瑞宣布全面进军新能源行业,并展示了多款新能源车型,表明其不畏挑战的决心。

一、外宾"站台"车展

在北京车展上出现了非常神奇的一幕,当大家准备去奇瑞的展台参观时,突然发现奇瑞的展台里里外外居然全是外国人,并且挤得水泄不通,很多人都以为自己"穿越"到了日内瓦车展。

这些人当然是奇瑞请来的,其中有海外的客户、经销商、一部分海外媒体人,甚至还包括十个国家的大使。来北京车展只是他们的第一站,参加完车展后,奇瑞直接包下了两列高铁,将这些外国人送到了奇瑞的芜湖工厂参观,顺便谈生意。

这次车展的宣传效果还是非常好的。并且奇瑞的这种营销行为,其他车企无法模仿,因为奇瑞与这些人有真正的业务往来。只是奇瑞聪明地选择了北京国际车展这样一个节点,可谓一举两得。

最早从 2001 年开始经营中东市场，奇瑞的出海已经持续了二十多年，在全球 80 多个国家和地区建立了自己的销售渠道，海外用户数量累计已经超过 335 万人。另外，2024 年奇瑞的出口量达到了 114.46 万辆，这样的成绩在国内史无前例。

二、奇瑞老总上物理课

奇瑞老总尹同跃联合搜狐的张朝阳给车主们上起了物理课，同时还进行了全场直播。尹同跃主讲的是深度米勒循环、油电混动以及奇瑞鲲鹏超能混动 C-DM 技术，不少清华大学、北京大学的学子们都跑来听课。60 多岁的汽车行业大佬讲起最基础的汽车理论知识依然信手拈来。估计没几个企业能想到在这样的场合讲汽车原理，这波流量给奇瑞不亏。

三、四大品牌集结

车展上，奇瑞带来了奇瑞、星途、捷途、iCAR 四大品牌。从车展的表现来看，各品牌展台的人群与品牌的定位完美契合。

主品牌奇瑞的瑞虎系列、艾瑞泽系列已经深入人心，为亿万家庭带来了最具可靠性，同时最具用户价值、最有温度感的产品。首次将产品共创搬上车展舞台的风云 A9，以及刚刚完成 "一箱油挑战 2000 公里" 的全球节能 SUV 新标杆探索 06 C-DM，将奇瑞品牌高质价比的优势完全展现了出来。

星途品牌则是奇瑞集合优势资源打造的高端品牌，强调的是"智能、舒适、轻奢"三重体验，如今在海外市场发展得非常好。星途品牌带来了首款豪华旗舰新能源 MPV E08 概念车，全新的大卓高阶智驾，以及奇瑞自研的 iATS 智能全地形系统都非常令人兴奋。

捷途品牌是奇瑞主品牌最好的补充。曾经的捷途以提供各种"青春版"的产品为主，主打的是高性价比、高质价比，对于年轻人的吸引力非常大。随着消费升级，捷途品牌开始将"旅行+"战略作为主打，如今已经是"旅行+"出行生态领导者品牌。

全新的 iCAR 品牌是奇瑞首个新能源汽车品牌，主打智能、潮酷，让新时代的年轻人可以享受"多元、自由、潮流"的体验。iCAR 带着三大序列家族全阵容亮相，既有专为尝鲜的年轻人打造、追求智能平权的 iCAR 03，又有风格硬朗的 iCAR 03T 基，还有定位于风格越野电动城市 SUV 汽车的 iCAR V23，真是"玩出了新花样"。

四、新能源汽车销量爆火

奇瑞的星纪元 ET 在新车预售 24 小时内大定就超过了 6000 台，三天之内大定超过了 8000 台。iCAR 03 的订单已经累计突破一万台，这说明奇瑞猛攻 10 万元级方盒子市场的战略是对的。

同时奇瑞 iBar、三体飞行汽车、S^2ma-可扩展智能火星架构这些概念性产品的亮相说明奇瑞依然留了不少"后手"。这样无论市场发生什么变化，在技术层面不可能突破奇瑞的掌控。

汽车市场营销策略是指汽车企业针对所确定的目标市场，考虑环境、企业能力、竞争状况对汽车企业自身可控因素的影响，综合运用各种可能的营销方法，组合成一个系统化的整体策略来达到企业的经营目标。市场营销的方法有很多，通常可以把这些方法归为四个因素：产品、价格、分销渠道和促销，即"4P"策略。

7.1 汽车产品策略

企业的市场营销活动是以满足市场需求为目的的，市场需求的满足只能通过提供某种产品或相应的服务来实现。汽车产品是汽车市场营销的物质基础，是汽车市场营销中最基本的因素，营销组合中的其他三个因素都必须以汽车产品为基础进行决策。汽车产品是整个营销组合的基石，产品策略将直接或间接地影响其他营销组合因素，企业必须高度重视。

7.1.1 产品整体概念

产品概念具有极其宽广的外延和深刻而丰富的内涵。从现代营销的观念来看，产品不仅仅局限于有形的劳动生产物，还包括无形的信息、知识、版权、实施过程以及劳动服务等内容。汽车产品也是如此，它既包括传统意义上实物的形式，也包含汽车维修、汽车保险和汽车金融等各种形式。

市场营销一方面是一个满足用户需要的过程，除了具有物质实体的是汽车产品外，凡是能满足汽车消费者某种欲望和需要的服务也都是汽车产品；另一方面，对于汽车企业来说，它们提供的产品不仅是物质实体本身，也包括与销售实物同时出售的汽车服务，如维修网点、上门服务等。

根据菲利普·科特勒等学者的观点，可以用以下五个层次来表述整体产品的概念，如图7-1所示。

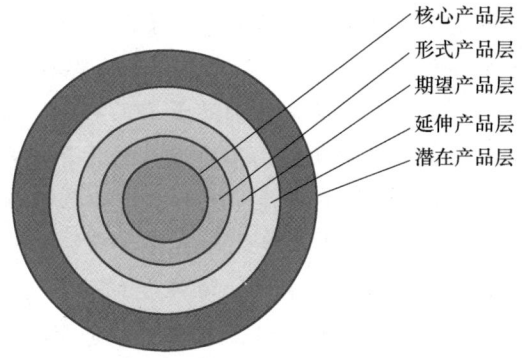

图 7-1 汽车产品整体概念五层次论

1. 汽车核心产品层

汽车核心产品层又称汽车实质产品层，它是满足用户需要的核心内容，即用户真正购买的基本服务和利益。汽车消费者购买汽车并不是为了占有或获得汽车产品本身，而是为了获得能满足某种需要的效用或利益。汽车的核心产品就是汽车可以满足用户交通和运输的需要以及精神需要。营销的任务就是要把用户所需要的核心利益和服务，即用户需要的效用提供给用户。

2. 汽车形式产品层

汽车形式产品是其核心产品借以实现的形式，又称为汽车基础产品层。所谓形式，是向市场提供的实体或务实的外观。它在市场上通常表现为产品质量水平、外观特色、式样、品牌名称和包装等。汽车形式产品包括质量水平、外观特色、汽车造型、汽车品牌等。形式产品不仅是产品基本效用得以实现的形式，还是消费者选择产品的重要因素。所以，市场营销者必须寻求使产品核心价值得以实现的有效形式。

3. 汽车期望产品层

汽车期望产品层是指汽车消费者购买汽车产品时期望得到的、与产品密切相关的整套属性和条件。例如，汽车消费者大部分期望得到舒适的车厢，以及品质优良的音响设备、导航设备和安全保障设备等。这种期望是否能够得到满足，将影响消费者的购买决策。因此，企业在从实质产品出发进行市场营销的同时，还必须完整地了解消费者的期望。

4. 汽车延伸产品层

汽车延伸产品层又称为汽车附加产品层，是指汽车消费者购买汽车产品时所能得到的汽车附加服务和利益，如提供信贷、储运、装饰、维修等。由于汽车消费者购买汽车是为了满足某种需要，因而希望购买后能得到与满足这种需要有关的一切事物。可见，汽车企业所出售的必须是一个整体，只有充分了解消费者的需要，向消费者提供具有更多实际利益、更能满足其需要的汽车产品，才能在竞争中获胜。所以，有人说，"销售从售后开始"。

汽车延伸产品的设计应该注意以下三点：①任何汽车延伸产品都将增加汽车企业的成本，因此汽车延伸产品并不是越多越好，还应考虑汽车消费者是否愿意承担因此产生的额外费用；②汽车延伸产品给予汽车消费者的利益将很快转变，汽车延伸产品的设计不是一劳永逸的事情，而应根据消费者的需要和竞争者的动向，不断改进；③由于汽车延伸产品提高了汽车产品的价格，某些竞争者选择剥除汽车延伸产品，以降低价格，吸引其他细分市场的汽车消费者。因此，经济型轿车得以与豪华型轿车并存，以低廉的价格满足汽车消费者最基本的代步需要。

5. 汽车潜在产品层

汽车潜在产品层是指包括现有汽车产品的所有延伸和演进部分在内，最终可能发展成为未来汽车产品的潜在状态的汽车产品。它代表了汽车产品未来的发展前景，如普通汽车可能发展为水陆两用汽车或者移动餐厅等。

对于汽车产品这五个层次的内容，实质产品是核心，企业必须首先保证实质产品，不断开发创新，生产出适合消费者需要的新品种。形式产品是消费者购买商品时首先获得的印象，对激发消费者购买欲望具有促进作用。期望产品用于企业检查其形式产品或延伸产品是否能很好地满足用户或消费者的期望。延伸产品是消费者购买商品后的进一步要求，企业若能在消费者购买商品的同时提供这些服务，消费者就会放心购买，同时对其他消费者也能起到一种广告作用。汽车延伸产品主要针对今天的汽车产品，而汽车潜在产品则代表着今天的汽车产品可能发生的演变，并为企业改进、开发产品提供了方向。

 阅读材料 7-1

奇瑞汽车"卷"安全

当前的汽车市场"内卷"极其惨烈，"内卷"带来的不仅有压力，更有挑战——"卷"出进步、"卷"出收获、"卷"出未来。无论车圈"卷"什么，消费者最关注的还是安全，这是更核心、更底线、更根本的。发布会上那句"安全才是最大的豪华"表明了奇瑞造车的态度。安全"内卷"不仅没有底线，更应该没有上限。

此前有多个实例较好地诠释了奇瑞的安全性：一辆艾瑞泽8撞上货车，防撞梁没有直接受力，A柱有变形而无断裂，车主硬是靠A柱保住了性命；一辆艾瑞泽8在高速上以140km/h的速度撞上了正在施工的铲车，前脸受损严重，A柱只是轻微弯折，正是高强度钢发挥了作用。

再看新能源汽车市场，消费者在关注续驶里程、智能座舱、智能驾驶这些功能的同时，安全问题依旧是一个极其重要的考量标准。而奇瑞舒享家真正做到了精工匠心，安全"内卷"无上限。

在独创的多腔封闭环状笼式车身和仿生鸟骨一体冲压式车身骨骼等核心技术的赋能下，奇瑞舒享家能够实现 $3.98 \times 10^4 \mathrm{N \cdot m/(°)}$ 的扭转刚度，并采用了分段溃缩前纵梁，能够更有效地吸能，而且40%偏置碰撞、正面碰撞、侧面碰撞测试均能达到行业领先的水平。同时，采用了复兴号及C919大飞机航空级铝材，打造基于我国首个拥有完全自主知识产权、为"纯电"而生的铝基轻量化平台。其采用全球领先的全铝型材框架车身，可使重量减轻24%，在保证高安全性的同时完美做到轻量化减重。同时，奇瑞铝基平台具有开放舱体设计，拥有标准化接口和模块化结构，使得上部舱体可快速切换，适应不同出行场景。也就是说，奇瑞舒享家是这套平台发挥作用的起点。

在铝基轻量化平台的赋能下，奇瑞新能源汽车的车载智能化水平进步迅速，与高通、华为、TI等企业进行了深度合作，目前产品已可以实现部分自动驾驶、自动泊车、遇到障碍物自动避让等功能，整体水平已达到L2+级别，未来可扩展至L3~L4级。而这样的主动安全进化放在奇瑞舒享家身上带来了包含L2+级智能辅助驾驶系统、540°全域透明底盘、全时在线主动式预警服务、空中下载（OTA）在线升级等一系列的主动安全功能。

同时，对于消费者而言，他们最在乎的安全问题不仅是被动的平台用料以及主动的智能驾驶等，电池包的安全才是消费者眼里的重中之重。奇瑞舒享家为电池包配置了达到IPX9K的超高等级防护（达到国标IPX7的48倍），即便在雨天、路面积水、涉水等恶劣工况下也可以确保正常使用，全方位避免电池包进水。而且奇瑞舒享家配置的是磷酸铁锂电池，匹配液冷却方式，安全层次更有保障。与此同时，奇瑞舒享家拥有i-battery九级安全防护，匹配了高安全电芯体系、高结构热防护和智能云管理的电池安全技术，能够安全通过火烧、防水、挤压冲击、针刺和热失控等一系列考验，达到行业头部的安全表现。不得不说，这些针对车辆三电的安全防护绝对能够让用户感到安全感满满。

奇瑞不仅把技术和研发推到了新的高度，更重要的是为消费者对于新能源汽车的安全刚需树立了一个标准。在"我国首个铝基平台"和"打破垄断的材料技术"的组合下，奇瑞称得上代表了下个阶段新能源汽车安全技术发展的方向。

7.1.2 汽车产品组合概念及策略

1. 汽车产品组合概念

产品组合，又称产品品种搭配。产品组合是指一个企业提供给市场的全部产品线和产品项目的组合或搭配,即企业的业务经营范围。企业为了实现营销目标,充分有效地满足目标市场的需求,必须设计一个优化的产品组合。研究产品组合,首先必须弄清几个与其相关的概念。

(1)产品项目 产品项目是指产品目录中列出的每个明确的产品单位,同一种型号、品种、尺寸、价格、外观等的产品就是一个产品项目。例如,一个车型系列中各种不同档次、质量和价格的特定品种就是不同的产品项目。

(2)产品线 产品线是指在某种特征上互相关联或相似的一组产品,通常属于产品大类的范畴。产品线可以按产品结构、生产技术条件、产品功能、消费者结构或者分销渠道等进行划分。比如,汽车产品的某一车型系列就是按产品结构划分的一条产品线。企业可以根据经营管理、市场竞争、服务消费者等具体要求来划分产品线。

【案例】 奇瑞汽车产品线(表 7-1)

表 7-1 奇瑞汽车产品线

奇瑞品牌	名称
瑞虎系列	瑞虎 9 系、瑞虎 8 系、瑞虎 7 系、瑞虎 5x、瑞虎 3x
艾瑞泽系列	艾瑞泽 8 系、艾瑞泽 5 系
探索系列	探索 06、欧萌达
新能源系列	瑞虎 8 新能源、瑞虎 7 新能源

(3)产品组合的衡量 通常可以使用四个参数衡量产品组合:产品组合的广度、产品组合的深度、产品组合的长度和产品组合的相关性。以奇瑞汽车的汽车产品组合为例,讨论汽车产品组合的广度、深度、长度和相关性的概念,见表 7-2。

表 7-2 奇瑞汽车产品组合广度和产品组合深度

参数	产品线				
产品组合的广度	奇瑞	奇瑞新能源	星途	捷途	爱咖(iCAR)
产品组合的深度	瑞虎系列	奇瑞舒享家	星途追风	捷途旅行者	iCAR GT
	艾瑞泽系列	小蚂蚁	星途凌云	捷途大圣	iCAR 03
	探索系列	QQ 冰淇淋	星途揽月	捷途 X90	—
	新能源系列	艾瑞泽 e	星途瑶光	捷途 X70	—
	—	—	星途星纪元	捷途 T-3/T-2	
				捷途 X-2	

产品组合的广度是指一个企业生产经营的产品系列的数量。这里,奇瑞汽车公司汽车产品组合的广度为 5,即有 5 条汽车产品线。

产品组合的深度是指一个企业每条产品线的产品项目的数量。如奇瑞品牌有 4 个项目。

产品组合的长度是指产品组合中包括的所有产品项目的总数,即企业产品深度的总和。表 7-2 中,奇瑞汽车公司一共有 5 条汽车产品线、21 个品种的汽车产品,即汽车产品组合的长度为 21。

(4)产品组合的相关性 产品组合的相关性是指各条产品线在生产条件、最终用途、细分市场、分销渠道、维修服务或者其他方面相互关联的程度。例如,两个车型系列在零部件总成上通用性的高低,不同车型能否在同一平台生产,便是产品组合相关性的概念范畴。

2. 汽车产品组合的类型

汽车产品组合具有广度性、深度性、长度性、相关性组合类型。汽车超市和汽车专营店体现的就是这四种不同的组合类型,见表7-3。

表7-3 汽车产品组合类型

卖场形式	组合广度	组合深度	组合长度	组合相关性
汽车超市	宽	浅	长	差
汽车专营店	窄	深	短	好

汽车产品组合为企业分析自己的利润支点提供了支持。汽车企业可以通过对其所有的汽车产品项目、产品线进行销售额、利润等方面的统计和比较,为分析、评价、调整和优化产品组合提供依据,剔除不好的产品项目或产品线,找到具有发展前途的产品项目或产品线。

3. 汽车产品组合策略

汽车产品组合策略是指根据企业的目标,对汽车产品组合的广度、深度和相关性进行决策。汽车如增加产品组合广度,扩大经营范围,可减少单一车型的经营风险;增加产品组合的长度或深度,可使产品线丰满,提高产品的市场占有率和用户满意度。在市场竞争激烈的情况下,增加产品品种是提高企业竞争能力常用的手段。上海大众的产品组合策略的调整见表7-4。

表7-4 上海大众的产品组合策略的调整

产品	1999年	2000年	2001年	2002年	2003年	2004年	2005年	2006年	2007年
桑塔纳系列	—	2000 自由沸点 俊杰	—	时代骄子	2003款	3000	—	2006款 3000	旅行车
帕萨特系列	帕萨特	—	帕萨特2.8	—	—	—	舒适版 豪华版	领驭 标准型	经典版 导航版
Polo系列	—	—	Polo	1.4L 1.6L	三厢 天窗版	—	两厢	劲取 劲情	—
高尔	—	—	—	—	高尔	旋风	—	—	—
途安系列	—	—	—	—	途安	—	—	—	—
明锐系列	—	—	—	—	—	—	—	—	明锐

(1) 扩大汽车产品组合策略 扩大汽车产品组合是指企业在生产设备、技术力量所允许的范围内,扩大汽车产品组合的广度,加深汽车产品组合的深度,以及加强汽车产品组合的相关性。扩大汽车产品组合可以充分利用企业的各项资源,在更大的市场领域中发挥作用,满足消费者更广泛的不同需要和爱好,同时,又可降低生产成本,减少投资风险。但是,扩大汽车产品组合往往会分散企业的资源,增加管理难度,有时会使边际成本加大,甚至由于新产品的质量、性能等问题,而影响本企业原有产品的信誉。

1) 扩大汽车产品广度。这是指一个企业在生产设备、技术力量所允许的范围内,既有专业性又有综合性地发展多品种。扩大产品组合的广度可以充分利用企业的各项资源,在更

第7章 汽车市场营销策略

大的市场领域中发挥作用，并且能分散企业的投资风险。例如，上海大众在扩大汽车产品线广度上的思路是：普通轿车（普桑）→中档轿车（桑塔纳2000）→中高档轿车（帕萨特）→经济型轿车（高尔），使上海大众成为我国汽车产业的龙头。

2）加深汽车产品组合深度。从总体上来看，每个企业的产品线只是该行业整个范围的一部分。如宝马汽车公司的汽车在整个汽车市场上的定价属于中高档范围。加深汽车产品组合的深度，可以占领该行业同类汽车产品更多的细分市场，迎合消费者的更广泛的不同需要和爱好。上海大众在帕萨特轿车基本型的基础上，研制开发豪华型车和变形车，就是加深汽车产品组合深度的例子。

3）加强汽车产品组合相关性。一个汽车企业的汽车产品应尽可能地相关配套，如汽车零部件的通用性、共用一个生产平台等。加强汽车产品组合的相关性可降低企业新车型的开发和生产成本，减少投资风险。

（2）缩减汽车产品组合策略　缩减汽车产品组合策略是指企业根据市场变化及自身的实际情况，适当减少一部分产品项目。该策略同样有缩减汽车产品组合广度、深度和相关性三种情况。在以下情况下，企业应考虑适当减少产品项目：一是已进入衰落期的亏损的产品项目；二是当无力兼顾现有产品项目时，放弃无发展前途的产品项目；三是当出现市场疲软时，删减一部分次要的产品项目。采取缩减汽车产品组合策略有以下好处：

1）可集中精力对留存汽车产品改进设计、提高质量、降低成本，从而增强竞争力。

2）使脱销情况减少至最低限度。

3）使企业的促销目标集中，效果更佳。

同样，采取该策略可能会使企业丧失部分市场，增加企业经营风险。因此，一个企业决定某种汽车产品是否淘汰之前，应慎之又慎。

（3）延伸汽车产品线组合策略　产品线延伸是针对产品的档次而言的，包括在原有档次的基础上向上、向下或双向延伸。

1）向上延伸策略。企业原来生产中、低档或低档车型，又新推出高档或中档的车型，就是产品线向上延伸策略。该策略具有明显的优点：可获取更丰厚的利润；可作为正面进攻的竞争手段；可提高企业的形象；可完善产品线，满足不同层次消费者的需要。但采用这一策略应具备一定的条件：企业原有的声誉比较高；企业具有向上延伸的足够能力；实际存在对高档车的需求；能应付竞争对手的反击等。奇瑞汽车公司在原有QQ产品的基础上推出东风之子、旗云轿车即为向上延伸策略。

2）向下延伸策略。企业在原来生产高档或中档车型的基础上，再生产中档或低档的车型，便是产品线向下延伸策略。企业采用这一策略可弥补高档产品减销的空缺，利用高档车的声誉吸引购买力较低的消费者，提高市场覆盖面。但它可能给人以"走下坡路"的不良印象，影响高档车的品牌形象。

3）双向延伸策略。原来生产中档车型的企业同时扩展生产高档和低档的车型，则是产品线双向延伸策略。采用这种策略的企业主要是为了取得同类产品的市场地位，扩大经营，增强企业的竞争能力。但应注意，只有在原有中档产品已取得市场优势，而且有足够资源和能力时，才可进行双向延伸，否则还是单向延伸较为稳妥。上海通用汽车公司在原有别克轿车品牌的基础上引进生产凯迪拉克和雪佛兰品牌轿车即属于双向延伸的产品策略，如图7-2所示。

（4）汽车产品异样化和细分化策略 汽车产品异样化和细分化均属于扩大汽车产品组合策略。汽车产品异样化是指在同一市场上，汽车企业为强调自己的产品和竞争产品有不同的特点，并避免价格竞争，尽可能地显示出与其他产品的区别，力求在市场竞争中占据有利地位。如两种不同汽车企业生产的汽车产品在动力、安全等性能上没有什么差别，但可以用不同的造型和个性设计来进行区别。

汽车产品细分化是指在市场细分基础上产生的汽车产品策略。它首先假定市场上存在着未满足的需求，因此汽车厂商总能对同质市场做进一步细分后发现未满足的需求，并为此生产一些独特的汽车产品打入该细分市场。

图7-2 上海通用汽车公司的产品线延伸策略——双向延伸

汽车产品异样化实质上要求汽车消费者的需求服从生产者的愿望，而汽车产品细分化则是从汽车消费者的想法出发，承认汽车消费者的需求是不同的，它充分体现了汽车市场营销的观念。

7.1.3 汽车产品生命周期及其营销策略

大部分汽车产品从投入市场到退出市场都要经历销售形式由强到弱、自盛转衰的演变过程，不会永远畅销。因此，汽车企业要为处于不同发展阶段的产品制定适合的营销策略，遵循汽车产品发展规律，确定产品的阶段营销策略，并做好产品改进和新产品的研发工作，不断向市场推出新产品来取代即将衰退的产品，使汽车企业能长久立足于市场。

一、产品生命周期理论

产品在市场上的销售情况及其获利能力会随着时间的推移而变化。这种变化规律就像人的生命一样，从诞生、成长到成熟，最终走向衰亡。产品从进入市场到被淘汰退出市场的全过程称为产品的生命周期或市场寿命。

汽车产品生命周期是指产品从完成试制并投放市场开始，直到最后被淘汰退出市场为止的全部过程所经历的时间。所谓生命，并不是指汽车产品的使用寿命，而是指汽车产品的市场寿命，其长短受汽车消费者需求变化、汽车产品更新换代速度等多种市场因素的影响。产品生命周期就是产品从进入市场到退出市场所经历的市场生命循环过程，进入和退出市场标志着周期的开始和结束。随着科技的飞速发展，企业间的竞争日趋激烈，市场的变化不断加快。

产品经过研究开发、试销，然后进入市场，其市场生命周期就开始了。产品被消费者拒绝或淘汰，退出市场，则标志着产品生命周期的结束。产品市场生命周期不是产品的自然生命或使用寿命。典型的产品生命周期一般可分为四个阶段：导入期（或介绍期）、成长期、成熟期和衰退期，如图7-3所示。

（1）**导入期** 新产品投入市场，便进入了导入期。此时，消费者对产品还不了解，只有少数追求新奇的消费者可能购买，销量低、成本高、利润低，有时甚至亏损。

（2）**成长期** 当产品经过试销取得成功后便进入成长期。这时消费者对新产品有所了解，大量的新消费者开始购买，销量增长很快。此时产品已具备批量生产能力，成本降低，利润迅速增长。在这一阶段，竞争者纷纷进入市场，使产品供给量增加，价格随之下降。

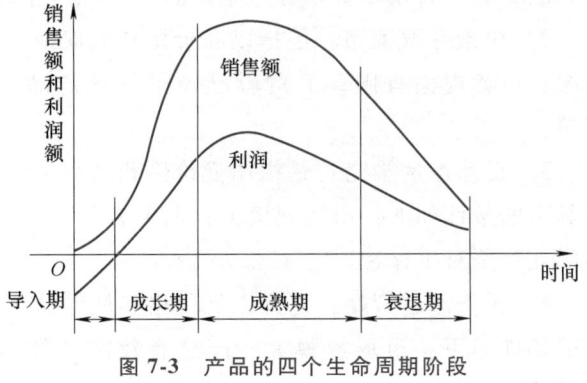

图7-3 产品的四个生命周期阶段

（3）**成熟期** 产品进入这一阶段，市场需求趋向饱和，潜在消费者已经很少，销售额增长缓慢直至转而下降，标志着产品进入了成熟期。在这一阶段，竞争逐渐加剧，产品售价降低，促销费用增加，企业利润下降。

（4）**衰退期** 随着科学技术的发展，新产品或新的代用品出现，使消费者的消费习惯发生改变，转向购买其他产品，从而使原来产品的销售额和利润额迅速下降。于是，产品进入衰退期。

各种档次、各种类型的汽车产品不同，其汽车产品生命周期及其经历各阶段的时间长短和形态也不同。目前，我国的汽车市场不是所有的产品生命周期都缩短了，而是有区别的。主流产品的生命周期跟国外的产品差不多，有五六年；但是非主流产品，有可能几个月之后就走的是国外要经过好几年走的路线——上升很快，但过不了几个月就往下滑。比如，有些车型的生命周期比较长，比较典型的是吉利帝豪、五菱宏光、丰田卡罗拉几个品牌或者车型。

二、汽车产品生命周期各阶段的营销策略

产品在其生命周期各阶段具有不同的市场特点，企业只有在了解各阶段的特点之后，才有可能制定出相应的营销策略，保证企业营销活动的成功。对于汽车企业来说，运用产品生命周期理论主要有三个目的：一是使自己的汽车产品尽快尽早为汽车消费者所接受，缩短汽车产品的导入期；二是尽可能保持和延长汽车产品的成长阶段；三是尽可能使汽车产品以较慢的速度被淘汰。因此，掌握汽车产品生命周期各阶段的特点，制定有效的营销策略，是汽车企业取得营销成功的关键。

1. 导入期的营销策略

导入期是产品成功的开始，但是，往往很多新产品在向市场投放以后，还没有进入成长期就被淘汰了。因此，企业要针对成长期的特点，制定和选择不同的营销策略。可供企业选择的营销策略主要有以下四种类型：

1）迅速夺取策略：是指以高价格和高促销水平推出新产品的策略。采用此策略必须具备如下条件：产品鲜为人知；了解产品的人急于购买，并愿意以卖主的定价支付；企业面临

潜在的竞争,必须尽快培养对本产品有"品牌偏好"的忠实消费者。

2) 缓慢夺取策略:是指以高价格和低促销水平推出新产品的策略。它适用于这样一些情况:市场规模有限;消费者已经了解该产品;消费者愿意支付高价;没有剧烈的潜在竞争。

3) 迅速渗透策略:是指用低价格和高水平促销费用推出新产品的策略。采用此策略必须具备的条件如下:市场规模大;消费者并不了解该新产品;市场对价格比较敏感;有强大的潜在竞争对手存在。

4) 缓慢渗透策略:是指以低价格和低促销水平推出新产品的策略。采用此策略必须具备的条件如下:市场规模大;产品有较高的知名度;市场对价格敏感;存在潜在的竞争对手。

2. 成长期的营销策略

企业在成长期的主要目的是尽可能维持高速的市场增长率。为此,可以采取以下市场推广策略:

1) 改进产品质量,增加花色品种,改进款式、包装,以适应市场的需要。

2) 进行新的市场细分,从而更好地适应增长趋势。

3) 开辟新的销售渠道,扩大商业网点。

4) 改变广告宣传目标,以建立和提高知名度为中心转变为以说服消费者接受和购买产品为中心。

5) 适当地降低价格,以提高竞争能力和吸引新的消费者。

3. 成熟期的营销策略

成熟产品是企业理想的产品,是企业利润的主要来源。因此,延长产品的成熟期是该阶段的主要任务。延长产品成熟期的策略可以从以下三个方面考虑:

1) 发展产品的新用途,使产品转入新的成长期。

2) 开辟新的市场,提高产品的销量和利润率。

3) 改良产品的特性、质量和形态,以满足日新月异的消费需求。

4. 衰退期的营销策略

处于衰退期的产品常采取维持策略、缩减策略和撤退策略,但有的企业常常运用一些方法延长其衰退期。

(1) 维持策略 即汽车企业在目标市场、价格、销售渠道和促销等方面维持现状。这一阶段很多企业会先行退出市场,因此对一些有条件的企业来说,并不一定会减少销量和利润。使用这一策略的汽车企业可配以产品延长寿命的策略。汽车企业延长产品寿命周期的途径是多方面的,最主要的有以下几种方法:

1) 通过价值分析,降低生产成本,以便进一步降低汽车价格。

2) 通过科学研究,增加产品功能,开辟新的用途。

3) 加强市场调查研究,开拓新的市场,创造新的内容。

4) 改进汽车设计,以提高产品性能、质量、包装和外观等,从而使产品寿命周期不断实现再循环。

（2）缩减策略 即汽车企业仍然留在原来的目标上继续经营，但是根据市场变动的情况和行业退出的障碍水平在规模上进行适当的收缩。如果把所有的营销力量集中到一个或者少数几个细分市场上，加强这几个细分市场的营销力量，也可以大幅度降低市场营销的费用，以增加当前的利润。

（3）撤退策略 即企业决定放弃经营某种商品以撤出该目标市场。在撤出目标市场时，企业应该主动考虑以下几个问题：

1）将进入哪个新区域，经营哪种新产品，可以利用以前的哪些资源。
2）品牌及生产设备等残余资源如何转让或者出卖。
3）保留多少零件存货和服务，以便在今后为过去的消费者服务。

产品生命周期是一个很重要的概念，它和企业制定产品策略以及营销策略有直接的关系。管理者要想使其产品有一个较长的销售周期，以便赚到足够的利润来补偿在推出该产品时所做出的一切努力和经受的一切风险，就必须认真研究和运用产品的生命周期理论。此外，产品生命周期也是营销人员用来描述产品和市场运作方法的有力工具。表 7-5 给出了产品生命周期各阶段的特点与营销策略。

表 7-5 产品生命周期各阶段的特点与营销策略

项　　目	导　入　期	成　长　期	成　熟　期	衰　退　期
销量	低	迅速上升	达到顶峰	下降
成本	高	平均水平	低	低
利润	无	上升	高	下降
营销策略	建立知名度	提高份额	争取利润最大化	推出新产品

阅读材料 7-2

耐人寻味的车型"生命周期"

由于技术日臻成熟和激烈的市场竞争，中国车市上车型的生命周期正变得越来越短，甚至超过了国际市场的车型更替频率。通常，跨国汽车公司每隔 5~6 年才会在全球各地推出一款基于全新平台上设计开发的新车型，经常会有外观、内饰方面的小改动，一般是一年一次。但在观察国内车市之后可以发现，两年引进一款新车已不是什么新鲜事，每家公司每年推出 2 款集 20 多种改进于一身的改良款新车，更是司空见惯的事情。从燃油车到电动车，在政策引导、技术迭代、市场接受的产业规律下，车型的生命周期正变得越来越"不可预测"。对于中国车市如此快的新陈代谢速度，跨国公司感到压力很大，以至丰田一位已经离职的总经理在离开北京时提出的唯一建议便是：丰田应该调整在中国市场的产品生命周期战略，国际上按 6~8 年的市场周期设计、制造汽车的通行规则，在中国市场已行不通，这个数据应被缩短为不超过 4 年。

当今的中国车业已融入全球一体化，世界汽车研发水平提升及新车研发周期的缩短，是"中国车市周期"出现的前提。经过不断探索，国际上目前新车平均研发时间已由过去的 36 个月缩短到 24 个月左右，日本丰田甚至在其新推出的花冠车型上实现了 12 个月完成研发的目标。这种日新月异的速度，使各车型在进入中国市场时能够适应国内路况和消费者需求的快速变化。从 Polo 和 GOLF 开始，中国车市的新车投放开始与全球同步，研发周期的缩短为"中国车市周期"提供了有力保障。

近年来，国际车业孜孜以求的另一个目标是加快车型平台的通用化进程。过去，美国通用汽车为零配件供应商制定详尽的质量指标，根据型号不同，其麾下 5 大品牌汽车产品选用的刮水器一度竟出现 230 多种不同的规格和生产要求。由此，实现产品通用化就成了当务之急。同时，为"中国车市周期"提供平台支持的还有"供应链物流管理"体制的导入。一份由全球 40 多家汽车及零部件制造商设立的"国际汽车分销纲领"研究报告显示，一辆普通汽车从制造到交货要用 42 天时间，这期间制造时间仅为 2 天，运输 5 天，其余时间全部用来完成各类文件及各种配件和制造过程的安排。而一旦加速了供应链物流中的订货环节，顾客在第 14 天就能拿到车，使产品的上市周期缩短 2/3。经过几年的探索，国内各汽车制造商已普遍提升了物流管理水平。一些厂家引进美国通用公司提出的"产品全生产周期管理系统"，实现了对整个供应链的有效监控，缩短了生产、销售和订货周期。

在中国，车型生命周期的缩短，除了上述条件外，更缘于国内有别于海外的独特市场环境和市场特点。

在来华 4~5 年之后，各跨国汽车公司渐渐摸清了中国消费者的脾气和喜好，其商务政策也开始显现出明显的本土化特征。其中一个最特别的现象就是善于"制造"新品。由于国内消费者对新车型的极度渴望，不仅大量新款车型被引进国内，许多改良车型也被不断推出。上海通用别克系列中的新世纪车型经过改进后被冠以"君威"的名称重新上市，市场立即火爆起来，在上市 14 个月后，仍然供不应求。有记者询问通用系统一位高层管理人员：如果是在欧美市场，新世纪会摇身一变成为君威吗？回答是否定的，原因很简单，因为中国消费者和欧美消费者不同。在国外，通过多年使用，顾客通常会对某品牌某车型产生较强的忠诚度，改换车型可能面临损失相当部分忠实消费群体的危险。而在中国，消费者似乎更容易"喜新厌旧"。汽车企业为迎合国内消费者求新的心态，便加速推出新车型，使汽车生命周期越来越短。其实，中国市场车型的频繁换代源于世界汽车工业百年的积累。可以这么认为，是世界车业的深厚底蕴和国内车市的竞争强度，共同造就了中国当今车型的淘汰速度。

 阅读材料 7-3

第一辆奇瑞风云轿车

1999 年 12 月 18 日，第一辆奇瑞风云轿车驶下生产线，对于奇瑞来说这无疑是具有里程碑意义的一天。可此时奇瑞风云还面临着一个很大的问题：奇瑞没有汽车"准生证"。

第7章 汽车市场营销策略

上汽答应接受奇瑞,给奇瑞一个名正言顺的"户口"。自那时起,奇瑞所有车型的尾部都打上了"上汽奇瑞"的标识,上汽集团奇瑞汽车有限公司成立了,这个曾经名不见经传的"茅草房企业"开始走上历史舞台。

奇瑞风云拥有捷达底盘、西雅特 TOLEDO 车身,搭载的是一台 1.6L 自然吸气发动机,最大功率 94 马力,最大转矩 132N·m,最高时速 173km/h,平均油耗 6.3L/100km。这样的整车性能足以让奇瑞风云成为国内市场强有力的竞争者。

随着奇瑞第一辆车风云下线,打响了挑战"老三样"的第一枪,也成了奇瑞腾飞的起点。"动静皆风云",奇瑞第一款产品风云在我国市场刮起了一阵强劲的旋风,翻开了自主品牌汽车发展新的一页。风云作为奇瑞公司首个产品品牌,无论对奇瑞,还是对我国民族汽车产业来说都有着特殊的意义。

随后,奇瑞正式确立走自主创新,打造自主国际名牌的发展战略,开始了大规模的自主研发,扩大车型覆盖范围,从 SUV 到 MPV 再到微型客车,奇瑞的产品几乎覆盖所有乘用车品类和部分商用车。

奇瑞深知,要想打造我国的世界级汽车企业,参与全球汽车市场竞争,就必须具有全系列产品的开发能力,产品要覆盖高、中、低端等各主要细分市场,而单一品牌奇瑞将无法承担对各细分市场产品的定位,只有走多品牌发展的道路才能支撑适应未来市场竞争的产品发展计划。而从各跨国汽车集团的发展历程来看,它们无不走的是多品牌发展道路。

奇瑞见证了我国汽车市场的高速发展,见证了我国自主品牌的崛起、成长和壮大;奇瑞汽车不仅见证了历史,同时也创造了历史。

7.1.4 汽车新产品开发策略

新产品是指在一定的地域内第一次生产和销售的,在原理、用途、性能、结构、材料和技术指标等某一方面或几个方面比老产品有显著改进、提高或独创的产品。这一概念在现代市场营销学中是从"产品整体"来理解的。产品整体概念中任何一个层次有更新和变革,就使产品有了新的结构、功能、品种或服务,从而给消费者带来新的利益,与原产品产生了差异,便可视为新产品。

具体来说,新产品可以分为以下几种:

(1) **全新产品** 它是指技术新发明应用于生产所制造出来的过去从未有过的整体新产品,比如汽车取代马车,汽车就属于全新产品。

(2) **革新产品** 它是指运用现代化科技对市场上已经出售或普及的产品进行较大的技术革新而出现的部分更新产品。例如,电动汽车的发明使汽车动力由内燃机转变为电力驱动,就属于革新产品。

(3) **改进产品** 它是指对现有产品的性能、规格型号等进行改进,以提高质量或实现多样化来满足不同消费者需求的新产品。改良改款车型就属于汽车改进产品。

(4) **引进产品** 它是指第一次进入本地市场,可给消费者带来新的利益的新产品。例如，昌河铃木引进利亚纳，使昌河铃木除了北斗星，又增加了新的经济型车型。

1. 汽车新产品与创新

研究表明，新产品的上市成功率约为10%。影响新产品上市成功有两个最重要的因素：一是行业类型；二是创新程度。主要的创新模式有：

（1）**连续创新** 这里是指创新产品同原有产品只有细微差异，对消费模式的影响也十分有限。消费者购买新产品后，可以按原来的方式使用并满足同样的需求，没有质的改变。

（2）**非连续创新** 这里是指引进和使用新技术的创新，要求消费者必须重新学习和认识创新产品，彻底改变原有的消费模式。它是创新的另一个极端，如汽车刚发明时的创新，可以说是最典型的非连续创新之一。

（3）**动态连续创新** 这里是指介于连续创新和非连续创新之间的状态，它要求对原有的消费模式加以改变，但不是彻底打破，如集装箱式货车、MPV。

2. 汽车新产品开发的方式

新产品开发活动主要包括开发新的工艺过程、设备和原材料，从而降低成本、提高效率；通过改变产品设计或增加某些功能，以达到扩大产品市场范围、增强企业市场地位的效果；加强研究开发、技术管理、知识产权、科学环境等软技术的创新开发。新产品开发一般有以下四种方式：

（1）**独立（自主）研制** 这里是指企业针对企业产品现状和存在的问题，以市场需求为导向，开展有关新技术、新材料方面的研究，研制出独具特色的产品。这种研制方式下企业完全依靠自己的科研技术力量独立研究开发新产品，它具有容易形成系列产品、优势产品的优点，适用于科研力量强的大型企业。

（2）**技术引进** 这里是指企业通过各种手段引进外部的先进技术开发新产品，或直接引进生产流水线生产新产品。它具有研制开发时间短、研制开发费用低，以及可以促进企业技术水平、生产效率和产品质量提高的优点。但在引进时要注意进行市场分析、时机分析及技术的先进性适用性分析。

（3）**独立研制与技术引进相结合** 这里是指企业在对引进技术消化吸收的基础上，将引进技术与本企业的科研活动相结合来推动本企业的科研活动，在引进技术的基础上不断创新，开发新产品，努力赶超先进水平。

（4）**联合开发** 这里是指企业与高等院校、科研机构以及其他企业合作开发新产品。联合开发方式按联合主体可分为产学研合作方式和企业间联合开发方式。产学研合作方式具有强大的创新优势和发展前景，企业与高等院校、科研单位之间发挥各自的优势，联合开发新产品。它把企业的资金优势和高等院校、科研单位的技术优势结合起来，双方共担风险，共享成果，达成双赢，适合目前我国大多数企业的实际情况。企业间联合开发，特别是强强联合是典型的优势互补，可以分担技术创新和产品开发的风险、扩大市场份额和提高经济效益。

3. 汽车新产品开发的一般原则和步骤

（1）**一般原则**。

汽车新产品开发的一般原则概括起来应包括以下几条：

第 7 章 汽车市场营销策略

1）从社会实际情况出发，依靠科技进步，不断创新，努力生产出适应市场需求的新产品。例如，SUV、MPV等多种车型的出现，丰富了市场上的汽车产品种类，给了消费者多种选择的机会。

2）保持新产品开发的连续性。开发新产品既要多样化，又要保持前后衔接，使企业能持续地以新颖、适销对路的产品供应市场。目前，几乎所有车型在开发之后，都在不断地改进更新，以便更适应消费者的需求。

3）提高产品开发通用化、标准化和系列化水平。这既能减少设计、制造的工作量，加速新产品开发和制造的进程，也便于消费者的使用和保养，从而降低开发制造和使用过程的费用。对于汽车生产商来说，推出新产品时可配置舒适型、豪华型等不同版本的车型以适应不同消费群体的需求。

4）符合国家颁布的政策、法令和法规。企业若不注意相关的政策、法令和法规，会使其付出巨大人力和财力开发出的新产品，因不符合国家在能源、环保、技术等方面的规定而被扼杀在摇篮之中，使企业遭受难以弥补的损失。

（2）开发步骤。

企业开发新产品的过程并没有固定的模式或统一的程序。但一般的新产品开发都是分阶段、分步骤进行的，大致包括以下几个具体步骤：

1）市场调查与预测：企业新产品开发的前期工作首先要做好市场调查与预测，这项工作做得是否细致和充分，对新产品开发的准确性有直接的影响。尤其是我国的汽车市场变化较大，预测较为困难，因此需要更加认真充分地做好这项工作。

对于企业新产品开发和制订产品规划而言，调查应包括的内容有以下五项：

① 市场调查，具体包括用户需求和市场容量及构成调查。调查途径大体有用户例会、特约经销商例会、改装厂例会以及对外调查部门例会等几种。

② 宏观环境调查，包括有关汽车产品的技术法规以及社会运输状况调查。

③ 竞争者调查，主要包括各汽车企业产品及其市场评价、产品价格以及企业动向调查。

④ 汽车产品技术发展调查。

⑤ 本企业的技术实力及经营状况评价。

2）制订新产品开发规划与计划：这里是指企业新产品开发的重要依据，对新产品开发的成功具有至关重要的作用。一般应在做好市场调查的基础上，集合企业技术实力等内部条件，科学地制订产品开发规划与计划。同时，产品发展规划也是企业经营战略规划的重要内容之一。要制订符合本行业和企业发展的新产品开发计划，首先要为企业的新产品开发活动规定总体范围，然后设定目标，接着制定为实现这个目标所需采取的总体政策。

新产品开发规划与计划包括目标市场、竞争情况、预计销量、价格、研制时间及费用、制造成本以及投资收益率等内容。虽然新产品研发项目采用不同的开发规划，可能使项目的结果殊途同归，但可能导致研发项目在投入成本、开发周期、产品的质量性能、顾客满意度等方面大相径庭。例如，上海通用汽车公司在开发赛欧车型时，采用的是在现有产品欧宝的基础上改进开发的策略，直接运用欧宝的底盘、平台和发动机，结果比从头开始的全新开发缩短了50%的开发时间，节省了43%的开发成本，产品性能更好地满足了国内市场的需求。华晨汽车公司采用了花巨资委托国外专业公司设计、开发中华轿车，而不是自己开发的策略，不仅使中华轿车提前两年面市，而且使该车的技术性能一步达到国际水准，并且能够独家拥有该车的全部知识产权，使华晨汽车一夜之间进入国内中高档轿车市场。由此可见，为了缩短开发周期，节省投资成本，保证产品质量和提高顾客满意度，提高整个开发过程的效率和效益，在进行新产品研发之前必须从总体上制订项目的战略计划。

 阅读材料 7-4

设计和开发计划范例如下。

设计和开发计划

设计和开发的阶段	工 作 内 容	责任单位或责任人	完成日期	配合单位
1. 设计和开发的输入	（1）市场调研报告 （2）可行性分析报告 （3）项目任务书 （4）设计任务书 （5）适用的法律、法规及国家标准 （6）分析国内外汽车产品信息及本企业以往在产品设计中的成功经验与失败教训，加以借鉴 （7）对设计输入进行评审	技术部	×年×月×日	—
2. 方案设计	（1）产品方案设计总布置图 （2）设计计算书	技术部	×年×月×日	—
3. 方案设计评审	（1）评审设计方案对项目任务书的满足程度 （2）评审产品的先进性、合理性、安全性、可靠性、耐用性、操作维修方便性 （3）评审产品特性对法规、强制性标准的符合性 （4）评审项目所需的中间试验项目设计是否充分 （5）评审项目的工艺继承性 （6）编制方案设计评审报告并报批改进措施表	技术部	×年×月×日	生产管理部 质检部 制造部 采购部 市场部 财务部
4. 下发系统设计开发通知书	布置下发各系统设计开发通知书	技术部	×年×月×日	—
5. 技术设计	（1）各系统设计计算 （2）重要总成台架试验 （3）各系统技术设计	技术部	×年×月×日	—

第7章 汽车市场营销策略

（续）

设计和开发的阶段	工作内容	责任单位或责任人	完成日期	配合单位
6. 技术设计评审	（1）评审设计输出文件是否满足设计输入要求 （2）评审技术文件是否齐全，是否符合法规、强制性标准及项目任务书、系统设计任务书的规定 （3）评审主要部件的结构方案的先进性、工艺性、安全性、可靠性、经济性、维修方便性 （4）评审通用化、系列化、标准化程度 （5）评审设计理论、方法及计算结果满足法规、标准的程度 （6）评审图样是否清晰 （7）评审技术条件、试制技术协议的正确性、完整性 （8）评审主要零部件重要度分级的设计正确性 （9）评审所确定的中试及零部件试验的可行性、必要性	技术部 （底盘室、车身室）	×年×月×日	技术部 采购部 质检部 生产管理部 市场部 财务部
7. 发放试制技术文件	明细表；试制图样；其他试制技术文件	技术部	×年×月×日	—
8. 设计开发的验证	样车试制：（1）试制每种车型各两辆（2）验证总体设计方案及各系统设计方案的正确性（3）验证各零部件设计的正确性（4）检验总体设计方案及各系统设计方案的工艺性（5）总结试制中出现的问题并改进	试制部	×年×月×日	采购部 生管部
	样车评审：（1）编制样车评审报告（2）编制改进项目对策表，为"十、五十、一百"转产鉴定奠定基础	技术部	×年×月×日	技术部 采购部 质检部 生管部 市场部
	定型试验、主要总成及零部件试验：（1）编制产品定型试验大纲，并报批（2）考核样车的动力性、经济性、安全环保项指标及可靠性是否达到设计任务书要求（3）考核样车主要参数和技术特性是否达到设计图样及相关标准的要求（4）考核发动机、水箱、消声器、变速器、传动轴、后桥等主要总成及零部件性能和可靠程度及使用、维护的方便性，为产品的技术改进提供依据（5）通过强检检验产品对46项强检项目的符合性，提供强检报告（6）提供定型试验报告（7）样车交用户试用，用户提供试用报告	技术部 试验部	×年×月×日	—

155

(续)

设计和开发的阶段	工 作 内 容	责任单位或责任人	完成日期	配合单位
9. 工艺设计	（1）确定零部件自制或外协、配套的划分方案 （2）工艺及工艺装备的设计 （3）主要零部件清单及工艺流程	技术部	×年×月×日	—
10. 工艺评审	（1）评审工艺方案的合理性、可行性 （2）评审工艺、工序文件	技术部	×年×月×日	技术部 采购部 质检部 生管部
11. 设计和开发的输出	（1）使用说明书　（7）零部件技术条件 （2）设计计算书　（8）产品设计评审报告 （3）产品质量特性重要度分级表　（9）标准化审查报告 （4）全套图样　（10）试制总结 （5）产品明细表　（11）定型试验大纲 （6）产品标准　（12）定型鉴定大纲 　（13）检验大纲	技术部	×年×月×日	—
12. 设计和开发的确认	对设计开发进行确认，编制产品评审报告及改进对策表，视具体需要组织第二轮试制及试验	技术部	×年×月×日	技术部 采购部 质检部 生管部 制造部
13. 上报公告	上报国家公告	技术部	×年×月×日	—
14. 小批量评审	评审产品设计文件完整性、正确性，进行工艺验证	技术部	×年×月×日	—
15. 过"百"评审	验证工艺控制能力和工序能力	技术部	×年×月×日	—

7.2　汽车价格策略

汽车价格策略是营销组合中最重要、最独具特色的因素之一。一方面，它直接关系产品是否能为消费者接受以及市场占有率的高低、需求量的变化和利润的多少；另一方面，价格策略与产品策略、分销渠道和促销策略相比，是汽车企业可控因素中最难以确定的因素。汽车企业的营销管理人员必须掌握营销中定价的理论依据，深刻界定制约定价的各种因素，合理制定汽车企业的定价目标，在日益激烈的市场竞争中运用基本的定价策略和方法来获得更大的收益。

7.2.1　汽车价格概述

汽车价格不仅是汽车市场营销中一个非常重要的因素，而且价格的变化直接影响着汽

第7章 汽车市场营销策略

市场的接受程度、消费者的购买行为和汽车生产企业盈利目标的实现。因此,汽车的定价策略是汽车市场竞争的重要手段,它既要有利于促进销售、获取利润、补偿成本,同时又要考虑消费者对价格的接受能力,从而使汽车定价具有买卖双方双向决策的特征。所以,汽车企业只有掌握定价方法,研究定价策略,才能对汽车市场的各种变化做出灵活的反应。

汽车价格是产业价值链各环节成本要素与市场博弈结果的货币化体现,其构成体系可分为四大核心维度:价值创造层、流通增值层、政策规划层、市场调节层。

在价格形态上的汽车价值转化为汽车价格构成的四个要素:汽车生产成本、汽车流通费用、国家税金和汽车企业利润。汽车生产成本是汽车价值的重要组成部分,也是制定汽车价格的重要依据。汽车流通费用是发生在汽车从汽车生产企业向最终消费者移动过程各个环节之中的,并与汽车移动的时间、距离相关。因此,它是正确制定同种汽车差价的基础。国家税金是汽车价格的构成因素,国家通过法令规定汽车的税率,并进行征收。税率的高低直接影响汽车的价格。汽车企业利润是汽车生产者和汽车经销者为社会创造和占有的价值的表现形态,它是汽车价格的构成因素,是企业扩大再生产的重要资金来源。所以,从汽车流通角度来看,汽车价格的具体构成为

汽车出厂价格 = 汽车生产成本 + 汽车生产企业的利税

汽车批发价格 = 汽车生产成本 + 汽车生产企业的利税 +
汽车批发流通费用 + 汽车批发企业的利税

汽车直售价格 = 汽车生产成本 + 汽车生产企业的利税 +
汽车直售费用 + 汽车直售企业的利税

7.2.2 影响汽车价格的因素

在现实中的汽车市场营销中,影响产品定价的因素有很多,既有企业内部因素,也有企业外部因素;既有主观的因素,也有客观的因素。概括起来,大体上可以有定价目标、产品成本、市场需求、竞争因素和其他因素等。企业在定价时必须首先对以上诸因素进行充分分析,认识各因素与汽车产品价格之间的关系,然后根据实际情况选择合适的定价策略。因为以上这些因素在不断地变化,所以汽车价格表现得异常活跃,价格时常同价值的运动表现不一致:有时价格高于价值,有时价格低于价值。

1. 定价目标

在市场经济体制下,企业作为自主经营、自负盈亏的独立经济体,其总体经营目标是获取最大利润,企业的定价决策必然要受这一总体目标的支配,并为实现这一总体目标而努力。定价目标是指企业通过制定产品最优价格来谋求经济利益最大化目标。它是定价决策的基本前提和首要内容,是实现企业总体目标的保证和手段;同时也是企业整体营销战略在价格上的反映和实现,是企业制定价格策略的指导思想和总体方向。通常情况下,汽车定价目标包括以下几种类型:

(1) 利润目标 利润目标是企业定价目标的重要组成部分。获取利润是企业生存和发展的必要条件,是企业经营的直接动力和最终目的。

(2) 销售额目标 这种定价目标是在保证一定利润水平的前提下,谋求销售额的最大

化。某种产品在一定时期、一定市场状况下的销售额由该产品的销量和价格共同决定,因此销售额的最大化既不等于销量最大,也不等于价格最高。

(3) **市场占有率目标** 市场占有率又称市场份额,是指在一定时期内,一家企业的某种产品的销量和销售额在同一目标市场上的同类产品的销售总量和销售总额中所占的比重。作为定价目标,市场占有率与利润的相关性很强。市场占有率是企业经营状况和企业产品竞争力的直接反映。市场占有率的高低还关系企业的知名度,影响企业的形象,维持和提高市场占有率在产品的市场竞争中比获得收益更为重要。

(4) **稳定价格目标** 这里是指在相当长的时间内保持相对稳定的价格水平,以获得均衡的收益。稳定的价格通常是大多数企业获得一定目标收益的必要条件,市场价格越稳定,经营风险就越小。稳定价格目标的实质是指通过本企业产品的定价来左右整个市场的价格,避免不必要的价格波动。按这种目标定价,可以使市场价格在一个较长的时期内相对稳定,减少企业之间因价格竞争而发生的损失,维护正常的市场经济秩序。

(5) **竞争目标** 以竞争作为定价目标是指汽车企业只着眼于在竞争激烈的汽车市场上如何应付或避免竞争。在汽车定价之前,一般要广泛收集市场信息,把自己所生产的汽车的性能、质量和成本与竞争者的汽车进行比较,然后制定本企业的汽车价格。汽车企业在遇到同行的竞争时,常常被迫采用相应的对策。例如,竞相削价以压倒对方、及时调价以使价位对等、提高价格以树立威望等。在现代市场竞争中,价格战容易使双方两败俱伤,风险较大,因此很多企业往往在汽车质量、促销、分销和服务方面下功夫,以巩固和扩大自己的市场份额。

(6) **企业生存目标** 当汽车企业遇到生产能力过剩或激烈的市场竞争要改变消费者的需求时,就要把维持生存作为自己的主要目标。这是因为生存比利润更重要,生存比发展更重要。

(7) **销售渠道目标** 对于那些需经中间商销售汽车的汽车企业来说,保持销售渠道的畅通无阻,是保持汽车企业获得良好经营的重要条件之一。在现代汽车市场营销中,中间商是其营销活动的延伸,对于宣传汽车、提高汽车企业的知名度有十分重要的作用。汽车企业在激烈的汽车市场竞争中,有时为了保住完整的汽车销售渠道,促进汽车销售,不得不让利于中间商。

2. 产品成本

汽车价格组成中既复杂同时又具有下降潜力的就是成本。成本的构成很复杂,不同企业的情况也是千差万别。汽车价格是成本的具体体现,成本高,汽车价格自然就高。一般来说,汽车成本包括车辆制造成本和企业运营成本,大约占汽车价格的50%~60%。车辆制造成本是消费者看得见的组成,包括汽车的各种零部件的成本,即原材料成本、零部件成本及加工装配费用;企业运营成本是企业在实现车辆从制造至销售全过程中发生的各种费用。从我国多数企业制造成本的情况看,零部件自制率高的比自制率低的成本要低。这项成本压缩的空间较大,通过技术创新和规模经营可以有较大幅度的下降。企业运作成本包含企业的管理和科研费用、职工的工资福利待遇、产品的销售服务和宣传费用、制造过程中的辅助和后勤保障费用、厂房设备的折旧费用、贷款的利息等。下面简要阐述汽车成本系统中的几个重要因素对其的影响。

(1) 生产规模对成本的影响 在一定生产规模范围内，随着产销量不断扩大，单位产品的总成本趋于降低。人们称这种经济现象为规模经济（又称为规模效应或规模效益）。汽车产品是典型的社会化大生产产业，规模效益的特点十分突出。对整车企业而言，20世纪80年代，几十万辆、一百万辆汽车的产量足以达到规模经济，在20世纪90年代，汽车产业的最小经济规模上升到300万~400万辆以上，而且还有进一步上升的趋势。其原因在于研发、制造、销售、售后服务等环节要素投入增加的压力，必须通过比以往的规模大得多的产出方能分摊和消化。不断扩大规模，发挥生产设备潜能，降低产品成本是很多汽车厂家追求的方向。反之，当生产潜能发挥殆尽，产量继续扩大时，势必要增加新的固定投资，或使得企业管理成本增加，从产品的平均总成本与生产规模的关系看，企业现有的生产能力得到完全利用（尚未引起新的投入）是最理想的情况，此时产品成本最低。这种使单位产品成本最小、收益最大的生产规模称为经济规模。企业生产规模的大小或者能否达到经济规模，不是由企业主观意愿决定的，它受到企业可以占有的市场容量以及企业的生产能力等因素的影响。

1）市场容量。企业可以占有的市场容量是确定企业生产规模的首要因素，企业生产规模的确定，宜以企业经过努力能够占有的市场容量为基础。同时，市场容量与成本是互为函数的：一方面市场容量大，企业可以扩大生产规模，降低产品成本；另一方面降低成本和售价，市场容量也会增加，为扩大生产规模创造一定条件。目前在我国，汽车市场容量受产品价格的影响仍较大，因而降低价格对增加市场容量有一定的作用。所以，企业在根据市场容量确定生产规模时，必须充分考虑市场容量、规模、成本三者之间的动态关系。

2）生产能力。生产能力是指企业的资金、技术、生产方式等。如主机厂受资金约束，不能及时得到协作配套件，影响主机生产；或者不能扩大原来偏小的生产能力，形成新的更大经济规模等。这些情况都将影响企业的实际生产规模。

总之，企业生产规模受市场容量和生产能力两个基本因素的双重制约。企业如果能够做到既不浪费最大市场容量带给企业的行销机会，又能充分发挥企业的生产潜能，无疑是最理想的状态。

(2) 产品品种对成本的影响 单一品种的大量生产对获得较低的生产成本是非常有利的。但这种生产方式却难以满足市场对多品种的需要，会减少企业的营销机会，导致营销的机会成本增加。这表明，过少的产品品种可能使得企业生产成本的降低不能弥补营销机会损失的增加，最终使得产品的平均成本上升。同时，如产品品种过多，虽然可提高企业在市场上的适应能力，减少企业的营销机会损失，但随着品种的增加，每个品种的产量势必下降，因而零部件的相关性减少，生产设施的通用性下降，引起产品生产成本的增加，最终使得产品的平均成本上升。

为实现现代化的"大批量定制"生产方式，充分满足广大消费者的个性需求，企业必须做好品种与成本的平衡。企业可以应用成组技术，并与现代化管理方法和手段结合，对不同车型和品种的零部件进行有效组合。对汽车工业来说，"以最少的零部件作为基础，生产尽可能多的竞争能力较强的车型"是各企业最大的追求目标。国际上具有竞争力的汽车公司都是在若干基本品种的发动机、变速器、车桥、制动系等总成基础上，生产装配成千上万种汽车品种。

（3）产品质量对成本的影响　质量费用是指为了保证和提高产品质量而支出的一切费用以及因未达到质量标准而产生的一切损失费用之和。它主要包括：

1）外部质量损失费用，即无偿修理费用、退货和折价费用、用户损失费用。
2）质量评价费用，即产品试验、质量检查费用。
3）内部质量损失费用，即废品损失、修理费用。
4）质量预防费用，即质量、工艺、管理保证和培训费用。

如果仅仅强调降低某一种质量费用，其效果不一定理想，如降低内部质量损失费用，质量预防费用就会增加。综合以上四种质量费用，以总质量成本最低者为最优。

（4）产品生命周期对成本的影响　产品生命周期的四个阶段对汽车产品的成本有不同的影响。导入期，由于资金大量投入，生产能力还未完全形成，生产成本很高；成长期，由于生产增长较快，成本开始下降，并在一定阶段达到保本水平；成熟期，成本进一步降低，达到最低点；衰退期，生产趋于下降，成本开始上升。

（5）成本结构对成本的影响　汽车产品的成本结构具有技术构成比例高、协作配套件与原材料采购比例高、劳动消耗比例高等特点。对于工业化国家，其较高的劳动生产率有利于降低汽车生产成本，但其较高的劳动力成本却抵消了这一效果；而经济落后国家的情况则正好相反，由于技术水平低，劳动生产率不高，所以尽管劳动力便宜，但汽车生产成本并不一定低。而位居发展中国家前列的国家或中等发达国家，由于其工业化程度、劳动生产率、人员技术素质都较高，劳动力成本也相对便宜，汽车产品综合成本可能才是最理想的，这些国家已成为世界各汽车公司转移汽车生产的理想地点。

3. 市场需求

产品的价格是买卖双方共同作用的结果，因此决定价格的基本因素有两个，即供给与需求。当汽车产品的市场需求大于供给时，价格应该高一些；当市场需求小于供给时，价格应该低一点。反过来，价格的变动又会影响产品的需求总量，从而影响销量，进而影响企业目标的实现。所以，供求关系必然会成为影响价格形成的重要因素，它是制定产品价格的一个重要前提。它们之间存在如下关系：

（1）价格与供给的关系　供给是指在一定时间内，生产者在一定价格条件下愿意并可能出售的产品。当价格上涨时，会刺激生产者增加供给量；价格下跌时，又会引起供给量的减少。所以，供给一般随着价格的升降而增减，即价格与供给之间存在同方向变动的关系。

（2）价格与需求的关系　需求是指消费者在一定价格条件下对某些商品的需要。当价格上涨时，会引起需求量的减少；当价格下跌时，会导致需求量的增加。可见，需求一般随着价格的上升而减少，随着价格的下跌而增加，即价格与需求之间存在反方向变动的关系。

（3）供求双方总是相互联系在一起的　当市场价格偏高时，需求量将会下降，生产者则会因价格上升增加供给量，市场上将会出现供过于求的状况，从而造成销售者之间竞争加剧，迫使市场价格下降。但当市场价格偏低时，需求量将会上升，生产者则会由于价格下降而减少供给量，市场上会出现供不应求的状况，从而造成购买者之间的竞争加剧，结果必然

第7章 汽车市场营销策略

会导致价格上升。上述这两种作用的结果，必然会使供给曲线与需求曲线相互作用在一个交点上，这个交点就是供给与需求相等时的点，称为均衡点。处于均衡点上的价格称为均衡价格。但供求的这种平衡关系只是相对的、有条件的，不平衡则是绝对的、经常的。正如马克思所说："供求实际上从来不会一致，如果它们达到一致，那也是偶然现象。"供求关系表明价格只能围绕价值上下波动，价值仍然是确定价格水平及其变动的决定性因素。企业在定价决策时，除以产品价值为基础，还可以自觉运用供求关系来分析和制定产品的价格。

4. 竞争因素

市场竞争也是影响价格制定的重要因素。根据竞争程度的不同，企业定价策略会有所不同。在完全竞争条件下，买者和卖者大量存在，产品都是同质的，买方和卖方都不能对产品价格施加影响，只能在市场既定价格下从事生产和交易。在完全垄断竞争情况下，交易的数量与价格由垄断者单方面决定，完全垄断在现实中也很少见。不完全竞争介于完全竞争与完全垄断之间，它是现实中存在的典型的市场竞争状况，汽车市场属于寡头垄断竞争。不完全竞争条件下，随着买者和卖者数量的不断增加，垄断程度逐渐减弱，竞争程度不断增强，买卖各方获得的市场信息也是不充分的，因此企业的定价策略有比较大的回旋余地，它既要考虑竞争对象的价格策略，也要考虑本企业定价策略对竞争态势的影响。所以，在不完全竞争条件下，竞争的强度对企业的价格策略有重要影响。企业首先要了解竞争的强度。竞争的强度主要取决于产品制作技术的难易、是否有专利保护、供求形势以及具体的竞争格局。其次，要了解竞争对手的价格策略以及竞争对手的实力。最后，还要了解和分析本企业在竞争中的地位。

5. 其他因素

企业的定价除受定价目标、成本、供需以及竞争状况的影响外，还受到其他多种因素的影响。这些因素包括政策法规、消费文化、企业或产品的形象等。

（1）政策法规因素　政府为了维护经济秩序或其他目的，可能通过立法或其他途径对企业的价格策略进行干预。政府的干预包括规定毛利率，规定最高、最低限价，限制价格的浮动幅度或者规定价格变动的审批手续以及实行价格补贴等。随着市场运行机制的不断完善，国家对企业定价的干预将越来越多地运用经济手段来实现。在现阶段，我国的商品市场价格不仅受到国家相关价格政策的直接影响，而且国家的投资政策、科技发展政策、劳动工资政策、税收政策等也会对产品价格产生多方面的影响。因此，企业在定价过程中要综合考虑国家政策对产品供求关系和产品定价的直接或间接影响。企业要严格遵守国家的价格政策，在政策允许的范围内行使定价权力，坚持按质定价、优质定价、劣质定价的原则，以维护消费者的利益，促使改善经营管理，提高产品质量。

（2）消费文化因素　消费者的心理因素、文化因素等社会因素也会在一定程度上影响产品的价格，企业在进行价格决策时，对这类因素也要予以足够的重视。在现实生活中，很多消费者存在"一分钱一分货"的观念。面对不太熟悉的商品，特别是价格昂贵的轿车，消费者常常从价格上判断商品的好坏，从经验上把价格同商品的使用价值挂钩。消费者心理和习惯上的反应是很复杂的，某些情况下会出现相反的反应。例如，在一般情况下，涨价会减少购买，但有时涨价会引起抢购，反而会增加购买。因此，在研究消费者心理对定价的影响时，要持谨慎态度，要仔细了解消费者心理及其变化规律。

（3）**企业或产品的形象因素**　有时企业根据企业理念和企业形象设计的要求，需要对产品价格进行限制。例如，企业为了树立热心公益事业的形象，会将某些有关公益事业的汽车产品价格定得较低；而为了形成高贵的企业形象，将某些汽车产品价格定得较高等。

阅读材料 7-5

汽车市场现象级产品

我国汽车市场早已成为全球最大的汽车市场，我国汽车出口量已跃升至全球第一位，但当下我国车市"内卷"极其惨烈，产品同质化严重，营销复印式泛滥。很多车企随大流增配，跟风式降价。鲜少有车企能在产品和营销上做出精准的细分化探索，更不用说提供独到的产品和营销创举。

奇瑞的QQ、吉利的帝豪、长安的逸动以及长城的哈弗都曾经是销量长虹的现象级产品。自从这些产品逐渐淡出市场和消费者视线后，在很长一段时间里，车市再也没有批量涌现出现象级汽车品牌和产品。

汽车市场现象级产品的本质是什么？是在对细分市场和核心诉求进行深入研判的基础上，设计制造充分满足核心诉求和消费体验的汽车产品。长久缺乏现象级产品，车企"内卷"很难快速出圈。因此，车市亟待出现现象级产品。

那么，奇瑞的风云T9又是什么样的产品呢？

风云T9是豪华平权的家用超级混动SUV。奇瑞汽车股份有限公司副总经理李学用把风云T9称为"非豪华品牌的豪华产品"。下面从家庭出行的动力、安全、空间和舒适性几个方面来逐一分析。

首先是动力。要想承载一家三代的出行任务，动力不可或缺。这里是消费者关注的数据：纯电续驶里程为120/200km，综合续驶里程超过1400km（实测中超过1800km）；20分钟补能30%~80%；百公里油耗5.2L，最高车速230km/h。这是奇瑞1.5T混动专用发动机加上超级电混DHT（1+3）匹配后所迸发出来的能量。

其次是安全。这是家庭出行最大的心理诉求，包括车身安全、电池安全和智驾安全。车身安全上，风云T9按照全球五星标准开发：采用85%高强度钢、21%热成型钢；双防撞梁设计配合横向覆盖率超过85%的6吸能盒；同级车中唯一标配远端气囊；2060mm贯穿式侧气帘和6s超长保压技术。电池安全上，采用全球标准安全电芯、铠甲电池包超级抗撞设计、电池包防水IP68等级，为国标的48倍；电池NP无热扩散技术；碰撞2毫秒级高压断电系统。智驾安全上，采用300万像素超高清540全景影像；DMS疲劳监测和主动醒神模式交互；最新IPB线控制动技术，可做到0.15s响应，制动38m。

最后是空间和舒适性。这是阖家出行必须重点考量的车型品质。风云T9拥有1930mm越级车宽（同级唯一）；5+2座灵活空间，最大2065L行李舱空间；二、三排靠背可以一键放倒，秒变2.1m² 大床；立式大行程一键EZE，从容进出三排；CDC "磁悬浮"

悬架：火星架构超级电混平台，同级唯一CDC悬架；液压控制臂衬套和双液压悬置，舒适性提升30%；SPA级舒享座椅：主驾电动10向、一键舒躺女王副驾；前排10点按摩、3档加热及通风；舒心二排B柱风口、二排空调调节、老板键。

那么，奇瑞风云T9有何过硬的营销方式呢？

风云T9通过递进式营销，向市场传递其产品品质；通过节奏式营销，向目标消费人群传递其价格诚意。这两种营销的叠加使其迅速成为市场爆款。风云T9从2024年4月18日在青岛工厂发布预售价格到5月21日在北京正式上市，33天订单量快速突破5万辆。

首先采用递进式营销传递产品品质。递进式营销是指在一条线上，通过各种热点事件，将某种要素不断强化灌输，将其核心信息精准传递给目标市场和消费人群。

33天，4次活动，全程实况直播，全部针对风云T9的豪华品质进行，包括但不限于制造工艺、安全配置、动力续驶等多个维度。刹那间，奇瑞风云T9刷屏，引发网络的极高关注度，将风云T9的豪华品质在市场和消费者面前展露无遗。这就是递进式营销的魅力所在。

其次采用节奏式营销传递价格诚意。节奏式营销是指像音乐的律动一样，以某种主旋律为一条主线，贯穿营销实践的全过程，时而欢快，时而舒缓，最后达到高潮，让营销的效果瞬间爆发。

风云T9节奏式营销的主旋律是价格。

第一乐章——奏鸣曲（快板）：公布预售价格。2024年4月18日，风云T9在青岛工厂发布并公布预售价格为15.99万~19.99万元。另外，还有一个"彩蛋"，只要预订量超过2万辆，价格将直降2万元。

第二乐章——变奏曲（慢板）：调整预售价格。2024年4月25日，风云T9在北京国际车展奇瑞展台发布会上宣布，订单量突破2万辆，价格下降2万元，变成13.99万~17.99万元。

第三乐章——小步舞曲（中、快板）：再次调整价格预期。还是在北京车展，奇瑞汽车股份有限公司副总经理李学用再次宣布，如果风云T9在5月上市之前订单突破4万辆，其价格将再下降5000元，变成13.49万~17.49万元。

第四乐章——回旋曲（快板）：公布最终的市场售价。2024年5月21日，风云T9在北京上市，当晚预订量突破5万辆，价格再降5000元，最终售价区间为12.99万~16.99万元。

这就像贝多芬的《第五（命运）交响曲》，奇瑞汽车通过四大乐章，时而奏响奏鸣曲、变奏曲，时而奏响小步舞曲、回旋曲，最后达到高潮：上市发布会当晚，订单量突破5万辆。而这一车型细分市场的建立既占领了品牌的制高点，又夺得了市场的话语权。这种节奏式营销的价格戏法让经销商狂欢，令消费者窃喜。这就是风云T9价格节奏式营销的高明之处。

上市价格	
120 长续航版 标准型	120 长续航版 舒适型
15.99万元	17.29万元
13.99万元	15.29万元
13.49万元	14.79万元
12.99万元	**14.29万元**
120 长续航版 豪华型	120 长续航版 7座旗舰型
18.59万元	19.99万元
16.59万元	17.99万元
16.09万元	17.49万元
15.59万元	**16.99万元**

奇瑞风云 T9 称得上是"现象级产品，教科式营销"，其在产品品质上的递进式营销，以及产品价格上的节奏式营销，也必将进入教科书，成为经典案例，供汽车市场营销从业者学习和借鉴。

7.2.3 汽车定价方法

定价方法是指企业在特定的定价目标指导下，依据对成本、需求及竞争等状况的研究，运用价格决策理论，对产品价格进行计算的具体方法。定价方法主要包括成本导向定价法、竞争导向定价法和需求导向定价法三种类型。

1. 成本导向定价法

成本导向定价法是指以每辆车的成本为基本的依据，再加上预期的利润来确定价格的方法。成本导向定价是企业定价首先需要考虑的方法。成本是企业经营过程中所发生的实际耗费，客观上要求通过商品的销售而得到补偿，并且要获得大于其支出的收入，超出的部分表现为企业利润。以产品单位成本为基本依据，再加上预期利润来确定价格的成本导向定价法，是中外企业最常用、最基本的定价方法。成本导向定价法衍生出了总成本加成定价法、目标收益定价法、边际成本定价法和盈亏平衡定价法等几种具体的定价方法。

（1）总成本加成定价法 在这种定价方法下，把所有为生产某种产品而发生的耗费均计入成本的范围，计算单位产品的变动成本、合理分摊相应的固定成本，再按一定的目标利润率来决定价格。其计算公式为

$$单位产品价格 = 单位产品成本 \times (1 + 目标利润率)$$

采用总成本加成定价法，确定合理的目标利润率是一个关键问题。而目标利润率的确定，必须考虑市场环境、行业特点等多种因素。首先，某一行业的某一产品在特定市场以相同的价格出售时，成本低的企业能够获得较高的利润率，并且在进行价格竞争时可以拥有更大的空间，同时运用这种方法定价会简化定价工作，便于企业开展经济核算；其次，如果行

第7章 汽车市场营销策略

业内的所有企业都使用这种定价方法,它们的价格会很相似,因而会把价格的竞争减到最小;再者,在总成本加成的基础上制定的价格,对买方和卖方都比较公平。

(2) 目标收益定价法 目标收益定价法又称投资收益率定价法,是根据企业的投资总额、预期销量和投资回收期等因素来确定价格的一种定价方法。采用目标收益定价法确定价格的基本步骤如下。

1) 确定目标收益率:

$$目标收益率 = 1/投资回收期 \times 100\%$$

2) 确定单位产品目标利润额:

$$单位产品目标利润额 = 总投资额 \times 目标收益率 / 预期销量$$

3) 确定单位产品价格:

$$单位产品价格 = 企业固定成本/预期销量 + 单位变动成本 + 单位产品目标利润额$$

与总成本加成定价法相类似,目标收益定价法也是一种以生产者为导向的产物,很少考虑到市场竞争和需求的实际情况,只是从保证生产者的利益出发制定价格。另外,先确定产品销量,再计算产品价格的做法完全颠倒了价格与销量的因果关系,把销量看成是价格的决定因素,实际上很难行得通。尤其对于那些价格弹性较大的产品,用这种方法制定出来的价格,无法保证销量的必然实现,那么,预期的投资回收期、目标收益等也就只能成为一句空话。不过,对于需求比较稳定的大型制造业,供不应求且价格弹性小的商品,市场占有率高、具有垄断性的商品以及大型的公用事业、劳务工程和服务项目等,在科学预测价格、销量、成本和利润四要素的基础上,目标收益定价法仍不失为一种有效的定价方法。

(3) 边际成本定价法 边际成本是指每增加或减少单位产品所引起的总成本的变化量。由于边际成本与变动成本比较接近,而变动成本的计算更容易一些,所以在定价实务中多用变动成本代替边际成本,因此边际成本定价法又称为变动成本定价法。

边际成本定价法以单位产品变动成本作为定价依据,并作为可接受价格的最低界限。在价格高于变动成本的情况下,企业出售产品的收入不但可以完全补偿变动成本,还能用来补偿一部分固定成本,甚至可能提供利润。

边际成本定价法改变了售价低于总成本便拒绝交易的传统做法,其在汽车市场竞争激烈的条件下具有极大的定价灵活性,对于有效地对付竞争者、开拓新市场、调节需求的季节差异以及形成最优产品组合可以发挥巨大的作用。但是,过低的成本有可能被指控为从事不正当竞争,并招致竞争者的报复;在国际市场则易被进口国认定为"倾销",产品价格会因"反倾销税"的征收而畸形上升,失去其最初的意义。

(4) 盈亏平衡定价法 在销售量既定的条件下,企业产品的价格必须达到一定的水平才能做到盈亏平衡、收支相抵。既定的销量称为盈亏平衡点,这种制定价格的方法称为盈亏平衡定价法。科学地预测销量和已知固定成本、变动成本是采用盈亏平衡定价法的前提。在此方法下,为了确定价格可利用如下公式:

$$盈亏平衡点 = 总固定成本/销量 + 单位变动成本$$

以盈亏平衡点确定价格只能使企业的生产耗费得以补偿,而不能得到收益。因此,在实际中将盈亏平衡点价格作为价格的最低限度,再加上单位产品目标利润后才作为最终市场价格。有时，为了开展价格竞争或应付供过于求的市场格局，企业采用这种定价方式以取得市场竞争的主动权。

从本质上说，成本导向定价法是以卖方定价为导向的。它忽视了市场需求、竞争和价格水平的变化，在有些时候与定价目标脱节，不能与之很好地配合。此外，运用这一方法制定的价格均建立在对销量主观预测的基础上，降低了价格制定的科学性。因此，在采用成本导向定价法时，还需要充分考虑需求和竞争状况来确定最终的市场价格水平。

2. 竞争导向定价法

在竞争十分激烈的市场上，企业通过研究竞争对手的生产条件、服务状况和价格水平等因素，依据自身的竞争实力，参考成本和供求状况来确定产品价格，这种定价方法就是通常所说的竞争导向定价法。其特点是：价格与产品成本和需求不发生直接关系，产品成本或市场需求变化了，但竞争者的价格未变，企业就应维持原价；反之，虽然成本或需求都没有变动，但竞争者的价格变动了，则企业应该相应地调整其产品价格。当然，为实现企业的定价目标和总体经营战略目标，谋求企业的生存或发展，企业可以在其他营销手段的配合下，将价格定得高于或低于竞争者的价格，并不一定要求和竞争对手的产品价格完全保持一致。竞争导向定价法衍生出了随行就市定价法和产品差别定价法。

（1）**随行就市定价法** 在垄断竞争和完全竞争的市场条件下，任何一家企业都无法凭借自己的实力在市场上占据绝对的优势，为了避免价格竞争带来的损失，大多数企业都采用随行就市定价法，即将本企业某产品价格保持在市场平均价格水平上，利用这样的价格来获得平均报酬。此外，采用随行就市定价法，企业不必全面了解消费者对不同价差的反应，从而为营销、定价人员节约了很多时间。

采用随行就市定价法最重要的就是确定目前的"行市"。在实践中，"行市"的形成有两种途径：第一种途径是在完全竞争的环境里，各个企业都无权决定价格，通过对市场的无数次试探，相互之间取得一种默契而将价格保持在一定的水准上。第二种途径是在垄断竞争的市场条件下，某一部门或行业的少数几个大企业首先定价，其他企业参考定价或追随定价。

（2）**产品差别定价法** 从根本上来说，随行就市定价法是一种防御性的定价方法，它在避免价格竞争的同时，也抛弃了价格这一竞争的"利器"。产品差别定价法则反其道而行之，它是指企业通过不同的营销努力，使同种同质的产品在消费者心目中树立起不同的产品形象，进而根据自身特点，选取低于或高于竞争者的价格作为本企业产品价格。因此，产品差别定价法是一种进攻性的定价方法。

产品差别定价法的运用首先要求企业必须具备一定的实力，在某一行业或某一区域市场占有较大的市场份额，消费者能够将企业产品与企业本身联系起来。其次，在质量大体相同的条件下实行产品差别定价法的效果可能并不明显，尤其对于定位为"质优价高"形象的企业来说，必须支付较高的广告、包装和售后服务方面的费用。因此，从长远来看，企业只有通过提高产品质量，才能真正赢得消费者的信任，才能在竞争中立于不败之地。

3. 需求导向定价法

现代市场营销观念要求，企业的一切生产经营必须以消费者需求为中心，并在产品、价格、分销和促销等方面予以充分体现。根据市场需求状况和消费者对产品的感觉差异来确定价格的方法叫作需求导向定价法，又称"市场导向定价法""顾客导向定价法"。其特点是灵活有效地运用价格差异，平均成本相同的同一产品的价格随市场需求的变化而变化，不与成本因素发生直接关系。需求导向定价法的主要优点有：一是考虑了市场需求对产品价格的接受程度；二是对企业有降低成本的压力和动力。因为消费者的感受价值是一定的，产品成本越低，实现的利润就越大。但同时也应该看到，需求导向定价法也有一些缺点，如：定价过程复杂，特别是对各种价格下的市场需求量难以做到准确估计；由于受技术等各种因素的限制，不一定总是能将产品成本降到消费者的感受价值之下，所以此方法比较适合营销导向型企业。需求导向定价法主要包括理解价值定价法、需求差异定价法和逆向定价法。

（1）理解价值定价法　所谓"理解价值"，也称"感受价值""认知价值"，是指消费者对某种商品价值的主观评判。理解价值定价法是指企业以消费者对商品价值的理解度为定价依据，运用各种营销策略和手段，影响消费者对商品价值的认知，形成对企业有利的价值观念，再根据商品在消费者心目中的价值来制定价格。一项针对汽车购买者对汽车价格和质量的感知关系表明：当购买者缺乏必要的信息和技能来判断产品的质量时，价格就成为重要的质量标志，购买者普遍会认为价格较高的质量较好；同样，消费者对高质量的汽车价格也易于感知及理解。

理解价值定价法的关键和难点是获得消费者对有关商品价值理解的准确资料。企业如果过高估计消费者的理解价值，其价格就可能定得过高，难以达到应有的销售量。反之，若企业低估了消费者的理解价值，其定价就可能低于应有水平，使企业收入减少。因此，企业必须通过广泛的市场调研，了解消费者的需求偏好，根据产品的性能、用途、质量、品牌和服务等要素，判定消费者对商品的理解价值，制定商品的初始价格。然后，在初始价格条件下，预测可能的销售量，分析目标成本和销售收入，在比较成本与收入、销售量与价格的基础上，确定该定价方案的可行性，并制定最终价格。

（2）需求差异定价法　需求差异定价法是指产品价格的确定应以需求为依据，首先强调适应消费者需求的不同特性，而将成本补偿放在次要的地位。这种定价方法适用于对同一商品在同一市场上制定两个或两个以上的价格，或使不同商品价格之间的差额大于其成本之间的差额。其好处是可以使企业定价最大限度地符合市场需求，促进商品销售，有利于企业最大限度地满足市场需求，并且获取最佳的经济效益。根据需求特性的不同，需求差异定价法通常有以下几种形式：

1）以用户为基础的差别定价。它是指对同一产品针对不同顾客，制定不同的价格。比如，对老顾客和新顾客、长期顾客和短期顾客、女性和男性、儿童和成人、残疾人和健康人、工业用户和居民用户等，分别采用不同的价格。

2）以区域为基础的差别定价。企业根据各地经济发展、文化氛围、地理条件、气候等因素的不同，制定不同的价格。

3）以产品为基础的差别定价。不同外观、颜色、型号、规格、用途的产品，成本有所不同，但它们在价格上的差异并不完全反映成本之间的差异，主要区别在于需求的不同。

4）以流通环节为基础的差别定价。企业产品出售给批发商、零售商和用户的价格往往不同，通过经销商、代销商和经纪人销售产品，因责任、义务和风险不同，佣金、折扣及价格等都不一样。

5) 以交易条件为基础的差别定价。交易条件主要是指交易量大小、交易方式、购买频率和支付手段等。交易条件不同，企业可能对产品制定不同价格。比如，交易批量大则价格低，零星购买则价格高；现金交易价格可适当降低，支票交易、分期付款则价格适当提高；预付定金、连续购买则价格一般低于偶尔购买的价格。

6) 以时间为基础的差别定价。相同产品的价格随季节的不同而变化，这类产品在定价之前就要考虑旺季、淡季的价格差别。

由于需求差异定价法针对不同需求而采用不同的价格，可以实现顾客不同的满足感，能够为企业谋取更多的利润，因此，在实践中得到广泛的运用。

(3) **逆向定价法** 这种定价方法主要不是考虑产品成本，而是重点考虑需求状况。依据消费者能够接受的最终销售价格，逆向推算出中间商的批发价和生产企业的出厂价格。逆向定价法的特点是：价格能反映市场需求情况，有利于加强与中间商的良好关系，保证中间商的正常利润，使产品迅速向市场渗透，并可根据市场供求情况及时调整价格，定价比较灵活。逆向定价法还可以促使企业加强成本管理，进而取得良好的经济效益。

7.2.4 汽车定价策略

定价策略是指根据营销目标和定价原理，针对生产商、经销商和市场需求的实际情况，在确定价格时所采取的各种具体对策。定价策略是市场营销战略和市场营销组合策略中的主要组成部分，是企业可控因素中最难确定的因素。汽车企业要在激烈的市场竞争中不断提高自己的竞争能力，满足广大消费者的需求，提高自己的经济效益，就必须制定正确的汽车产品定价策略，并且根据不同的汽车产品和市场情况，灵活地运用各种定价策略，保证有效地实施，提高企业的竞争力。

1. 新产品定价策略

新产品定价的难点在于无法确定消费者对于新产品的理解价值。如果价格定高了，难以被消费者接受，影响新产品顺利进入市场；如果定价低了，则会影响企业效益。常见的新产品定价策略有三种截然不同的形式，即撇脂定价、渗透定价和适中定价。

(1) **撇脂定价策略** 新产品上市之初，将新产品价格定得较高，在短期内获取厚利，尽快收回投资，这种定价策略就像从牛奶中撇取其中所含的脂肪一样，取其精华，所以称为"撇脂定价策略"。一般而言，对于全新产品、受专利保护的产品、需求的价格弹性小的产品、流行产品和未来市场形势难以测定的产品等，可以采用撇脂定价策略。

撇脂定价策略有以下几个优点：

1) 利用高价产生厚利，使企业能够在新产品上市之初，迅速收回投资，减少了投资风险。

2) 在全新产品或换代新产品上市之初，消费者对其尚无理性的认识，此时的购买动机多属于求新求奇。利用这一心理，企业通过制定较高的价格，以提高产品身份，形成高价、优质、名牌的印象。

3)先制定较高的价格,在其新产品进入成熟期后可以拥有较大的调价余地,不仅可以通过逐步降价保持企业的竞争力,而且可以从现有的目标市场上吸引潜在需求者,甚至可以争取到低收入阶层和对价格比较敏感的消费者。

4)在新产品开发之初,由于资金、技术、资源、人力等条件的限制,企业很难以现有的规模满足所有的需求,利用高价可以限制需求的过快增长,缓解产品供不应求状况,并且可以利用高价获取的高额利润进行投资,逐步扩大生产规模,使之与需求状况相适应。

当然,撇脂定价策略也存在一定缺点:

1)高价产品的需求规模毕竟有限,过高的价格不利于市场开拓、增加销量,也不利于占领和稳定市场,容易导致新产品开发失败。

2)高价高利会导致竞争者大量涌入,仿制品、替代品迅速出现,从而迫使价格急剧下降。此时若无其他有效策略相配合,则企业苦心营造的高价优质形象可能会受到损害,失去一部分消费者。

3)价格远远高于价值,在某种程度上损害了消费者利益,容易招致公众的反对和消费者抵制,诱发公共关系问题。

从根本上看,撇脂定价策略是一种追求短期利润最大化的定价策略,若处置不当,则会影响企业的长期发展。因此,在实践当中,特别是在消费者日益成熟、购买行为日趋理性的今天,采用这一定价策略需要谨慎。

(2)渗透定价策略 这是与撇脂定价策略相反的一种定价策略,即在新产品上市之初将价格定得较低,吸引大量的购买者,扩大市场占有率。利用渗透定价策略的前提条件有:

1)新产品的需求价格弹性较大。

2)新产品存在规模经济效益。

3)新产品潜在需求量大。

采用渗透定价策略的企业无疑只能获取微利,这是该定价策略的不足之处。但是,渗透定价策略是一种着眼于企业长期发展的策略。低价可带来两个好处:首先,低价可以使产品尽快为市场所接受,并借助大批量销售来降低成本,获得长期稳定的市场地位和市场份额;其次,微利可阻止竞争者的进入,增强了自身的市场竞争力。但在利用这种策略进入国际市场时,应注意不要被进口国指控为倾销,否则有可能遭到倾销指控。另外,还要注意不要引发市场价格大战。

因此对于企业来说,撇脂定价策略和渗透定价策略何者为优,不能一概而论,需要综合考虑市场需求、竞争、供给、市场潜力、价格弹性、产品特性和企业发展战略等因素才能确定。比较现实的做法是:各自在被分割和相对垄断的市场上,采取适中定价策略,把竞争的重点放在汽车的质量性能、品种和服务上。

(3)适中定价策略 适中定价策略既不通过利用价格来获取高额利润,也不通过低价占领市场。适中定价策略尽量降低价格在营销手段中的地位,而重视使用其他在产品市场上更有力或更有成效的手段。当不存在适合撇脂定价策略或渗透定价策略的环境时,公司一般采取适中定价策略。例如,一个管理者可能无法采用撇脂定价策略,因为产品被市场看作极其普通的产品,没有哪一个细分市场愿意为此支付高价;同样,它也无法采用渗透定价法,因为产品刚刚进入市场，消费者在购买之前无法确定产品的质量，会认为低价代表低质量（价格-质量效应），或者因为如果破坏已有的价格结构，竞争者会做出强烈反应。当消费者对价值极其敏感不能采取撇脂定价策略，同时竞争者对市场份额极其敏感也不能采用渗透定价策略时，最有效的方法是采用适中定价策略。

采用适中定价策略还有另外一个原因，就是为了保持产品线定价策略的一致性。例如，通用汽车公司的雪佛兰汽车的定价水平是相当大一部分消费者都承受得起的，市场规模远远大于愿意支付高价购买它的"运动型"外形的细分市场。这种适中定价策略，甚至当这种汽车的样式十分流行、供不应求时仍保持不变。原因在于通用汽车跑车生产线上已经有一种采取撇脂定价策略的产品——Corvette，再增加一种产品是多余的，会影响原来高价产品的销售。将大量购买者吸引到展示室尝试驾驶雪佛兰的意义远比高价销售雪佛兰获得的短期利益要大得多。

虽然与撇脂定价策略或渗透定价策略相比，适中定价策略缺乏主动进攻性，但正确执行它并不容易。适中定价没有必要将价格定得与竞争者一样或者接近平均水平。从原则上讲，它甚至可以是市场上最高的或最低的价格。与撇脂定价法和渗透定价法类似，适中价格也是参考产品的经济价值制定的。当大多数潜在购买者认为产品的价值与价格相当时，纵使价格很高也属适中价格。

对于企业来说，撇脂定价策略和渗透定价策略哪种为优，不能一概而论，需要综合考虑市场需求、竞争、供给、市场潜力、价格弹性、产品特性和企业发展战略等因素才能确定。在定价过程中，往往要突破许多理论上的限制，通过对选定的目标市场进行大量的调研和科学的分析来制定价格。

2. 产品寿命周期定价策略

在汽车产品寿命周期的不同阶段，影响汽车定价的三个要素，即成本、消费者和竞争者都会发生变化，因此，汽车定价策略要适合时宜、保持有效，必须在适当的时候进行调整。

（1）**导入期的定价策略**　汽车消费者在接触汽车新产品之初的价格敏感性与他们长期的汽车价格敏感性之间是没有联系的。大多数消费者对新产品的价格敏感性相对较低，因为他们倾向于把汽车价格作为衡量汽车质量的标志，而且此时没有可作对比的其他品牌汽车。但不同的汽车新产品进入市场时，市场反应是有很大差异的。如1908年，美国福特汽车公司推出T型车时，它的先驱者已经为其进入市场铺平了道路；而新型的天然气推动的汽车却并不容易普及。

（2）**成长期的定价策略**　在成长期，消费者的注意力不再单纯停留在汽车产品的效用上，开始比较不同汽车品牌的性能和价格，汽车企业可以采取汽车产品差别化和成本领先的策略。一般来说，成长期的汽车价格最好比导入期的价格低。因为消费者对产品的了解增加，价格敏感性提高，但对于某些对价格并不敏感的市场，不应使用渗透定价策略。尽管这一阶段竞争加剧，但行业市场的扩张能有效防止价格战的出现；然而，有时汽车企业为了赶走竞争者，也可能会开展价格战，如美国、日本、韩国三国的汽车企业就是在美国汽车市场走向成长期时爆发价格战的。

（3）**成熟期的定价策略**　成熟期的汽车有效定价着眼点不是努力获得市场份额，而是

第7章 汽车市场营销策略

尽可能地创造竞争优势。这时，市场为基本汽车产品定价的可调范围缩小，但可以通过销售更有利可图的辅助汽车产品或优质服务来调整自己的竞争地位。

（4）衰退期的定价策略 衰退期中很多汽车企业选择降价，但遗憾的是，这样的降价往往不能刺激足够的需求，反而降低企业的盈利能力。衰退期的汽车定价目标不是赢得什么，而是应在损失最小的情况下退出市场，或者保护甚至加强自己的竞争地位。一般有三种策略可供选择：紧缩策略、收缩策略和巩固策略。紧缩策略是指将资金紧缩到自己力量最强大的汽车生产线上；收缩策略是指通过汽车定价，获得最大现金收入，然后彻底退出市场；巩固策略是指加强自己的竞争优势，通过削价打败弱小的竞争者，占领它们的市场。

3. 竞争定价策略

竞争定价策略主要包括低价竞争策略、高价竞争策略及垄断定价策略等形式。

（1）低价竞争策略 当"超越竞争者"成为企业的首要目标时，企业可以采用以低于生产成本或低于国内市场的价格在目标市场上抛售产品，其目的在于打击竞争者，占领市场。一旦控制了市场，企业会提高价格，以收回过去"倾销"时的损失，获得稳定的利润。运用这一策略最成功的当属日本企业。日本汽车工业的杰出代表丰田汽车公司在20世纪50年代初，为了树立名牌形象，打开销路，占领市场，在同行业中以最高的广告费用和最低的价格出售产品。在美国市场上，丰田汽车平均价格比美国汽车便宜1300美元，以低价竞争的姿态出现在各大竞争对手面前，先后击败福特汽车公司、克莱斯勒汽车公司。到20世纪90年代，丰田汽车公司位居世界汽车工业公司第二位，仅次于通用汽车公司。

（2）高价竞争策略 高价竞争是另一种竞争定价策略。但这种策略一般只限于在数量较少、品牌声誉极高的产品中采用。这需要企业拥有高质产品、雄厚的资金实力和先进的技术条件等。

（3）垄断定价策略 竞争定价策略的第三种形式是垄断定价。当一家或几家大公司控制了某种商品的生产和流通时，它们就可以通过独家垄断或达成垄断协议，将这种商品价格定为大大超过或低于其价值的高价或低价。这样，垄断企业及其组织操纵生产或市场，抑制竞争，通过高价获得超额利润，借助低价打击竞争者，将竞争者挤出市场。

4. 产品组合定价策略

对大型汽车企业而言，常常会有多个系列的多种产品同时进入市场销售。然而同一企业的不同产品之间的需求和成本是相互联系的，同时它们之间存在一定程度的"自相竞争"，这就需要企业结合相关的系列产品制定一系列的产品价格，使产品组合取得整体的最大利润。这种情况下的定价工作一般比较复杂，因为不同的产品，其需求量、成本和竞争程度等是不相同的。产品组合定价策略有以下几种形式：

（1）同系列汽车产品组合的定价策略 在同系列产品中，各个产品项目有相当密切的关系和相似性，企业可以利用这种相似性来制定同一条产品线中某一车型的较低的价格，这种低价车在该系列的汽车产品中充当价格明星，以吸引消费者购买这一系列的各种汽车产品；同时确定某一车型的较高价格，这种高价可以在该系列中充当品牌价格，提高该系列的品牌效应，以提高整条产品线的盈利。

运用这一价格策略能形成企业的价格差异和价格等级，使各类产品定位鲜明，并能服于各种消费能力层次的用户，使用户确信企业是按质论档定价的，给市场一个公平合理的定价印象。这一策略比较适合企业规模和实力都十分强的大型企业。

企业在采用该定价策略时，首先必须对同一产品线内推出的各个产品项目之间的特色、消费者对不同特色的评估以及竞争对手的同类产品的价格等方面因素进行全面考虑；其次，应以某一产品项目为基点制定基准价；然后，围绕这一基准价制定整个产品线的价格，使产品项目之间存在的差异能通过价格差鲜明地体现出来。

（2）选择品及非必需附带产品的定价策略　企业在提供汽车产品的同时，还应提供一些与汽车相关的非必需产品，如汽车收录机、暖风装置、车用电话等。一般而言，非必需附带品应另行计价，让用户感到合情合理。非必需附带产品可以适当定高价，如汽车厂商的销售展厅内摆放的是有利于显示汽车产品高贵品格的附带选择产品，在强烈的环境感染下，用户常常会忽视这种选择品的性价比。

（3）必需附带产品的定价策略　必需附带产品又称连带产品，是指必须与主机产品一同使用的产品或主机产品在使用过程中必需的产品（如汽车零配件）。一般来说，企业可以把主机产品价格定得低些，而将连带产品的价格定得高些，这种定价策略既可以吸引消费者，又可以通过销售连带产品来弥补汽车的成本，增加企业的利润。这是一种在国际汽车市场营销中比较流行的定价策略。

（4）产品群的定价策略　为了促进产品组合中所有产品项目的销售，企业有时将有相关关系的产品组成一个产品群成套销售。用户有时可能并无意购买整套产品，但企业通过配套销售，使用户感到配套购买比单独购买便宜、方便，从而带动了整个产品群中某些不大畅销产品的销售。使用这一策略时，要注意产品搭配合理，避免硬性搭配。

5. 心理定价策略

每一件产品都能满足消费者某一方面的需求，其价值与消费者的心理感受有很大的关系。这就为心理定价策略的运用提供了基础，使得企业在定价时可以利用消费者心理因素，有意识地将产品价格定得高些或低些，以满足消费者生理的、心理的、物质的和精神的多方面需求，进而通过消费者对企业产品的偏爱或忠诚，扩大市场销售，获得最大效益。常用的心理定价策略有数字定价策略、声望定价策略和招徕定价策略。

（1）数字定价策略　数字定价策略是指利用数字的独特意义，对汽车的价格进行某些调整，从而激发消费者的购买欲望。对汽车价格的调整有两种情况，一是整数定价，二是尾数定价。

1）整数定价。因为消费者对汽车的内在质量不是很了解，消费者往往通过其价格的高低来判断其质量的好坏。在整数定价方法下，汽车价格常常以偶数，特别是以"0"作尾数，给消费者造成高价的印象。例如，2008年11月11日奥迪TT汽车的最低报价定为48.0万元，不仅没有零头，还以偶数"8"做尾数，给人的感觉是产品的档次会高一些。这样定价的好处在于：一是可以满足购买者炫耀富有、显示地位、崇尚名牌、购买精品的心理需求；二是利用产品的高价效应，在消费者心目中树立高档、高价、优质的产品形象；三是可以简化价格核算，给人方便、简洁的感觉。整数定价策略适用于需求的价格弹性小、价格高低不会对需求产生较大影响的商品，这是由于其消费者都属于高收入阶层，也甘愿接受较高的价格。

2）尾数定价。它又称"奇数定价""非整数定价"，是指企业利用消费者求廉的心理，制定非整数价格，而且常常以奇数做尾数。使用尾数定价，可以使价格在消费者心中产生三种特殊的效应：一是便宜，可以直观地给消费者一种便宜的感觉，从而激起他们的购买欲望，促进产品销售；二是精确，带有尾数的定价可以使消费者认为商品定价是非常认真、精确的，进而产生一种信任感；三是中意，由于民族习惯、社会风俗、文化传统和价值观念的影响，某些数字常常会被赋予一些独特的含义，企业在定价时如能加以巧用，则产品将因之得到消费者的偏爱。如在我国，"6"和"8"常常被作为定价的尾数，而"4"在定价的时候要有意识地避开。

在实践中，无论是整数定价还是尾数定价，都必须根据不同的地域而加以仔细斟酌。比如，美国、加拿大等国的消费者普遍认为单数比双数少，奇数比偶数显得便宜；但是，日本企业却多以偶数，特别是以"零"做结尾，这是因为偶数在日本体现着对称、和谐、吉祥、平衡和圆满。值得提出的是，企业要想真正地打开销路，占有市场，还应以优质的产品作为后盾，过分看重数字的心理功能，或流于一种纯粹的数字游戏，只能哗众取宠于一时，从长远来看最好通过改善质量、服务等赢得消费者。

（2）声望定价策略 这是根据产品在消费者心中的声望、信任度和社会地位来确定价格的一种定价策略。声望定价可以满足某些消费者的特殊欲望，如对地位、身份、财富、名望和自我形象等的追求，还可以通过高价格显示名贵优质。因此，这一策略适用于一些传统的名优产品、具有历史地位的民族特色产品以及知名度高、有较大的市场影响、深受市场欢迎的驰名品牌。企业会对有声望的汽车产品制定比市场同类商品更高的价格。但为了使声望价格得以维持，需要适当控制市场拥有量。英国名车劳斯莱斯的价格在所有汽车中雄踞榜首，除了其优越的性能、精细的做工，严格控制产量也是一个很重要的因素。在过去的50年中，该公司只生产了15 000辆轿车，美国艾森豪威尔总统因未能拥有一辆金黄色的劳斯莱斯汽车而终生抱憾。

（3）招徕定价策略 招徕定价策略是指企业将某几种商品的价格定得非常低或者非常高，在引起消费者的好奇心理和观望行为之后，将消费者吸引过来，以带动其他商品销售的定价策略。这一定价策略常为汽车超市、汽车专卖店所采用。招徕定价策略运用得较多的是将少数产品价格定得较低，吸引消费者在购买"便宜货"的同时，购买其他价格比较正常的商品。如某些汽车企业在某时期推出一款车型进行降价销售，过一段时间又换另一种车型降价销售，以此来吸引消费者经常关注该企业的汽车，促进降价产品的销售，同时，也将带动同品牌其他汽车产品的销售。值得企业注意的是，用于招徕的降价品应该与低劣、过时商品明显地区别开来。招徕定价的降价品必须是品种新、质量优的适销产品，而不能是处理品。否则，不仅达不到招徕消费者的目的，反而可能使企业声誉受到影响。

6. 地区定价策略

企业在向不同地区消费者销售同种产品时，是否实行差别定价，需要企业根据产品特征及其他相关因素进行分析确定。概括起来，地区定价策略主要包括以下几种方式：

（1）统一定价策略 统一定价是指企业对某种产品在全国各地实行相同的价格，即消费者不管去哪家经销商购买，产品价格都相同。执行这种策略，有利于吸引各地的消费者，规范市场和企业的营销管理。这种定价策略可以分为两种情况：一种情况是用户自己在经销商处提车，并自付提车后的有关运输费用；或者收取合理的交付费用后，由厂家或经销商负责将商品车交付到用户家中，即非免费送货。另一种情况是厂家或经销商负责免费将商品车交付到用户家里，属免费送货。

（2）**基点定价策略** 企业选定将某些城市作为基点，在这些基点城市实行统一的价格，然后按一定的出厂价加从基点城市到顾客所在地的费用来定价。顾客或经销商在各个基点城市就近提货。如在制造厂商设在全国的地区分销中心或地区中转仓库提货，顾客负担出库后至其家里的运送费用。

（3）**分区定价策略** 企业将全国市场划分为几个市场销售区，各区之间的价格不一致，但在区内实行统一定价。这种定价方法的主要缺点是在价格不同的两个相邻区域，处于区域边界的顾客购买相同的产品，却要支付不同的费用，容易导致"串货"或商品的"倒卖"现象。

（4）**产地定价策略** 商品按产地的价格销售，企业只负责将这种产品运到某种运输工具上交货，经销商或用户负责从产地到目的地的运输，负担相应的运费和相关风险费用。这种定价策略已经不大采用，因为距离产地远的顾客可能不愿意购买这种汽车产品，除非在销售较为旺盛时，部分非合同销售才可能出现这种情况。

名人故事 7-1

尹同跃，1962年11月出生于安徽省巢湖市，毕业于合肥工业大学汽车制造专业，是我国汽车行业著名的企业家和工程师，奇瑞汽车的创始人，现任奇瑞汽车有限公司党委书记、董事长。

尹同跃在一汽大众任职期间，担任总装车间主任兼物流科科长，并获得了一汽"十大杰出青年"称号。1996年，尹同跃应邀回到家乡安徽芜湖参与奇瑞汽车项目，成为奇瑞创始团队的核心成员之一。在他的领导下，奇瑞汽车从一个地方小企业发展成为全球知名的汽车制造商，连续多年蝉联我国自主品牌销量冠军，并成为国内最大的乘用车出口企业。

尹同跃的领导才能和行业经验对奇瑞汽车的发展起了决定性的作用。他带领奇瑞在技术创新、产品质量以及市场拓展方面取得了显著成就，使奇瑞汽车在国际市场上具有了一定的竞争力。尹同跃的愿景是将奇瑞打造成一个全球化的汽车品牌，并通过不断的技术创新和产品升级提升奇瑞汽车的品牌价值和市场地位。

尹同跃简介

7.3 汽车分销渠道策略

分销渠道是市场营销组合的另一要素。汽车分销渠道是使汽车产品实现其价值的重要环节，它包括科学地确定汽车销售路线、合理地规划汽车销售网络、认真地选择汽车经销商、高效地组织汽车储运和及时地将品质完好的汽车提供给消费者，以满足消费者的需求。汽车企业对其产品分销渠道的选择，不仅决定着产品是否能"物畅其流"，影响企业对其他营销组合因素的决策，而且能促使企业与渠道伙伴之间形成长期业务关系，并使其履行构成企业信誉的承诺义务。汽车分销渠道决策是企业高层管理者面临的最富挑战性的决策之一。

7.3.1 汽车分销渠道概述

1. 分销渠道的概念

分销是指某种产品或劳务的所有权从生产者手中转移到消费者手中的过程。这个过程所经过的通道，即产品（服务）从生产者向消费者（用户）转移所经过的路线，我们称之为分销或分销渠道。美国著名学者菲利普·科特勒认为："分销渠道是使产品或服务能被使用或消费而配合起来的一系列独立组织的集合。"分销渠道本质上是产品（服务）以一定方式，经由或多或少的购销环节转移至消费者（用户）的整个市场营销结构与过程。

汽车分销渠道是指当汽车产品从汽车生产企业向最终消费者移动时，直接或间接转移汽车所有权所经过的途径，是沟通汽车生产者和消费者之间关系的桥梁和纽带。因此，汽车分销渠道主要包括：总经销商（他们取得汽车产品的所有权）、批发商和经销商（他们帮助转移汽车所有权）、汽车分销渠道的起点——生产企业和终点——消费者。汽车分销渠道是指汽车流通的全过程，而不是汽车流通过程中的某一阶段。推动汽车流通过程进行的是中间商，由中间商组织汽车批发、销售、运输、储存等活动，一个环节接着一个环节，把汽车源源不断地由生产者转移到消费者手中。汽车分销渠道也指汽车产品从生产者到消费者所经历的过程，它不仅反映汽车价值形态变换的经济过程，而且反映汽车实体的移动路线。同时，汽车分销渠道也是汽车市场信息传递的过程。通过中间商，汽车生产企业可以了解消费者的需求状况，收集竞争对手的营销资料，发布企业新产品的信息等。

因此，汽车分销渠道的重要意义在于它是汽车市场营销活动有效率运作的基础。汽车能否及时分销出去，销售成本能否降低，企业能否抓住机会占领市场、赢得市场，在相当程度上都取决于分销渠道是否畅通和高效。

2. 分销渠道的作用

概括来说，汽车分销渠道的作用是多方面的。

1）汽车分销渠道对国民经济发展起了积极作用。汽车分销渠道连接着汽车生产与消费，是整个汽车工业再生产过程中的一个重要环节，它起着调节产、供、销三者平衡的作用；同时，对拉动内需、增加税收、积累资金、扩大就业也起着不可忽视的作用。

2）汽车分销渠道给汽车企业带来了经济效益。汽车分销渠道是汽车生产企业进入市的必由之路，汽车产品只有通过分销渠道进入消费领域，才能实现其价值形态。同时，汽车分销渠道是汽车企业的重要资源，它关系企业的生存与发展。对汽车企业来说，汽车分销渠道数量多，汽车销售的途径就广，市场占有率就高；汽车分销渠道质量高，中间商声誉好、能力强，对汽车产品营销尽心尽责，汽车则会有较高的售价、较好的声誉以及较大的销售量，从而为汽车企业带来更好的收益。另外，汽车分销渠道的存在有助于汽车产品流通的加快，可以节约流通环节中的人力、物力、财力，减少汽车产品的储存，加快资金的周转，是汽车企业节省市场营销费用、加快汽车产品流通的重要措施。由于汽车分销渠道具有融资功能，中间商不仅可以为本渠道所开展的各项汽车销售工作筹集资金，同时可以通过支付订货货款，为企业进行下一轮的汽车生产提供生产资金。

3）汽车分销渠道给消费者带来的利益也是显而易见的。合理的汽车分销渠道的存在可节省汽车流通费用，降低汽车流通过程中的销售成本，从而减轻汽车消费者的负担。汽车分销渠道为汽车消费者提供了便利，节省了选购汽车的时间与精力。

3. 分销渠道的重要性

"渠道为王""得渠道者得天下"都是对分销渠道重要性的概括。分销渠道的重要性体现如下：

1）只有通过分销，企业产品（或服务）才能进入消费领域，实现其价值。
2）充分发挥渠道成员，特别是中间商的功能，是提高企业经济效益的重要手段。
3）良好的渠道管理可降低市场费用，既可为消费者（用户）提供合理价格的产品（服务），也可为企业提高经济效益创造空间。
4）渠道是企业的无形资产，良好的渠道网络可形成企业的竞争优势。

产品是营销的基础，价格是营销的核心，渠道是营销的关键，促销是营销的手段，由此可见渠道在营销组合中的地位。

4. 分销渠道的类型

根据有无中间环节以及中间环节的多少，分销渠道可分为零级渠道、一级渠道、二级渠道、三级渠道。

（1）消费者市场 生产者—消费者：这是最短的销售渠道，也是最直接、最简单的销售方式。特点是产销直接见面，环节少，流通费用较低；有利于把握市场信息；但不利于形成以规模化为基础的专业性分工，会降低整体效率。

生产者—零售商—消费者：这是一种最常见的销售渠道。其特点是中间环节少、渠道短，有利于生产者充分利用零售商的力量来扩大产品销路。缺点：一是需要对零售商进行有效的控制；二是大规模专业化生产与零散的消费之间的矛盾，因零售的储存不可能太大而不能很好地解决。

生产者—批发商—零售商—消费者：这是一种传统的，也是常用的模式。大多数中小型企业生产的产品零星、分散，需要批发商先将产品集中起来供应给零售商；而一些小零售商进货零星，也不便于直接从生产企业进货而需要从批发商处进货。所以许多中小型生产企业和零售商都认为这是一种比较理想的分销渠道。这种渠道一般适用于选购勤、消费量较大的杂货、药品、玩具等。

生产者—中转商—批发商—零售商—消费者：这是最长、最复杂、销售环节最多的一种分销渠道，主要用于生产者在不熟悉的市场上分销其产品，如外贸业务。

(2) 生产者市场 生产者—产业用户：这种分销渠道是工业品分销的主要选择，尤其是生产大型机器设备的企业，大都直接将产品销售给产业用户。

生产者—工业品分销商—产业用户：这种渠道模式常为那些生产普通机器设备及附属设备的企业所采用。如建材、机电、石化等行业也常通过工业品分销商将产品出售给用户。这种渠道属于一层渠道，也是比较简单的营销渠道，是短渠道。

生产者—代理商—产业用户：这种渠道模式用代理商代替工业品分销商，有利于销售有特殊技术性能的工业品和新产品。生产企业要想开发不够熟悉的新市场，设置销售机构的费用太高或缺乏销售经验，也可采用这种渠道。

生产者—代理商—工业品分销商—产业用户：这是工业品分销渠道中最长、最复杂的一种模式，中间环节多，流通时间长。这种渠道模式与上一种基本相同，只是由于某种原因，不宜由代理商直接将产品卖给用户，而需要通过分销商这一环节。特别是某些工业品虽然技术性很强，但是单位销量太小或市场不够均衡，有的地区用户多，有的地区用户少，就有必要利用分销商分散存货，通过经销商向用户供货则更方便。

7.3.2 汽车分销渠道构建

在构建汽车分销渠道时，汽车制造商决定什么是最佳渠道可能不成问题。在比较小的市场，公司可以直接销售给零售商或大客户；在比较大的市场，它可以通过专业经销商销售产品。在某个地区，它可以采用独家经销；在另一个地区，它可以通过所有愿意经销这一产品的零售商出售商品。问题的关键是如何选择并说服目标市场中的一个或几个合适的中间商来经销某一汽车产品或品牌。所以，要建设一个理想的汽车分销渠道，就必须充分考虑方方面面的因素，并在此基础上做出正确的决策。

汽车分销渠道构建必须考虑产品性质、企业特点、中间商性质、市场状况和社会环境等多方面的因素。特别是在选择中间商时，必须对中间商的性质和作用有充分的了解。

1. 汽车分销中间商的性质和作用

汽车分销渠道中的中间商是指介于汽车生产企业与消费者之间，参与汽车流通、交易业务，促使汽车买卖行为发生和实现的经济组织和个人。中间商具有平衡市场需求、集中和扩散汽车产品的功能，在汽车分销渠道中起着十分重要的作用。汽车分销中间商按其在汽车流通、交易业务过程中所起的作用，可分为总经销商（或总代理商）、批发商（或地区分销商）和经销商（或特许经销商）。

汽车总经销商（或总代理商）是指具有国家规定的汽车总经销商和品牌经销商资质，受汽车生产企业委托在某一区域内全权代表汽车生产厂家开展汽车销售活动的经销商。汽车总经销商（或总代理商）把汽车销售给经销商，最后由经销商将汽车直接销售给消费者。总经销商（或总代理商）不需承担经营风险，积极性高，厂家依靠汽车总经销商（或总代理商）易于开拓市场，打开销路。

汽车经销商（特许经销商）是指由汽车总经销商（或汽车生产企业）作为特许授予人

（简称特许人），按照汽车特许经营合同要求以及约束条件授予其经营销售某种特定品牌汽车资格的汽车经销商（作为特许被授予人，简称授许人）。对于汽车经销商来说，只有具备一定的条件才可以成为汽车特许经销商，如有独立的企业法人地位、一定的汽车营销经验和周转资金等。

无论哪一种形式的汽车中间商，它一般具有两个方面的基本功能：①调节汽车生产企业与最终消费者之间在汽车供需数量上的差异。这种差异是指汽车生产企业所生产的汽车数量与最终消费者所需要的汽车数量之间的差别。②调整汽车生产企业和最终消费者之间在汽车品种、规格和等级方面的差异。汽车分销中间商的具体功能有以下几个方面：

（1）商品转移功能 由于供需双方在地域、时间、信息沟通、价值评估及对汽车所有权等方面存在差距，供需双方自行完成汽车交易有一定的困难。而中间商的积极工作可以消除上述差异，从而沟通生产企业和最终消费者，促成汽车交易，使汽车顺利地从生产领域转移到消费领域。

（2）市场营销功能 中间商的价值在于其能代替汽车生产企业执行所有的市场营销职能，如进行市场调查、市场开发、汽车储运、售后服务工作。同时，中间商还能为生产企业提供商业信贷，催收货款，帮助汽车生产企业在消费者中树立信誉，拓宽产品市场。

（3）产品增值功能 中间商进行汽车运输和存储，提供售前、售中和售后服务，从而增加了汽车的价值。

（4）信息反馈功能 中间商最了解汽车市场情况，知道哪些汽车畅销，哪些汽车滞销。它可以即时把信息反馈给汽车生产企业，使汽车生产企业能够根据汽车市场的情况组织生产，避免生产中的盲目性。

具有批发资质的批发中间商还具有销售管理功能。批发中间商应通过销售管理，使经销商在自己的领域内规范、高效地开展销售工作，减少经销商之间的内耗，合理处理各类渠道冲突，稳定销售价格，更好地集中精力开拓市场，服务客户。它主要进行供需矛盾的协调、销售计划的制订和执行、销售模式的转换以及对经销商销售网络的重组；进行经销商购车结算、资金管理和业绩评估；根据所管辖地区的现状制订培训计划以及开展多方面培训；对经销商进行硬件与非硬件指标体系的评估、用户满意度的考核；建立信息系统网络，完善汽车产品客户信息，提高销售管理效率和客户服务水平。

2. 产品因素

汽车是一种技术复杂、价值较高、国家监管较为严格的商品，应努力减少中间环节。但是汽车的移动性能高，对渠道长短的影响不大。主要表现在以下几个方面：

（1）销售频率较低 汽车产品比较特殊，销售频率不及日用品，宜由较少的零售商销售。

（2）品种规格较少 汽车的品种规格较少而产量一般较大，可以由中间商销售。

（3）时尚性较弱 汽车的时尚性相对时装、玩具等较弱，故其对渠道的长短要求相对较低。但对于具有较高时尚程度的新车型或一些特殊规格、式样的汽车以及具有特殊功能的专用汽车，宜采用较短渠道或由企业直接向用户销售；而对于款式不易变化的产品，分销渠道可长些。

（4）技术性强　汽车具有较强的技术性，汽车产品技术复杂，用户对其维修服务要求较高，需要经常提供售后服务，故渠道的长度和宽度都不宜过大，宜采用直接渠道或短渠道。

（5）国家监管严格　由于汽车是特殊商品，尤其是轿车，国家要求必须由具有汽车经营权的单位才能销售，其他单位则不允许经营。所以，这必然影响分销渠道的选择。国家工商总局每年都进行汽车经营权的审批。我国在这方面控制比较严格，汽车经营权的申请单位要求注册资本在一定数额以上，且必须有国家定点汽车生产厂家的强力推荐。

3. 生产企业因素

渠道的选择与生产企业本身有很大的关系，主要表现在以下方面：

（1）**企业的声誉、财力和规模**　企业的声誉越大，越可以自由地选择分销渠道，甚至可以建立自己的销售网点。财力雄厚、规模大的企业，有能力选择较固定的中间商经销产品，甚至建立自己控制的分销系统，或采取短渠道；反之就需依靠中间商。

（2）**企业管理能力与经验**　汽车生产企业选择分销渠道，还必须考虑自己的管理能力与经验，如果缺乏市场营销方面的经验与能力，就应多依靠中间商。有些企业为了有效控制分销渠道，宁愿花费较高的渠道成本，建立短而窄的渠道。

（3）**企业可能提供的服务**　汽车生产企业所能提供的服务越多，越能引起中间商销售其产品的兴趣，反之则不然。现阶段，一些国内企业要求建立"3s店"（即整车销售（Sale）、零配件供应（Spare Part）和售后服务（Service））或"4s店"（即整车销售（Sale）、零配件供应（Spare Part）、售后服务（Service）和信息反馈（Survey））的愿望日益强烈，表明服务在分销渠道中的重要作用。

4. 市场因素

市场因素主要是指潜在消费者规模、地理分散程度、消费者集中度、交易准备期和平均订货数量等方面对渠道选择的影响。概括起来，有以下几个方面：

（1）**市场的大小**　市场范围的大小直接影响是否选择批发商和零售商。当汽车市场范围过大和过小时，一般借助中间商的力量比较合适。

（2）**市场的地理位置**　市场集中与否是影响采用间接与直接分销渠道的一个因素。市场比较集中，可进行直接销售；反之，则需要通过中间商。汽车市场相对比较分散，密集度有高有低，中间商还是很重要的。市场范围越大，分销渠道相应越宽；相反，则可窄些。

（3）**市场竞争情况**　汽车市场竞争十分激烈，由于生产厂家比较多，生产能力过剩，在分销渠道方面的竞争很激烈。通常，同类产品应与竞争者采取相同或相似的分销渠道。一般来说，采用与竞争者同样的分销渠道比较容易占领市场。但也有例外，如广州本田汽车和上海通用的别克汽车利用在我国"后来居上"的优势，在产品投放市场初期即大力建设高规格的专卖店销售体系，一反常规，取得了成功。在竞争特别激烈时，则应伺机寻求有独到之处的分销渠道。

（4）**消费者的购买习惯**　消费者对汽车购买方便程度的要求、购买汽车的数量、购买地点及购买方式等也会影响汽车生产企业不同分销渠道的选择。

5. 社会环境因素

社会环境因素主要是指一个国家的宏观方针政策对分销渠道的影响。主要体现在以下两个方面：

（1）经济形势 当社会经济形势好、发展较快时，分销渠道的选择余地就大；而出现经济萧条、市场需求下降时，就应该减少不必要的中间环节，使用较短的渠道。如我国家用轿车的消费环境越来越好，企业可考虑增加渠道或拓宽渠道，使一般的县市都能有汽车销售市场。

（2）法律、法规因素 分销渠道的选择还必须遵守有关销售的政策与法规，如专卖制度、反不正当竞争法、反垄断法规、进出口规定、税法、价格法和消费者权益保护法等，使用合法的中间机构，采用合法的销售手段。

由于汽车商品的特殊性及各个汽车生产企业自身因素的不同，在当前的社会环境条件下，涌现出多种渠道模式，但是对现有的渠道模式还需要进一步调整、优化。这要求各汽车生产企业对上述各种影响因素进行加权评分，进行定量分析或定性分析，在经济性原则、时间性原则、竞争性原则、应变性原则和消费者满意原则的制约下，对自身的发展形势进行评价，进而拟定比较完善的分销渠道。

7.3.3 汽车分销渠道的设计和管理

1. 分销渠道的设计

（1）分销渠道设计的因素 一般来讲，企业分销渠道的选择受以下6个因素的影响：成本（Cost）、资金（Capital）、控制（Control）、覆盖（Coverage）、特性（Character）和连续性（Continuity）。这6个"C"被称为分销渠道中的"6C"。

1）成本。企业在建立分销渠道时一般有两个步骤：建立渠道和维护渠道。一般企业前期建立渠道的成本主要包括宣传成本、业务沟通成本和通信成本等。渠道建立后，渠道的维护成本包括支付给中间商的佣金、广告、促销、人员工资等各方面的成本。渠道对于企业而言至关重要，为其支付相应的成本是任何一个企业都不可避免的。营销渠道管理者一般必须在成本和效益间做出决策。

2）资金。一般而言，分销渠道建立和维护所需资金的多少要根据企业的实力而定。对于有实力的企业而言，如果资金充足，可以自己建立分销渠道，培养自己的销售和维护队伍。但是如果企业的资金有限，必须借助中间商实力，那么需要对渠道分销商提供如广告、促销等方面的支持。至于选择哪种方式由企业根据自己的情况而定。

3）控制。企业建立自己的分销渠道后，可能各种渠道同时并存，会增加管理成本。如何对自己的渠道成员进行有效的控制对企业而言相当重要。一般来说，渠道越长，企业的管理控制成本越高。

4）覆盖。分销渠道的覆盖面主要是指企业产品能到达或者能影响的市场范围。一般来讲，企业的分销渠道覆盖面首先要考虑覆盖的范围，其次要考虑覆盖范围的有效性。市场覆盖范围并不是越广泛越好，但至少要保证消费者能够见到产品。

5）特性。正确选择分销渠道，不仅能使企业的产品顺利销售出去，而且能够节约成本。

渠道的选择是一项烦琐的工作，企业在选择时环境因素是一个非常重要的因素，要慎重对待。

6）连续性。在产品的引入初期，中间商对产品了解很少，甚至不感兴趣，为了尽快打开销路，企业不惜花费大量的人力、物力和财力组成强有力的销售队伍向消费者或者中间商推销产品。在此阶段，企业的分销渠道一般比较短；在产品的成熟期以后，企业产品已经在市场上站稳了脚跟并大批量投放市场，此时则可以考虑借助中间商的势力，将产品全面铺向市场，以取得规模经济效益。

（2）分销渠道设计的误区和评估标准

1）分销渠道设计的误区有以下几个：

① 选择好分销渠道的成员，企业已经成功了一半。

② 分销渠道只是权宜之计，建立分销渠道是借船出海。

③ 在分销渠道的长度、宽度和深度之间摇摆。

④ 越过分销做直销。

2）分销渠道设计评估标准。分销渠道方案确定后，生产企业就要根据各种备选方案进行评价，找出最优的渠道路线，通常渠道评估的标准有三个——经济性、可控性和适应性，其中最重要的是经济性。

① 经济性标准评估。主要比较每个方案可能达到的销售额及费用水平；比较由本企业推销人员直接推销与使用销售代理商哪种方式销售额水平更高；同时比较由本企业设立销售网点直接销售所花费用与使用销售代理商所花费用，看哪种方式支出的费用大。企业对上述情况进行权衡，从中选择最佳分销方式。

② 可控性标准评估。一般来说，采用中间商则可控性小些，企业直接销售则可控性大，分销渠道长则可控性低，渠道短则可控性高，企业必须进行全面比较、权衡，选择最优方案。

③ 适应性标准评估。如果生产企业同所选择的中间商的合约时间长，而在此期间，其他销售方法如直接邮购更有效，但生产企业不能随便解除合同，这样生产企业选择分销渠道便缺乏灵活性。因此，生产企业必须考虑策略选择的灵活性，不签订时间过长的合约，除非在经济或控制方面具有十分优越的条件。

（3）分销渠道的设计原则 分销渠道管理人员在设计具体的分销渠道模式时，无论出于何种考虑，从何处着手，一般都要遵循以下原则：

1）畅通高效的原则。这是渠道选择的首要原则。任何正确的渠道决策都应符合物畅其流、经济高效的要求。商品的流通时间、流通速度、流通费用是衡量分销效率的重要方面。畅通的分销渠道应以消费者需求为导向，将商品尽快、尽好、尽早地通过最短的路线，以尽可能优惠的价格送达消费者方便购买的地点。畅通高效的分销渠道模式不仅要让消费者在适当的地点、时间以合理的价格买到满意的商品，而且应努力提高企业的分销效率，争取降低分销费用，以尽可能低的分销成本获得最大的经济效益，赢得竞争的时间和价格优势。

2）覆盖适度的原则。企业在选择分销渠道模式时，仅仅考虑加快速度、降低费用是不够的。还应考虑及时准确地送达的商品能不能销售出去，是否有较高的市场占有率足以覆盖目标市场。因此,不能一味强调降低分销成本,这样可能导致销量下降、市场覆盖率不足的后果。成本的降低应是规模效应和速度效应的结果。在分销渠道模式的选择中,应避免扩张过度、分布范围过宽过广,以免造成沟通和服务的困难,导致无法控制和管理目标市场。

3) 稳定可控的原则。企业的分销渠道模式一经确定,便需花费相当大的人力、物力、财力去建立和巩固,整个过程往往是复杂而缓慢的。所以,企业一般轻易不会更换渠道成员,更不会随意转换渠道模式。只有保持渠道的相对稳定,才能进一步提高渠道的效益。畅通有序、覆盖适度是分销渠道稳固的基础。

由于影响分销渠道的各个因素总是在不断变化,一些原来固有的分销渠道难免会出现某些不合理的问题,这时,就需要分销渠道具有一定的调整功能,以适应市场的新情况、新变化,保持渠道的适应力和生命力。调整时应综合考虑各个因素的协调,使渠道始终都在可控制的范围内保持基本的稳定状态。

4) 协调平衡的原则。企业在选择、管理分销渠道时,不能只追求自身的效益最大化而忽略其他渠道成员的局部利益,应合理分配各个成员间的利益。渠道成员之间的合作、冲突、竞争的关系,要求渠道的领导者对此有一定的控制能力——统一、协调、有效地引导渠道成员充分合作,鼓励渠道成员之间开展有益的竞争,减少冲突发生的可能性,解决矛盾,确保总体目标的实现。

5) 发挥优势的原则。企业在选择分销渠道模式时为了争取在竞争中处于优势地位,要注意发挥自己各个方面的优势,将分销渠道模式的设计与企业的产品策略、价格策略、促销策略结合起来,增强营销组合的整体优势。

2. 分销渠道的管理

汽车分销渠道管理主要包括对各类中间商的具体指导、服务、激励、评估以及根据情况变化调整渠道方案和协调渠道成员间的矛盾。

(1) 渠道成员的指导与激励

1) 对汽车经销商的指导。对汽车经销商的指导主要是指业务指导,而业务指导是营销渠道管理工作中最频繁、最重要的经常性管理活动。它主要包括:

① 加强对经销商的供货管理,保证供货准确及时。在此基础上帮助经销商建立并理顺营销子网,分散营销及库存压力,加快商品的流通速度,减少因订货处理环节中出现失误而引起发货不畅。

② 加强对经销商促销的支持,促进营销。提高资金利用率,使之成为经销商的重要利润源。

③ 对经销商提供产品服务支持,妥善处理营销过程中出现的产品损伤、顾客投诉、顾客退货等问题,切实保障经销商的利益不受无谓的损害,保证对顾客投诉处理的正确性。

④ 加强对经销商订货的结算管理,规避结算风险,保障制造商的利益。同时,还应避免经销商利用结算便利制造市场混乱。

⑤ 加强经销商培训,增强经销商对公司理念、价值观的认同以及对产品知识的认识。还要负责协调制造商与经销商之间、经销商与经销商之间的关系,尤其对一些突发事件,如价格涨跌、产品竞争、产品滞销以及周边市场冲货或低价倾销等干扰市场的问题,要以协

第 7 章 汽车市场营销策略

作、协商的方式为主,以理服人,及时帮助经销商消除顾虑、平衡心态,引导和支持经销商向有利于产品营销的方向转变。

2)对汽车中间商的激励。由于中间商是独立实体,它们在处理同供应商、顾客的关系时往往偏向自己和顾客一方,认为自己是顾客的采购代表,首先要为顾客争取最优惠的价格,其次才考虑供应商的期望。所以,欲使中间商的分销工作达到最佳状态,制造商应对其进行持续不断的激励。激励中间商通常可采取三种方式:合作、合伙与经销规划。

① 合作。大多数制造商认为,与中间商的合作要采用"胡萝卜加大棒"政策,即软硬兼施法:一方面使用积极的激励手段;另一方面,采用制裁措施,如威胁要减少中间商利润、推迟交货、中止关系等。这种政策的缺点是并没有真正了解、关心中间商的需要和要求,有可能产生巨大的负面影响。

② 合伙。汽车生产企业着眼于与经销商或代理商建立长期的伙伴关系。首先,企业仔细研究并明确在销售区域、产品供应、市场开发等方面生产者和经销商之间的相互要求;其次,根据实际共同商定在这些方面的有关政策,并按照其信守这些政策的程度确定"职能奖酬方案",给予必要的奖励。

③ 经销规划。这是更先进的激励方式,其主要内容是建立一个有计划的、实行专业化管理的垂直市场营销系统,把制造商与经销商双方的需要结合起来。汽车制造商在企业内设立"经销商关系规划部",其任务是了解经销商的需要,制订交易计划,帮助经销商以最佳方式经营。该部门引导经销商认识到它们是垂直营销系统的重要组成部分,积极做好相应的工作,并从中得到更高的利润。

(2)加强对渠道的有效控制

1)建立一体化垂直营销渠道。一体化垂直营销渠道是由生产企业和经销商(包括批发商和零售商)组成一个统一的联合体,统一行动,通过规模优势增强谈判实力,减少某些环节的重复浪费,消除渠道成员为追求各自利益而造成的损失。鉴于相当多的冲突来自经销商与生产企业之间较为松散的合作关系,每个渠道成员都是作为一个独立的经济实体来追求自己利润的最大化,因此加强两者之间的合作,形成利益与共的紧密联系有助于消除渠道的内耗。在发达国家的消费品销售中,这种营销系统已经成为主流的分销形式,占全部市场的70%~80%,目前这种合作形式在我国还不普遍。

2)加强制造商的品牌能力建设。当生产领域与销售领域的力量对比发生转移,生产企业的品牌建设能力不断下降,越来越受控于经销商时,制造商要想获得短缺经济时代对经销商的控制能力就必须加强品牌建设,提高产品能提供给顾客的溢价价值。毫无疑问,现在的市场竞争已经超越了同质低价的低层次竞争,而是集中于品牌竞争。现在绝大多数的商品市场上,能在与经销商的关系中占据主导地位的企业都是拥有强势品牌的企业,它们手中的品牌力量为它们赢得垄断优势。

3)构建长期的合作关系。构建长期合作关系是激励分销商的一种方式,也是消除渠道冲突的一种方法。很多生产企业意识到,它们在市场开发、市场覆盖、寻找顾客、产品库存、为顾客提供服务等很多方面都离不开经销商的支持,因此愿意与经销商建立长期的合作关系，这种关系的最高形式就是分销规划。分销规划是指建立一套有计划的、专业化的垂直营销管理系统，把生产企业与经销商的需要集合起来，生产企业在市场营销部门下设一个专门的部门即分销关系规划处，主要工作为确认经销商的需要，制订交易计划和其他方案，以帮助经销商能以最适当的方式经营，该部门和经销商合作决定交易目标、存货水平、商品陈列方案、销售训练要求、广告及促销计划，其目的在于将经销商与顾客站在同一立场转变为与生产企业站在同一立场。

4）建立产销战略联盟。产销战略联盟是指从企业的长远角度考虑，产方和销方（即生产企业和经销商）之间通过签订协议的方式，形成风险利益共同体。按照商定的分销策略和游戏规则，共同开发市场，共同承担市场责任风险，共同管理和规范销售行为，共同分享销售利润的一种战略联盟。

根据其紧密形式，产销战略联盟可以分为会员制、联盟性质的销售代理与制造承包制及合资、合作、互相持股的联营公司形式。产销战略联盟属于关系营销的范畴，其最大的特点是参与联盟的企业具有共同的战略目标，当渠道面临外来威胁时，渠道成员为实现它们共同的目标而紧密合作，如市场份额、高品质服务、顾客满意等，紧密合作能够战胜威胁，这使得渠道成员明白紧密合作追求共同的最终目标的价值。

5）加强有效的渠道控制。产品营销中的渠道控制是企业构建分销渠道系统的重要组成部分，它可以解决企业产品上市初期渠道不畅、销售费用过大等困难，同时也可以解决需要密集分销的产品市场网络建设不足等问题。另外，对于分销渠道中出现的冲突它能起到预先控制的作用。所以，分销渠道的控制对于企业的产品销售起着重要作用，渠道控制可以从以下几个方面进行：

① 渠道长度控制：尽可能地减少中间环节，必要时可采取直销形式，减少产品在流通过程中停留的时间和费用，提高渠道效率。

② 成本控制：对渠道进行成本效益分析，尽可能地减少渠道费用，提高渠道的经济效益。

③ 人员控制：不管采用什么样的渠道，都不能降低对销售人员的素质要求，对销售人员的招聘、培训、考核、激励、监督等管理工作都是渠道控制的主要内容。

④ 区域控制：不少企业在选择分销渠道时，对区域控制采取顺其自然的态度，有的在分销协议中不做明确的规定，有的虽有明确规定但执行力度不够，导致出现经销商跨地区销售，引起渠道冲突的情况。这些问题如不能及时处理，就会导致经销商队伍涣散，与企业合作减少，整个销售网络处于极不稳定的状态。区域控制要求被选择的经销商严格遵守分销条款，出现跨地区分销现象应予以及时处理。

⑤ 价格控制：经销商为了争夺市场，往往采取低价竞争的方式，这种以低价为特征的恶性竞争的结果是使经销商元气大伤，最终脱离原来的业务，所以供应商对价格的监控是渠道控制的主要内容之一。

⑥ 物流控制：随着产品销量的增加，畅通的物流周转是渠道控制的主要内容，企业首先要考虑产品的运输问题，善于利用运输公司的物流网络节省费用；其次，要考虑周转仓库的设置，与经销商合作建立周转仓库是很好的办法；最后，需要考虑产品配送中心的建设，健全的信息管理系统是配送中心的关键。

阅读材料 7-6

长城智选——渠道变革+双销模式

长城汽车不是第一次做直营店,之前在欧拉品牌做过一些直营商超店。但是,长城汽车对长城智选直营店投入的资源和决心很大,销量以经销商为主,以直营店作为补充。

1. 品牌

长城智选是长城汽车内部子品牌,LOGO 是 "GWMAIO",寓意 "所有美好汇聚在一起"。

2. 产品

长城智选目前包含 2 个品牌、6 款产品:坦克(300、400、500、600),魏牌(蓝山、高山)。

3. 渠道形态

渠道形态分为三类:零售中心、交付中心、用户中心,其功能如下:

渠道形态	零售中心	交付中心	用户中心
功能	体验、试驾、下单、服务	交付、试驾	交付、用户活动

渠道数量发展规划:2024 年 5 月 1 日首批 33 家零售中心开业,截止 2024 年年底,建成 200 家零售中心。

4. 直营公司情况

母公司:长城智选信息科技(保定)有限公司。

子公司:目前已注册 26 家子公司,其中以 "长城智选" 名称开头的公司 20 家,以 "全极智选" 名称开头的公司 5 家,"魏智行" 1 家。

公司注册时间:母公司于 2023 年 12 月注册,26 个子公司中,除了长城智选北京公司于 2021 年 8 月注册,其他 25 家在 2023 年 1 月 30 日至 3 月 8 日注册。

公司覆盖城市:27 家公司覆盖 26 个城市,母公司与长城智选保定汽车销售公司都在保定。

公司注册地址:27 家公司中,母公司和保定子公司注册在长城汽车生技中心;18 个公司注册在办公楼;6 个公司注册在住宅小区或小区底商;贵阳公司注册在汽车商圈区域。

2024 年 5 月 2 日,长城汽车董事长魏建军在微博平台发布消息称长城汽车直营店开张,一行人经过 6 个多小时从保定到郑州正弘城直营店探访。魏建军在店内充当产品经理,亲自给用户讲解坦克 700Hi4T 的产品特性并陪同用户试驾。

此次长城智选直营的新模式开辟了营销的破局之道,为长城汽车品牌销量增长打造了新引擎。

随着产业升级及用户需求的不断变化,各车企都在积极探索,以满足当前市场的需求。长城汽车也不例外,除了在技术平台、新车型规划不断创新,在市场营销生态的建设上也不断探索，以适应新时代市场的变化及用户的需求。

此次直营模式的推出是对传统经销商模式的一种补充、完善，而不是取代。

直营模式不是全新的，特斯拉进入我国后便采用直营模式来实现更直接的用户接触及更高效的服务。新势力车企借鉴了特斯拉的直营模式，通过在城市核心区商圈建设体验店来扩大品牌知名度和提升用户体验。

采用"直营+经销商"模式有许多优势，一方面，直营店建设可以选在核心区商圈，更贴近消费者，便于第一时间倾听客户声音，同时做好品牌展示及品牌传播，提升品牌形象；另一方面，可以与现有的经销商网络形成合力，提升终端服务客户的核心能力，实现"1+1>2"的效果。

可以说，此次长城汽车"直营+经销商"双模式营销方式的变革是一次大胆的尝试，从长远来看有巨大的发展潜力。但该模式下经销商与直营店关系如何协同、如何规避客户分流等问题，是长城汽车需要认真考虑、长期探索解决的。

7.3.4 物流策略

1. 物流的定义

分销渠道中的物流实体分配是指对原料和最终产品从原点向使用点转移，以满足消费者需要，并从中获利的实物流通的计划、实施和控制。这也称为实体流或物流，即产品通过从生产者手中运到消费者手中的空间移动，在需要的地点、需要的时间里，到达消费者手中。

2. 物流管理的范围与目标

实体分配范围很广，第一任务是销售预测，公司在预测的基础上制订生产计划和存货水平。生产计划应明确采购部门必须订购的原料。这些原料通过内部运输运到工厂，进入接收部门，并被作为原材料存入仓库。原材料被转变为制成品，制成品存货是消费者订购和公司制造活动之间的桥梁。消费者的订货可减少制成品的库存，而制造活动则可充实库存商品。制成品离开装配线，经过包装、厂内储存、运输事务所的处理、厂外运输、地区储存，最后送达消费者，并提供服务。

实体分配总成本的主要构成部分是运输（46%）、仓储（26%）、存货管理（10%）、接收和运送（6%）、包装（5%）、管理费（4%）以及订单处理（3%）。

实体分配的目标就是妥善处理以下四个问题：如何处理订单，商品储存地点应该设在何处，应该有多少储备商品，如何运送商品。

（1）**订单处理** 实体分配开始于消费者的订货。订货部门备有各种多联单，分发给各部门。仓库中缺货的商品品目以后补交，发运的商品要附上发运和开单凭证并将单据副本送至各部门。

（2）**仓储** 仓库数目多，就意味着能够较快将商品送达消费者处，但是仓储成本也将增加。因此，企业仓储必须在消费者服务水平和分销成本之间取得平衡。可选择的仓库包括：私人仓库、公共仓库、储备仓库、中转仓库、旧式的多层建筑仓库、新式的单层自动化仓库。

（3）存货 存货水平代表了另一个影响顾客满意程度的实体分配决策。存货决策的制定包括何时进货和进多少货，其主要指标是最佳订货量。

最佳订货量可以通过观察在不同的可能订货水平上的订货处理成本与存货维持成本之和的情况来决定。单位订货处理成本随着订货量增加而下降，这是因为订货成本被分摊到更多的单位上去了。单位存货维持成本则随订货量增加而上升，这是因为单位商品的储存时间相对长了，这两条成本曲线垂直相加，即为总成本曲线。总成本曲线向上弯向横轴的最低点，就是最佳订货量 Q。最佳订货量的数学公式为

$$Q = 2DS/IC$$

式中，D 为每期需求；S 为一次订货成本；IC 为每期单位维持成本。该公式一般被称为经济订货量公式。其假设为：进货成本不变，单位存货维持成本不变，需求已知，无数量折扣。

（4）运输 公司可以选择的运输方式包括铁路、公路、水路、管道、航空运输以及集装箱联运。在为某一项特定产品选择运输方式时，托运人应该考虑这样一些因素，如速度、次数、安全、容量、有效性和费用。如果托运人追求速度，航空运输和铁路就是主要的选择对象；如果以费用低为目标，那么水路运输和管道运输就成为最重要的选择对象。汽运在大多数情况下都是适用的，这说明它在运输量中的比重日益上升。

运输决策还必须考虑运输方式和其他分销要素的权衡和选择，如仓库、存货等要素。当不同的运输方式所伴随的成本随时间的推移而发生变化时，公司应该重新分析其选择，以便找到最佳实体分配方案。

3. 物流管理的方案

在设计实体分配系统时，常常要在几种不同的战略中进行选择。一般来讲，可供选择的战略主要有以下几种：

（1）单一工厂，单一市场 这些单一工厂通常设在所服务的市场的中央，这样可以节省运费；但是设在离市场较远的地方，也可能获得低廉的土地、劳动力、能源和原料成本。企业在两个设厂地点之间进行选择时，不仅应审慎地估计目前各战略的成本，更须考虑未来各战略的成本。

（2）单一工厂，多个市场

1）直接运送产品至消费者。这必须考虑：该产品的特性（如数量，易腐性和季节性），所需运费与成本，消费者订货多少与重量，地理位置与方向。

2）将大批整车运送到靠近市场的仓库与直运比较。将大批整车运送到靠近市场的仓库，再将仓库每笔订单运送给消费者的方式，要比直运费用少。一般来说，增加新地区仓储所节约的运费与所能增加的消费者惠顾利益如大于建立仓储所增加的成本，那么就应在这一地区增设仓储。如果选择使用仓库，可采取租赁和自建两种方式：租赁的弹性较大，风险较小，在多数情况下比较有利；只有在市场规模很大而且市场需求稳定时，自建仓库才有意义。

3）将零件运到靠近市场的装配厂。建立装配分厂的最大好处是运费较低，有利于增加销售额；不利之处是要增加资金成本和固定的维持费用。建厂必须考虑该地区未来销售是否稳定，以及数量是否会多到足以保证投下这些固定成本后仍有利可图。

4）建立地区性制造厂。在诸多因素中，最重要的是该行业必须具有大规模生产的经济性。在需要大量投资的行业中，工厂规模必须较大才能得到经济的生产成本。

（3）多个工厂，多个市场　企业有两种选择目标：一是短期最佳化，即在既定的工厂和仓库位置上制订一系列由工厂到仓库的运输方案，使运输成本最低；二是长期最佳化，即决定设备的数量与区位，使总分配成本最低。短期最佳化的有效工具是线性规划技术，而长期最佳化的有效工具是系统模拟技术。

7.4　汽车促销策略

在现代商品社会里，商业中心星罗棋布，展柜上的商品琳琅满目，消费者可能根本就没有注意到企业产品的存在。在买方市场条件下，各生产企业需要采用各种有效的方法和手段，开展适时而恰当的促销活动。这对于传播营销信息、宣传企业产品、建立消费者信念、树立企业形象都是具有积极意义的，会使企业的产品为消费者所认知和了解，引起目标消费者的购买欲望，促成其购买行为的产生。促销的方法和手段主要有人员推销、广告促销、公共关系促销和销售促进，它们构成了促销组合策略的重要内容。

7.4.1　汽车产品促销策略概述

1. 汽车促销的含义

促销是促进产品销售的简称。从市场营销的角度看，促销是指企业利用各种有效的方法和手段，通过与消费者之间的信息沟通，激发消费者的购买欲望，并促使其实现最终的购买行为。

汽车促销是指汽车生产企业通过人员和非人员的方式，将汽车生产企业的汽车产品信息及购买途径传递给目标消费者，从而激发消费者的购买兴趣，强化消费欲望甚至创造需求，使其产生购买汽车产品的行为，进而促进汽车产品销售的一切活动。

汽车促销是汽车生产企业市场营销的一个重要策略，主要通过人员推销、广告、销售促进等活动把有关产品的信息传递给消费者，激发消费者的需求，甚至创造消费者对产品的新需求。汽车生产企业通过该策略向外部传递信息，与中间商、消费者及各种不同的社会公众进行沟通，树立良好的产品形象和企业形象，使消费者最终认可企业的产品，最终实现营销目标。

2. 汽车促销的实质

汽车促销的实质是信息沟通。汽车产品促销的过程就是汽车生产企业与消费者的信息沟通过程。汽车生产企业为了促进汽车产品的销售，通过各种促销活动，建立起与中间商和消费者之间稳定有效的信息联系，实现有效的信息沟通。营销人员应做到以下几点，以便进行有效的信息沟通：

（1）确立信息沟通的目标　汽车生产企业之所以要开展汽车产品促销活动，就是为了引起消费者的注意和兴趣，并激发他们的购买欲望，从而达到扩大销售的目的。要做到这一点,汽车生产企业就要选择消费者公认的和权威的传播者来发布消息,应根据消费者的爱好、特点、需要和商品的性能来确定沟通内容,否则就达不到沟通的目标。

(2) 沟通方式的综合运用　信息沟通的方式是多种多样的。为了提高沟通的效率,汽车生产企业必须将各种沟通方式有目的、有计划地配合起来,综合运用,才能收到预期的效果。

(3) 信息沟通障碍的排除　在现实信息沟通中,存在着沟通对象不明、沟通目标不清、信息利用有误、沟通渠道选择不当和忽视沟通效果分析等障碍。汽车生产企业应分析研究沟通障碍并及时排除沟通障碍,以促进汽车生产企业有效开展促销活动。

阅读材料 7-7

乔·吉拉德的七大推销秘诀

1. 250 定律:不得罪任何一个顾客。
2. 名片满天飞:向每一个人推销。
3. 建立顾客档案:更多地了解顾客。
4. 猎犬计划:让顾客帮助你寻找顾客。
5. 推销产品的味道:让产品吸引顾客。
6. 诚实:推销的最佳策略。
7. 每月一卡:真正的销售始于售后。

阅读材料 7-8

乔·吉拉德的名片

乔·吉拉德,因出售 13 000 多辆汽车创造了汽车销售最高纪录而被载入吉尼斯世界纪录大全,他曾连续 15 年成为世界上售出新汽车最多的人,他的秘诀之一就是"名片满天飞"。

他到处发放名片,就餐付账时他会将名片夹在账单中;在运动场上,他把名片大把大把地抛向空中。乔·吉拉德认为只有让更多的人知道他是干什么的,销售的是什么商品,他才可能得到更多的机会。

阅读材料 7-9

乔·吉拉德成功秘诀

乔·吉拉德是世界上最伟大的推销员,世界汽车销售冠军,平均每天销售 6 辆汽车,连续 12 年保持吉尼斯世界纪录,至今没有一个人能超过他。他有如下成功秘诀:

> 1. 只要我认真把事情学会了，一切都是可能做到的。
> 2. 我认真地规划自己，尽量在任何一个方面都做得完美。平时要加强训练，做事要有计划，要遵守自己的纪律。
> 3. 我是我生命的主人，要全神贯注，要全情投入。
> 4. 要远离消极的人、电视、报纸，和积极的人在一起。
> 5. 我有一个不得不改变现状、不得不立即行动的理由。
> 6. 我总和对我的事业或对我的顾客有帮助的人在一起。
> 7. 千万不要自卑，不要小看自己，相信自己是最棒的。

3. 汽车促销的作用

1）传递汽车产品和销售信息。促销宣传可以将汽车生产企业的产品信息传达给消费者，明确告诉消费者有什么样的汽车产品，产品有什么特点，什么地方可以买到，购买的条件是什么等，从而引起消费者的注意，激发并强化购买欲望，为实现和扩大销售做好舆论准备。

2）突出汽车产品的特色，提高竞争能力。随着社会经济的发展，市场竞争日趋激烈，同类汽车产品中，有些汽车产品差别细微，而通过促销活动则能够宣传突出其汽车产品特点，从而激发潜在的需求，提高汽车生产企业及其汽车产品的竞争力。

3）强化汽车生产企业的企业形象，巩固市场地位。恰当的促销活动可以树立汽车生产企业良好的企业形象和汽车产品形象，能使消费者对汽车企业及其产品产生好感，从而培养和提高消费者的忠诚度，形成稳定的消费群，进而不断地巩固和扩大市场占有率。

4）影响消费者的购买倾向，创造需求，开拓市场。在促销活动中向消费者介绍汽车产品，不仅可以诱导消费者的购买倾向，而且可以增加甚至创造新的需求，为汽车制造商持久地挖掘潜在市场提供了可能性。这种作用在新产品推向市场时效果尤为明显。汽车生产企业通过介绍新产品，展示合乎潮流的消费者模式和标准，提供满足消费者生存和发展需要的承诺，从而唤起消费者的购买欲望，创造出新的消费需求。

7.4.2 汽车促销方式

企业的促销方式种类繁多，主要有广告促销、人员推销、公共关系促销和销售促进四种形式。

1. 广告促销

广告是指通过报纸、杂志、广播、电视、广告牌等广告传播媒体向目标消费者传递信息。广告促销是指汽车生产企业按照一定的预算方式，支付一定数额的费用，通过不同的媒体对汽车产品进行广泛宣传，促进汽车产品销售的传播活动。采用广告宣传可以使广大消费者对企业的产品、商标、服务等加强认识，并产生好感。统计表明，在各主要汽车生产国，汽车业是做广告最多、广告费用最高的行业之一。在我国，汽车广告正在与日俱增，成为汽车促销的主要手段。

广告的特点是可以更为广泛地宣传企业及其产品，其传递信息面广，不受消费者分散的约束，同时广告还能起到倡导消费、引导潮流的作用。

2. 人员推销

人员推销是指企业派出推销人员或委托推销人员直接与消费者接触，向目标消费者进行产品介绍、推广、促进销售的沟通活动。对汽车销售企业而言，主要由推销人员与消费者直接面谈沟通信息，其主要方式有由在汽车展厅内的人员推销，由展示会上或驾乘活动的人员推销，由带车上门的人员推销。

人员推销方式具有直接、准确、推销过程灵活、易于与消费者建立长期友好合作关系以及双向沟通的特点。但这种推销方式成本较高，对推销人员的素质要求也较高。

3. 公共关系促销

公共关系促销是指企业在从事市场营销活动中正确建立企业与社会公众的关系，以便树立良好企业形象，从而促进产品销售的一种活动。公共关系是一种创造"人和"的艺术，它不以短期促销效果为目标，而是通过建立公共关系使公众对企业及其产品产生好感，并树立良好企业形象，以此来激发消费者的需求。它是一种长期的活动，着眼于未来。

随着营销理论和实践的不断进步，促销的方式也在不断更新和变化。例如，"企业赞助"是企业广告和公共关系相结合的一种新的促销方式，企业赞助的范围很广泛，它在企业促销中起着越来越重要的作用。

4. 销售促进

销售促进又称营业推广，是指企业运用各种短期诱因鼓励消费者和中间商购买、经销或代理企业产品或服务的促销活动。销售促进的特点是可有效地吸引消费者，刺激购买欲望，可以较好地促进销售。但它有贬低产品之意，因此只能作为一种辅助性促销方式。

每种促销方式都有其优缺点。通过整合，它们可以相互补充。每种方式都包含独特的行为方式且需要不同的专业知识。因而，产品促销通常由专业人士负责，如销售主管、广告经理、促销经理等。他们负责发展和执行全面促销整合的各个不同方面的具体计划。这四种形式各有其特点（见表7-6），既可单独使用，也可以组合在一起使用，以达到更好的效果。

表 7-6　各种促销方式的比较

汽车促销方式	优　　点	缺　　点
广告促销	具有普遍性、范围广、表现力强、信誉度高	预算费用大
人员推销	直接性强，有利于培养顾客	费用支出较大
公共关系促销	可信度很高、信誉最佳、可消除戒心	应与其他手段配合使用
销售促进	信息沟通好、刺激性强、诱惑力大	时效性差、不易建立长期品牌

7.4.3　汽车促销策略

1. 促销组合策略

促销组合策略是指把广告促销、人员促销、公共关系促销、销售促进等各种不同的汽车促销方式有目的、有计划地结合起来，并加以综合运用，以达到特定的促销目标。这种组合既可包括上述四种方式，也可包括其中的两种或三种方式。各种汽车促销方式分别具有不同的特点、使用范围和促销效果，所以要结合起来综合运用，以便更好地突出汽车产品的特点，加强汽车企业在市场中的竞争力。

在制定汽车促销组合策略时，应考虑下述因素：

（1）汽车促销目标 确定最佳汽车促销组合策略，需考虑汽车促销目标。因为促销目标是制定促销预算、选择促销方式及设计促销组合的重要前提。汽车促销目标必须有针对性，因此企业在制定一定时期的目标时，可以有多种选择。

（2）汽车"推动式"销售与"拉动式"销售 在汽车销售过程中，采用"推动式"销售还是"拉动式"销售，对汽车促销组合策略有较大的影响。"推动式"销售是一种传统式的销售方式，是指汽车企业将汽车产品推销给总经销商或批发商；而"拉动式"销售是以市场为导向的销售方式，是指汽车企业（或中间商）针对最终消费者，利用广告、公共关系等促销方式，激发消费需求，经过反复强烈的刺激，消费者将向中间商指名购买这一汽车产品，这样，中间商必然要向汽车企业要货，从而把汽车产品拉进汽车销售渠道。

（3）汽车市场性质 不同的汽车市场，由于其规模、类型、潜在消费者数量的不同，应该采用不同的促销组合策略。在规模大、地域广阔的汽车市场中，多以广告促销为主，辅之以公共关系宣传；反之，则宜以人员促销为主。在汽车消费者众多却又零星分散的汽车市场，应以广告促销为主，辅之以销售促进、公共关系宣传；在汽车用户少、购买量大的汽车市场，则宜以人员促销为主，辅之以销售促进、广告促销和公共关系促销。在潜在汽车消费者数量多的汽车市场，应采用广告促销，有利于开发需求；反之，则宜采用人员促销，有利于深入接触汽车消费者，促成交易。

（4）汽车产品档次 不同档次的汽车产品，应采取不同的促销组合策略。一般说来，广告促销一直是各种档次汽车进行市场营销的主要促销工具；而人员促销则是中、低档汽车的主要促销工具；销售促进则是高、中档汽车的主要促销工具。

（5）汽车产品生命周期 汽车产品生命周期阶段不同，促销目标也不同，因而要相应地选择、匹配不同的促销组合。在导入期，多数消费者对新产品不了解，促销目标是使消费者认知汽车产品，应主要采用广告宣传介绍汽车产品，选派促销人员深入特定消费群体详细介绍汽车产品，并采取展销等方法刺激消费者购买。在成长期，促销目标是吸引消费者购买，培养汽车品牌偏好，继续提高汽车市场占有率，仍然可以广告促销为主，但广告内容应突出宣传汽车品牌和汽车特色，同时不要忽略人员促销和销售促进，以强化产品的市场优势，提高市场占有率。在成熟期，促销目标是战胜竞争对手、巩固现有市场地位，须综合运用促销组合各要素，应以提示性广告促销和公共关系促销为主，并辅之以人员促销和销售促进，以提高汽车企业和汽车产品的声誉，巩固并不断拓展市场。在衰退期，应把促销规模降到最低限度，尽量节省促销费用，以保证维持一定的利润水平，可采用各种销售促进方式来优惠销售汽车存货，尽快处理库存。

2. 广告策略

广告在现代市场营销中占有重要地位，已经成为企业促销活动的先导。汽车广告是汽车企业用以对目标消费者和公众进行说服性传播的工具之一。汽车广告要体现汽车企业和汽车产品的形象，从而吸引、刺激、诱导消费者购买汽车产品。

（1）广告的概念与种类

1）广告的概念。"广告"一词源于拉丁语，本意为"诱导""注意"，后演化为广告活动（Advertising）和广告宣传（Advertisement），它不仅影响消费者的购买行为，也影响消费者的消费习惯和生活方式。

广告有广义和狭义之分，广义的广告不仅包括各种商业性广告，而且包括政府部门的通知、公告、声明等。狭义的广告则是指法人、公司和其他经济组织为推销商品、服务或观念，通过各种媒介和形式向公众发布的有关信息。

在市场营销活动中，汽车广告是指由特定的汽车广告主有偿使用一定的媒体，传播汽车产品和汽车劳务信息给目标消费者的促销行为。

汽车广告与其他商业广告一样，具有以下特征：

① 广告的主体是企业。广告是企业为了推销商品或者服务而向消费者传递信息的一种促销活动，因而它是一种企业行为。

② 广告是以非人员方式进行的。广告活动必须通过一定的媒介传播。它是以群体为对象进行的一系列信息沟通活动。

③ 广告的内容是商品或服务。企业通过广告活动唤起消费者对有关商品与服务的需求，从而诱导和促进他们产生购买动机，达到促销的目的。

④ 广告的目的是增加商品销售。企业将事先准备的所要传递的信息内容有目的地传达给信息接收者，达到修正消费者对企业、商品或服务等的态度和行为的目的。

⑤ 广告是一种由广告主付费的经济行为。任何形式的广告都需要支付一定的费用，包括广告制作费和刊播费等。免费广告仅仅是广告宣传的特殊形式。这是广告与其他宣传方式的根本区别。

2）广告的种类。按照广告的内容可分为以下三类：

① 产品广告。这是企业为了推销产品而做的广告，属于告知性的宣传方式。它的内容主要是介绍产品，不是直接宣传企业的形象，而是通过产品的宣传介绍间接地使人感知生产该产品的企业。从这个意义上说，做好产品广告，不但可以推销产品，而且可以帮助企业树立良好的形象。

② 企业广告。企业广告是直接为树立企业形象服务的，有关公共关系和公共利益的广告都属于这类。

③ 服务广告。服务广告是以各种服务为内容的广告，如产品维修、人员培训以及其他各种服务活动等。

按照广告的目标可分为以下三类：

① 开拓性广告。此类广告是一种以介绍、说服为目标的广告，其目的在于通过向消费者宣传新产品的质量、性能、花色品种、用途、价格以及服务等情况，加深消费者对这些产品的认识，诱导消费者产生初次需求，消除消费者对企业生产和销售的产品的顾虑，促使消费者建立起购买这些产品的信心，使产品迅速占领目标市场。

② 劝导性广告。劝导性广告着重宣传产品的用途，说明产品的特色，突出比其他品牌的同类产品的优越之处，努力介绍产品的品牌与商标，使消费者对某种品牌的产品产生偏好，以稳定产品的销售量。这类广告属于竞争性广告，其目的是促使消费者建立起特定的需求，对本企业的产品产生偏好。

③ 提醒性广告。提醒性广告着重宣传商品的市场定位,以引导消费者产生"回忆性"需求,是一种加强消费者对商品的认识和理解的强化性广告。企业某一品牌产品在市场衰退期退出市场之前使用此类广告,仍能唤起部分老顾客(客户)的需求。

(2) 汽车广告的作用　汽车广告是汽车企业用以对目标消费者和公众进行说服性传播的工具之一。汽车广告要体现汽车企业和汽车产品的形象,从而吸引、刺激、诱导消费者购买该品牌汽车。其具体作用在于:

1) 建立知名度。汽车广告通过各种媒介的组合,向汽车消费者传达新车上市的信息,吸引目标消费者的注意,可避免促销人员向潜在消费者描述新车所花费的大量时间,快速建立知名度,迅速占领市场。

2) 促进理解。新车具有新的特点,通过广告,可以向目标消费者有效地传递新车的外观、性能、使用等方面的信息,引发他们对新车的好感和信任,激发其进一步了解新车的兴趣。

3) 有效提醒。如果潜在消费者已了解了这款新的车型,但还未准备购买,广告能不断地提醒他们,刺激其购买欲望,这比人员促销要经济得多。

4) 提供保证。广告能提醒消费者如何使用、维修、保养汽车,为其提供保证。

5) 树立企业形象。对于汽车这样一种高档的耐用消费品,消费者在购买时,十分重视企业形象(包括信誉、名称、商标等),广告可以提高汽车生产企业的知名度和美誉度,扩大其市场占有率。

(3) 汽车广告策略　汽车广告策略是汽贸企业为实现汽车广告战略目标而采取的对策与方法,是保证实现汽车广告目标的一种谋略。汽车广告策略包括:

1) 汽车广告定位。一则汽车广告的好与坏、优与劣,要以表现的汽车广告定位为基准。广告宣传什么和向什么人宣传,是汽车广告决策的首要问题。汽贸企业在提供服务过程中,根据客观和现实的需要,必然为自己的服务所针对的目标市场进行定位,以确定企业的经营方向。但能否真正引起购买行为,首要应看汽车广告定位是否准确。否则,即使消费者有购车需求,由于汽车广告的定位不准,也会失去促销的作用。因此,企业在进行广告促销时,要注意自己品牌的与众不同,从而保证顾客的满意。

2) 汽车广告创意。汽车广告创意是指在整体广告策略指导下,围绕最重要的销售信息,凭借直觉和技能,利用所获得的各种相关信息,通过筛选、提炼、组合、转化并加以原创性表现的过程。它是汽车广告活动中的一个重要环节。进行广告促销不仅要明确"说什么",同时还需要知道"如何说",因此广告创意要经过一个策略发展的过程,准确定位是广告创意的开始。汽车广告创意要以广告的目标为基准,以广告主题为核心,要把汽车广告信息有效地发送出去,还要让信息的接收者乐于接收。只有这样,汽车广告才可能影响消费者的购买偏好。

3) 汽车广告文案。汽车广告的内容一般主要由文字和画面两部分组成,其中文字部分称为广告文案。汽车广告文案是指汽车广告策划者按照汽车广告的目标要求,用文字的形式将汽车广告的主题和创意表达出来。因此,在汽车广告策划中,汽车广告的文案创作也是十分必要的。好的文案一般具备真实性、独创性、整体性、艺术性、商业性的特点,这需要汽

第 7 章　汽车市场营销策略

车广告策划者用心付出才能获得。

（4）广告促销的设计　在企业促销活动中，应运用有效的广告策略来策划设计广告促销方案。在了解和分析市场、消费者、竞争者及宏观环境因素的基础上，广告促销方案的设计一般包括以下主要步骤：

1）选择广告目标。广告目标是指企业通过广告活动将要完成的特定任务或使命。其实质是要在特定的时间对特定的受众完成特定的信息沟通任务。现代营销理论界认为，企业做广告不仅要促进企业增加产品销量和企业利润，还要服务于企业的品牌资产增值。如只顾及眼前的销量增长，不能使品牌资产积蓄力量，便会抵消广告效果，使企业落入广告陷阱。因此，只有实现销量增长和品牌增值的广告，才是成功的广告，才能为企业的持续发展做出贡献。

2）核定广告预算。为了实现企业的销售目标，企业必须花费必要的广告费用，广告费用的开支是一个关键问题。如果开支过少，达不到广告效果；反之，会造成浪费，降低效益。为此，在广告预算设计中要充分认识广告支出与广告收益的关系。

企业在选择广告形式时，要考虑广告宣传所取得的经济效益是否大于广告费用的支出。电视是很好的广告媒体，它形象生动，信息传递范围大、速度快，但广告费用很高。因此，形象性不强、广告预算有限的产品没有必要选用电视广告。

企业在决策广告投入时，需考虑以下因素：

① 产品所处的生命周期阶段。对处于导入期的产品，需要较多的广告投入以提高消费者对产品的认知程度，建立品牌知名度。导入期主要投放信息型广告，用以介绍产品价格、功能、品牌、售后承诺等方面内容，灌输企业经营观念，以提高产品知名度和可信度，激发消费者的购买欲望。

对处于成长期的产品，由于已经建立了一定知名度和销售网络，广告活动频率可以适当降低，以节约广告费用。这时，广告的重点应转向"个性诉求"，引起目标消费者的观念认同，培植品牌忠诚度。

对处于成熟期特别是成熟期后期的产品，由于市场上大量出现竞争产品和替代产品，企业应增加广告投入，强化竞争优势，维持其市场地位。

对处于衰退期的产品，即使增加广告投入，市场销量也不会得到明显改善。此时，企业已有新产品开发出来，应将广告投入重点转向新产品的推介。

② 市场份额。一般而言，产品的市场份额大，广告投入应多；产品的市场份额小，广告投入可少一些。如果企业希望扩大市场份额，就必须增加广告投入。通常情况下，保持现在市场占有率的广告费用远远低于扩大市场占有率的广告费用。由于领导型品牌有较高的市场知名度和成熟的销售网络，其做广告的目的只是维持消费者的重复购买，无须大规模增加广告投入。处于挑战者地位的品牌，就需要较大规模的广告投入。

③ 竞争情况。竞争越激烈，越需要增加广告投入，目的是宣传本企业产品的特色和优点，使之在目标消费者心目中与竞争产品区别开来；反之，如果市场上同类竞争产品较少，广告投放则可相对少一些，只需要将产品信息告知消费者即可。

④ 企业成本核算。实力强大、资金雄厚的企业，其广告投入量可以适当增加。但盲目

增加广告投入并不一定能换取市场份额增长。实力雄厚的汽车企业，更应该将竞争策略转到新产品开发及提高产品质量和服务质量上来，汽车是功能性强的产品，片面依靠广告不能创造销售奇迹。

3）确定汽车广告信息。广告信息设计根据促销活动所确定的广告目标来设计广告的具体内容，产品设计要注重广告效果，只有高质量的广告，才能对促销起到宣传、激励的作用。高质量广告设计应遵循准确、简明、形象的原则，以达到汽车广告设计的标准，见表7-7。

表7-7 汽车广告设计的标准

名称	具体内容
真实性	真实体现广告的目的，真实传递企业的品牌和产品信息
独创性	目标准确、立意新颖、表现惊奇、方法独特
整体性	广告各部分要与广告主题保持整体设计上的一致
艺术性	语言生动、有感染力，能烘托气氛、调动情绪
商业性	围绕广告目的进行，达到宣传、促销和扩大品牌形象的目的

4）选择汽车广告媒体。汽车广告是一种传播信息的活动，在传播时，不同媒体的优缺点及对社会公众的影响力会对汽车广告效果产生很重要的影响。汽车广告媒体分析研究是指对各种大众传播进行分析，根据不同媒体的特点，选择相应的媒体或媒体组合策略，有效地传播特定的汽车广告内容，见表7-8。

表7-8 汽车广告媒体的选择

企业营销目标	汽车广告媒体选择技巧
扩大销售额	汽车企业扩大销售额的目标要求汽车广告能够促使购车者缩短购买决策过程，尽快地做出购买决策。为了达到这一目标，在媒体上较为理想的选择顺序应该是报纸、杂志、广播、电视、销售点、直邮等
增加市场占有率	增加市场占有率是指争取新的购车者，甚至把竞争者的潜在顾客吸引过来，以加强汽车企业自身的竞争地位。在增加市场占有率时，选择的媒体以报纸、杂志为最佳，其次是电视、广播与网络，再次是销售点、直邮及户外媒体
树立形象	树立形象的目的是使购车者对汽车企业或服务产生好感，提高汽车企业的知名度与美誉度。为了实现这些目标，在媒体选择上，报纸、户外交通和赛场等媒体较为适宜，同时，在电视、杂志、网络上进行汽车广告宣传也会产生良好的效果

通常，广告媒体可以分为电视、报纸、广播、户外广告及杂志、邮寄广告等几种类型。每种媒体都有其优点和局限性，企业在选择媒体类型时必须综合考虑多种因素。

5）汽车广告沟通效果测定。汽车广告沟通效果测定根据安排时间的不同，可以分为事前测定、事中测定和事后测定。相应地，运用的方法也可以分为三种类型。

① 事前测定。在汽车广告作品尚未正式刊播之前，邀请有关汽车广告专家和潜在购车者团体进行现场观摩，审查汽车广告作品存在的问题，以对汽车广告作品可能获得的成效进行评价。根据测定的结果，及时调整汽车广告促销策略，修正广告作品，突出汽车广告的诉

求点，提高汽车广告的成功率。事前测定常用的具体方法主要有以下几种：

专家意见综合法。该方法是指在汽车广告文案设计完成之后，邀请有关汽车广告专家、心理学家和营销专家进行评价，多方面、多层次地对汽车广告文案及媒体组合方式将会产生的效果做出预测，然后综合所有专家的意见，作为预测效果的基础。专家们通过独立思考，对汽车广告设计方案提出自己的见解。

直接测试法。该方法是指把供选择的汽车广告展现给一组购车者，并请他们对这些汽车广告进行评比打分。这种方法可用于评估潜在购车者对汽车广告的注意力、认知、情绪和行动等方面的强度。一则汽车广告如果得分较高，说明该汽车广告可能是有效的。广告重点投放与辅助性投放齐头并进，可使品牌广告宣传更加深入、受众覆盖面更加广泛。二者结合会对品牌的塑造、知名度的提高起到推波助澜的作用。

组群测试法。该方法是指让一组购车者观看或收听一组汽车广告，对时间不加限制，然后要求他们回忆所看到（或听到）的全部汽车广告内容，其间汽车广告策划者可给予适当帮助，他们回忆的水平表明汽车广告的突出性以及信息被了解的程度。

② 事中测定。汽车广告沟通效果的测定是在汽车广告已开始刊播后进行的。事中测定可以直接了解媒体受众在日常生活中对汽车广告的反应，得出的结论更加准确可靠。但这种测定一般很难推动进行中的汽车广告宣传目标与策略的修改，只能对具体方式、方法进行局部的调整和修补。

③ 事后测定。企业虽然不能直接对已经完成的汽车广告宣传进行修改和补充，却可以全面准确地对已经完成的汽车广告活动效果进行评估。因此，事后测定的结论，一方面可以用来衡量本次汽车广告促销活动的业绩；另一方面可以评价企业广告策划的得失，积累经验，总结教训。一般方法有：

销售实绩法，即以广告播出前后产品销量的变化情况判断广告的效果。

询问调查法，即在广告发布后，派人向消费者调查了解广告的接触率、理解度、记忆度等情况。

 阅读材料 7-10

以爱之名，共赴蓝山

"因无限热爱，聚志同道合"。近日，"魏牌全新蓝山百人交车仪式"正式启动招募。魏牌新能源以用户需求为航标、以热爱为动力，诚挚邀请全新蓝山大定用户共赴2024年8月29日的交车盛典，共同迎来梦寐以求的荣耀时刻，步入一场前所未有的美好之旅。

一、以用户为尊，打造最具仪式感的交车体验

作为长城首款 NOA 智能六座旗舰 SUV，自 2024 年 8 月 21 日上市以来，魏牌全新蓝山凭借"智"与"驾"兼得的正向豪华独特魅力，迅速成为市场关注的焦点，热度不断升温，以上市 24h 大定 8571 台的骄人成绩向全球用户展示了其硬核智驾实力和爆款潜质，同时引得广大下订用户翘首以盼，期望将这款梦想座驾早早迎入家门。

为给广大车主打造至高无上的交车体验，魏牌新能源开展了一系列精彩绝伦且别具一格的交车活动。不仅有家庭温馨时光愉悦互动，让车主领略全新蓝山所引领的家庭智享出行新潮流，更有神秘嘉宾亲临现场为车主荣耀加冕；同时，魏牌新能源的高层领导将与车主进行面对面的沟通交流，传递对每位用户的深切尊重与诚挚关怀。

"交车只是开始，热爱永无止境"。未来，魏牌新能源将在用户服务、产品创新、品牌营销等方面持续进化，为广大新能源用户带来更高端、豪华的智能出行体验。

二、与用户双向奔赴，智享美好

据悉，魏牌全新蓝山再度亮相第二十七届成都国际汽车展览会，以热爱之名诠释品牌精神，向全球用户展现我国豪华智能大六座SUV的引领与创新实力。

目前，我国消费者对车辆的智能化水平、豪华配置等方面均提出了更高要求，本次成都车展在各大车企间引发了最为猛烈的高端化、智能化技术比拼。

作为凝聚长城汽车最新、最先进的智能化技术的集大成之作，全新蓝山通过超级硬件配置、端到端大模型、超算中心三个层面的技术加持，打造行业顶尖的智能驾驶系统

Coffee Pilot Ultra。基于 Orin-X 的高算力平台，配置包括激光雷达在内的 27 个智慧传感器，采用视觉摄像头和激光雷达融合方案，具有同级别领先的感知能力。

同时，魏牌全新蓝山打造全新 Coffee OS 3 智慧空间，94ms 的车机反应速度、60 帧的屏幕刷新频率、436ms 的应用启动时间等达到了行业顶尖水平，在安兔兔车机性能榜上，连续两个月蝉联榜单的第一名。

在豪华配置上，魏牌全新蓝山配备 Coffee AI Sound 咖啡智能音响系统，23 个稀土强磁扬声器，采用 7.1.4 声场布局，峰值功率可达 2440W，带来超越音乐厅现场的影音沉浸效果；更有可在 -6~50℃ 超宽温度范围内精准控制的独立压缩机智能冷暖"真"冰箱，让豪华属性再进阶。

"热爱双向奔赴，智享美好时光"。相信凭借"智""驾"双优的硬核科技实力，魏牌全新蓝山将会为广大用户带来更加超越期待的智能化家享体验。

3. 人员促销策略

人员促销是一种起源最早、最常用、最富有技巧的促销方式，也是成本相对较高的营销沟通工具。汽车人员促销是指汽车企业的促销人员利用各种技巧和方法，帮助或劝说顾客购买该品牌汽车产品的促销活动。由于汽车具有技术含量高、价值较大等特点，人员促销在汽车销售中占有很重要的地位。

（1）人员促销的概念 人员促销是指企业推销人员或委托推销人员，直接向目标顾客推销产品和服务的一种促销活动。人员促销虽是一种传统的促销方式，但在现代市场营销中，这种促销方式仍然十分有效，特别在洽谈交易和成交手续磋商中，是其他促销方式所不能代替的。在人员促销活动中，促销人员、促销对象和促销产品是三个基本要素。其中前两者是促销的主体，后者是促销活动的客体。

（2）人员促销的特点

1）销售的针对性强，适应个性化需求。

2）双向信息反馈，可快速适应需求变化。

3）促销过程灵活性强，利于激发顾客购买动机。

4）人际间的沟通性强，利于买卖双方建立良好的关系。

5）成本高、效益差，适合高价、大件、批量的商品交易。

6）人员素质的限制性强，条件要求高。

(3) 人员促销的步骤　市场营销学中的"公式化推销"理论将推销过程分成以下七个不同的阶段：

1）寻找顾客。这是人员促销工作的第一步。

2）事前准备。销售人员必须掌握三方面的知识：①产品知识，即关于本企业、本企业产品的特点、用途和功能等方面的信息和知识。②顾客知识，即包括潜在顾客的个人情况、顾客购买产品的目的和用途等。③竞争者的知识，即竞争者的能力、地位和它们的产品特点。同时，还要准备好所推销产品的样品（或图片）、介绍说明材料，选定接近顾客的方式、访问时间、应变语言等。

3）接近。即开始登门访问，与潜在顾客开始面对面地交谈。

4）介绍。在介绍产品时，要注意说明该产品可能满足顾客哪方面的需求或带来的利益，要注意从顾客的发言中判断其真实意图。

5）克服障碍。推销过程中，顾客会提出各种不同的意见，销售人员应随时准备应对，处理各种意外的交易障碍。

6）达成交易。抓住成交机会，促成交易成功。此阶段要确定具体磋商交易条件，如成交价格、交货地点、结算方式、服务保障等。

7）售后追踪。如果销售人员希望顾客满意并重复购买，则必须坚持售后追踪。销售人员应认真执行交易合同中所保证的条件，如交货期、售后服务、安装服务等内容。

(4) 人员促销的形式、对象与策略

1）人员促销的形式有以下三种：

① 上门推销。上门推销是指由销售人员携带产品样品、说明书和订单等走访顾客，推销产品。这种推销形式可以针对顾客的需要提供有效的服务，方便顾客，故为顾客广泛认可和接受。它是最常见的人员促销形式，是一种积极主动的推销形式。

② 柜台推销。柜台推销是指企业在适当地点设置固定门市，由营业员接待进入门市的顾客，推销产品。门市的营业员是广义的推销员。柜台推销是等客上门式的推销方式，它与上门推销正好相反。由于门市里的产品种类齐全，能满足顾客多方面的购买要求，为顾客提供较多的购买方便，并且可以保证产品完好无损，故顾客比较乐于接受这种方式。

③ 会议推销。会议推销是指利用各种会议向与会人员宣传和介绍产品，开展推销活动，如在展览会、订货会、交易会、物资交流会等会议上推销产品。这种推销形式接触面广、推销集中，可以同时向多个推销对象推销产品，成交额较大，推销效果较好。

2）人员促销的对象有以下三类：

① 向消费者推销。销售人员向消费者推销产品，必须对消费者有所了解。为此，销售人员要掌握消费者的年龄、性别、民族、职业、宗教信仰等基本情况，进而了解消费者的购买欲望、购买能力、购买特点和习惯等，并且要注意消费者的心理反应。对不同的消费者，应采用不同的推销技巧。

② 向生产用户推销。将产品推销给生产用户的必备条件是熟悉生产用户的有关情况，包括生产用户的生产规模、人员构成、经营管理水平、产品设计与制作过程以及资金情况

第7章 汽车市场营销策略

等。在此前提下，销售人员还要善于准确而恰当地说明自己产品的优点；并能对生产用户使用该产品后所得到的效益做简要分析，以满足其需要；同时，销售人员还应帮助生产用户解决疑难问题，以取得用户信任。

③ 向中间商推销。与生产用户一样，中间商对所购商品具有丰富的专门知识，其购买行为属于理智型。这就需要推销人员具备相当的业务知识和较高的推销技巧。在向中间商推销产品时，首先要了解中间商的类型、业务特点、经营规模、经济实力以及它们在整个分销渠道中的地位；其次，应向中间商提供有关信息，给中间商提供帮助，建立良好的合作关系，扩大销售。

3）人员促销的策略。销售人员应根据不同的推销气氛，针对推销对象审时度势、巧妙而灵活地采用不同的方法和技巧，吸引用户，促使其做出购买决定，产生购买行为。

① 试探性策略，也称刺激-反应策略。它是指销售人员在不了解顾客需要的情况下运用刺激性手段引发顾客产生购买行为的策略。销售人员事先设计好能够引起顾客兴趣、刺激顾客购买欲望的销售语言，对其进行试探和渗透性交谈，同时密切注意对方的反应，了解顾客的真正需求，然后根据其反应进行进一步的说明或宣传，引导其产生购买行为。

② 针对性策略，也称配合-成交策略。它是指销售人员事先基本了解顾客在某些方面的需要，然后有针对性地进行宣传讲解，引起顾客的兴趣和好感，从而促成交易的策略。运用这种策略的销售人员常常在事前已根据顾客的有关情况设计好推销语言，有利于在促销过程中把握气氛，掌握主动权。

③ 诱导性策略，也称诱发-满足策略。它是指销售人员首先设法诱发顾客的购买需求，再说明所推销的这种产品能较好地满足这种需求，引导顾客产生购买行为的策略。这是种创造性推销，这种策略要求销售人员有较高的推销技术，在"不知不觉"中实现成交。

（5）人员促销的销售技巧　销售人员在运用促销策略时，还应掌握以下一些销售技巧：

1）上门推销技巧：

① 找好上门对象。可以通过商业性资料手册或公共广告媒体寻找重要线索，也可以到商场、门市部等商业网点寻找顾客名称、地址、电话。

② 做好上门推销前的准备工作。要对企业的发展状况和产品、服务的内容材料十分熟悉并充分了解、牢记，以便推销时有问必答；同时对顾客的基本情况和要求应有一定的了解。

③ 掌握"开门"的方法。即选好上门时间，以免被拒绝，可以采用电话、传真、电子邮件等手段事先交谈或传送文字资料给对方并预约面谈的时间、地点。也可以采用请熟人引见、名片开道、与对方有关人员交朋友等策略，赢得顾客的欢迎。

④ 把握适当的成交时机。应善于体察顾客的情绪，在给顾客留下好感和信任时，抓住时机发起"进攻"，争取签约成交。

2）洽谈艺术：首先应给顾客一个良好的印象，注意自己的仪表和服饰打扮，言行举止要文明、懂礼貌、有修养，做到稳重而不呆板、活泼而不轻浮、谦逊而不自卑、直率而不鲁莽、敏捷而不冒失。在开始洽谈阶段，销售人员可采取关心、赞誉、请教、炫耀、探讨等方式，巧妙地把谈话转入正题，做到自然、轻松、适时。在洽谈过程中，销售人员应谦虚谨言，注意让顾客多说话，认真倾听，表示关注与兴趣，并做出积极的反应。遇到障碍时，要细心分析，耐心说服排除疑虑，争取推销成功。洽谈成功后，销售人员切忌匆忙离去，应该用友好的态度和巧妙的方法祝贺顾客，并指导对方做好合约中的重要细节和其他一些注意事项。

3）排除推销障碍的技巧：

① 排除顾客异议障碍。若发现顾客欲言又止，自己应主动少说话，直截了当地请对方充分发表意见，以自由问答的方式真诚地与顾客交换意见。对于一时难以纠正的偏见，可将话题转移。对恶意的反对意见，可以"装聋作哑"。

② 排除价格障碍。当顾客认为价格偏高时，应充分介绍和展示产品、服务的特色和价值，使顾客感到"一分钱一分货"；当顾客对低价有看法时，应介绍定价低的原因，让顾客感到物美价廉。

③ 排除习惯势力障碍。实事求是地介绍顾客不熟悉的产品或服务，并将其与他们已熟悉的产品或服务相比较，让顾客乐于接受新的消费观念。

（6）**销售人员的素质** 销售人员是实现企业与顾客双向沟通的桥梁和媒介之一，销售人员在企业的营销活动，特别是人员促销活动中的地位和作用是不容忽视的，它是企业生存和发展的支柱。越是在竞争激烈、复杂的市场上，企业越需要应变能力强、创造力强的开拓型销售人员。

1）销售人员的角色：

① 企业形象代表。销售人员是企业派往目标市场的形象代表，他们主动热情的工作、积极的态度，乃至一言一行都代表了企业形象。他们是企业文化和经营理念的传播者。

② 热心服务者。销售人员是目标顾客的服务人员，帮助顾客排忧解难，解答疑问，提供产品使用指导，其凭借服务质量和热情赢得顾客的信任和偏爱。

③ 信息情报员。销售人员广泛接触社会各个方面，他们不仅收集目标顾客的需求信息，还能收集竞争者信息、宏观经济方面信息和科技发展状况信息，使营销决策者能迅速把握外部环境的动态，及时做出反应。所以，销售人员是企业信息情报的重要反馈渠道，扮演着信息情报员的角色。

④ 客户经理。在企业营销战略和政策指导下，当销售人员对一群顾客做营销沟通工作时可行使一定的决策权，如交易条款的磋商、交货地点的确认等，此时他们所担任的就是"客户经理"角色。

2）销售人员的任务：

① 顺利销售产品。销售人员应扩大产品的市场占有率，提高产品知名度。他们不仅要说服顾客购买产品，维护与老顾客的关系，还要善于培养和挖掘新顾客，并根据顾客的不同需求，实施不同的推销策略，不断扩大市场领域，促进企业生产的发展。

② 沟通信息。顾客可通过销售人员了解公司的经营状况、经营目标、产品性能、用途、特点、使用、维修、价格等诸方面信息，刺激顾客完成从需求到购买的行动。同时，推销人员还肩负着搜集和反馈市场信息的任务，应及时了解顾客需求、需求特点和变化趋势，了解竞争对手的经营情况，了解顾客的购后感觉、意见和看法等，为公司制定有关政策、策略提

供依据。

③ 推销产品。销售人员应满足顾客需要，实现产品价值转移。销售人员在向顾客推销产品时，必须明确推销的不是产品本身，而是隐藏在产品背后的对顾客的一种建议，即告诉顾客，通过购买产品，他能得到某些方面的满足。同时，要掌握顾客心理，善于应用推销技巧，对不同顾客使用不同的策略。

④ 良好的服务是推销成功的保证。销售人员在推销过程中，应积极向顾客提供多种服务，如业务咨询、技术咨询、信息咨询等。推销中的良好服务能够增强顾客对企业及其产品的好感和信赖。

3）销售人员的素质：优秀的销售人员应具备良好的职业道德品质、良好的个人修养、宽领域的知识结构与全面的销售能力。

① 职业道德品质。销售人员应能够正确处理与企业的关系。销售人员是企业的代表，负有为企业推销产品的职责，要具有强烈的事业心和高度的责任感，热爱本职工作，忠于自己所服务的企业，时时处处维护企业的利益，不损公肥私，当个人利益与企业利益发生冲突时，应首先自觉服从企业利益。

销售人员应能够正确处理与促销对象的关系。销售人员是顾客的顾问，有为顾客购买活动当好参谋的义务，应该确立"以顾客为中心"的观念，力求把促销对象的利益和企业的利益协调起来，既要维护企业的利益，又要不损害顾客的利益，不可为了企业的利益花言巧语、强行推销，甚至坑骗顾客。

销售人员应能够正确处理与竞争对手的关系。在激烈的市场竞争中，销售人员应严守商业道德，不可为了抬高自己而故意贬低别人，应努力创造良好的竞争环境与信用环境，为行业的共同发展做出应有的贡献。

② 良好的个人修养。销售人员应该注意培养自己仪表端庄、举止文雅、作风正派、谦虚礼貌、平易近人等良好的气质，给顾客一种亲切、可信的直观感觉，以赢得他们的信任，为销售工作的顺利开展奠定基础。

③ 宽领域的知识结构。销售人员既是产品的销售员、市场调查员和信息收集员，又是售前、售中、售后服务员，还是顾客参谋员和新观念的宣传员。因此，为了适应科学技术的迅速发展和商品结构、品种日益复杂的要求，销售人员应构建由宏观经济知识、企业知识、产品知识、用户知识和法律知识等构成的知识结构，满足销售工作的需要。

④ 全面的销售能力。销售人员要想成功地开拓市场，需具备市场开拓能力、成功谈判能力、吃苦耐劳精神、敏锐的洞察力、业务组织能力、业务控制能力、应变创新能力。

4. 公共关系促销策略

对企业来说，其业务活动和营销活动都必须与有关的公众打交道，发生各种社会关系、物质关系、经济关系和利益关系。企业外部公众包括原材料供应商、产品经销商、代理商、顾客、政府管理部门、各种团体等，企业内部公众包括合伙人、企业、股东、董事、职工等，因而存在错综复杂的公共关系。

(1) 公共关系的概念 公共关系（Public Relations，PR）简称公关，是指通过传播组织机构信息、协调组织内部与外部等各种关系、管理组织形象等方式，促进公众对组织的认识、理解及支持，达到树立良好组织形象及与公众保持良好关系的活动。在市场营销学体系中，公共关系是企业机构唯一一项用来建立公众信任度的工具。

公共关系促销并不是指推销某个具体的产品，而是指利用公共关系，把企业的经营目标、经营理念、政策措施等传递给社会公众，使公众对企业有充分了解；对内协调各部门的关系，对外密切企业与公众的关系，扩大企业的知名度、信誉度、美誉度，为企业营造一个和谐、亲善、友好的营销环境，从而间接地促进产品销售。

（2）公共关系的构成要素

1）社会组织。社会组织是公共关系的主体，在市场营销中主要是指企业。公共关系活动的主体是公共关系的实施者、承担者。我们在理解公共关系时，要特别注意这一点，不要把一些个人的行为也说成是公共关系。例如，某公司总裁以个人名义向野生动物保护基金会捐款，这是个人行为，而不是公共关系；但当他以公司的名义捐这笔款时，便可把这种行为理解为一种旨在提高组织（公司）的知名度和美誉度、扩大组织影响的公共关系行为。

2）公众。公众是公共关系的客体，企业要公关的对象是与企业有关的内部公众和外部公众。公共关系是组织主动地去与公众建立和维护良好关系的过程。公众随时都可以表达自己的意志和要求，主动地对公关主体的政策和行为做出积极反应，从而对公关主体形成舆论压力和外部动力。组织在计划和实施自己的公关工作时，必须认清自己的公众对象，分析研究自己的公众对象，并根据公众对象的特点及变化趋势去制定和调整公关政策和行动。

3）传播。公共关系的实现体制就是传播，也是公共关系主体与客体之间的沟通渠道与中介。传播的目的是通过双向的交流和沟通，促进公共关系的主体和客体（组织和公众）之间的了解、共识、好感和合作。传播是组织和公众之间建立关系的一种手段，传播媒介则是实现这种手段的工具。只有这两者有机结合，共同作用，才能产生整体大于部分之和的协同效应，才能使组织的公共关系活动得以顺利开展，使组织传播得以在公众面前建立和维持良好的公共关系形象。

（3）公共关系促销的作用 公共关系促销的主要内容是树立以公众为对象、以企业形象为目标、以互惠为原则、以传播为手段、以真诚为信条、以长远为方针的思想，促进社会主义和谐社会的建设。其作用主要表现在以下几个方面：

1）对企业的作用。

① 收集信息，检测环境。信息是企业生存与发展必不可少的资源，通过公关可以获取大量信息，这是企业了解自己与环境及其关系最有效的手段。企业的环境信息主要包括公众需求信息、公众对产品形象评价的信息、公众对组织形象评价的信息及其他社会信息，这些信息起到了组织"环境监测器"的作用。

② 舆论宣传，营造气氛。公共活动可以将企业的有关信息及时、准确、有效地传送给特定的公众对象，为企业树立良好形象，创造良好的舆论气氛。企业要想发展壮大，一方面要保证产品或劳务的质量，另一方面也要搞好宣传工作，提高企业的知名度和美誉度。通过公关活动，企业能持续不断、潜移默化地完善舆论气氛，引导公众舆论朝着有利于企业的方向发展，适当地控制和纠正对企业不利的公众舆论。

③ 协调关系，增进合作。公共关系是"内求团结、外求发展"的一门艺术。通过协调，

企业中所有部门的活动可同步化；企业内部成员之间的关系可和谐化，增强凝聚力；企业与外界环境相适应，加强企业与当地政府、经销商、社会、消费者的联系，增进合作。

④ 咨询建议，参与决策。通过公关活动收集到的信息都是来自社会各方面的与企业有关的真实信息，可以考察企业的决策和行为对公众产生的效应及影响程度，预测企业决策和行为与公众可能意向之间的吻合程度，并及时、准确地向企业决策者进行咨询，提出合理而可行的建议。公共关系作为决策参谋能帮助决策者评价各方案的社会效果，提高决策方案的社会适应能力和应变能力。

⑤ 危机管理，处理突发事件。所谓突发事件，即企业所处的未知环境在短时间内发生企业运营、发展过程中的管理人员未曾预料到的事件。由于这类事件具有突然性、变化快、影响大、处理难度大、余波长等特点，因此组织的管理者时刻都要有危机管理意识。公共关系在危机管理中的作用体现在：事先预报，避免发生；提前准备，减少损失；紧急关头，稳定人心；做好善后，挽回损失。

2）对社会的作用。公共关系在对社会组织起作用的同时，也促使了社会环境的优化，促进了社会的和谐。其作用主要表现在以下几个方面：

① 促使社会互动环境优化。公共关系涉及群体与群体、群体与个人以及社会人际间的互动，它通过沟通社会信息、协调社会行为、净化社会风气来实现对社会互动环境的优化。

② 促使社会心理环境优化。公共关系提倡人们通过交往摆脱孤独和隔阂、恐惧和忧虑，从而促使社会心理环境优化。

③ 促使社会经济环境优化。公共关系倡导公平竞争，使营利性组织争取最好的经济效益，从而带动整个社会经济繁荣。

④ 促使社会政治环境优化。通过建立民主政治，树立"民本位"思想，增强社会管理人员的公仆意识和人民群众的主人翁意识，满足人民群众参与社会公共事务决策和管理的愿望。

3）对个人的作用。公共关系对个人的作用主要表现在以下几个方面：

① 促使个人观念的更新。公共关系是塑造组织形象的艺术，组织的形象与个人的形象是分不开的。它灌输给每个人有关形象的意识，在注重组织形象的同时必须注重个人的形象；公关强调"顾客第一""公众至上"，以尊重公众的意愿、满足公众的需求为己任，培养人们强烈尊重他人的意识；公关工作广结人缘，沟通信息，带给人们一种现代交际观念；公关谋求组织与公众之间的合作，表现出强烈的合作意识，并把这种合作意识灌输给每一个人。

② 促使个人能力的提高。为了树立组织的形象，公关部常以独特新颖、出奇制胜的专题活动吸引公众，这种创造性的活动需要富有创造能力的人来胜任，在工作中培养人的创造能力；公关活动常要和各种人、各种矛盾冲突打交道，要处理各种突发事件，要适应不断变化的公众和环境，因而促使个人交际能力、自我调节能力、应变能力的提高。

(4) 公共关系促销的方式与原则

1）公共关系促销的方式：

① 内部刊物。这是企业内部公关的主要内容，是企业各种信息的载体，是管理者和员

工的舆论阵地，是沟通信息、凝聚人心的重要工具。

② 发布新闻。由公关人员将企业的重大活动、重要政策以及各种新奇、创新的思路编写成新闻稿，借助媒体或其他宣传手段传播出去，帮助企业树立形象。

③ 举办记者招待会。邀请新闻记者，发布企业信息。通过记者传播企业重要的政策和产品信息，传播广，信誉好，可引起公众的注意。

④ 设计公众活动。通过各类捐助、赞助活动，努力展示企业关爱社会的责任感，树立企业美好的形象。

⑤ 企业庆典活动。营造热烈、祥和的气氛，显示企业蒸蒸日上的风貌，以树立公众对企业的信心和偏爱。

⑥ 制造新闻事件。制造新闻事件能产生轰动效应，常常引起社会公众的强烈反响，如海尔张瑞敏刚入主海尔时的"砸冰箱"事件，至今人们谈及还记忆犹新。

⑦ 散发宣传材料。依靠各种传播材料接近和影响其目标市场，公关部门要为企业设计精美的宣传册或画片、资料等，将这些资料在适当的时机向相关公众发放，可以增进公众对企业的认知和了解，从而扩大企业的影响。

2) 公共关系促销的原则：

① 真实性原则。要以诚取信，企业只有诚实才能获得公众信任，在公众心目中树立良好的形象。企业以欺骗的方法吹嘘自己，必然会失去公众的信任。

② 平等互利原则。要将公众利益与企业利益相协调，企业的生存发展离不开社会的支持。因此，企业要为社会公众提供优质产品，进行公关活动时必须将公众利益与企业利益结合起来。

③ 整体一致性原则。从战略角度长远考虑，汽车企业在追求自身利益的同时，更要注重社会的整体利益，使企业的利益与社会的利益达到一致。在自身利益和社会整体利益发生冲突时，首先考虑社会整体利益，这样企业才能在社会公众中确立长期、稳定的良好形象，最终促进企业自身获得更大的经济效益。

④ 全员公关原则。企业内部要统一认识，全员参与，企业的发展与壮大是全体员工智慧的体现和努力的结果，全体员工应上下统一认识，树立公关意识，将企业的良好风貌充分展现给公众。

名人故事 7-2

魏建军，1964年出生，河北保定人，中共党员，民营企业家，1999年毕业于中共河北省委党校企业管理专业，现任长城汽车股份有限公司董事长、执行董事，是河北省第九届、第十届人大代表及中共十八大党代表。

1984年，高中毕业后的魏建军进入保定市长城工业公司，开始从事汽车改装业务。在考察市场时，魏建军注意到已经停产的长城工业公司惠州分公司（其前身是1970年成立的惠州机械厂）。拥有5000m^2的车间和较为完善的配套设施，且所在地惠州当时已形成一定规模的汽车产业集群。基于此，魏建军于1986年正式向总公司提交承包方案，建议利用惠州基地发展汽车改装业务。经过三年多的政企协商与资产盘活谈判，于1989年12月，魏建军以"承包经营、自负盈亏"模式接手了长城工业公司惠州分部的轿车改装项目，从而正式迈入整车制造领域。

1995年，魏建军在考察中发现皮卡具有较大的市场潜力。1996年3月，长城下线第一辆长城皮卡迪尔，并以低价策略获得成功。2001年，魏建军开始关注SUV市场。2003年，长城汽车在香港主板上市，成为第一家在港上市的内地民营汽车企业。2018年，WEY品牌销量突破20万辆，成为我国第一个拥有20万用户的豪华SUV品牌。2019年，中俄两国元首在莫斯科克里姆林宫接见长城汽车董事长魏建军，并见证长城汽车和图拉州签署工厂第二阶段投资意向协议。2024年4月，长城汽车进行新款蓝山智能驾驶的"全场景NOA"的直播。

如今的长城汽车已经成为我国汽车行业的领军企业之一。长城汽车除了在国内市场取得成功，还积极拓展海外市场并取得不错的成绩。而作为创始人的魏建军也因此成了我国汽车行业的代表性人物之一。他领导下的长城汽车在品质和品牌建设方面获得了广泛的认可和赞誉。

魏建军简介

5. 销售促进策略

现代汽车营销要求开发优良的汽车产品并给予有吸引力的汽车定价，以便让目标消费者接受。除此之外，还要求汽车经销商与现有的及潜在的消费者之间、汽车厂商和公众之间都能加强沟通，从而激发消费者的购买欲望，实现汽车产品销售的快速增长。因此，汽车销售促进策略已成为汽车企业整个营销策略中很重要的一环。

（1）销售促进的概念 销售促进又名营业推广，是一种适宜短期推销的促销方法，是企业为鼓励购买、销售商品和劳务而采取的除广告促销、人员促销和公共关系促销的所有企业营销活动的总称。

（2）销售促进的特点

1）营业推广促销效果显著。在开展营业推广活动中，可选用的方式多种多样。一般说来，只要能选择合理的营业推广方式，就会很快地收到明显的增销效果，而不像广告促销和公共关系促销那样需要一个较长的时期才能见效。因此，营业推广适合在一定时期、一定任务的短期性的促销活动中使用。

2）营业推广是一种辅助性促销方式。广告促销、人员促销和公共关系促销都是常规性的促销方式，而多数营业推广方式则是非正规性和非经常性的，只能是它们的补充方式。也就是说，使用营业推广方式开展促销活动，虽能在短期内取得明显的效果，但它一般不能单独使用，常常配合其他促销方式使用。营业推广方式的运用能使与其配合的促销方式更好地发挥作用。

3）营业推广使用不当会有风险。采用营业推广方式促销，似乎迫使消费者产生"机会难得、时不再来"之感，进而能打破消费者需求动机的衰变和购买行为的惯性。不过，营业推广的一些做法常使消费者认为卖家有急于抛售的意图。若频繁使用或使用不当,往往会引起消费者对产品质量、价格产生怀疑。因此,企业在开展营业推广活动时,要注意选择恰当的方式和时机。

(3) 营业推广的不足

1) 影响面较小。它只是广告促销和人员促销的一种辅助的促销方式。

2) 刺激强烈,但时效较短。它是企业为制造声势,获取快速反应的一种短暂促销方式。

3) 消费者容易产生疑虑。过分渲染或长期频繁使用,容易使消费者对卖家产生疑虑,反而对产品或价格的真实性产生怀疑。

(4) 营业推广的作用

1) 可以吸引消费者购买。这是营业推广的首要目的,尤其是在推出新产品或吸引潜在消费者方面,由于营业推广的刺激比较强,较易吸引消费者的注意力,使消费者在了解产品的基础上采取购买行为,也可能使消费者为追求某些方面的优惠而使用产品。

2) 可以奖励品牌忠实者。因为营业推广的很多手段,如销售奖励、赠券等通常都附带着价格上的让步,其直接受惠者大多是经常使用本品牌产品的消费者,从而使他们更乐于购买和使用本企业产品,以巩固企业的市场占有率。

3) 可以实现企业营销目标。这是企业的最终目的。营业推广实际上是企业让利于消费者,它可以使广告宣传的效果得到有力的增强,破坏消费者对其他企业产品的品牌忠实度,从而达到销售本企业产品的目的。

(5) 销售促进的方式

1) 面向消费者的营业推广方式如下:

① 赠送促销。向消费者赠送样品或试用品。赠送样品是介绍新产品最有效的方法,缺点是费用高。样品可以选择在商店或闹市区散发,或在其他产品中附送,也可以在公开广告中赠送,或入户派送。

② 发送折价券。在购买某种商品时,持券可以免付一定金额的钱。折价券可以通过广告或直邮的方式发送。

③ 包装促销。以较优惠的价格提供组合包装和搭配包装的产品。

④ 抽奖促销。消费者购买一定的产品之后可获得抽奖券,凭券进行抽奖获得奖品或奖金,抽奖可以有各种形式。

⑤ 现场演示。企业派促销员在销售现场演示本企业的产品,向消费者介绍产品的特点、用途和使用方法等。

⑥ 联合推广。企业与零售商联合促销,将一些能显示企业优势和特征的产品在商场集中陈列,边展销边销售。

⑦ 参与促销。使消费者参与各种促销活动,如技能竞赛、知识比赛等活动,能获取企业的奖励。

⑧ 会议促销。通过各类展销会、博览会、业务洽谈会期间的各种现场产品介绍、推广和销售活动进行促销。

2) 面向中间商的营业推广方式如下:

第7章 汽车市场营销策略

① 批发回扣。企业为让批发商、零售商多购进自己的产品，在某时期内给经销本企业产品的批发商、零售商加大回扣比例。

② 推广津贴。企业为促使中间商购进企业产品并帮助企业推销产品，可以支付给中间商一定的推广津贴。

③ 销售竞赛。根据各个中间商销售本企业产品的实绩，分别给优胜者以不同的奖励，如现金奖、实物奖、免费旅游、度假奖等，以起到激励的作用。

④ 扶持零售商。生产商对零售商专柜的装潢予以资助，提供POP广告，以强化零售网络，促使销售额增加；可派遣厂方信息员作为代培销售人员。生产商这样做的目的是提高中间商推销本企业产品的积极性和能力。

3）面对内部员工的营业推广方式。主要针对企业内部的销售人员，鼓励他们热情推销产品或处理某些老产品，或促使他们积极开拓新市场。一般可采用的方法有：销售竞赛、免费提供人员培训、技术指导等。

（6）销售促进设计

1）确定推广目标。营业推广目标的确定应当明确推广的对象是谁，要达到的目的是什么。只有知道推广的对象是谁，才能有针对性地制订具体的推广方案。例如，是以培育忠诚度为目的，还是以鼓励大批量购买为目的？

2）选择推广工具。营业推广的方式方法有很多，但如果使用不当会适得其反。因此，选择合适的推广工具是取得营业推广效果的关键因素。企业一般要根据目标对象的接受习惯和产品特点及目标市场状况等来综合分析选择推广工具。

3）推广的配合安排。营业推广要与营销沟通的其他方式，如广告促销、人员促销等整合起来，相互配合，共同使用，从而形成营销推广期间的更大声势，取得单项推广活动达不到的效果。

4）确定推广时机。营业推广市场时机的选择很重要，如季节性产品、节日产品、礼仪产品必须在季节前、节前做营业推广，否则就会错过最佳时机。

5）确定推广期限。推广期限是指营业推广活动持续时间的长短。推广期限要恰当，如过长，消费者的新鲜感会丧失，产生不信任感；如过短，一些消费者可能会来不及享受营业推广的实惠。

本 章 小 结

本章主要讲述了汽车产品策略、汽车定价策略、汽车分销渠道策略以及汽车促销策略。汽车产品策略主要对产品的整体概念、汽车产品组合概念及策略、汽车产品生命周期及营销策略和汽车新产品开发策略进行了阐述，需掌握产品组合以及产品生命周期的营销策略；汽车定价策略主要对汽车价格的概念、影响汽车价格的因素、汽车的定价方法和汽车定价策略进行了阐述，需掌握汽车定价的方法和定价的策略；汽车分销渠道策略主要阐述汽车分销渠道的构建以及汽车分销渠道的设计和管理；汽车促销策略主要对汽车产品促销的策略及方式进行了阐述，需掌握汽车产品促销的策略及方式。

习 题

1. 概念理解

(1) 产品整体概念

(2) 汽车产品组合概念

(3) 汽车产品生命周期

(4) 分销渠道

(5) 汽车促销

2. 思考与讨论

(1) 汽车产品向上延伸的风险是什么,如何避免?

(2) 如何运用产品整体概念的理论,设计除实体产品外的服务性产品?

(3) 当企业定价目标为追求最大利润时,应采取哪种定价策略?

【案例分析】

奇瑞·"村超"公益战略合作项目

一、方案背景

"用户在哪里,奇瑞便在哪里"。奇瑞一直以真诚和厚道对待用户,真正做到了"以用户为中心"。

贵州"村超"因为展现了球员对足球纯粹的热爱和真诚朴实的态度,成为现象级的民间赛事,火遍全国。而奇瑞凭借对造车的纯粹热爱与务实厚道的品牌特点,在追求极致的造车路上坚定前行,收获了全球1400万用户的支持与信赖。两者在气质上不谋而合。

此次奇瑞与榕江县人民政府、贵州"村超"签订战略(公益)合作,成为首家与贵州"村超"签署战略(公益)合作的汽车企业,是双方对共同热爱的公益事业的延续。

二、创意策略

1. 传播主题:在一起"超"热爱

奇瑞与榕江县人民政府、贵州"村超"将以"共聚榕江,挥洒热爱"的情感基石为链接纽带,以"在一起,超热爱"为活动主题,在"村超"公益友谊赛、公益展厅、直播间助农带货、青少年足球公益训练营及留守儿童公益助学等多方面展开积极合作,重塑快乐、健康、交流的体育文化,助力贵州"村超"打造"超好住,超好行,超好游"的"超"经济,让中国足球与中国产品走出国门、走向世界。

2. 传播策略

1) 内容深挖,话题破圈——以真诚务实的活动,打造正能量话题,传播时代情绪。

2) 多维联动,全民互动——携手明星、政府部门、"村超"组织及全民,共同实现足球梦。

3) 公益行动,价值升华——培育青少年足球种子,助力足球少年奔赴梦想。

三、详细内容

1. 内容深挖,话题破圈

活跃在社会公益前沿的奇瑞始终牢记其肩负的社会责任。以足球为桥梁，基于对公益事业的共同热爱与追求，奇瑞与"村超"携手并进，不断深化双方的合作内涵。此举不仅赢得了广大民众的喜爱与赞誉，还围绕奇瑞与"村超"的合作，成功突破了原有的圈子界限，引发了社会各界的广泛关注与热烈讨论。奇瑞与"村超"的携手不仅展现了企业对社会责任的担当，还传递了积极向上的正能量，激励着更多人投身于公益事业。

2. 多维联动，全民卷入

（1）"村超"举办慈善球赛　隆重举办"奇瑞汽车走进榕江——奇心协力杯"公益慈善足球赛，标志着奇瑞与"村超"战略携手后的首个璀璨篇章盛大开启。

通过巧妙融合"村超"IP的广泛影响力与奇瑞汽车"真诚厚道"的品牌精髓，此次足球赛旨在将奇瑞的品牌形象提升至新的高度，让"真诚厚道"这一核心价值观深入人心。同时，这也是一次对奇瑞公益理念的深刻诠释与升华，展现了企业在追求商业成功的同时，不忘回馈社会、积极履行社会责任的崇高情怀。

此赛事不仅是一场体育竞技的盛宴，更是奇瑞品牌口碑的强力赋能。它将以独特的公益视角和足球运动的魅力吸引社会各界的广泛关注与参与，进一步巩固和扩大奇瑞品牌的市场影响力与美誉度。

（2）"宠你专车"活动　作为榕江县政府、贵州"村超"的战略（公益）合作伙伴，奇瑞特别组织"村超"明星化身"宠你专车"的志愿者，与风云A8及全新一代瑞虎7一起奔赴榕江，为观赛人员提供公益爱心接送和多项便民服务，与全国观众共享最真实的人间烟火气。

每台"宠你专车"配有一名主播、一名驾驶员以及一台内挂手机支架，用于记录每个温馨瞬间。驾驶员身着醒目的球衣，主播则身着绚丽的民族服装，彰显出别样的风采。

这项公益活动成功服务了超过20000名游客，让他们在观看"村超"比赛的同时深深感受到了来自奇瑞的人文关怀和温暖。

（3）公益行动，价值升华　对于奇瑞而言，它的定位从来不仅是一家汽车研发和制造企业，奇瑞始终把承担社会责任和企业健康发展放在同等重要的地位。在自身发展壮大的同时，奇瑞怀抱着高度的责任感和勇于担当的信念积极投身国内社会公益活动。

始终致力于青少年公益事业的奇瑞此次还特别为榕江小朋友们开启"小梦想　大未来"

奇心协力圆梦计划，集结媒体、用户等更多社会力量构筑范围更广的公益网络，为更多山区孩子播下希望的种子。

本次公益计划助力"村超"支援者组织及服务能力提升，为广大爱好者打造更好的"村超"体验；助力贵州榕江发展、培育当地人才，提振地方经济；总结"村超"经验，赋能国家乡村振兴；助力榕江乃至贵州的青少年足球爱好者，为"村超"培育足球土壤。

可以看到，奇瑞在用真诚的态度对话用户的同时，一直秉承公益初心，用"大爱"温暖世界各地需要被帮助的群体，以实际行动创造价值、回馈社会。正是这份无私的奉献精神促使奇瑞和"村超"得以拓展合作深度，携手走得更远。

市场的商业模式在不断转变，在以利益为主流的"名利场"之下，奉献与爱正在被边缘化，而始终把对社会的爱与责任挂在心上的奇瑞，无疑是商业市场上难能可贵的清流。

四、推广效果

截止2024年8月，奇瑞与贵州"村超"联合开展的系列活动累计曝光超过21亿次。其中"村超"公益慈善赛及公益行活动全网曝光超过8亿次，媒体主动报道占位超过40次，微博热搜1个。活动带来的流量与"村超"超级星期六流量相当，占"村超"同期公益流量的50%，带动"村超"流量提升4.2倍，带动"村超"公益声量提升31倍，持续夯实了奇瑞"真诚""厚道"的企业形象，提升了品牌势能。

思 考 题

请结合案例谈谈如何在我国汽车市场上开展创新营销？

第 8 章 / Chapter 8
汽车品牌与服务营销

【教学要点】

知识要点	掌握程度	相关知识
品牌营销	理解品牌的概念 掌握品牌营销策略 了解我国自主品牌的发展历程及现状	品牌内涵 品牌营销策略
汽车服务营销	理解汽车服务营销的概念 掌握汽车服务营销策略	服务营销理念 服务营销策略
汽车情感营销	理解汽车情感营销的概念 掌握汽车情感营销	情感设计 情感销售 情感服务

导入案例

宝马 MINI 品牌营销

宝马 MINI 复古小巧的车身、颜色多变的造型一度曾是赛车圈和时尚圈的宠儿。如今宝马 MINI 以其年轻化、城市化、多姿多彩和与众不同，成了城市生活的创新者。拍纪录片、开酒店、办杂志……看似与汽车品牌毫不相关的营销活动，为何成了 MINI 备受青睐的理由？品牌营销方式如何让 MINI 从汽车拓展成了一种生活方式？

当第一辆超级紧凑的 MINI 从宝马公司的生产线上开下来时，就像是一颗被扔向汽车市场的炸弹，惊叹伴随着议论纷至沓来。在第二次石油危机背景下诞生的 MINI 进入市场初期被定位为经济实用的国民车，目标群体为普通家庭，但它却凭借独特、时尚的外形和史无前例的设计意外收获了时尚圈和赛车圈的青睐。

在赛车改装专家 John Cooper 的参与下，世界上第一辆 MINI Cooper 问世，进一步提高了 MINI 的可玩性。在 20 世纪 60 年代，MINI 共赢得了超过 25 个拉力赛冠军和非拉力赛冠军。随之兴起的改装厂也为 MINI 的个性化和时尚化创造了条件，精致潮酷的外形设计让 MINI 成了时尚潮流人士的个性标签。

驾驶着 MINI 出演电影的甲壳虫乐队、乘坐 MINI 兜风的英国王室、迷你裙的发明者 Mary Quant……名人效应不仅带动了普通民众的购车热情，也让品牌意识到其在时尚领域的过人之处。品牌顺势将 MINI 的定位从普通家庭购物车变成了时尚小车。赛车圈的傲人成绩、改装厂的个性化服务、名人的魅力加持，再加上 2000 年被宝马招致麾下，MINI 的高端化之路就此打开。而宝马 MINI 在全球的品牌营销延续了其个性、创新的基因，在慕尼黑创办艺术展、在伯明翰举办全球车主聚会、在阿根廷参与极限运动、在荷兰的街头投掷 MINI 大礼盒，这些反传统和非常规的品牌营销方式为 MINI 赢得了一批忠实的粉丝，让它成了生活方式的代表。

2002 年，宝马 MINI 进入我国，迅速引起市场的广泛关注，品牌营销从此开始。MINI 在我国的品牌营销大致可分为三个阶段：2003年—2008年，品牌引入阶段；2009年—2015年，聚焦于本土化营销；2015年开启品牌重塑。

2003年—2008年是MINI在我国奠定品牌基调的时期，受限于单一车型和市场接受度，在这一阶段，MINI仍是汽车界的小众品牌，因为这时候的MINI并没有投放面向我国本土消费者内容的广告，而是直接照搬国外的广告宣传语。文化背景的不同在一定程度上限制了传达效果，无法拉近品牌与本土消费者的距离。这一时期，MINI的销量并不尽如人意，但另一方面，原汁原味的广告有利于MINI在消费者心中树立国际化、个性化、高端化的品牌印象，为后续的传播奠定了基调。正如MINI中国市场部高级经理范力所说，这是一个积累知名度和影响力的过程。

2009年，MINI首个中文广告的推出开启了其本土化营销的大幕，简短、有态度、无阶层的广告语成了MINI的风格，"坚持走MINI路线50年不动摇""君子坦荡荡""我五行缺土"，通过将不羁的个性广告语与中国文化相结合，将对生活的观察和品牌态度融入犀利的话语中，MINI的目标群体成功地从小众潮流的引领者和精英人群扩展到了大众中个性锋芒的弄潮儿。除了文化上的靠拢，MINI在这一时期开始更进一步的品牌文化输出，通过活动文案、营销形式和线下活动来传达和探讨对生活的态度和追求，强化生活方式的品牌印记。

2015年，MINI携新一代MINI Clubman启动了品牌重塑。品牌的LOGO从立体变为二维，从复杂变为简约，目标群体从个性锋芒的青年变为引领社会思潮的创造力阶层，改变和创新的品牌特质在这一时期被强化和放大，野性被精致替代，特立独行从外表深入灵魂。MINI这次的品牌战略调整一方面来自竞争压力，自2001年起，MINI所塑造的诙谐、高调、张扬的品牌个性由于被竞争对手复制而逐渐丧失了其独特性。另一方面，技术变革和社会发展使得MINI的目标受众在观念上发生了变化，他们关注社会，看重创造的价值，拥有持续学习的能力，他们是消费升级和社会思潮前进路上的第一波践行者。

新一代MINI Clubman新品发布会对MINI来说是具有时代意义的。这是一场属于MINI和其拥护者的蜕变见证，见证他们完成了从青年到新绅士的跨越。几十名国际名模穿梭于书海间，展现了新绅士的生活常态。他们文艺且优雅，成熟又俏皮，他们尊重传统，又懂得如何把玩细节，拥抱审美升级、生活变化，有趣而独特的灵魂从未改变。同时，邀请明星拍摄写真，用影像定义新绅士。明星的个人特质与新绅士的形象高度重合，极具画面感的文字将品牌形象转变的故事娓娓道来。

MINI从未放弃作为生活方式的品牌定位，也没有放弃对创新、创造的追求。新绅士的生活方式从汽车出发，得到了延展，并用更具创造性的方式得到展示。MINI携手全球文化风格杂志T推出了纸质杂志MINI Clubman，邀请MINI Clubman的车主分享和编写生活故事，从衣、食、住、行多个角度出发，带着对设计和审美的执念和挑剔，共同谱写新绅士的生活篇章。

从理性的角度来讲，MINI并非大众之选，因为高端小型车意味着不低的价格，MINI不得不承认自己是一个产品力稍显不足的品牌。当在理性层面无法打动消费者的时候，MINI选择从感性层面切入，凭借在时尚、艺术、影视等方面的突出表现，独特的品牌营销内容，走出了属于MINI的营销道路。MINI的品牌营销具有先天优势，并且做到了厚积薄发，这是一种非常值得学习和借鉴的品牌营销思路。

8.1 汽车品牌营销

品牌是汽车企业可持续发展的重要资源之一。在我国汽车市场发育和发展的过程中，品牌正在受到越来越多的关注，品牌意味着市场定位，意味着产品质量、性能、技术、装备和服务的价值，最能体现企业的经营理念。品牌形象的确立来源于消费者的认同。企业如果不建立起与消费者沟通的渠道，不能取得消费者的信任，品牌价值就等于零。对汽车生产和流通企业来说，品牌营销有利于集中人力和精力研究市场、开拓市场，有利于规划、发展和管理营销网络，有利于增强经销商的服务功能，也有利于制定灵活的营销政策。

8.1.1 汽车品牌的概念及内涵

1. 品牌的定义

品牌是什么？品牌包括品牌名称和品牌标志，但不仅仅是商标与符号，也不仅仅是产品与形象，品牌构建了产品、消费者和企业三者之间的社会关系。国际商业管理类的词典对品牌的注释是："一个名称、标志或象征，可以用来界定销售主体的产品或服务，以使之区分于竞争对象的产品或服务。"到了信息社会，品牌对于汽车企业来讲，成为汽车企业创造核心竞争力的战略措施。从更深层次的角度来讲，品牌是对汽车企业整体的诠释，代表了汽车企业和产品的形象。

品牌是一个非常复杂的要素系统，这些要素包括以下几个方面：

（1）属性 品牌最基本的含义就是特定的产品属性。例如，"奔驰"传递给人的属性是质量可靠、豪华、安全、舒适。

（2）利益 属性需要转换成功能和情感利益。消费者购买汽车追求的是利益，质量可靠会减少消费者的维修费用，给消费者提供节约维修成本的利益，服务上乘则可节约消费者的时间，方便消费者。

（3）价值 品牌凝聚着生产经营者的价值观，这种价值观往往得到了一定的消费群体的认同。例如，"高标准、精细化、零缺陷"是宝马追求的价值。

（4）文化 品牌蕴藏着特定的文化底蕴。例如，法拉利体现了速度、勇敢、勇夺第一的文化。

（5）个性 品牌就是要让消费者能够将此种商品与其他商品区别开来，每个品牌代表自己的个性。例如,悍马的个性是超强的越野性,劳斯莱斯的个性是超豪华性。

(6) **使用者** 每个品牌代表一定的消费群体,这对品牌的市场定位有一定帮助,如奔驰在我国主要是企业界成功人士在使用。

品牌是企业为使自己的商品区别于其他企业商品所做的特殊标志,是企业形象特征最明显的外在表现。著名的品牌不仅仅是企业无形的资产,能给企业带来直接的和长远的经济效益,表现为企业本身和企业经营活动的价值,而且是社会宝贵的精神文化财富,对社会大众的思想意识和生活观念会产生重要影响。品牌不仅代表企业的形象、企业的发展历程,还代表一种现代化的生产经营方式。消费者将品牌视为产品的重要组成部分,以品牌来识别产品、购买符合心愿的品牌产品。熟悉的品牌给消费者以信心保证,并向消费者提供他们所期待的稳定的利益和价值,使消费者愿意为购买称心的产品而付出更多的金钱。

 阅读材料 8-1

梅赛德斯-奔驰

梅赛德斯-奔驰(Mercedes-Benz),德国汽车品牌,被认为是世界上最成功的高档汽车品牌之一。其完美的技术水平、过硬的质量标准、推陈出新的创新能力以及一系列经典轿跑车款式令人称道。在国际上,该品牌通常被简称为梅赛德斯(Mercedes),而中国大陆称其为"奔驰",中国台湾译为"宾士",中国香港译为"平治"。

1883年,卡尔·本茨、麦克斯罗斯和弗里德里希·威尔海姆·埃塞林格共同建立Benz & Co. Rheinische Gasmotoren-Fabrik(Benz & Cie)。1886年1月29日,卡尔·本茨为其三轮"安装有汽油发动机的交通工具"申请了专利,世界上第一辆汽车正式诞生。

人们钟爱梅赛德斯-奔驰,不仅仅因为其外形设计代表了不同时代的潮流,更重要的是其近百年来对汽车技术和汽车安全的贡献。1900年至今,梅赛德斯-奔驰创造了无数的世界第一。这些世界第一的名单包括:第一款增压汽车、第一款量产柴油轿车、第一款量产配备四冲程燃油喷射发动机的汽车、第一台5缸发动机、第一辆涡轮增压式柴油轿车等。

作为世界上最成功的豪华汽车品牌之一,梅赛德斯-奔驰从诞生伊始,让三叉星徽闪耀全球成为其永不放弃的梦想与追求。在中国,梅赛德斯-奔驰一直以领先的科技、精湛的工艺、优越的品质、贴心的服务以及强烈的社会责任意识为消费者展现出奔驰品牌的无穷魅力,且保持着持续而稳定的业务增长。尽管金融危机曾席卷全球,梅赛德斯-奔驰对中国市场的信心与投入却从未减少。

1909年6月,戴姆勒汽车公司申请登记了"三叉星"作为轿车的标志,象征着陆上、水上和空中的机械化。1916年在它的四周加上了一个圆圈,在圆的上方镶嵌了4个小星,下面有Mercedes(梅赛德斯)字样。奔驰的标志最初是Benz外加麦穗环绕。1926年,戴姆勒与奔驰合并,星形的标志与奔驰的麦穗终于合二为一,下有Mercedes-Benz字样,后将麦穗改成圆环,并去掉了Mercedes-Benz的字样。而随着这两家历史最悠久的汽车生产商的合并，厂方再次为商标申请专利权，而此圆环中的星形标志演变成今天的图案，一直沿用至今，并成为世界最著名的商标之一。

科普时间：

Q：戴姆勒-奔驰公司的车名为何取名为梅赛德斯-奔驰？

· 其实一切都源于这个小女孩：梅赛德斯。
· 她的父亲是奥地利商人埃米尔·耶里内克，他希望戴勒姆以他女儿的名字来命名汽车，最后戴勒姆被迫答应了他的要求，梅赛德斯-奔驰的名称由此诞生。

2. 品牌的内涵

从消费者的角度去认知评价品牌资产，包括五大要素：品牌知名度、品牌认知度、品牌忠诚度、品牌联想和其他资产；从汽车企业的角度考虑，构建一个良好的汽车品牌包括四大要素：安全优良的产品品质、个性化的外观及内饰风格、深厚的历史人文背景和独特的精神主张，前两者属于产品的物质层面，后两者属于汽车企业文化层面或精神层面。

（1）**安全优良的产品品质**　汽车是为数不多的需高速移动的商品，由此而带来的安全和品质保障是每一个消费者的最基本要求。在这方面，以奔驰和沃尔沃为代表的欧洲轿车堪称典范。产品的品质和安全可认为等同于品牌的生命，因为每一个缺陷和故障隐患都关系到每个消费者的生命和安全。虽然产品召回制度给了汽车企业弥补的机会，但每一次的召回不仅是财产的损失，更是品牌资产的损失。

（2）**个性化的外观及内饰风格**　汽车本身就是一件艺术品，无论是法拉利还是派力奥，无论是劳斯莱斯还是MINI，各型汽车以其优美流畅的线条和造型，风格迥异的前照灯和中网，以及简洁明快的标志和内饰塑造出了各自的艺术特点。

一辆汽车，既可以远远的一眼就辨别出是什么品牌的汽车，也可以仅仅凭一两个细节，如尾灯、车门，甚至是发动机运转的声音，就能断定它的厂家，这些全在于它们个性化的外观内饰及综合特性。从某种角度来看，一个品牌的个性，或张扬，或稳重，或动感，或机智，但更大程度上依赖于在品牌统领下的产品本身风格的不断创新。

（3）**深厚的历史人文背景**　消费者对某个品牌或产品的认同总是以认同它的文化为背景的。如人们对上海大众存在普遍的信任和好感，并不是完全来自于对汽车本身的深刻了解，而是源自对德国汽车企业严谨务实的风格、品质，以及先进的科技和实力的认同。

第8章 汽车品牌与服务营销

按照美国著名品牌管理权威的理论，品牌和人一样会有各种不同的认同和"牌格"，汽车的"牌格"就是汽车的品格特征，它是通过创始人奠定其品牌核心价值后形成的。由于汽车价格昂贵、外形彰显、个性十足，其"牌格"被视为区别于其他品牌来吸引消费者的安身立命之本。然而，品牌需要时间的沉淀，轿车"牌格"的形成更需要一个相对持久的历史人文沉淀过程。通过对产品设计和品牌的不断演绎创新，品牌不但具有年龄特征，而且还有着职业、性格、地位和爱好特征。例如，劳斯莱斯是"身份显赫的贵族"，奔驰是"上流社会的成功人士"，福特是"中规中矩的中产白领"，这就是汽车消费的圈层感。

当汽车品牌通过传播推广根深蒂固地留在消费者的记忆中时，这种认同会成为汽车品牌特有的"牌格"，甚至会沉淀为深厚的品牌资产。越是历史悠久的品牌，其深厚的底蕴就越发魅力无穷，这也是众多汽车品牌百余年来生生不息的原因之一。

（4）独特的精神主张 随着更多汽车品牌的涌现，以及产品外形和技术的日益同质化，单一的大文化背景已经不能成为区分产品品牌的标志。如同属日本文化背景下的丰田、本田等日产汽车，如果要形成差异，除了产品本身风格的差异以外，更多的还要靠各自鲜明的产品特性和独特主张。

汽车品牌名称可谓是五花八门，但都有一个共同特点，那就是要有利于产品在目标市场上树立美好的形象。品牌设计必须集科学性和艺术性于一体，创意要新颖，给人以美感，还要符合民俗民情，尤其是在产品出口时，必须研究出口产品的品牌，否则就难以成功。如我国东风汽车公司出口品牌为"风神"，不可将"东风"直译过去，因多数国家以"西风"为吉，在英国东风是从欧洲北部吹来的寒风，相当于我国的西风，乃至北风。又如通用汽车公司在向使用西班牙语的墨西哥出口汽车时，曾取名为"雪佛莱诺瓦"，该车销量极差，原因在于"诺瓦"与西班牙语"走不动"同音，试想有谁会去买这种走不动的汽车呢？

名人故事 8-1

"汽车之父"卡尔·本茨

1844年11月25日，在人类汽车工业史上注定是一个不平凡的日子，一位"开创者"在这一天的诞生，让此后的世界拥有了第一台单缸汽油发动机，拥有了第一辆奔跑的汽车，拥有了三叉星徽的光芒，他，便是"汽车之父"——卡尔·本茨。

1879年，本茨发明了第一台单缸煤气发动机，当他获得成功的时候，激动地对妻子伯莎说："世界上任何魔笛所不能创造出来的东西，这个双节拍的家伙或许可以创造出来。它唱得时间越长，就仿佛越具有魔力，消除我们心头的忧愁。"但可惜的是，当时这台发动机的研发成功并没有改变奔驰公司的经济窘境，破产的威胁依然存在。

这位不服输的德国人经过多年努力后，终于研制成功了单缸汽油发动机。但与所有竞争对手不同的是，本茨将发动机安装在三轮车架上，并于1886年1月29日得到了世界上第一个"汽车制造专利权"，而这一天被认为是"世界汽车诞生日"。

1888年8月,从始至终一直在本茨身后默默支持他的夫人——伯莎·本茨做出了一个勇敢的决定。她带上孩子驾驶着本茨研制的汽车,一路颠簸来到了100多公里外的普福尔茨海姆探望孩子的祖母。随后,伯莎·本茨给本茨发电报,称"汽车经受住了考验,请速申请参加慕尼黑博览会"。她因此被认为是世界上第一位女性汽车驾驶人。

8.1.2 汽车品牌的作用

1. 品牌对汽车消费者的作用

（1）**便于汽车消费者购买** 汽车产品有了品牌,汽车消费者易于辨认所需的汽车产品与服务。同时,同一品牌的汽车原则上具有相同的品质,便于消费者选择购买。由于科学技术的发展,许多汽车产品的品质差异不大,汽车消费者对不同汽车产品的偏爱主要是建立在品牌上的。采用不同的品牌,能满足汽车消费者的不同需求。

（2）**便于保护汽车消费者的利益** 品牌能表明汽车产品所达到的质量水平以及其他各项标准。例如,劳斯莱斯汽车公司强调不会因车辆故障而发生事故,它标榜"无故障性",即使因使用不当而使汽车发生故障的汽车,也能得到公司的免费维修。同时,汽车消费者利用品牌能方便地找到汽车制造商,或进行汽车产品的维修及零配件的更换。

（3）**有利于促进汽车产品质量的提高** 优良的品牌是汽车企业在激烈的市场竞争中取胜的重要手段,汽车企业产品一旦在消费者心目中树立良好的声誉,汽车企业就会设法提高汽车产品质量,保护品牌。

2. 品牌对汽车生产者的作用

（1）**有利于扩大汽车企业的产品市场占有率** 品牌可引起汽车消费者的重复购买,并保证该汽车产品不被其他同类产品所替代。优良品牌的汽车产品易于获得较好的市场信誉。

（2）**有利于广告促销活动** 品牌有助于人们建立对企业的印象,企业宣传品牌远比介绍企业名称或生产制造技术方便。事实上,对许多产品,消费者仅知其品牌,而不知其生产厂家。好的品牌可以培养一批偏爱该产品的汽车消费者。

 阅读材料 8-2

> **汽车品牌的使命**
> 理想汽车的使命是"创造移动的家，创造幸福的家"。
> 小鹏汽车的使命是"用科技为人类创造更便捷愉悦的出行生活"。
> 蔚来汽车的使命是"为用户创造愉悦的生活方式"。
> 特斯拉的使命是"加速世界向可持续能源的转变"。
> 比亚迪的使命是"用技术创新满足人们对美好生活的向往"。

8.1.3 汽车品牌营销策略

品牌营销是使商标转化为名称，名称转化为品牌，品牌进而转化为强劲品牌的过程。强劲品牌的建立，可扩大汽车企业规模，增大市场占有率，提高投入产出效益，提升产品附加值，建立和巩固汽车企业核心竞争力。

因此，品牌营销策略是对品牌从建立到传播，再到扩展的全过程，包括品牌设计策略、品牌防御策略、品牌延伸策略和品牌变换策略。

1. 品牌设计策略

一个优秀的品牌有赖于品牌名称与商标的精心设计。有战略眼光的企业家都极其重视品牌的命名与设计。品牌的设计应遵循不违法、选题好、有特色以及易懂易记、寓意深刻的原则。汽车品牌名称可谓是五花八门，但都有一个共同特点，那就是要有利于产品在目标市场上树立美好的形象。品牌设计必须集科学性和艺术性于一体，创意要新颖，给人以美感，还要符合民俗民情。如在产品出口时，必须要研究出口产品的品牌译制是否符合出口国的风俗和审美情趣，否则就难以成功。

2. 品牌防御策略

品牌防御是指防止他人的侵权行为以及避免企业的声誉、利润受损，可采用以下对策：

（1）**及时注册商标** 品牌标记经注册成为商标后可得到法律保护，有效地防止竞争者抢注、仿制、使用、销售本企业的商标。出口产品应在目标国家及时注册商标。注册商标在有效期满后应及时申请续展注册。

（2）**企业非同类产品注册同一商标** 例如，电风扇的"钻石牌"商标已注册，该企业在未来生产门锁、轴承等产品时也注册同样的商标，以充分利用和扩大商标的影响。

（3）**企业同一产品注册多个商标** 例如，牙膏企业同时注册"两面针""针两面""面两针""两针面"等多个商标，从而堵住可能被仿冒的漏洞。

（4）**使用防伪标识** 采用各种形式的防伪标识，可为保持商标专用权起到积极作用。

（5）**品牌并用** 我国企业与外国企业合资时，可以采用品牌并用的办法来防止被外国品牌查没的风险。如在合资企业的不同产品上分别使用我国和外国的品牌，或在同一产品上共同使用本国与外国的品牌。

3. 品牌延伸策略

企业对自己的各种产品使用不同的品牌，或使用统一的品牌，如何利用已成功品牌的声誉来推出改良产品或新产品等，这些是品牌延伸策略涉及的问题。品牌延伸策略包括如下内容：

(1) 统一品牌策略 企业所有的产品使用同一品牌。特点是：推出新产品时可省去命名的麻烦，并可节省大量的广告宣传费用，如果该品牌已有良好的声誉，可以很容易地借用来推出新产品。但是品牌下任何一种产品的失败都会使整个品牌受到损失，因此，使用统一品牌的企业必须重视所有产品的质量。

(2) 不同品牌策略 企业的各种产品分别使用不同的品牌。其特点是：便于企业扩充不同档次的产品，适应不同层次的消费需求；同时避免把企业的声誉系于一个品牌，从而分散了市场的风险；各种产品采取不同品牌，可以刺激企业内部的竞争；另外，这种方法还可以扩大企业的产品阵容，提高企业的声誉。但是每个品牌要分别进行广告宣传，开拓市场费用开支较大。

(3) 企业与品牌名称并用策略 在每个品牌名称之前冠以企业的名称，以企业的名称表明产品的出处，以品牌的名称表明产品的特点。其特点是：可利用企业名誉推出新产品，既可节省广告宣传费用，又可使品牌保持相对独立性。世界上大型汽车企业无不使用这一策略，如丰田汽车公司、福特汽车公司等。

(4) 同一产品不同品牌策略 企业对其所经营的同一种产品，在不同的市场采用不同的品牌。这种策略可以针对不同国家、不同民族、不同宗教信仰地区，采用不同的色彩、图案、文字的商标，从而适应不同市场的消费习惯，避免由于品牌命名不当而引起的市场抵触。

4. 品牌变换策略

许多相关因素的变化都会要求企业做出变更品牌的决策，它包括以下两种策略：

(1) 更换品牌策略 这里是指当品牌已不能反映企业现有的发展状况时，或由于产品出口的需要等，企业完全废弃原有的牌名、商标，更换为新的牌名、商标。其目的是使品牌适应新的观念、新的时代、新的需求和新的环境，同时可给人以创新的感受。

(2) 推展品牌策略 这里是指企业采用原有的牌名，但逐渐对原有的商标进行革新，使新旧商标之间造型接近、相互传承，其目的与更换品牌基本相同。如世界著名的百事可乐公司、雀巢公司等的商标都曾进行过多次修改，但商标的本质没有改变。

汽车是品牌生产，消费者更多关注的是品牌而不是生产者。品牌是集技术、企业文化和商誉于一身的载体，是企业历史的积淀。汽车品牌成为未来世界汽车市场核心竞争力的重要因素。相同车型、不同品牌的汽车在市场上的表现存在很大差距，消费者愿意为品牌所代表的价值付费。

8.1.4 我国汽车自主品牌的发展历程及现状

自主品牌是一个企业及其产品的综合体，它涵盖企业的创新能力、企业管理、市场定位、营销服务等多方面的综合特征。它是指在拥有知识产权的前提下,通过整合资源集成创新,在消费者心目中形成独有特征,并能有效促进消费者购买其产品,乃至产生品牌忠诚的符号、形象或设计。

我国自主品牌汽车是相对于外资汽车品牌和合资汽车品牌而言的,是中国特殊汽车工业道路的产物。对自主汽车品牌比较公认的说法如下:由企业自主开发,拥有自主知识产权的汽车品牌。自主品牌是对品牌所有、品牌发展、品牌历史和品牌核心价值的综合概括,是指在拥有自主知识产权的前提下,通过自主开发,在消费者心目中形成独有特征,并能有效促进消费者购买其产品,乃至产生品牌忠诚的符号、形象或设计。自主品牌是一个企业及其产品的综合体,它涵盖了企业的创新能力、企业管理、市场定位、营销服务等多个方面的综合特征。

1. 我国自主品牌的发展模式

整体而言,我国汽车自主品牌分为两类:一类是使用引进技术的国内自主品牌,这类品牌虽为国内自主品牌,但产品引进了国外成熟车型技术;另一类是使用自主开发车型技术的自主品牌,其产品由国内企业开发且掌握完全知识产权。进一步研究其发展模式,可以细分为四类,见表8-1。

表 8-1 我国自主品牌发展模式

模式名称	主要内容	代表厂家	主要困境
模仿开发	从模拟起步,自己主导研发,生产自主品牌	奇瑞、吉利、比亚迪	知识产权纷争
委托开发	和国外设计公司合作,购买成熟车型技术,生产自主品牌	华晨、哈飞	持续开发能力不足
联合开发	在合资企业中与外方合作,借鉴先进技术,合作研发自主品牌	东风、一汽(奔腾)	品牌定位
集成开发	并购国际汽车企业,整合国际国内优势资源,开发自主品牌	上汽集团	

本质上讲,若从知识产权的自主程度来看,除简单地仿制以外,上述模式的差异并不大;若从汽车核心部件的来源来看,模仿基础上的修改和购买仍是时下汽车企业的主要获取方式。也就是说,相对于真正意义、完全自主、高水平的自主品牌整车,中国尚有一段距离。

2. 我国自主品牌的发展历程

(1) 独立的自主品牌阶段 1956年7月15日,第一辆"解放"牌货车在长春中国一汽下线;1958年9月28日,一汽生产的第一辆"红旗"轿车装配完成。一汽的建设和汽车生产是在苏联的帮助下完成的,从此中国汽车人迈出了建设自己汽车品牌的第一步。随后,在没有外援的情况下,在一汽经验和人才的基础上我国建成了二汽,生产出"东风"牌越野汽车。这时的中国汽车由于没有机会参与国际汽车市场的竞争,品牌优劣不能通过市场得到反映,汽车研发和生产单位主要从满足国家政治、经济建设需要和提高民族自尊心的角度,不断改进汽车品牌的质量。

（2）合资品牌为主阶段 20世纪80年代，我国汽车工业开始进入合资合作阶段，20世纪80年代中后期，国家允许国有大型汽车企业生产轿车。1987年8月北戴河会议后，中央许可一汽、二汽和上汽生产轿车。一汽大众的奥迪、捷达是20世纪90年代中期开始生产的，二汽的神龙富康是20世纪90年代后期投产的，上海通用的别克是1999年投产的。南京的菲亚特系列、广州本田是90年代末投产的，而北京现代、奇瑞、长安、哈飞、福田、吉利、中华等均是在20世纪90年代后期才创立的。实际上，我国汽车企业生产轿车的历史只有30余年，虽然开始走的是合资之路，但合资汽车企业也是我国的企业，这是不争的事实。汽车工业是一个资金密集、技术密集、人才密集的行业。正因如此，不是任何投资者均可涉足的。2001年以前，捷达、富康和桑塔纳占据了中国车市的半壁江山。截至2003年我国生产的202万辆轿车中90%是合资企业的产品。那时一种观点认为：我国暂没有自主开发轿车的能力，主要因为开发一款轿车需投资10亿~20亿美元，企业必须有相当的规模才能承受巨额的开发费用，国内的投资者尚无这一实力，且自主开发一款轿车需要10年甚至20年的时间，想要尽快发展我国的汽车工业，走合资之路是一条捷径。因此，改革开放以来，特别是20世纪90年代之后，国外汽车公司进入中国，我国汽车生产企业大都采取了合资的形式，全球大的汽车公司几乎都在中国设立合资企业。就品牌而言，合资企业主要生产外国品牌汽车，中国自主品牌汽车的发展受到抑制。

（3）自主品牌开始发展阶段 真正意义上的自主品牌发展是以长城汽车、奇瑞汽车、吉利汽车等品牌的崛起为标志的。1990年，魏建军任长城汽车工业公司总经理并承包经营，开始运用灵活的管理手段使企业发展起来。1997年，吉利集团正式进入汽车行业，注册资本为6.3亿元。2002年，由中央拨款，辽宁省政府批准成立国有独资公司——华晨汽车集团公司，2003年6月，华晨与德国宝马公司合作生产，次年，定位于高端客户的自主知识产权"中华轿车"上市。2003年比亚迪公司成立，推出F3、F6、F8系列。其他的自主品牌如长安、东风、哈飞、夏利、昌河、力帆等也在一定工业基础上与外资合作，然后开发自己的品牌。应该这样讲，我国汽车的自主品牌起步较晚，底子也比较薄，但发展速度很快。2005年，奇瑞和吉利进入乘用车市场销量前十名，分列第七位和第九位。奇瑞和吉利的成功还带动了国内其他自主品牌汽车企业的发展，自主品牌在汽车市场的分量越来越大。据统计，2003年，自主品牌乘用车的市场占有率为21%，2004年，有所下滑，市场占有率为19%。但2005年，市场占有率提高到26%。2006年，自主品牌轿车累计销售98.28万辆，占轿车销售总量的25.67%，并且奇瑞、中华、吉利公司都开发出了拥有自主知识产权的发动机。2007年8月8日，天津一汽夏利品牌轿车第150万辆汽车下线；同年8月2日，奇瑞第10万辆汽车奇瑞A3在安徽芜湖奇瑞汽车第三总装厂正式下线。2008年奇瑞汽车以35.6万辆的销量稳居全国乘用车销量排行榜第五名，也是连续第十年蝉联自主品牌销量第一。据统计，2008年在轿车自主品牌中，排名前十位的自主品牌依次为：奇瑞QQ、比亚迪F3、天津一汽夏利、海马福美来、吉利自由舰、中华骏捷、奇瑞A520、吉利金刚、奇瑞旗云和天津一汽威志。上述十个品牌占自主品牌轿车销售总量的70%以上。值得一提的是，发展自主品牌不再是奇瑞、吉利这些企业的"专利"，国内的大型汽车集团都加快了打造自主品牌的步伐，特别是一汽、上汽和东风三大汽车集团，从2005年开始纷纷加快了打造自主品牌的进程。

同时，近几年新势力造车发展迅速，在蔚小理引领下，国内涌现出众多新能源品牌，"增程""换电""自动驾驶"等标签抓人眼球，"颠覆""创新""前所未有"等赞美不绝于耳。

（4）自主品牌的出口状况 自主品牌汽车在国内的生产能力出现一定程度的过剩，迫使国内汽车企业将目光投向国际市场，从而使自主品牌汽车出现在我国汽车出口的行列中。2001年10月，奇瑞生产的第一批轿车出口中东，首开自主品牌汽车出口海外之先河。随后，以吉利、长城、中兴、吉奥、比亚迪等为代表的自主品牌纷纷加大海外市场拓展的力度，汽车出口量节节上升。2003年2月，奇瑞与伊朗SKT公司签署在该国建立奇瑞整车制造厂的协议，这是中国汽车企业首次走出国门建立生产基地。此后，以奇瑞、吉利、华晨、长城、中兴等自主品牌企业为主体的中国汽车企业，掀起了一股海外建厂的热潮。2004年1月12日，马来西亚ALADO公司与奇瑞汽车有限公司在人民大会堂举行授权签字仪式。奇瑞公司全面授权马来西亚ALADO公司制造、组装、配售和进口代理奇瑞牌轿车。2005年4月，中大集团与阿拉伯联合酋长国ICP公司签署协议，在该国建立客车生产厂。2005年4月15日，华晨集团与埃及BAG集团在北京签署协议，双方将在埃及合作建立华晨中华轿车组装生产线，从当年第4季度开始组装生产中华轿车。2005年5月30日，吉利集团与马来西亚EGC集团在吉隆坡举行整车项目合作及CKD项目合作签约仪式，马来西亚联邦议会下议院议长拉姆利和时任全国人大常委会委员长吴邦国共同见证了签约仪式。根据协议，双方将合作在马来西亚制造、组装和出口吉利汽车。除上述企业外，中兴、长城、一汽等企业则把突破点放在俄罗斯，在大批出口产品的同时，开始以CKD、SKD的方式在俄罗斯当地建厂组装生产。进入汽车业不久的力帆，也在俄罗斯建厂。目前，据不完全统计，自主品牌汽车已销往世界17个国家，其中俄罗斯、哈萨克斯坦和伊朗是三大销售市场。

3. 我国自主品牌发展存在的问题

经过几十年的发展，我国的汽车工业从无到有，有了长足的发展，虽然发展速度很快，但也存在着不少的问题，这些都成为制约我国汽车工业发展的瓶颈。

（1）品牌流失问题 我国国内汽车工业的发展多是以合资企业为主，从车型引进到生产线设备采购，合资外方往往能够赚取全部利润的80%，且由于关键技术、零部件及出口销售渠道均需要依赖外方，在利益分配上丧失了话语权，在汽车工业方面我国成为典型的制造大国、品牌小国。外资全方位控制我国汽车产业的格局如果不加以改变，中方只能在汽车产业中获取微薄的加工制造费，而且这点利润的获得还需要以资源耗费、环境污染为代价。因此，解决品牌流失问题迫在眉睫。

（2）品牌老化问题 改革开放后，我国的汽车工业开始大力发展，曾涌现过大量的汽车知名品牌，如解放、红旗、东风等。但随着几十年来的发展，这些汽车品牌发展步伐较慢，无论是研发技术还是车型设计均落后于世界同等水平，而这些都是我国汽车工业的"开国元勋"，品牌老化问题渐渐成为制约这些汽车品牌发展的瓶颈，如何做好品牌延伸成为发展面临的首要问题。

（3）产品结构存在的问题 以轿车市场为例，我国汽车自主品牌发展势头不错，但一直以来只是以中低档车销售为主，目前只有在 5 万元以下的经济型轿车领域，自主品牌依然有很强的价格优势，至于自主品牌企业推出的 10 万元以上的中高级别轿车，虽然在同级别的车型中仍具有一定价格优势，但由于购买这一档轿车的消费者更看重品牌和技术，自主品牌的价格优势很难转变为市场上实实在在的竞争优势。

（4）汽车企业存在数量多、规模小、人才与资金匮乏问题　目前，我国的汽车整车制造企业多达 100 多家，不少地方政府都把汽车工业作为本地区的支柱产业。由于整个汽车工业竞争不充分，汽车项目盈利过于容易，导致跨地区的兼并重组存在较高的成本，政府主导型投资行为和地区封锁较为严重。这些情况严重地阻碍了我国汽车工业朝着良性有序的方向发展，政府应对此种做法做出相应的调整。

（5）发展模式存在的问题　合资经营这样的方式虽然使我国的汽车工业在建设初期得到过较快的发展，但到后来在一定程度上反而成为制约我国汽车工业发展的瓶颈。合资经营使得我国汽车自主品牌流失的速度加快，甚至一些知名汽车品牌已经不再生产。鉴于这些情况的出现，社会各界展开了大辩论，探讨新的汽车工业发展模式。

4. 我国自主品牌战略发展的建议

我国汽车品牌只有拥有独立的品牌，才能够拥有足够的主动权，不受外资的限制。因此，我国自主品牌战略发展的建议如下：

（1）培养自主品牌　自主品牌需要不断进行技术创新，保持技术的先进性，在产品的品种、质量、性能等方面体现差别，而且更需要创新型的企业文化。国外汽车企业之所以强大，很重要的一点在于其独特的新型企业文化。因此，建立企业文化需要以不断地提高本企业的研发技术为前提，要在提高汽车性能的同时，使消费者在消费时有良好的购买意愿。

（2）激活原先品牌　我国原先一些汽车品牌，如解放、红旗、黄河、东风等无论在国内，还是在国际市场上都具有一定的知名度。鉴于此，汽车企业一方面要重新进行品牌广告的宣传，利用电视、网络、广播、杂志等进行各方面报道，另一方面要对汽车研发技术和轿车车型进行再研究，推出新产品，甚至做到品牌延伸，推出新品牌。因此，营销变革应该从不同的角度出发，寻找自己与别人的差别，做出自己的特色。

（3）加强技术研发，调整产品结构　虽然近几年来我国汽车自主品牌发展的速度很快，但是这是通过较低的价格来占有市场份额实现的，而且发展的大都是低档汽车，长期下去，就会成为制约我国汽车工业发展的瓶颈。因此，不论技术研发还是产品结构，我国汽车企业都有待提高。具体来说，在技术研发方面，首先企业内部要时刻保持与时俱进，强化企业领导班子的带头作用，实现企业要求自我进步的良好风气。不论是政策环境，还是资金、技术、人员调配方面，政府对汽车企业都要给予支持。企业可以学习国外发达国家汽车企业先进的技术经验、管理经验、营销经验及品牌管理方法。在调整产品结构方面，首先要做好市场细分，了解市场需求，在明确企业市场定位的同时，对企业的品牌价值定位做出判断，再以不同品牌价值的车型去开拓不同的细分市场，迎合消费者自身价值体系的需求。同时，创立自主汽车知名品牌可以走两条路：一个是先占领中低端市场，以中质低价切入，创出品牌，再向高端市场挺进；另一个是从高端产品做起，直接创建新的高品质品牌，但这一点很困难；再就是在汽车的某个关键核心技术上拥有新的突破，可以此为切入点，创立自主品牌。

阅读材料 8-3

新势力汽车品牌的发展

2024 年，新势力各造车品牌发展不一。有的品牌看上去风光无限，却暗藏危机；有的品牌虽然销量一般，但利润可观；有的虽然刚刚挤上"牌桌"，但潜力无穷；还有一些虽然赚到了泼天的流量，但依然在门口徘徊。

2024 年，新能源造车新势力企业中，理想汽车以 50.05 万辆的成绩，成为造车新势力中排名第一位的车企，拿下中国新势力销冠称号。相比 2023 年，提升了 33.1%。可以说理想汽车，已经从九死一生的造车新势力中，率先突围出来了！在理想 L 系列和理想 MEGA 的销量稳步增长下，12 月交付量创历史新高。自开启交付以来，历时五年，理想汽车创造了豪华汽车品牌在中国市场最快实现 50 万辆年销量的行业纪录。"理想不仅仅是一家汽车公司，我们的愿景是连接物理世界和数字世界，成为全球领先的人工智能企业。"。理想汽车董事长兼 CEO 李想说。

蔚来汽车作为曾经"蔚小理"三巨头的排头兵，在 2024 年完成了 22.2 万辆的新能源汽车销量，在新能源车企中排名第 5 位。蔚来汽车是唯一一家主要走换电技术路线的车企，与其他车企相比，固定资产投资较大。蔚来销量爆发的一个原因是换电站越建越多，如果家附近有换电站，3 分钟内电池电量即可充满。这些年蔚来一直在亏本建设换电站，所以蔚来销量的爆发是前期投资的收获。蔚来的销量虽然比不上理想，但潜力更大。

小鹏汽车，在 2024 年完成了 19.01 万辆的新能源汽车销售，排名新能源车企第 7 位。小鹏汽车的销量，相比去年同期也有 34% 的增长。在"蔚小理"三兄弟中销量排名最后，不过增速略高于理想汽车的 33.1%，略低于蔚来汽车的 38.7%。

这背后有三个原因：第一，小鹏最鲜明的技术标签是智驾，但现阶段智驾在实际的购买决策里只能算是锦上添花，只为了智驾而买车的还是少数人。第二，小鹏既没有理想、蔚来的品牌溢价，也没有零跑、哪吒的极致性价比。第三，设计上，最成功的当然要数小鹏 P7，其在 2020 年上市的时候非常惊艳，在今天看也不算过时，但使用后争议比较大。小鹏需要一个爆款来提升销量。

凭借着问界 M9、M7 的大卖，问界 2024 年累计销售 38.63 万辆，位居新势力榜单第二。与其他品牌不同的是，得益于 50 万的问界 M9 销量爆发，问界车系的成交均价已超越蔚来，是国内主流车企均价最高的品牌。以"传统豪华+科技豪华"打造的"新豪华"主义，以"智慧重塑豪华"的发展理念，成功在豪华品牌阵营站稳脚跟。张兴海明确提出：2024，是具有里程碑意义、转折性意义的一年。或许提及的对象并不只是问界，而是整个行业。

问界的成功再次告诉我们，选择永远比努力更重要。通过选择与华为开展合作，赛力斯从倒闭的边缘把市值冲上了 1500 亿元。赛力斯董事长张兴海以 185 亿元的身家登上了福润财富榜。赛力斯和张兴海在全球最卷的中国车市却成了"躺赢"之王。

> 小米汽车虽受困于产能，但潜力无穷。小米汽车的产量就是销量，最近月交付量在1万辆左右，订车大概要等五六个月。小米凭借SU7挤上了牌桌，虽然销量不多，但潜力无穷。不出意外的话，小米SUV仍会是爆款，其作为第二款车型，设计和品控应该会更成熟。
>
> 零跑汽车是2024年新能源汽车领域的一匹黑马。零跑汽车在2024年，完成了29.37万辆的新能源汽车销量，是行业排名第4位的车企，销量完成了对蔚来汽车、小鹏汽车等车企的超越。很多人都很认可零跑的性价比，但比较担心它的质量。对于一个从低端车起步的后发新势力品牌来说，这很难避免。
>
> 2024年，哪吒汽车的年销量为64549辆，同比下滑49.37%。这一销量较巅峰期缩水超过80%。和零跑汽车一样，哪吒汽车走的是高性价比路线，旗下产品覆盖了6万~23万元的价格区间，在国内市场大部分消费者的购车预算之内。不过，对比零跑和哪吒的产品策略，我们可以摸出哪吒销量无法突破的病因：不同于零跑的"多点开花"，哪吒的销量就靠那么一两款车。2024年在360公司创始人周鸿祎的带动下，哪吒迎来了泼天的流量。CEO张勇也非常积极地参与活动，但是泼天的流量并没有转化成真正的销量。
>
> 有人说，我国车企的淘汰赛刚开始，同时也是全球新能源车的巅峰赛。谁能最终胜出，代表中国汽车出征全球，谁就是新能源车时代的大众偶像。未来几年变化还很大，让我们一起见证这场中国汽车的群雄争霸赛。

（4）走汽车集约化发展道路 提升汽车产业国际竞争力的着力点应首先放在整合产业组织结构、提高企业规模上，把现有的主要汽车企业重组为几家集团、几家零部件系统集团公司，便于对技术、资金、人员管理和利用，增强资源的利用效率，提高企业集团的规模经济效益。

坚决走专业化分工之路，第一是使整车生产企业退出大部分零部件生产领域；第二是组建零部件生产集团，提高专业化效益；第三是打破地区封锁，按最优采购原则构筑产业链；第四是改变目前整车生产企业直接面对众多零部件供应商的局面，采取模块化生产方式，使主要零部件供应商承担整车所有部件的配套，并负责与二级供应商签订供货合同，以围绕整车企业形成逐级配套、逐级协作的分工体系。

（5）选择最优的发展模式 自主品牌建设在目前有多种方式，但都有同样的目的——打造强势民族自主品牌。发展模式有多种选择，合适的就是最优的，主要有以下几种：①自主研发。自主研发是一个艰辛而漫长的过程，需要大量人力、物力的投入，自主研发不能在较短时间内带来收益，因此许多有实力的国内本土企业很少依靠自主研发，但这是国家汽车工业发展过程中所必须跨越的，国内几大汽车集团在自主研发方面应承担更大的责任。②联合开发。在合资企业中开展自主品牌建设计划，有利于吸收最先进的汽车技术，这是当年"以市场换技术"的出发点，但是在目前合资企业中，这种设想的实施却异常艰难，毕竟核心技术都被外方控制，如果外方不同意，中方搞自主开发的难度很大。③设计外包。对于处于起步阶段的国内汽车企业而言，设计外包不失为一种最为可行的方式，符合国际分工的要求，但从长远而言，掌握关键汽车技术是自主品牌核心竞争力所在。因此，与设计外包并行的是，本土汽车企业也要加大关键技术研发。

我国汽车产业发展呈现良好的发展势头，自主品牌汽车百花齐放，获得可喜的业绩，鼓舞了国内汽车产业发展自主品牌的士气。当然，我国汽车产业在发展自主品牌建设的道路上存在着许多问题，但有国家、政府、人民的支持，汽车企业的发展环境会有很大的改善，届时，我国自主品牌汽车企业将会有更好的发展空间。

 阅读材料 8-4

1. 传统汽车品牌策略的核心变化

(1) 智能化技术加速渗透　传统车企通过技术垂直整合与生态协作，推动智能化技术下沉至中低端车型。例如，比亚迪将高速领航功能下放至 7 万元级的海鸥车型，长安汽车宣布 2025 年全面停售非数智化新车。同时，吉利发布"智能汽车全域 AI"技术体系，赋予车辆"智慧生命体"属性。

(2) 供应链协同与本土化研发　传统车企加速重构供应链，从线性模式转向网状协同。广汽资本投资地平线、粤芯半导体等企业，推动核心零部件国产化；大众等跨国品牌将研发决策权转移至中国，强化本土化研发以应对市场竞争。

(3) 营销策略转向用户共创与情感价值　传统品牌通过跨界 IP、场景化营销增强用户黏性。例如，一汽红旗推出国风婚礼 IP，整合传统文化吸引年轻用户；一汽大众结合热门影视剧《阿勒泰》发起话题营销，激发 UGC 内容传播。

2. 互联网汽车品牌的崛起与影响

(1) 技术驱动　高阶智驾与 AI 定义产品。互联网品牌以智能化技术为核心竞争力。华为鸿蒙智行凭借领先的智驾技术，登顶 30 万元以上新势力销量榜首；小鹏通过 AI 大模型优化极端场景训练效率，加速城市 NOA 落地。

(2) 市场挤压　性价比与细分市场争夺。新势力通过价格战和子品牌策略抢占份额。小鹏推出 11.98 万元起售的 MONA M03，48 分钟订单破万；蔚来推出乐道品牌瞄准 10 万~20 万元区间，通过低成本车型扩大市场覆盖。

(3) 营销革新　流量制造与高管 IP 化。互联网品牌学习小米模式，利用创始人 IP 和话题营销快速出圈。雷军通过社交媒体为小米 SU7 造势，理想汽车李想公开表示"未来 100% 做人形机器人"，强化品牌科技标签。

3. 对传统品牌成长的挑战与机遇

(1) 挑战　市场份额与利润空间受挤压。合资品牌市场份额从 2017 年的 73% 跌至 2024 年的 56%，利润池缩水近半。传统车企需应对新势力在智能化、成本控制上的优势，例如特斯拉 FSD 技术下探至低价车型。

(2) 机遇　生态重构与全球化布局。传统品牌通过技术外溢拓展第二增长曲线。比亚迪、吉利布局飞行汽车与人形机器人，特斯拉 Robotaxi 计划加速自动驾驶商业化。自主品牌全球化提速，例如岚图"共岚图"战略覆盖六大洲，零跑欧洲巡游提升品牌信任度。

8.2 汽车服务营销

近年来，汽车产业的发展已经从以产品为导向发展成为以顾客为导向，与此相适应，汽车营销也必须从以产品为中心转向以满足顾客为中心。对于从事汽车生产、汽车营销的企业来说，能够向顾客提供满意的产品和服务，使他们乘兴而来、满意而归，是企业在当前激烈的市场竞争中抵御风浪的秘诀。

美国《哈佛商业评论》杂志发表的一项研究报告指出："再次光顾的顾客比初次登门的顾客可能为公司多带来25%~85%的利润，而吸引他们的因素，首先是服务的质量，其次是产品本身，最后才是价格。"这就要求企业快速转变营销观念，开展服务竞争，不断进行服务创新，赶上时代步伐。所以，在营销向更高层次拓展时，作为营销重要手段的服务，已经成为留住顾客、建立忠诚、增加效益的核心策略。

8.2.1 汽车服务的概念

著名营销学家菲利普·科特勒对服务这样定义："服务是一种能够向另一方提供的，以无形和不导致任何所有权转移为基本特征的行动或表现。它的生产既可能与某种有形产品相关联，也可能与之毫无关系。"

1. 汽车服务的含义

汽车服务是指由汽车生产及服务性企业（如汽车制造商、汽车销售商或汽车维修企业）向汽车用户提供的与汽车相关的各项活动、利益或满足感。

2. 汽车服务的内容及特征

汽车服务的内容十分广泛，主要包括汽车技术咨询服务，汽车广告，汽车融资与保险，汽车租赁服务，汽车零配件供应，汽车售后调试、维修、养护、美容、改装和送货服务，汽车抢修、紧急援助和拖车服务，二手车交易、回收服务，代缴税费、代办证件，汽车旅游，汽车影院，智能化交通系统的建立，信息发布等。汽车服务包括售前、售中和售后服务三部分，其中售后服务最为关键。

服务不同于商品，主要有以下六个特征：

（1）**无形性** 这里是指服务不具备形状或实体，消费者在购买之前无法通过视觉、听觉、嗅觉、味觉和触觉等物理特征感受到服务。服务本质上是提供者向消费者做出的一种承诺。

（2）**不可分离性** 这里是指服务的生产过程与消费过程同时进行。同时，消费者对服务提供者的感知会转变成消费者对服务本身的感知。

（3）**非均匀性** 这里是指由于服务环境、服务标准和服务人员素质等方面的不同，使得服务质量差别很大。

（4）**不可储存性** 这里是指服务提供者无法维持服务性存货，服务本身是不可能存储的。

（5）时效性　服务及时、快捷一直是服务部门不变的追求，对于汽车消费者来说，JIT（Just in time）服务是最棒的。

（6）不确定性　在服务的开发和分销中，消费者常常扮演重要的角色。由于消费者的需求是多样的，会随时间不断发生变化，因此服务产品的交易经常需要买卖双方的相互合作，而消费者的建议则是服务部门最好的发展方向。

8.2.2　汽车服务营销与情感营销

时代发展到今天，人们的生活环境和消费观念发生了很大的变化。人们的生活富裕了，消费心理也日趋成熟。消费者对产品和服务的需求已从"物美价廉"转向"满足需求"。同时，情感需要也随之增强，人们向往的是更高一级的精神需要。所以，汽车服务营销、情感营销的重要性不言而喻。

1. 汽车服务营销

汽车，由于其高值、耐用和高技术的特点，其服务营销的理念成为战略的出发点和企业经营策略的诱因。面对迅速发展和越来越成熟的汽车消费市场，重塑和提升汽车服务营销理念，重新制定企业经营战略，强化企业竞争力和竞争优势，已成为各大汽车公司的普遍做法。

（1）服务营销的含义　服务营销是一种通过关注顾客，进而提供服务，最终实现有利交换的营销手段。作为服务营销的重要环节，服务工作的质量高低将决定后续环节的成功与否，影响服务整体方案的效果。

服务营销分为三大领域：一是作为有形产品销售促进与保障的服务营销，实质是服务促销；二是作为独立产品运营的服务营销，实质是服务产品营销；三是作为一个行业运营的服务营销，实质是服务行业营销。但是，无论何种服务营销，核心理念都是顾客满意和顾客忠诚，通过取得顾客的满意和忠诚来促进互惠互利的交换，最终实现营销绩效的改进和企业的持续成长。

（2）汽车产品的服务理念

1）深度营销理念。当今的社会是商品经济高度发达的时代，是消费水平不断升级，消费需求趋于个性化、知识化和时尚化的时代。传统的、以市场份额总量衡量企业市场竞争力的方式只能反映企业当时的市场竞争地位，而不能预示企业未来的发展和竞争态势。从更深的层面来看，市场份额质量是企业竞争力内质的反映，并以市场占有的稳定性和市场份额结构来体现。市场占有的稳定性用顾客的忠诚度来衡量，市场份额结构即构成消费市场的消费群体构成。研究表明，一个稳定的、转移度小、保留度高且具有主要消费能力的消费群体，可以大大降低企业的市场风险，减少企业经营的波动。实际上，企业核心竞争力的最终体现就是满足顾客需求的能力和赢得顾客的能力。

深度营销是指在满足顾客表层需求之后，以深层次服务营销巩固、保留原有市场并拓展新市场的过程。汽车服务营销的深度营销是由汽车产品特征和汽车消费特征决定的，它有两层含义：一是以优质的服务质量和新的服务项目巩固、维持和深化已有的市场；二是拓展基本需求之后的新的深层次市场，诱导顾客实现消费层次的不断提升和消费结构的不断调整。

而以上两个层次的核心是顾客的信任度和忠诚度。所以，深度营销就是通过在服务项目和服务内容的深度与广度上扩展，赢得顾客的长期信赖和支持，培养顾客的忠诚度。

深度营销的理念使服务营销突破了传统产品营销局限于销售商品的框架，而把着眼点放在商品提供的整体利益上，建立商家和顾客之间相互依存的伙伴关系并维持顾客。这是营销方式和营销理念的升华，是带来营销行为转变的归因。由此，汽车企业应将理念转化成战略，通过经营行为及经营项目的调整和深化优化企业的市场结构，在追求市场占有率绝对值增长的同时实现市场占有率质的变化，形成以产品原有用户为市场主体的相对稳定和牢固的消费群体。

汽车产品因其特有的产品特征使得汽车企业在围绕有形产品营销的同时，无形的服务营销成为其必然的内容并得到广泛的延伸，以战略的方式构筑个性化、多层面和全方位的汽车服务营销的深度营销，如汽车改装和装饰，汽车保险和服务的个性化方案以及从买车、用车到卖车、再买车等多层面的汽车服务。汽车信贷、保险、保养、维修、年审、用车指导、汽车的技术升级、二手车的评估和转让等全方位的服务项目，正是适应了汽车消费的固有特征，迎合了汽车用户对深层次服务的要求，强化了汽车用户对汽车服务和汽车服务企业的依赖，所以才成为汽车服务企业实施市场结构优化战略、形成新市场竞争优势的必然选择。

2）双赢营销理念。按照传统的经济学中关于商家和消费者的描述，买卖双方相互交换的实现构成了市场。在商品的交换过程中，买卖双方相互依存又相互对立。价格是双方利润的分割点，构成了双方利益的矛盾，双方的对立性凸显出来，而相互依存性减弱了。在既定的商品面前，价格是天平上的砝码，价格的偏移构成了对一方利益的倾斜和对另一方利益的侵蚀。交易过程是买卖双方利益较量的过程，双方都想取胜，采取一切手段压倒对方，这就形成了直接的、面对面的敌对关系，在行为上双方是不友好的，在心理上双方是不信任的、是心存戒备的。在这种状况下，供需双方很难建立起友善的、和谐的、能够长期维持的伙伴关系。

双赢的服务理念强调的是在商品（服务）的交换过程中，卖方合理利润的获得和买方利益的维护。针对汽车产品而言，汽车服务营销的根本是在买卖双方之间建立亲善、和谐和相互依存又相互信赖的伙伴关系，这是双方都需要的长期的依赖和合作。在这种关系中，厂商和经销商要建立一种全新的理念，一种对价值和利益的新的判断，弱化其依赖性。所以，企业必须突破以销售为唯一的思考方式，考虑消费者的终生价值，也就是预期可以从消费者身上得到多少未来利润的现值。汽车用户的用车消费是购车消费的1.5~2倍。汽车的价格目标（尤其是第一次交易）不应是企业利润的唯一来源。企业的目标在于为消费者带来更长期的价值，并因此创造出关系维系更久的消费者。企业的利润建立在为消费者建立更长期的价值基础之上，这就是双赢的服务营销理念，它带来的是企业长远发展的可能。

从这一理念出发，企业的竞争战略应该是谋长远发展之大略，其行为目标不再定位在简单的、一次性的产品价格上，而是把价格视为整个企业发展战略中的一个棋子。由此企业经营策略的重心不再是对产品价值余额分割的考虑，而是如何将"蛋糕"做多、做大，让消费者在未来的消费中不断品尝到新鲜的"蛋糕"，喜欢并产生偏好。当然，企业不必在一块"蛋糕"上将利润赚足，稳定且持久的利润来源才是企业生存之根本。

第8章 汽车品牌与服务营销

但是,在供需关系中,由于资源占有的不对称、信息的不对称,尤其像汽车这类复杂、高技术含量的产品,卖方在价格上总占有优势,买方处于劣势。因此,在心理上买方对卖方是心存戒备的,尽可能多地赚钱是对卖方行为的基本判断,卖方即使在价格上让利,买方也未必认同。所以,沟通就成为这一理念产生效果的关键,企业要将消费者利益维护理念传递出去,要让消费者感觉到企业在向他提供商品和服务的同时,不仅在赚钱,也在维护买方的利益。消费者在接受商品和服务时,心理上的平衡是供需双方的信任和良好关系建立的开始,为企业的生存与发展提供了保障。双赢的服务理念的行为转化就是企业竞争与发展战略的构建,即以维护消费者利益作为企业发展战略的根本出发点,并据此调整企业的产品策略、价格策略及促销策略。

(3) 超值营销理念 一般而言,消费者对产品的选择建立在对商品外观的接受、性能的满足和品牌的信任基础之上,其所获得的商品(或服务)的价值应与其所支付的成本相对应,这是一般等值的、可以接受的心理预期。这里重点强调一下超值心理预期,即消费者所获得的产品价值超过其所支付的成本。超值心理预期来自三种形式:一是产品利益的折让,即以较低的价格出售较高质量的产品(服务),消费者以低价获得高质的产品(服务);二是超越常规的服务,即超越行业通行的服务标准和内容;三是消费者对产品的认知和感知超越了原有的预期。其中,前两种形式在一般的产品营销当中屡见不鲜。奇瑞汽车公司在奇瑞 A1 车型上实行 4 年或 12 万 km 国际标准保修服务,相对目前国内通行的两年 6 万 km 或者三年 5 万 km 的保修标准,奇瑞给用户带来了两倍于中国服务行情的超值服务,将国际化的标准服务融入自己的产品。第三种形式在高价值、高科技的产品营销上表现尤为突出。消费者对产品的一些特性和功能并没有全部认识,销售过程有效的信息传递会提高消费者对商品价值的感知度,在某种程度上会超出对产品的预期。

超值服务就是企业战略的价值取向。它是指用爱心、诚心和耐心向消费者提供超越其心理期待、超越常规的全方位服务。

汽车产品是一个时代科学、技术、文化以及生活方式的缩影,汽车设计中的理念、创意和高新技术的采用能否被消费者感知和认同,在很大程度上取决于汽车生产企业和经销商向消费者信息的传递。广告的传播范围是广泛的,但不是深入的。营销人员的推广在汽车产品营销中有着极其重要的作用。消费者直面汽车实体,在营销人员讲解、演示或示范的过程中,亲身体验汽车产品的良好品质和精良设计是很重要的。这就要求营销人员对产品透彻理解,既要像一名设计师,又要像一名艺术鉴赏家,告诉消费者其先进技术的背景、目前世界范围内的使用情况,其优势和所能带来的直接利益;对外观的讲解应以美学的视角从不同的角度审视动态和静态的效果,并结合国际名车和未来车型发展方向展示其时尚性。这一过程要使汽车的全部内涵得到完整再现,并在消费者个体的个人取向上得到放大,使消费者从感知上超越原有预期。

2. 汽车情感营销

世界著名营销学家菲利浦·科特勒曾把消费者的行为分成三个基本阶段:一是量的消费阶段,即人们追逐买得到和买得起的商品;二是质的消费阶段,即寻求货真价实、有特色、质量好的商品;三是情的消费阶段,即注重购买商品的情感体验和人际沟通。汽车被称为

"移动的家",是能充分体现情感的商品。

(1) 情感营销的含义 情感营销是指通过心理的沟通和情感的交流,赢得消费者的信赖和偏爱,进而扩大市场份额,取得竞争优势的一种营销方式。具体含义如下:

1) 情感营销就是企业追求的一种持久的联系,这种联系会使消费者感觉自己很有价值,感觉自己如此受关注,以至于他们将全力以赴地忠于企业。

2) 情感营销追求的是经营哲学领域消费者的高度满意。它并不在意每笔交易效益的高低,而在意消除企业与消费者之间在时空上的距离感,并通过建立、拓展、保持、强化与消费者的关系,达到长期利益最大化。

3) 情感营销是指企业在恰当的时间、恰当的地点,把恰当的情感内容和信息传递给恰当的消费者。

(2) 汽车产品的情感设计 随着人们在汽车中度过的时间越来越长,汽车成为显示个性的一个很好的工具。有人追求汽车的豪华与舒适,来显示自己与众不同的气质;有人追求汽车外形的个性化,以向别人传达自己的情趣和个性;有人把汽车看成有生命的活物,用心呵护,寻找心灵的寄托。这就要求我国汽车企业尽快走出"拿来主义"的怪圈,根据国人的个性需求进行目标市场定位,从而设计出与时代接轨、满足个性需求的汽车产品。

要设计出体现人文关怀的汽车,可以从以下几点着手:

1) 设计智能化。在同等成本下,尽量提高汽车设计的科技含量,引入先进的智能化设备。比如,为豪华轿车设计的记忆功能能够记住开车者的偏好,如汽车的座椅角度、车内温度等,只要按一下按钮,就会恢复到开车者偏爱的状态。

2) 车型动感化。进入 21 世纪,水滴型、风速型等设计理念不断融入汽车设计中,使原来硬朗的线条逐渐变得更加柔和、饱满,更具有灵动性。"动"的设计理念被越来越多地采用,如尾灯设计、尾部高度、轮胎高度等,都被赋予"动"的神态。还有一些汽车企业将仿生学的理念渗透到新车设计中,豹子、飞鸟等形象将"动"的元素充分展现。

3) 内饰人性化。汽车内饰能较好地满足消费者心理情感的需求。现代汽车的内饰色彩明快、温馨,如吉利豪情"色彩系列",运动型金属转向盘、拼色真皮座椅,吸引了大批都市青年的目光;大众公司新甲壳虫在内饰中添加了一个花瓶,这样每天沐浴着花香,开车人的心情会如阳光般灿烂。

4) 品牌民族化。我国文化博大精深,中国人强烈的爱国情结,使国人更加青睐于国产轿车,若我国企业能加快自有品牌的设计,相信一定能迅速填补国人的情感空白。比如,君威轿车的一系列设计结合了中国古代思想家的"仁与智、山与水、动与静"的哲理,提炼出君威"动静合一"的品牌理念;奇瑞 QQ 大做民族品牌文章,同时符合青年人的消费心理,自然备受市场青睐。

5) 设计绿色化。随着消费者环保意识的日趋加强,"绿色汽车"的设计也应加快步伐,出于维护社会利益的心理,消费者更偏爱环保型的产品。

(3) 汽车产品的情感销售 汽车产品的情感销售是指站在消费者的角度,用心为消费者选购一辆称心如意的汽车。

1) "5S"服务概念店。消费者在购车时最大的烦恼就是怕麻烦,购车前不得不从眼花缭乱的品牌中选出适合自己的车,购车中不得不面对上牌、办证、上保险、按揭等一系列麻烦的手续,用车中涉及车辆保养、保险、年审等事务。如果销售商能真正从消费者角度出发,想消费者之所想,急消费者之所急,千方百计为消费者减少麻烦,让其轻松购车,就会渐入人心,得到认同。

我国现今的4S专卖店虽具有世界一流的硬件,软件却依然落后,没有真正将"以消费者为中心"的理念融入汽车销售的每一环。4S店品牌单一、成本高、价格贵、忽视车主多样化和人性化需要的弱点在我国必将使其面临危机,而代之出现的是以一种新的销售模式——5S概念店。5S在销售、维修、配件、信息系统的基础上增加了一个S(Style,风格)。这种汽车销售店不但提供一流的环境,还提供一流的服务,集标准化和人性化管理于一身,在4S店功能的基础上增加倡导"汽车文化、汽车生活"的功能,使消费者在消费汽车时,也传播一种汽车文化。要实施5S概念店,其具体的销售情境应具备以下条件:

① 选址要在环境优美、交通便利的地方,并采用简单流畅的玻璃幕墙建筑。在内设宽敞的大厅展出各种知名品牌的轿车,并设有消费者休息室、洽谈室,以及汽车咨询、销售、贷款、牌照手续、保险费和使用费交纳及代办驾驶培训手续等一条龙的销售服务项目。

② 售前、售中消费者可以在轻松的环境下咨询汽车导购人员,并有专人为其讲解、演示,并可以试乘试驾。一旦消费者决定买车,就会有相关人员为其办理一切手续,便可享受到体贴的售后服务、免费的汽车美容,可加入相关的汽车俱乐部,充分体验人车生活。

2)为消费者清除购买障碍。目前国内最突出的购买障碍就是汽车分期付款。现在消费者对商家推出的分期付款主要存在三大不满:首先是不满分期的期限,还款期限一般为3年,最多5年且手续烦琐;其次是首付款比例高,商家推出的首付一般占车款的30%左右,而50%的消费者认为首付应该低于30%;最后是手续太复杂,担保条件严格,审批时间太长。可见要让消费者轻松、愉快地购车,这是汽车销售商必须解决的一个问题。

3)汽车销售人员的培训。我国的汽车销售人员多半是"半路出家"的,营销队伍整体素质不高,要做到使消费者满意,就要先从与消费者亲密接触的销售人员抓起。首先要求程序化销售规范,将销售服务标准细化到可能与消费者接触的每一点;其次,要求汽车销售人员学习汽车相关知识,并掌握心理学、营销学方面的知识,有针对性地为消费者提供满意的服务。

(4)汽车产品的情感服务 汽车产品的情感服务主要表现在以下几个方面:

1)汽车维修站点的完善。要想提供急消费者之所急的情感服务,首先要有强大的服务网络,使消费者在任何地方都可享受到优质的服务。此外,还可利用高科技通信设备提供完善的服务。通用汽车公司早在20世纪80年代初就提出来"情感营销战略",并最早使用了800免费电话和5个电话应答中心,为消费者提供使用和保养知识,诊断他们遇到的故障和问题,并提供最迅速的技术援助。

2)情感服务从细节做起。美国一位修理汽车的消费者讲了这样一个故事:在他的汽车修理期间,他的修理商给他提供了一辆暂时代用的汽车,这位消费者发现车上的收音机已经事先调到了他最喜欢的频道上。这不是幸运的巧合,而是机灵的修理工查看了消费者车上的收音机,然后据此设好了代用车上的收音机频道。这是一个很小的细节,却会使消费者有种备受重视的感觉,从而再次惠顾,并向周围人传播自己的经历。一个很不起眼的小细节,就能透射出一家企业是否真正用心来为消费者服务。

3)建立顾客管理数据库。在顾客购买汽车之后,马上寄去一张贺卡,祝贺他拥有了一辆新车;在顾客生日时,送去一份祝福;顾客使用几个月后,打一个电话询问一下新车驾驶是否一切顺利。事实上,形成终身顾客关系并不难,只要企业在意顾客,并适时给予真诚的帮助,顾客就会回报企业更多。

 阅读材料 8-5

> **汽车的情感营销**
>
> 当前的汽车品牌以其独特的特点,通过不断创新和提升品牌形象满足了消费者的需求和期望。汽车品牌的广告通过情感营销的方式与消费者建立情感共鸣,从而提高品牌的知名度和美誉度。
>
> 奔驰的广告强调品牌的优雅、豪华和品质,同时注重与消费者的情感共鸣。例如,奔驰的广告中经常出现家庭、友情和爱情等元素,以触动消费者的情感。
>
> 宝马的广告强调驾驶乐趣和动感,同时会与消费者的个性和生活方式相结合。例如,宝马的广告中经常出现年轻人、运动和冒险等元素,以吸引年轻消费者的关注。
>
> 大众的广告强调品牌的可靠性和实用性,同时也会与消费者的日常生活相结合。例如,大众的广告中经常出现家庭、工作和旅行等元素,以吸引广大消费者的关注。
>
> 丰田的广告强调品牌的环保和可持续发展理念,同时会与消费者的社会责任相结合。例如,丰田的广告中经常出现环保、公益和社会责任等元素,以吸引具有环保意识的消费者关注。
>
> 福特的广告强调品牌的创新和科技,同时会与消费者的未来生活相结合。例如,福特的广告中经常出现自动驾驶、智能互联和新能源等元素,以吸引爱好科技的消费者关注。

8.2.3 汽车服务营销策略

1. "四全"服务策略

从宏观的角度看,汽车的服务营销可以扩展到全过程、全方位、全天候、全参与四个维度,即"四全"服务策略。

(1) 全过程服务 从卖车开始,到办牌照、上保险、汽车维修、二手车转让,直到汽车报废,实现从"生"到"死"的服务。这显然是全过程延伸服务的思想。

(2) 全方位服务 汽车传统的售后服务已经延伸为"4S"服务模式,即将整车销售、配件供应、售后服务、信息反馈等结合成"四位一体"的全方位服务。而现代汽车销售服务已经大大突破了原有的"4S"模式。表现在销售服务方面,采取的往往是更加积极、更加广泛的方式,如信息服务、技术服务、金融服务和保险服务等。

(3) 全天候服务 许多汽车公司都开通了24h销售服务热线电话,作为与全国乃至世界沟通的桥梁。现在,销售服务已经扩展为整车销售、配件供应、售后服务和信息反馈"4个24h"全天候延伸服务。

(4) 全参与服务 1992年,菲利普·科特勒提出了具有划时代意义的营销观念——"整体市场营销"(Total Marketing)。他认为,企业市场营销的成功不但依赖企业的努力,而且依赖广泛的社会支持,需要企业内部和企业外部,如供应商、销售商、生产者、消费者、同盟者、竞争者以及政府机关和新闻机构等的共同参与。所以,汽车企业要广泛利用社会力量,营造和创造有利于顾客满意的良好环境。

2. 提高顾客让渡价值策略

顾客让渡价值是指顾客总价值(Total Customer Value)与顾客总成本(Total Customer Cost)之间的差额。其中,顾客总价值是指顾客期望得到的,由产品价值、服务价值、人员价值和形象价值等组合而成的一组收益;顾客总成本则是指顾客为得到这些价值所支付的货币以及所耗费的时间、精力和体力等成本组合而成的一组代价。所以,要使销售服务成功,一方面要想方设法提高顾客总价值,另一方面要尽可能地降低顾客总成本。

一般来说,提高汽车顾客让渡价值的策略主要有以下四种:

(1) 缩短服务半径 增设服务站点,缩短服务半径,是降低用户时间成本、精力成本和体力成本的重要途径。1996年,一汽集团率先提出了"缩短服务半径"的思想,在全国建立了600个服务网点,将服务半径缩短到了80km,取得了"到家服务"的效果。

(2) 缩短服务时间 缩短服务时间是借降低时间成本来提高用户让渡价值的一种措施。为了缩短服务时间,1996年6月,东风公司销售部成立了"快速协调服务小组",并推出了《销售部限时服务标准》,以简化服务程序、提高办事效率,最大限度地方便用户。该限时服务标准共分为10个部分,对用户的购车、提车、查询、应答以及发车、运输等环节都做了限时规定。上海大众提出了"小修不过夜"的做法,如果前来小修的桑塔纳轿车到午饭或者晚饭时还没有修好,等待在侧的用户可以享受免费的用餐。

(3) 美化服务环境 美化服务环境是借提高形象价值来提高用户让渡价值的一种措施。从市场营销的角度看,服务环境也是"文雅的劝说者",可以对消费者产生潜移默化、润物无声的影响。因此,市场营销学有"场景销售"之说,即通过营造某种特定的情景气氛,来激发消费者的购买动机。

(4) 提高服务档次 提高服务档次是借提高服务价值来提高用户让渡价值的一种措施。为了实现汽车销售服务的"全过程、全方位、全天候、全参与",1998年,东风公司推出了"推进四项工程、抓住三件大事"的销售服务措施,即围绕优质服务工程、能力建设工程、形象塑造工程、服务管理工程等,从优质服务深入化、服务站点系统化、服务活动标准化三个方面狠抓服务质量,实现"卖出一台东风汽车,服务一个汽车用户,结交一个知心朋友"的服务目标。

3. 超值服务策略

服务是产品的延伸,因此,服务的质量也是产品的质量。从价格与价值对应的角度看,服务质量的最低标准应是产品本身"完美无缺",并将这种"完美"充分地表现出来,让用户100%地满意。显然,用户的"满意度"是与产品的"零缺陷"紧密联系的。在我国,一汽大众最早提出了"零缺陷战略"的思想，并在其《质量管理标准手册》上赫然写着："99%无错误意味着：在德国杜塞尔多夫机场每天发生两起紧急着陆事件；每小时将有20 000个邮件失踪；外科手术每周将发生500个医疗事故……"如果一辆汽车真是"百里挑一"的问题产品，对于拥有它的用户，将是100%的质量问题。服务质量的公平标准是产品保值，即所得等于付出。因此，汽车生产企业的"零缺陷"是消费者应当享受的待遇，并非激励价值。为此，市场营销的理论家和实践家们都提出了"超值服务"的思想，即让服务超越用户的期待，使他们101%地满意。一般来说，超值服务策略主要有以下四种：

（1）达标服务　服务质量达标是一种类似于产品生产"零缺陷"的质量保证措施。既然消费者付出的金钱是完美无缺的，他们所得到的产品和服务也应当"缺陷为零"。但是服务质量的标准难以确定。由于服务的无形性、同步性、异质性和易逝性的特点，加之消费者的需求千差万别，只有投其所好才能使他们得到所期望的满足。因此，许多市场营销学家认为，客观的质量标准并不存在，只有采取主观的"用户满意度"作为标准，所谓质量达标才具有实在的意义。为此，美国市场营销学家伯瑞等提出了"标准跟进"和"蓝图技巧"的观点。其中，"标准跟进"是指紧跟在竞争对手之后，通过与竞争对手的比较来确定自己的标准；而"蓝图技巧"又称服务过程分析，即把整个服务过程进行分解，找出服务人员与消费者的各个接触点，通过绘制服务流程图的方式来确定每个接触点的标准和规范。

（2）保值服务　服务质量保值是一种类似产品销售"零公里"的质量保证措施。当消费者按照生产者的要求付出了"原始"的价格，那么，他所得到的产品也应当是"原始"的、没有被使用过的产品。实际上，所谓"零公里"销售在理论上是存在的，而在实践上则几乎是不可能的。无论如何，汽车在下线之后和到达消费者手中之前，总要行驶一段距离。为此，国际汽车行业协会规定，新车下线之后，行驶记录不超过80km的汽车均可以称为新车。就目前而言，最接近"零公里"的服务方式，就是实现汽车的离地位移。

其实，实现"零公里"销售仅仅是服务质量保值的措施之一。质量不能保值，如汽车质量不能达标、行驶里程超过规定等，则应当做出索赔承诺，在有缺陷或有亏欠的地方以服务或金钱填补，从而达到价值与价格的平衡。

（3）超值服务　服务质量超值也可称为"超值服务"，是指使服务的广度和深度超越常规，既超越企业承诺的范围，也超越用户期待的范围，尽可能拓展产品的延伸结构，以赢得竞争的服务策略，如"免费走保、用户投保"和"四免二优"服务。所谓"四免"，即为免费技术咨询、免费检查调整、免费诊断疑难、免费第二次保养；所谓"二优"，即为配件价格优惠3%，工时、费用优惠10%。该收的不收或者少收，对于消费者来说也是一种超值服务。

现在看来，"让顾客100%满意"只是顾客应该得到的，而不是服务的延伸。而"让顾客101%满意"的1%看似微不足道，对于顾客来说，所得到的却是意外的惊喜。惊喜之余的顾客不但会再次上门，进而发展成为企业的忠诚用户，而且会将惊喜与他人共享，起到业余宣传员和业余推销员的作用。

（4）放心服务　我们将"让顾客101%满意"说得头头是道，但是，那1%到底是多少却难以量化。其实，无论是服务质量达标、保值还是超值，归根结底都是企业实施的"放心工程",并借以提高顾客的"满意度"。无论如何,"放心"和"满意"都是销售服务的直接目的。1996年,上海联合汽车交易市场首先推出了"购车放心工程",凡是参加"购车放心工程"的企业所销售的汽车均可享受免费质量咨询、免费安全检测、免费办年检、免费公路牵引、免费紧急排障等系列服务。"购车放心工程"一经推出,就受到了驻场单位的热烈欢迎。

本章小结

本章从汽车品牌的概念入手,介绍了汽车品牌的作用以及品牌营销策略,分析了我国汽车自主品牌的发展历程和现状,并提出建议。同时,对于当今社会需求的转变,消费者对产品和服务的需求、情感的需求日益增强,这就要求汽车企业对汽车服务营销、情感营销高度重视,以提高企业的竞争力和品牌亲和力。

习 题

1. 概念理解
(1) 品牌
(2) 情感营销
2. 思考与讨论
(1) 简述奔驰、丰田、别克、宝马、奇瑞汽车品牌的内涵。
(2) 我国自主品牌发展存在哪些问题?应从哪些方面考虑自主品牌战略发展?
(3) 试举汽车服务营销的成功案例。
(4) 试举汽车情感营销的成功案例。

【案例分析】

全新红旗探寻《万里国境》——红旗的品牌建设之道

作为生活中的"大件儿",选择汽车的逻辑不同于选择普通快消品。消费者选择一个品牌不只是对产品和技术的认可,还是消费者潜意识里对品牌理念和文化的认同。

在自主品牌阵营中,红旗凭借独特的历史和深厚的文化底蕴拥有了更高的品牌价值,在竞争中形成了先天优势。可见,思想文化含量对汽车营销至关重要。在这个"酒香也怕巷子深"的时代,红旗品牌是如何将自己的历史积淀、品牌价值深度植入用户心中的呢?

传统的广告宣传不管是硬广告还是软植入,都与内容有割裂感,用户在心理上会有本能的抵触情绪,效果也会大打折扣。这就给企业的品牌建设提出了新的要求,要求在内容的选择上与品牌高度契合,而"定制"无疑是最佳的选择。品牌方可以通过参与共创,实现品牌与内容的浑然天成。

红旗品牌与腾讯新闻联合推出的纪录片《万里国境》是一个深度定制的内容,节目共分为四期,以云南、黑龙江一南一北两个边境点为突破口,通过边境"自驾游"形式展开,将汽车与纪录片做了巧妙衔接,让品牌自然贯穿在讲中国故事的全过程中,大大降低品牌在内容中的违和感。

参与自驾活动的车主们深深地感受到了戍边人对于家国的坚定信仰，时刻被一代代平凡英雄的传承奉献精神所震撼。一代代戍边人用自己的人生见证了我国边境的变迁和国家的发展，而走过65年发展之路的红旗成为国产高端自主汽车品牌的代表。红旗是新时代中国故事的见证者和亲历者，红旗背后的故事是对"家国情怀"的接续与传承。

万里国境片段

思 考 题

1. 请结合材料，分析品牌营销的作用？
2. 请谈谈纪录片中有哪些情感营销策略？

第 9 章 / Chapter 9

汽车电子商务与网络营销

【教学要点】

知 识 要 点	掌 握 程 度	相 关 知 识
电子商务	理解电子商务的概念 掌握汽车电子商务的功能及优势 掌握汽车电子商务发展策略 了解国内外汽车电子商务发展状况	电子商务的含义 电子商务的分类 电子商务发展策略
网络营销	理解网络营销的概念 掌握汽车网络营销功能及优势 掌握汽车网络营销发展策略 了解我国汽车网络营销发展状况	网络营销的概念 网络营销与电子商务的区别 网络营销发展策略

导入案例

互联网时代蔚来汽车的营销模式

蔚来汽车由国内顶尖的互联网企业和领导者联合创立，目前已经在全球多地设立了研发、投产和商务基地，并持续汇聚着世界顶尖的汽车、软件以及用户体验的专家。蔚来的创始人李斌携手国内外顶尖互联网企业投资人，已经初步完成了在中国市场的全方位用户服务体系。

致力于创建用户型企业的蔚来身上有着天生的互联网基因，其核心发力点是互联网思维模式下的用户运营。

一、蔚来营销模式及特点

（1）建立渠道与促销全方位兼顾的用户服务体系　对于蔚来汽车而言，其最核心的亮点便是全方位的用户服务体系。蔚来汽车放弃了传统4S店的渠道模式，自营自建了线上线下的服务系统，打造以追求用户体验为核心的新零售模式。蔚来通过打造一款超级App，连接用户群体与蔚来产品。用户可以通过App完成看车、购车、售后等基础服务；通过线上预约直营店体验，选购下单；任何出行问题都可以通过App与服务中心建立联系并加以解决；随时随地查询充电、换电基点。除了基础服务，还创新性地加入了社交、媒体、商城等属性功能，这也是蔚来汽车的核心亮点所在。

线下的服务体系除了基础的试驾、看车、汽车硬件服务，也是线上活动的延伸与承接。这样一个全方位、线上线下相结合的服务体系让年轻的蔚来迅速出圈，站在了大众面前。互联网时代中，最容易吸引新用户且能做到高频使用的服务恰恰是"内容"和"社交"，这正是蔚来App用户运营的真正核心。

从内容角度来看，蔚来让用户发声，倾听用户真实的声音。在App里看到的并非一律是正面夸赞，各种不满、抱怨等负面信息也可以在其中看到。这种做法能够使企业了解自身的不足，可以对任何问题进行快速定位和处理，避免用户负面情绪的积累。这样的包容度更有利于提升用户黏性并收获好感。

从社交角度来看，蔚来的这款 App 并没有局限于用户之间沟通交流，蔚来员工同样在 App 内部以人格化的形象对外交流，甚至普通用户可以看到李斌等公司高管的动态并与他们互动。这巧妙地拉近了蔚来与用户之间的距离，满足了客户的好奇心，也极大地增强了内容生态的发展，为品牌影响力提供了正向扩大的作用。

作为一款集多种功能于一身的互联网产品，蔚来 App 始终在不断地更新迭代，目前已经迭代了 30 多版。蔚来的车主们已经将 App 作为联系蔚来工作人员的主要窗口，同时潜在的用户群体也可以将其视为获取最新、最热门的蔚来相关信息的渠道。在互联网应用软件如此火爆的我国，这个了解蔚来的窗口非常能迎合国内消费者群体的口味。

传统模式下，企业更加关注如何让新用户从"关注者"转变为"忠实用户"，因此将大部分精力用在对新用户的触达过程中，而在当今时代下，蔚来汽车抓住了每个用户都可以成为自媒体，每个用户都可以成为发声中心的特点，主要关注如何让核心车主满意。提升老用户满意度，从而促成老用户推荐新用户进入蔚来的朋友圈。

蔚来将大部分精力放在实现老用户的体验升级上，对全部用户群体进行筛选，识别出核心用户，并在他们身上付出努力以打造粉丝经济。蔚来在 App 的用户社区内部打造积分体系、成长体系与福利资源，从而不断提升用户活跃度。核心用户的培养带来的经济效益远远超过了新用户，他们如同即将砸向平静水面的水滴，最终的影响效应将呈涟漪状散开。在这种背景下，无须过多的营销，用户会逐渐从涟漪边缘走向涟漪中心，从一个观望者变为购买者、粉丝。

蔚来的线下体验模式借鉴了特斯拉的体验店模式，带给客户不一样的沉浸式"蔚来体验"。主要包括 NIO House、NIO Space、NIO Service、NIO Power。NIO House 多出现在一、二线城市，其内部的装潢以及布置保持高端格调，不作为汽车的售卖场地，蔚来希望

用户在这里培养对品牌的认知和情感,建立更加长远和牢固的关系。NIO Space 大多设立在三、四线城市,并将职能聚集在试驾和销售上,在适配消费者需求的基础上带来了更高、更有效的成本效益。NIO Service 主要功能在于解决用车、养车问题,主动识别用户的需求,联动线上 APP,为蔚来车主带来及时、快速、贴心的极致服务,并推出"服务无忧"套餐,利用自身服务优势来增强客户体验与商业能力。NIO Power 主要用于解决换电、充电问题,对蔚来汽车产品提供支持服务,同样是体现蔚来产品独特性的一大亮点。

(2)产品研发与服务体系构建并行 蔚来汽车产品始终围绕着用户体验,尤其在人车互动、智能座舱、感官提升等方面的产品更新换代与升级较快,不断提升产品的智能化程度。产品研发与服务体系的构建息息相关。

蔚来汽车在充电、换电装置方面的专利数量较多,因此无法快速从"三电"技术上获取突破时,蔚来巧妙地将互联网技术融入汽车产品当中,打造产品的独特性。

二、基于互联网思维的蔚来创新营销方法

互联网思维在蔚来的营销策略当中得到了很大程度的体现。蔚来汽车最核心的亮点在于用户服务体系的搭建,属于互联网思维下对用户服务的极致追求与创新,同时也渗透在蔚来产品、渠道、促销活动中的方方面面。蔚来汽车与用户之间的关系已经从"拉近距离"升级为了"合作关系",以用户的诉求为中心、以创造用户极致体验为主要目标,将营销辐射在产品研发升级、品牌宣传、促销活动策划、社区构建等决策中。

(1)以用户思维为核心的服务理念 蔚来致力于成为一家用户型企业,蔚来几乎所有的策略均围绕用户展开,用户对于蔚来来说不再是旁观者,而是真正的参与者、体验者,也是企业走向未来的见证者。蔚来为广大用户提供的社交专区、车友圈、社群服务,说明他们把用户思维运用到了极致,让用户讨论、提出建议和想法,提出分享与感受,接收到这些信息的蔚来再将其转化为产品设计的创新以及极致服务的创新。在这种思路下，用户与企业之间的关系将被加强和延长，更像是一种长期共生关系，意味着用户的长期运营是企业未来发展的基石。

（2）用户运营的关键在于创新型体验式营销　　线上线下相结合的方法为用户全产品生命周期的体验式营销提供了平台与支撑，让用户能够体验产品内容，满足社交需求，改善生活方式，提升出行体验，形成一个完整的社区文化氛围与社交网络，建立认同蔚来价值观的圈层。以车主特权为例，汽车维护提供上门取车服务，且如果在24小时内没有修理好会赠送礼品；提供违章处理代办服务，机场的免费泊车服务等；周一到周五蔚来中心都在举办活动，亲子活动、健身培训、花艺手工等应有尽有。这种"超预期"的服务让用户时刻对品牌充满归属感。

9.1　汽车电子商务营销

当今时代，国际互联网正迅速渗透到政治、经济和社会文化的各个领域，进入人们的日常生活，并带来社会经济和人们生活方式的重大变革。互联网的迅速发展开创了网上交易的经营模式，使传统的汽车销售体系受到冲击，世界各大汽车企业纷纷建立自己的网上汽车电子商务交易平台，开创网上汽车交易的经营模式，试图凭借电子商务和网络营销使企业获得新的活力。我国汽车企业也在跟上世界工业变革的步伐，开展电子商务，以信息化改造传统的汽车工业，提高汽车产业的效率。

9.1.1　汽车电子商务综述

1. 电子商务的概念

世界电子商务会议对电子商务的定义为：电子商务（Electronic Commerce，EC）是指整个贸易活动实现电子化，即通过数字通信进行商务和买卖以及资金的转账，包括汽车厂商间和汽车厂商内利用电子数据交换（Electronic Data Interchange，EDI）、电子邮件、文件传输、传真、电视会议、远程计算机联网所能实现的全部功能（如市场营销、金融结算、销售以及商务谈判等）。

从涵盖范围方面可以定义为：交易各方以电子交易方式而不是通过当面交换或直接面谈进行的任何形式的商业交易。从技术方面可以定义为：电子商务是一种多技术的集合体，包括交换数据（如交换电子数据、电子邮件），获得数据（共享数据库、电子公告牌）以及自动捕获数据（条形码）等。

电子商务涵盖的业务包括：信息交换，售前售后服务（提供产品和服务的细节、产品使用技术指南、回答顾客意见），销售，电子支付（使用电子资金转账、信用卡、电子支票、电子现金），运输（包括商品的发送管理和运输跟踪以及可以电子化传送的产品的实际发送），组建虚拟企业（物理上不存在的企业，集中一批独立的中小公司的权限，提供比任何单独公司多得多的产品和服务),公司和贸易伙伴可以共同拥有和运营共享的商业方法等。电子商务的目标是利用互联网技术,优化产品供应链及生产管理,优化顾客服务体系,完成传统产业的提升与转化。

2. 汽车电子商务的分类

(1) 按汽车电子商务活动的范围分类

1) 本地汽车电子商务。这里是指利用同区域的网络系统所进行的汽车电子商务活动。同区域的汽车电子商务活动是指利用 Internet(互联网)、Intranet(内联网)或专用网将参与商务活动各方的电子信息系统、金融系统的电子信息系统、商品检验信息系统、税务和工商信息系统、物流信息系统、本地区 EDI 中心系统等连接成一个网络系统。本地汽车电子商务系统是远程国内汽车电子商务活动和全球汽车电子商务活动的基础系统,建立和完善本地汽车电子商务系统是实现全球汽车电子商务活动的起始条件。

2) 远程国内汽车电子商务。这里是指在本国范围内进行的网上汽车电子商务活动。由于其活动范围比本地汽车电子商务的大,因此对软硬件技术要求较高。

3) 全球汽车电子商务。这里是指在全世界范围内通过全球网络进行的电子商贸活动。全球汽车电子商务活动的业务内容复杂、信息交换频繁、设计范围宽泛,如涉及进出口公司、海关、金融、认证、税务、商检、运输等环节和系统。这就要求全球汽车电子商务系统为商贸活动提供准确、安全、可靠的保证,因此必须制定全球统一的电子商务标准和电子商务协议。

(2) 按汽车电子商务的交易对象分类

1) 企业与企业之间的电子商务(Business to Business,B2B)是指汽车行业供求企业之间以及协作企业之间利用网络交换信息,传递各种票据,支付货款,从而使商务活动全过程实现电子化。通过专用网络或增值网(VAN)进行的电子数据交换(EDI)可以说是这种类型的电子商务最为典型的应用。特别是近年来,随着 Internet 的发展,越来越多的企业和公司开始利用 Internet 进行贸易活动。

2) 企业与消费者之间的电子商务(Business to Customer,B2C),即电子化的汽车销售,其典型应用便是网上购车。它随着 Internet 的出现而迅速发展起来。目前,在 Internet 上遍布着各种类型的汽车电子商务网站。网站提供不同品牌汽车的信息和购买服务,通过 Internet 便可以在线上选购自己需要的车型,而不必亲自到专卖店去挑选。

3) 消费者与消费者之间的电子商务(Consumer to Consumer,C2C),是指通过为买卖双方提供一个在线交易平台,使卖方可以主动提供商品上网拍卖,而买方可以自行选择商品进行竞价。其代表是人人车,它首创的二手车 C2C 虚拟寄售模式能够直接对接个人车主和个人买家,砍掉中间环节,实现交易无差价,为个人用户卖车、买车提供直接交易方式。

4) 企业与政府之间的电子商务(Business to Government,B2G),这种电子商务活动可以覆盖企业、公司与政府组织间的各种事务。例如,在美国,政府采购清单通过 Internet 发布,企业、公司可以以电子化方式来完成对政府采购的响应。目前我国在这方面的应用较少。

5) 线上与线下相结合的电子商务(Online To Offline,O2O),是指互联网与实体店完美对接,让消费者在享受线上优惠价格的同时,又可享受线下贴心的服务。这种电子商务活动可以使线下服务用线上来揽客,消费者可以在线上筛选服务,并可在线结算。该模式最重要的特点是:推广效果可查,每笔交易可跟踪。但是如何保证线上订单的有效转化率,这是汽车电商和传统车企面对的主要问题。所以O2O模式更需要电商与传统车企之间相互配合协作,这时候营销能力就变得特别重要,如何顺应时代需求开创新局面,还需要业内人士不断探索。

(3) 按汽车电子商务的交易阶段分类

1)交易前(Pro-Trade/Transaction)汽车电子商务,主要包括在线采购、新车发布和汽车信息发布咨询等。

2)交易中(Trade/Transaction)汽车电子商务,主要包括汽车在线购买、定制和电子转账等。

3)交易后(Post Trade/Transaction)汽车电子商务,主要包括汽车售后服务。

(4) 按汽车电子商务的交易内容分类

1)电子购物与贸易。这种汽车电子商务活动是以实物商品为内容的。交易前信息的查询、订货及货款的支付过程都可以通过网络来完成,但是汽车产品最终到达顾客手中,还需要依赖传统的送货网络来完成。

2)网上信息商品服务。这是以无形的信息商品或服务为内容的汽车电子商务,如各种汽车行业信息、品牌信息、价格信息、汽车配置等的查询和网上信息咨询服务等。

3)电子银行与金融服务。这是为以上两种汽车电子商务活动提供方便、快捷的电子支付手段的网上银行和相关金融组织的活动。这种活动是实现真正意义上的汽车电子商务的前提条件之一。

(5) 按汽车电子商务的网络基础分类

1)基于Internet的汽车电子商务。商家通过Internet进行信息的发布、产品的宣传及网上销售、售前售后服务等,如虚拟商店、网上购车、网上信息服务等都适宜在Internet上开展。

2)基于Intranet的汽车电子商务。通过Intranet完成企业内部信息的发布、交流、反馈,进行业务流程和人、财、物的协调、管理,加强对企业内部有关数据库及文件系统的管理,通过防火墙技术及设置访问权限等措施,保证企业机密信息的安全。

3)基于Extranet(外联网)的汽车电子商务。相关企业之间,如企业与其供货商、购货商、代理商、大客户以及维护服务中心等,以俱乐部的形式通过Extranet相互沟通信息、协同运作,实现网上实时交易过程,以便提高运作效率和效益。

4)基于其他网络的汽车电子商务。如在其他增值网上的传统的EDI、视频会议、视频点播(VOD)业务等。

3. 汽车电子商务的实质

在过去的商业模式中,制造商将生产出来的产品推销给批发商,批发商将其推销给零售商,零售商再将其推销给顾客。我们把这种商品的供应方式称为"推动式"的供应方式。在这种方式中,制造商、批发商和零售商只注重他们之间的讨价还价。如果他们推出的商品顾客不接受,那么,他们之间的任何交易都不会给他们带来效益。鉴于此,现在制造商、批发商和零售商逐渐把原来的"推动式"供应方式转变为"拉动式"供应方式,以顾客为中心,为了满足顾客不断变化的需要,建造一个灵活、有效的供应链。这种体系就是当今电子商务解决方案的重要内容。

对于汽车行业来说,好的电子商务解决方案应该具备以下特点:收集并分析顾客需求信息、自动完成采购预测、零售商和供应商之间的实时信息交流、物流跟踪与库存控制、自动补货监测。

名人故事 9-1

李斌,1974年6月22日出生,蔚来创始人、董事长、首席执行官。

李斌带领易车在用户需求洞察、互联网营销、汽车电商等领域进行了诸多前瞻性的实践,成为影响我国汽车互联网行业的重要人物之一。李斌担任中国汽车流通协会(CADA)副会长,2008年被CADA评为三十年来我国汽车流通行业最具影响力的十大杰出人物之一,荣获"2012年度AD100中国网络广告百名风云人物"称号,2014年荣获中国汽车流通行业颁发的风云人物奖。

从1996年在校期间创办互联网公司,到2000年创办我国最早的汽车网站之一易车服务网、2002年创办网络营销服务公司新意互动广告公司、2004年重新发布易车网,再到2006年发布二手车网站优卡网;从尝试进行线上、线下互动的汽车用户服务到围绕汽车行业的跨媒体运营创新,再到重新专注于互联网业务,尽管市场瞬息万变,但李斌的坚持是不变的,他的创业故事诠释了信念与信用对于创业者的意义。

解码蔚来

李斌注重企业社会责任的履行,担任中国汽车流通协会(CADA)副会长期间,以推动汽车行业健康发展为使命,通过构建行业交流平台、培育汽车产业人才、设立汽车人关爱基金等实际行动反哺汽车产业,为汽车产业健康持续发展贡献力量。

9.1.2 汽车电子商务功能

汽车企业利用电子商务所获得的效益突出表现在两个方面:一是提高对顾客的服务水平;二是降低企业的经营成本。实施供应链管理的第一步就是实现供应商与零售商、企业内各部门之间的信息沟通与共享,这样就可以将顾客的需求信息迅速地传递到制造商手中,使供应链上的各个环节都能对顾客的需求变化迅速做出反应,从而最大限度地满足顾客的需求。信息沟通方式的变化导致了交易方式及交易流程的变化,从而大大缩短了交易周期,降低了供应链上每个环节的库存,避免了浪费,降低了企业经营成本。虽然汽车电子商务的关键环节对所有的汽车企业来说都是相同的,但每家企业应以不同的方法来实现各自的供应链管理。这种变化的多样性是由买卖双方根据市场及顾客需求所确定的各自的供求关系决定的。

根据我国国情和汽车行业的特点,各种汽车电子商务方案除了具备企业形象及产品信息的宣传功能,还必须具有以下基本功能:

(1) 灵活的商品目录管理功能 作为零售商,在商品目录管理系统上能够创建包括任何厂商、任何商品类别、任意数量的自建商品目录。这些目录里的商品信息的任何更改都可以实时反映在系统中。而对于供应商来说,不仅可以通过建立包含任意商品类别的公开商品目录向零售商发布产品信息,也可以创建只供指定零售商查看的商品目录。在这些目录中,甚至可以提供特殊的优惠而不用担心被其他供应商或者未指定的零售商看到。

(2) 网上洽谈功能 当零售商发现一个感兴趣的商品时,可以与供应商进行实时交流,而且所有的洽谈记录都将存放到数据库中,以备查询。

(3) 订单管理功能 根据用户的实际需要,自动将发生在供应商、零售商之间的订单草稿以及洽谈形成的采购意向集合到一起,并且组合成一个订单提供给供应商。另外,对于经常交易的双方来说,由于互相之间比较信任,采购、供应的效率可极大地提高。

(4) 基于角色的权限和个性化页面功能 规定各种角色之间的权限和安全的继承性,如一个系统管理员的账号可以创建和管理销售、采购经理的账号,而销售、采购经理的账号可以创建许多他领导的业务员的账号,这些业务员的权限也各不相同。同时,基于这些用户制定并提供的个性化功能,不同角色其操作是不一样的,同一个角色不同账号之间的内容也可以完全不一样。

9.1.3 汽车电子商务优势

汽车电子商务并不是指建立一个全新的商务,而是指疏通现有商务的各个环节,提高现有商务的动作效率,改善现有商务程序,开辟一个全新的交易场所。汽车电子商务对汽车企业和消费者都具有优势。

1. 汽车电子商务是提升汽车企业核心竞争力的有效途径

(1) 优化企业的价值链 通过电子商务,企业可以将内部的所有功能整合起来,使企业真正实现顾客导向;企业能够更好地处理自身与顾客、供应商、销售商、合作伙伴、政府机构等方面的关系;企业可以较为容易地实现管理一体化,使主要价值链(包括进货后勤、生产制造、发货后勤、营销服务等一系列价值活动)有机地结合起来,加速在企业内外部的流动。

(2) 缩短中间环节,降低交易成本,减少库存,提高产品竞争力 电子商务是企业在市场经济条件下提高经济效益、降低成本的一个有效途径。在网上销售汽车,汽车生产企业和销售商可以利用汽车商务网站快捷、实时、不受时空条件限制地直接面向世界任何一个角落、任何一个消费者,可以减少各种中间环节,为经销商节省一大笔营销费用。有资料表明,电子商务可以节省的交易成本在20%~40%之间,节省的费用和时间指数为11.61%和19.34%。汽车制造商迟早将脱离中间商做网上直销,直接在网上提供价格信息,由制造商和顾客共同商定价格。

库存量的多少,可以反映企业的经营状况。库存管理水平也直接影响企业的营销。库存增多,会使运营成本增加,从而减少企业的盈利。高库存量并不能保证可向顾客提供更佳服务。产品生产的周期越长，企业需要的库存量就越多，以保证能够对付可能出现的交货延迟、交货失误，相应地，对市场需求变化的反应也就越慢。当然，库存过低，有时候也会因缺货使顾客另寻他处。所以，适当的库存不仅可以让顾客获得满意的服务，而且可以使企业尽可能减少运营成本。这样，就要求提高库存管理水平，提高劳动生产率，使企业在短时间内获取订单信息。提高库存周转率，从而便于企业及时地组织生产，及时地调整降低库存总量。

（3）提供高效服务

1) 全面而低廉的个性化服务。汽车企业通过电子商务，能够以更加快捷、方便的方式为顾客提供高效的个性化服务。电子商务系统可提供24h的全天候服务，及时与顾客沟通信息。网络广告能处理文字、声音、图片、动画、视频、色彩等多媒体信息，展示的内容丰富多彩，比传统媒介广告要方便、快捷得多。

网络广告不仅能展示各种多媒体信息，而且价格相对低廉，可以降低促销成本。有研究表明，在 Internet 上做广告进行网上促销，其结果可以增加 10 倍的销量，而花费的广告费只有传统广告预算的 1/10。而且，一般来说，网上促销的成本只相当于直接邮寄广告费用的 1/10。

2) 有效的信息反馈机制。该机制有助于促进汽车企业改进技术、改善服务。网络具有时效快、联系便捷的优势，可以使汽车企业与更多的顾客接触，保持密切的信息联系，可以在全世界范围内向顾客提供远距离、低成本的访问。汽车企业可以把产品更新、经营政策、企业电子期刊等信息快速传送到顾客的电子信箱中，进行顾客跟踪。利用主页，可以征集顾客反馈信息，了解顾客需求。汽车生产商和经销商可以根据网络市场反馈的信息不断调整产品结构，改进汽车生产工艺和制造技术水平，加强与顾客的沟通，更好地为顾客服务。

（4）促进企业管理创新

1) 改革管理组织。电子商务时代，信息的传递方向由层级型变为水平型，体现在企业组织管理结构上，则表现为由从上到下的垂直结构向水平型的开放结构转变，与信息传递密切相关的企业组织结构从金字塔型转变成矩阵型。

2) 革新管理思想。电子商务时代盛行多种新的管理思想，如"企业再造工程"，主张重新设计管理业务流程；"虚拟企业"思想，主张为顺应日益动荡的市场形势，应尽快抓住市场机遇，由不同的企业为某一特定任务组织灵活的联合性企业；"学习型企业"思想，主张企业需进行自我调整和改造，以适应不断变化的环境，求得有效的生存发展环境。

3) 完善管理方法。企业的管理会更注重职工的培训和学习，促进学习型组织的形成，使员工不断提高知识和技能，能更好地协调行动。

4) 整合管理职能。电子商务将积极地促进管理对象的合理重组，进一步综合集成各种相关的管理职能，从而使管理工作得到根本改观。实施电子商务，企业不仅可以大幅度提升战略管理竞争力，降低管理成本，而且还可极大地提升企业的组织竞争力。

5) 提高企业的决策水平。信息作为商业资产，本身就是重要的可销售商品，是公司决策时的重要依据。实施电子商务，使企业有更多的机会在互联网上查询有用的商业和技术信息，可以为企业制定战略和进行经营决策提供参考。

6) 提高顾客对企业的忠实度。电子商务的应用使企业对顾客的"锁定"越来越牢固，进一步拉大了与弱小企业的距离，从而使市场呈现"主流化"。网上直销汽车可能导致世界汽车巨头们进入一个新的竞争，对顾客的争夺战将会白热化，而顾客对企业的忠实度将会影响企业的市场份额。电子商务手段的应用使顾客与企业的沟通联络更加便利、快捷和密切，顾客对企业的了解更加直接，从而促使顾客更加忠诚于他所选择的企业。

2. 汽车电子商务使消费者拥有更多的购车自主权

1) 与在汽车4S店购车相比较，网上购车可以排除汽车推销员的干扰，使消费者购车时能够按照自己的意向做出购买决定，拥有更多的购车自主权。

2) 汽车电子商务可以为消费者提供每款车的车型、性能和价格等信息，消费者可以在家中通过网络仔细比较各种车型的性能和价格，然后从中做出最佳选择。

3) 消费者可以根据自己的喜好就汽车的车型、颜色、发动机、空调等方面提出设想，向汽车企业定制一辆真正属于自己的汽车，实现个性化购车。

4) 网上购车大大节省了消费者的时间，消费者足不出户就可以了解汽车企业的最新情况，查询最新的汽车信息。

通过互联网，汽车企业可以将汽车的三维图像呈现在消费者眼前，消费者可通过比较各款车型的性能进行"个性化"购车选择，当消费者将需求信息通过网络反馈给汽车企业后，可以在最短的时间内得到汽车企业的信息反馈。目前，汽车消费者的个性化需求及对汽车企业生产的影响越来越明显，个性化、小批量、柔性化的"量体裁衣"式生产正成为现实。汽车企业必须和消费者进行交互式的信息沟通，得到大量个性化需求信息，而这种个性化需求信息交互的实现，只有网络可以提供。可以设想，在不久的将来，随着国内汽车行业中汽车网络自身成熟完善，信用体系、金融防范机制等因素逐步健全，我国成功实现企业对消费者式（B2C）的汽车电子商务不再是幻想。

9.1.4 汽车电子商务发展策略

汽车电子商务的发展是一项复杂的社会系统工程，要充分考虑与国际接轨，特别是零部件全球化采购局势，要求融入国际零部件交易网络，以开放性的网络精神进入网络和电子商务时代，促进我国汽车产业的良性发展。

1. 汽车企业应加速企业信息化建设

汽车企业要发展电子商务，必须有良好的信息化体系的支撑。企业的信息化是电子商务的基础，因此，发展电子商务首先要加速企业的信息化建设。目前，多数汽车企业普遍存在信息化基础落后的情况，与网络和电子商务技术的现代化形成了巨大反差，企业很难快速灵活地响应消费者的个性化需求。

在商品信息管理系统上，汽车销售商要能创建包括任何厂商、任何商品类别、任意数量的自建商品目录。在这些目录里，商品信息的任何更改都可以实时反映出来。而汽车生产企业不仅可以通过建立包括任意商品类别的公开商品目录向销售商及消费者发布商品信息，也可以创建只供指定销售商查看的商品目录。在这些目录中，甚至可以提供特殊的优惠，而不用担心被其他供应商或未被指定的销售商浏览到。因此，汽车企业要把信息作为战略资源加以开发和利用，进而把诸多现代化科学管理方法和手段进行有机结合，实现系统的信息优化管理。

2. 汽车企业应设计一个开放的、交互的汽车电子商务方案

构建一个能够满足消费者需求的信息资讯平台是发展汽车电子商务至关重要的一步。实现交易或促成交易是汽车专业网站的最终目的，但传统汽车产业、网络业二者自身发展的完善程度需要一个培育过程。网络的技术优势和时空优势是实现商务目的的基础。要想真正实现商务目的，网络应该根据不同需求对信息进行深加工，向消费者、商家、厂家提供全方位、系统化、个性化的资讯服务。提供的信息资讯应是有效且实用的。在信息资讯的实用性、有效性及技术实现方式上，应满足信息需求双方的对接性、交互性，因为网络资讯平台的最终目的是促成汽车商务的达成。

业内人士都希望有一个好的电子商务解决方案来应对汽车采购、生产和销售各个环节中存在的问题，以提高效率。但目前适用于汽车业电子商务的相关产品少且不完善。许多汽车电子商务网站信息内容短缺，更新速度慢，不能为消费者提供大量有效的汽车商务信息。对于汽车产业，完善的电子商务解决方案应包括以下几点：

1）全面收集并分析消费者需求信息。
2）自动完成采购预测。
3）协同汽车生产与组装。
4）实现销售商与供应商之间的信息交流。
5）实现物流的跟踪与库存控制。
6）进行自动补货监测。
7）提供网络营销与高质量的服务。

3. 汽车企业应提高网络宣传水平

在整个汽车交易过程中，网站对汽车品牌宣传、产品导购以及服务功能的桥梁作用越来越重要。网站不仅能够提供详细的展示和导购功能，还应该做到人机对话、在线沟通交流等，提供与现场购车无差别的环境和条件。在形象宣传上，汽车企业要运用网络的虚拟环境，突出汽车的品牌文化、技术文化和服务文化，用有品位的文化特色宣传自己的汽车企业形象。

汽车企业和经销商在拓展网上交易市场时，不应过分强调网上销售额的多少，而应更多地考虑如何提升产品品牌的影响力。目前，大多数汽车消费者都会最终选择用离线方式购买汽车。因此，汽车企业可能很难看到网上销售额在短时间之内有显著增加。在这种情况下，Internet应该成为汽车制造商宣传其商品品牌的场所，可以在网上加大对重点产品性能及品牌的宣传，提高消费者对自己产品的认知程度，提高产品在国际贸易市场上的知名度。

4. 汽车企业应努力提高服务质量

汽车电子商务及汽车商业网站的前景是指网络技术与传统汽车经济的结合。一方面，在企业面向最终用户进行产品推广时，企业网站应该帮助企业拓展新的商业模式，通过在企业网站上进行直接市场推广、营销和服务活动，加强企业对市场需求的响应能力。企业网站应以最终顾客为向导，为他们提供更多的电子化服务。这些服务内容包括：提供详尽的产品目录和服务介绍；提供产品和服务的预订服务；提供技术咨询、培训及其他动态的服务查询，使顾客更好地利用已购产品和服务；建立完整的网上营销业务等。另一方面，在企业业务流程的运作方面，企业网站应是沟通供应商、销售商以及合作伙伴的有力工具，能更加有效地组织企业的各种资源，减少采购、生产、库存、销售和服务之间的环节，降低企业的生产成本和流通成本，提高企业的运营效率。通过建立企业网站，供应商、销售商以及合作伙伴都能被有效地纳入企业的工作流程。

9.1.5 国内外汽车电子商务发展状况

我国汽车市场快速发展，在各种机遇、挑战中获得不少成就。随着汽车消费能力提升，国民的汽车保有量持续增长，我国已然是名副其实的汽车消费大国。其中，二手车流通市场同样保持增长。

现在的汽车销售渠道已经越来越多，主要有4S店、汽贸店、汽车官网、汽车电商等。在这样的新营销模式下，未来的发展前景会不会越来越好？

淘宝、京东、聚美优品等电商平台在国内大获成功，带动了电商平台这一新兴领域的崛起，让不少人坚信互联网是能改造一切的。汽车行业也涌入了不少电商平台，自2009年起，许多企业进军了汽车电商这个新兴领域，车企、经销商、互联网企业、投资者、消费者以及媒体等各方都对汽车电商给予了极大的关注。

目前汽车电商平台主要有三种模式，见表9-1。

表9-1 汽车电商平台的三种模式

汽车电商平台	特　点
综合平台汽车电商	该模式将经典的B2C电商模式复制到汽车电商中，营销思路传统。由于汽车商品的特殊性，这种模式更多是为主机厂集客和宣传服务。车企在天猫、京东等综合电商平台开设旗舰店的实质并不只是为了销售，更多是利用平台客流量大这一优势进行品牌展示、宣传和集客
垂直汽车电商	垂直汽车电商通过线上促销、现金补贴等活动方式吸引消费者在线上缴纳定金锁定交易，在线下4S店完成车辆交付。该模式活动形式多样、吸引力强、成功案例多，且交易简单透明，线下无须支出任何费用，但该渠道同时受无法脱离线下渠道单独存在的制约。汽车电商平台最终按照实际销量及比例，以赚取市场费用的方式从主机厂提取佣金，其本身并非主机厂销售渠道
车企电商	消费者通过车企官方平台在网络上直接下单，后续流程由4S店完成。该模式的主要作用在于厂家为本品牌4S店导流，短板是品牌和车型的数量局限。也正因为如此，车企电商数量较少

1. 国内汽车电子商务发展概况

不论是2008年易车网等垂直网站的兴起，还是2017年商务部发布《汽车销售管理办法》，都是推动汽车流通模式创新的关键节点。我国汽车互联网电商经过近10年发展，走过了从销售线索提供到线上购车的历程。

随着互联网的普及，线上交易平台越来越受到欢迎。初期，消费者获取汽车信息的主要渠道是门户网站、汽车垂直网站，但这类平台主要以汽车信息为主。随着电商平台的出现，消费者开始选择在汽车电商平台了解、购买汽车，同时，部分汽车类门户网站、汽车垂直网站推出了线上购车业务。

在汽车电商中，二手车电商的商业模式相对新车电商更加成熟，而新车电商还有待发展。二手车电商快速发展得益于我国庞大的二手车市场。随着汽车保有量增多及以旧换新政策的推动，2023年全国二手车市场累计交易量达1841.33万辆，同比增长14.88%。同时，我国从2019年开始推动二手车出口业务，首批试点地区包括北京、天津等地，此后各地纷纷出台政策推动。我国二手车出口量增大与汽车销量提升有关，新能源车在出口订单中很受欢迎，占比超过一半。

虽然国内汽车电子商务应用已经逐步开展，但现状仍不容乐观，仍然存在以下问题。

(1) 汽车电商传播情况 有调查表明，消费者中有八成以上知道可以通过电商渠道购车，而且五成以上已经登录过电商平台。这说明汽车电商的概念对消费者来说并不陌生。通过广告投放和冠名，汽车电商的传播广度已经达到一定水平。

但从传播深度来看，消费者的认知水平给汽车电商敲响了警钟。在非提示情况下，消费者能够说出部分汽车电商平台，但对于更深层次的平台所包含的品牌车型、能够提供的服务以及购车优惠方案等内容，消费者的了解程度仍处于较低水平。在提示的情况下，消费者对于天猫、汽车之家和京东等综合电商平台的认知程度较高，但同样存在对平台认知深度不够的问题。

(2) 电商购车的消费者情况 调查表明，消费者对通过汽车电商渠道购买汽车的意愿方面，45.45%的消费者会考虑通过汽车电商平台购买车辆；35.23%的消费者明确表示不会；还有近两成消费者表示不确定。显然，未来汽车电商的主攻目标群体是处于摇摆状态中的消费者。

从城市分级方面来看，四、五线城市消费者考虑通过电商渠道购车的比例最高，占比超过94%；一线和新一线城市消费者的占比相对较低。究其原因，可能与消费者的关注点不同有关。四、五线城市成为新增购车需求的增长点，而这些城市单一品牌的4S店数量较少，且消费者更看重汽车电商的价格优势，而发达城市的消费者购买渠道更多元，且更关注购车后的服务和产品品质等。

年龄方面，20~35岁和36~45岁的消费者对电商购车的态度比较开放。20~35岁的消费者是电商平台购车接受度最高的人群。在购买不同动力形式的车辆时，前者更倾向于购买新能源车型，而后者的目标更多的是传统能源车辆。

购物经历上，使用汽车电商体验过汽车相关服务的车主在考虑电商购车时，意愿高于无此经历的消费者。例如，使用过电商进行预约保养的消费者中，有92%的车主会考虑使用电商平台购车。

(3) 价格、促销、售后服务情况 综合已购车车主和意向消费者的反馈，价格、售后保障和优惠力度是消费者在购车时考虑较多的三个因素。

已购车车主和意向消费者的关注点在细分后呈现出了差异。前者较后者更关注价格和购买的便捷性，而后者的侧重点则在售后保障、优惠措施、车源、金融贷款和保险政策上。

以年龄划分，20~35岁消费者的关注点除价格，集中在平台优惠措施、金融贷款和保险、购车过程中的服务水平等方面。36~45岁的消费者则将目光放在了价格、售后保障和车源上。这与两种人群的消费者意识和消费习惯有关。

售后和试驾是最大的绊脚石。在意向消费者拒绝电商购车的原因中，占比最大的是"售后保障不及4S店"和"无法提供线下试乘试驾环节"。消费者的痛点正是汽车电商平台发力的切入点，线上线下融合的重要性值得再次提及。

另外，车辆来源也是消费者担心的一个重要方面，二线城市消费者尤其担心这一问题。

（4）汽车电商形式多样 2014年，随着"互联网+"概念的兴起，一大批互联网企业开始进军汽车后市场。据统计，仅2015年，在汽车后市场发生的融资事件就高达342起，这意味着几乎平均每天发生1起融资事件。这些电商平台采用的运营模式一般都是线上疯狂补贴、"烧钱"，一段时间内，用户洗车、保养基本上都不需要花钱，受到了消费者的追捧。但是时间一久，风投资金逐渐回归理性，这些电商陷入了"无钱可烧"的窘境。目前已有不少电商退出了市场，比如估值曾分别高达6亿美元和10亿美元的博湃养车和车风网，2016年已先后宣布倒闭。这些电商平台的倒闭，并不完全是资金的原因，更主要的是它们没有解决消费者的痛点。一方面，线上优惠福利送得火热；另一方面线下承接的服务能力和质量却让很多消费者"不爽"，存在门店少、不专业、不规范等问题。

但正是这种乱象，把那些做模式创新、价值创造的企业推到了历史的潮头，上汽集团打造的中国汽车市场首个全生命周期O2O电子商务平台——车享，便是这样一家企业。与部分互联网企业靠"烧钱"、补贴催生"伪需求"模式不同，车享背靠上汽集团，整合强有力的供货渠道和专业人才资源，通过线上"车享新车""二手车""金融"和线下"车享家"的深度融合，并通过数据打通，形成最具价值的全新汽车电商生态模式——车享模式，为消费者提供覆盖"看、选、买、用、卖"全生命周期的汽车服务。

除了模式的创新，车享时不时地推出一些走心活动，赢得消费者青睐。哪种模式是最适合汽车电商的道路尚没有明确答案。但可以肯定的是，以用户价值为导向、深度整合线上线下资源，为用户的汽车生活需求提供最优解决方案的模式，才能在汽车后市场电商服务平台的新一轮洗牌中获胜。

总体来看，虽然汽车电商得到快速发展，但整体仍处于尚未成熟的阶段。一是经营模式不够完善，传统4S店网点覆盖面广，可以为消费者提供试乘试驾、上牌、售后、保险等服务，这些是汽车电商品牌仍存在不足的方面。二是盈利模式不够明朗，新车利润不高，而售后、金融服务、保险等方面可以创造更多价值，电商平台需要探索售车后的盈利模式。

未来，汽车电商品牌将呈现以下发展趋势：

（1）电商平台更加垂直、更加精准 随着电商平台竞争加剧，未来汽车电商将更集中在新车交易的细分市场，如车源汇总、进口车等。

（2）汽车金融成为新的增长点 汽车金融产品可以促进汽车销售，未来汽车金融将成为电商平台的一个新的盈利探索方向。

（3）汽车电商新形式 如神州优车和宝沃汽车的合作，未来将有更多新的汽车电商平台合作形式出现，结合电商、车企、经销商的优势，规避如传统4S店成本高、电商平台业务单一等短板，进一步改变市场。

阅读材料 9-1

蔚来汽车与中国大学生方程式比赛

1981年，美国举办了首届大学生方程式大赛，随后日本于2003年、德国于2006年均开始举办本国的赛事活动。大赛的参与主体是学习汽车及相关专业的大学生，参赛大学生以院校为单位组建车队，车队每年独立自主设计、制造、调试一台方程式赛车。设计制造过程中除考验团队工程实践能力，还考验团队工程管理、商业营销、成本控制、招商宣传等全方位能力。每台方程式赛车都是一群有志青年倾注一整年时间的智慧和工程成果，也是工匠精神的真实写照。

中国大学生方程式比赛自2010年首次举办至今已经连续举办14年，赛事由单一的油车竞技发展为集合油车（混动）、电车、无人车、巴哈越野车四个组别的汽车人才培养平台。

说到"中国大学生方程式汽车大赛"的创办，就不得不提两个重要人物：一位是现任中国汽车工程学会名誉理事长付于武先生，另一位就是蔚来汽车创始人——李斌先生。随着我国汽车产业井喷式发展，伴随而来是汽车产业相关人才的严重匮乏，应届毕业生到了企业还需要进行相关培训才能适应岗位需求，这种情况极不利于当时企业对人才的渴求，甚至会抑制我国汽车产业的发展。在这种背景下，为了满足我国汽车产业的人才需求，推动我国汽车产业健康可持续发展，时任中国汽车工程学会副理事长兼秘书长的付于武和易车创始人李斌联手中国二十所大学汽车院系将这项旨在培养汽车产业高端人才的赛事引入我国。2010年，上海举办了第一届中国大学生方程式比赛。

随着电动汽车产业的发展，对人才的需求越来越迫切，在李斌的推动和支持下，中国汽车工程学会正式将电动组别独立成赛，并于同年举办了"蔚来杯中国大学生电动方程式大赛"。随着汽车智能化、网联化的进步，蔚来与学会一同推动智能网联汽车人才培养，并冠名支持了无人驾驶这一组别。

中国大学生方程式大赛给学生们提供了锻炼平台，约30000名大学生参与过赛事。目前参赛过的毕业生已经在各个企业中发挥着重要的作用，成了汽车强国建设的基石。

2. 国外汽车电子商务发展概况

当前汽车电商行业参与者众多，根据服务对象性质的不同，国外汽车电子商务主要分为B2C模式和B2B模式。

（1）**B2C模式** 国外汽车电子商务以B2C模式居多，主要提供信息查询、价格对比及预订服务，集中在欧美国家地区。欧美汽车市场发展起步较早，汽车营销渠道及消费者购买行为均较为成熟。B2C汽车电商经过多年的发展，业态较为稳定；业务开展形式主要是不同功能、不同类型的B2C汽车电商在消费者整个购车流程中紧密结合，实现功能互补，辅助消费者完成购车。

（2）**B2B模式** 汽车电子商务呈现成熟化、集中化特征，国外B2B模式汽车电商相比国内运营时间较早，发展较为成熟；且平台呈现集团化、功能垂直化趋势，典型企业平台如Dealertrack、incadea、Auto Nation。Dealertrack及incadea隶属于美国最大的在线汽车服务平台COX集团，定位服务于B端厂商、经销商销售软件及服务提供商；Auto Nation是美国最大的经销商集团，凭借其自身经营需求，在B端服务市场布局较早。

国外 B2B 汽车电商为经销商提供销售环节解决方案及系统，并提供金融、数据研究等综合服务。当前 B2B 汽车电商依托于完善、庞大的汽车电商平台或经销商集团，业务模式开展领域及竞争格局较为稳定；Dealertrack 专注于为厂商、经销商提供更高效的销售、订单管理、车辆定价等服务软件及技术支持，同时为经销商、消费者提供金融贷款、保险、数据研究分析等服务支持。

从海外格局看，垂直卖家生存空间大。美国电商呈现线上渠道分散化程度较高，行业集中度低的格局，垂直电商存在生存土壤。欧洲电商市场规模增速高，英国遥遥领先，垂直电商拥有广阔天地。

 阅读材料 9-2

蔚来汽车

定位于全球化智能电动汽车公司，蔚来在 10 年间形成了汽车研发、设计、生产制造、销售、服务等全方位体系。蔚来首批 10 万台量产车下线，历经了 1046 天；此后的第二个 10 万台量产车下线，历经了 384 天；第三个 10 万台量产车下线，历经了 230 天；第四个 10 万台量产车下线，历经了 270 天；第五个 10 万台量产车下线，历经了 244 天。

在这 2174 天中，蔚来共计推出 8 款全新产品，覆盖了 30 万元以上的中型、中大型的高端 SUV、高端轿车市场，不仅让消费者看到了蔚来造车的决心，更让人们见证了李斌和他的团队的非凡意志。

2024 年 5 月 9 日，蔚来汽车第二先进制造基地迎来了重要时刻——蔚来第 50 万台量产车下线。50 万台量产车的背后代表了 50 万名用户的信任。在 50 万台量产车的下线仪式上，中国汽车工业协会常务副会长兼秘书长付炳锋表示，"近年来，中国汽车品牌影响力快速提升，品牌高端化实现突破。蔚来作为中国新能源汽车高端品牌的代表，始终坚持原创、坚持自主研发的理念，不断推出高品质、高性能的智能电动汽车产品，与国外的豪华品牌同台竞技，取得了高端纯电动车市场份额领先的骄人成绩，含金量十足，非常令人振奋。"正如付秘书长所言，对于整个中国汽车产业来讲，蔚来走了一条不一样的路：它从高端开始，坚持正向研发，全面技术布局，全力以赴地建设充换电基础设施等。当然，这绝非是平坦光明的康庄大道，而是充满了风风雨雨、跌宕起伏的泥泞小路。

李斌在创立蔚来品牌之前，早已在汽车媒体界声名远播。2010 年在纽交所上市的易车公司是国内第一个上市的汽车互联网企业。易车公司旗下的易车网、新意互动、易鑫均在各自领域创造出一个又一个行业纪录。

2007 年，在易车网未被广大车友所熟知时，李斌便启动了全国首个第三方独立汽车测评项目。易车把网友关注的热门车型买回来后，对其进行全面和客观的测试，并把全部过程记录下来展示给网友。此后，2009 年"易车测试极限"启动，标志着国内汽车媒体测试项目新里程的开启。由易车 17 位成员组成的专业测试团队驾乘最新款测试车，途经石家庄、郑州、武汉、长沙、韶关，到达测试场地广东罗定进行测试。这是当时国内首个、也是唯一一个由媒体"自费买，独立测"的汽车测试项目，对车辆在不同地域、不同环境、不同路况下进行测试，意义深远。

在创立蔚来汽车之后，从安徽走出去的李斌不忘招商引资回馈家乡。蔚来的两座智能制造技术领先的工厂、120余家本地产业链合作伙伴，成为安徽大力发展汽车"首位产业"、建设新能源汽车强省的缩影。此次50万台量产车的下线是蔚来践行新质生产力的结果。安徽省委相关领导表示，合肥新能源汽车产业发展势头强劲，基本形成"整车+配套+应用场景"的全产业链条，合肥将一如既往支持蔚来等企业做大做强。

2024年5月15日是国际家庭日。蔚来旗下的第二个品牌——"ONVO乐道"与广大消费者见面。ONVO源自On Voyage，寓意着美好的旅途。而乐道，则代表着快乐的道路。这一品牌的推出正是蔚来在高端市场取得成功后的又一重要战略布局。这个秉持"阖家欢乐，持家有道"的新品牌将面向主流大众家庭，它的加入会令蔚来多品牌战略可以覆盖更全面的市场需求，同时"仰仗着"蔚来强大的补能体系，乐道会让更多家庭享受智能电动产品所带来的全新用车体验。

在业界看来，汽车电商的兴起，并不意味着经销店的终结。相反，恰好是传统的汽车销售网络的补充。比如，在美国，线下经销商转化率为70%，而电商的转化率仅为千分之一。这令美国汽车电商开始尝试加强自己的线下业务，打通流通环节。Carvana为目前美国最大的二手车电商，年销量约为3万~5万辆。其建立的"自动售车机"极为酷炫。以其建在田纳西州纳什维尔的汽车自动售货机自动版为例，一座五层玻璃塔每次可容纳20辆汽车。整个购车流程是，消费者首先可以在公司的互动网站上360度浏览每辆汽车的内部和外部，之后可选择电商送车上门，也可以在自动售车机处提车。消费者在网上购买汽车，可在全程不与人打交道的情况下取走这辆车。而Carloha"懒人汽车"二手车交易平台已在美国实现了网上下单，送车到家，在家看车试驾，不满意就退货的销售模式。其目标是"让每一个消费者像在亚马逊购物一样买车"。汽车流通领域中线上线下的融合，已是大势所趋。

这也引发了一系列变化——经销商所能起到的"购车咨询"这一职能被削弱，价格越来越透明，经销商无法依靠"信息不对称"来获益。在美国，消费者可以非常容易地到Kelly Blue Book上比较价格，到AutoTrader.com上看有关不同车型的消费者报告。

据J. D. Power的数据显示：2016年，消费者购车前，平均要亲自去经销店2.8次；而2012年这一数据是3.5次。汽车电商的发展，节省了消费者在整个购车环节中花费在经销店询价的时间。而这也导致了汽车经销商的不满。2016年，TrueCar因经销商竞价排名、以底价售车，一度成为美国"汽车行业的公敌"，引发了经销商的解约威胁。TrueCar曾被看成是易车、汽车之家等平台的转型范本。如今，各大汽车厂商注重线上线下相结合，通过官网、App等形式，利用互联网模式，使得信息透明，与客户互动，增加客户黏性。

除此之外，转化率也是汽车电商特别是二手车电商的压力与挑战所在。"消费者在汽车电商上的信息搜集行为在没有去经销店实际试车之前，很难转化为最后的购买行为。"美国知名二手车平台"懒人汽车"联合创始人兼CEO龙亮表示：汽车电商的转化率不足，每天的购买转化率大概只有千分之一左右。在实体店，消费者更有可能产生消费冲动；在经销店可以完成70%的转化率，只要销售人员全力以赴，消费者难免会在兴奋中做出购买的决定；在在线电商，消费者会不断对比，很难决断。

其次，美国的消费者习惯于先看，再试，最后再购买，而成熟的线下销售体系，很难让汽车电商迅速分羹。再加上在消费层面，去熟悉的经销商处看车和购车，是很多美国消费者的习惯。在美国，有一种"关联文化（Connection Culture）"，一家人、两三代人几乎全在一个经销商处购车，或者习惯于熟人介绍、去熟悉的经销商处购买，这也使得美国电商想改变消费者原有的选择略有难度。更为重要的是，汽车属于大型消费品，消费者对于网上支付方式的担心，也为在线购车提升了难度。种种压力与挑战摆在面前，美国汽车电商在告别了"烧钱"模式之后，开始以汽车流通渠道延展的定位谋求破局。

目前，在美国二手车交易更为活跃，二手车已经拥有了成熟的市场——价格标准化、质量标准化，车辆历史清晰，消费者已经形成了成熟的二手车消费习惯。同时，汽车租赁份额增加增大了二手车的供应量。在电商领域，二手车电商更为激进和成熟。

总体来看，汽车新车电商业务仍以导流为主。而二手车电商，则过渡到线上线下相结合的阶段。

9.2 汽车网络营销

伴随着网络经济时代的到来，一个以互联网为基础的网络虚拟市场开始形成。互联网具有全球性、虚拟性、跨时空性和高增长性的特点，随着网络的发展和网络用户数量的增加，网络提供的营销平台正朝着多元化方向发展。

汽车产业作为国民经济的支柱产业，已跨入网络化时代，越来越多的汽车企业意识到网络对汽车营销的重要作用，纷纷投资发展这一科技制高点，并将其视为未来营销竞争的一大优势，汽车网络营销必将成为汽车营销的主要形式之一。

9.2.1 汽车网络营销综述

外部因素是指外在的、对消费者购买行为产生间接影响的因素，一般包括政治因素、经济因素、社会因素和文化因素。

1. 网络营销的概念

网络营销是企业营销实践与现代信息通信技术、计算机网络技术相结合的产物，是指企业以电子信息技术为基础、以计算机网络为媒介和手段而进行的各种营销活动（包括网络调研、网络新产品开发、网络促销、网络分销、网络服务等）的总称。简单地说，网络营销是以顾客需求为中心的营销模式，是市场营销的网络化。网络营销可以使企业的营销活动始终和三个流动要素（信息流、资金流和物流）结合并流畅运行，形成企业生产经营的良性循环。开展网络营销前必须正确理解网络营销。

（1）网络营销不是网上销售 网上销售是网络营销发展到一定阶段产生的现象，但网络营销本身并不等同于网上销售。一方面，网络营销的目的并不仅仅表现为促进网上销售，还可以表现为企业品牌价值的提升、与顾客之间沟通的加强、对外信息发布渠道的拓展和对顾客服务的改善等。另一方面，网上销售的推广手段不仅仅靠网络营销，还需要采取许多传统的方式，如传统媒体广告、发布新闻和印发宣传册等。

（2）**网络营销不等于网站推广** 网络营销的开展需要科学地制订网络营销目标与计划，而不能片面地认为网络营销就是网络推广，网站推广只是网络营销的基础性内容。如单纯进行网站推广，其营销效果会大打折扣。企业往往发现，虽然网站访问量提高了，关键词搜索也使用了，却没有带来多少顾客和订单，这是因为相关配套的网络营销措施不到位。企业在开展网络营销时，只有制订包括网站推广在内的系统而周密的网络营销计划，才能达到预期效果。

（3）**网络营销是手段而不是目的** 网络营销具有明确的目的和手段，但网络营销本身不是目的。网络营销是为实现网上销售目的而进行的一项基本活动。网络营销是指营造网上经营环境的过程，也就是综合利用各种网络营销方法、工具、条件并协调它们之间的相互关系，从而更加有效地实现企业营销目的的手段。

（4）**网络营销不局限于网上** 由于互联网本身仍是一个新生事物，上网人数占总人数的比例还很小。对于已经上网的人来说，由于种种因素的限制，即使有意寻找相关信息，但在互联网上通过一些常规的搜索方法不一定能找到所需信息。尤其对于许多初级用户来说，他们可能根本不知道如何查询信息。因此，一个完整的网络营销方案除了在网上做推广，还很有必要利用传统营销方法进行线下营销。

（5）**网络营销不等于电子商务** 电子商务的定义强调的往往是电子化交易的基础或形式，也可以简单地理解为电子商务就是电子交易。可以说网络营销是电子商务的基础，在具备开展电子商务活动的条件之前，企业照样可以开展网络营销。网络营销只是一种手段，无论传统企业还是互联网企业都需要网络营销，但网络营销本身并不是一个完整的商业交易过程。

（6）**网络营销不是孤立存在的** 许多企业开展网络营销的随意性很大，往往根据网络公司的建议进行，而企业营销部门几乎不参与，网络营销成了网络公司的表演秀。事实上，网络营销应纳入企业整体营销战略规划。网络营销活动不能脱离一般营销环境而独立存在，网络营销应被看作传统营销理论在互联网环境中的应用和发展。网络营销与传统市场营销策略之间并不冲突，但由于网络营销依赖互联网应用环境而具有自身的特点，因而有相对独立的理论和方法体系。在营销实践中，往往是传统营销与网络营销并存。

2．汽车网络营销的方式

汽车企业的商业网站是汽车企业与顾客之间实现信息流通的主动脉，也是汽车企业开展网络营销必不可少的前提条件，应尽可能多地运用多媒体工具，把汽车企业的情况、产品、功能以三维立体图形或动画的方式表现出来，最大限度地满足顾客的需求。汽车企业网上营销的基本方式是：网络展示、网络交互和网络商务。

（1）**网络展示** 网络展示是指汽车企业在门户网站或专门网站上进行自我展示，其主要表现形式有以下几种：

1）广告。即将汽车相关信息硬性投放在网站上，以图片或文字的方式出现在显要位置，表现的主题是企业商标、汽车品种、车型参数和配置、价格等。

2）目录。加入某个搜索引擎以待用户查询。

3）商情。在某个发布平台将企业的商业动态和经营信息传播开来。

4）页面。拥有独立的网页或建设企业自己的网站，全方位地体现汽车企业形象。

（2）网络交互 拥有独立空间或信息平台的汽车企业通过自己的产品表现进行在线交易或服务，其主要表现形式有以下几种：

1）调查。通过汽车消费者的反馈信息了解市场需求和产品销售状况，并对销售趋势及产品市场占有率进行在线统计。

2）订货。消费者如果需要某种车型的汽车，可要求配货或预订，汽车企业可以通过信息传递要求各地的分支汽车企业来完成对消费者的服务。

3）投诉。为汽车消费者的直接投诉提供通道，以提高服务质量，获得消费者的好感，从而发展潜在客户。

4）建议。对汽车产品及企业有信心的消费者往往会提出好的建议，为汽车企业的市场定位、决策提供有益的参考。汽车企业应该认真对待消费者的建议，在其基础上调整企业决策。

（3）网络商务 网络商务是高技术实现与管理实现的结合，它以汽车企业经营现代化为基础。如果汽车企业已经实现了办公自动化，可以在保证内部系统安全的条件下与外部系统连接起来。其主要表现形式有以下几种：

1）订单管理。顾客在线购买产品并在线支付购物款。订单上的顾客资料进入顾客管理系统，汽车产品资料进入库存和物资流通管理系统，付款进入资金管理系统。这些系统的信息将反馈给订单系统以确认是否有效。

2）顾客管理。在顾客交易行为产生后，系统就会进行定期或随机的跟踪服务，并对顾客的反馈信息搜集整理，予以回复。反馈信息经统计后形成意见提交给管理人员。

3）库存管理。仓储及流水线的控制数据需要输入此系统以调剂市场供求，并影响采购系统的运作。

4）物流管理。订购信息会直接决定汽车产品的送货时间、频率、负荷和路线，从而清楚地计算成本，调整运输策略。

5）采购管理。采购管理依赖网页上发布的采购供求信息，也依赖企业内部提交的市场预测。仓储及流动资金的信息通过内部系统可以直接连接采购平台，实时发布采购信息，保证供货时间与质量符合生产的需求。

6）资金管理。汽车企业的财务管理基于企业内部的财务系统，银行资金的调用必须与内部调配相结合。在线资金流动不仅可以显示经营业绩，还可以进行电子报税以及其他在线金融项目操作，使会计电算化的应用达到一个新的水平。

7）数据管理。数据是现代化汽车管理的客观依据，网络的数据处理功能是在线数据管理的基础。网络数据库可以根据企业的需要实时统计目标主题的数据内容，进行数据分类处理，形成一份无人为误差的分析报告。

8）信息管理。汽车企业的各种信息都可以被企业内部网络中的所有终端共享。无论是文档还是命令，都可以通过网络传递，这样汽车企业的行政管理和商业流程会变得更加有序，执行起来会更为轻松。

3. 汽车网络营销的特点

（1）跨时空　通过互联网能够超越时间和空间的限制进行信息交换，因此企业能有更多的时间和更大的空间进行营销，随时随地向顾客提供全球性的营销服务，以达到尽可能多地占有市场份额的目的。

（2）多媒体　参与交易的各方通过互联网可以传输文字、声音、图像、动画等多种信息，从而使得信息交换具有多种形式，能够充分发挥营销人员的创造性和能动性。

（3）交互式　企业可以通过互联网向顾客展示商品目录，通过链接资料库提供有关商品信息的查询，可以和顾客进行双向互动式的沟通，可以收集市场情报，可以进行产品测试与顾客满意度的调查等。因此，互联网是企业进行产品设计、商品信息提供以及服务提供的最佳工具。

（4）人性化　在互联网上进行的促销活动具有一对一、理性的、顾客主导的、非强迫性和循序渐进式的特点，这是一种低成本、人性化的促销方式，可以避免传统的推销活动所表现的强势推销的干扰。企业可以通过信息提供进行交互式沟通，与顾客建立起一种长期的、相互信任的良好合作关系。

（5）成长性　遍及全球的互联网用户数量飞速增长，且大部分是年轻具有较高收入和高教育水平的群体，由于这部分群体的购买力强，且具有很强的市场影响力，因此，网络营销是一个极具开发潜力的市场渠道。

（6）整合性　在互联网上开展营销活动，可以完成从商品信息的发布到交易操作的完成和售后服务的全过程，这是一种全程的营销渠道。企业可以借助互联网，将不同的传播营销活动进行统一的设计规划和协调实施，通过统一的传播途径向顾客传达信息，从而可以避免不同传播渠道中的不一致性产生的消极影响。

（7）超前性　互联网兼具渠道、促销、电子交易、互动顾客服务以及市场信息分析与提供等多种功能，是一种功能强大的营销工具，并且它所具备的一对一营销能力迎合了定制营销与直复营销的未来趋势。

（8）高效性　网络营销应用计算机存储大量信息，可以帮助顾客进行查询，所传送的信息数量与精确度远远超过其他传统媒体。同时还能适应市场的需求，及时更新产品阵列或调整商品的价格，因此能及时有效地了解和满足顾客的需求。

（9）经济性　网络营销使交易的双方能够通过互联网进行信息交换，代替传统的面对面的交易方式，可以减少印刷与邮寄成本，进行无店面销售而免交租金，还可以节约水电与人工等销售成本，同时提高交易的效率。

（10）技术性　建立在以高技术作为支撑的互联网基础上的网络营销，使企业在实施网络营销时必须有一定的技术投入和技术支持，必须改变企业传统的组织形态，提升信息管理部门的功能，引进懂营销与计算机技术的复合型人才，方能具备和增强本企业在网络市场上的竞争优势。

9.2.2　汽车网络营销功能

网络营销系统是电子商务系统的有机组成部分，一个完整的网络营销系统包括以下功能：

(1) 市场调研 通过网络搜集市场情报，收集汽车企业竞争对手的信息，了解汽车企业合作伙伴的相关业务情况，向消费者征求对汽车企业推销商品及服务的认知程度、评价与意见，为新产品开发做准备，为调整汽车企业生产决策或营销策略提供依据。

(2) 信息发布与咨询 进行广告宣传，发布商品与服务信息，设立留言板与电子邮箱，让顾客留下建议与提问，并及时回答相关问题。

(3) 网上销售或网上采购招标 销售型站点要建立购物区及相关网络销售数据库，设立购物车方便顾客选购商品，并可发送商品订单。招标型站点要公布招标办法及要求，设计投标书，制定公正、合理的招标评标程序。

(4) 网上支付与结算 网上支付支持多种支付方式，如银行卡、电子钱包、电子转账等。在银行卡支付中涉及多种银行卡，需要和多家银行、金融机构进行合作，确定认证和结算程序。

(5) 订单处理 通过电子数据交换系统或网络数据库进行订单的自动处理与传输，再通过营销管理信息系统将订单任务分发到各个营销环节及部门。

(6) 物流配送 根据订单要求进行物流配送，在最短的时间内按照客户指定的时间及地点将商品发送至客户。

(7) 客户关系管理 建立客户档案，加强与客户的联系，整理客户留下的订购资料，解决客户提出的问题，研究客户提供的评价、意见及建议，为改善产品及服务质量提供参考。

(8) 提供售后服务 解决汽车产品使用中可能出现的问题，如退货、维修、技术支持和产品升级。

9.2.3 汽车网络营销优势

汽车产业作为国民经济的支柱产业，已跨入了网络化时代，越来越多的汽车企业意识到网络对汽车营销的重要作用，纷纷投资发展网络营销，并将其视为未来营销获得竞争优势的主要途径。将来，汽车网络营销必将成为汽车营销的主要形式之一。

1. 汽车网络营销给汽车企业带来的优势

(1) 能及时了解客户的需求 在汽车市场竞争日趋激烈的今天，企业比以往任何时候都更重视了解自己的客户是谁、客户需要什么样的产品等需求信息。网络技术为汽车企业进行市场研究提供了一个全新的通道，汽车企业可以借助它方便迅速地了解全国乃至全球的消费者对本企业产品的看法和要求。随着互联网用户的急剧增长，网上调研的优势将更加明显。企业还可以借助互联网图文并茂的优势，与客户充分交流，满足客户的个性化需求，完成网上汽车定制。与此同时，网络技术也为汽车企业建立客户档案、做好客户关系管理带来了很大的方便。汽车企业有了这样的基础平台，就可以致力于做好客户信息挖掘，定期或不定期地了解客户的各种需求信息，从而赢得市场竞争的主动权。

(2) 实现与客户的有效沟通 汽车作为复杂而昂贵的商品，虽然在短期内无法完成网上看货、订货、成交、支付等，但是网络营销至少能够促进汽车企业与客户相互交流。汽车企业可以利用网络为客户提供个性化服务，满足客户真正希望得到的使用价值及额外的消费

第9章　汽车电子商务与网络营销

价值。汽车网络营销促进了企业和客户之间的深度沟通，使企业获得客户的深度认同，满足客户的显性和隐性需求，是一种新型的、互动的、更加人性化的营销模式，能迅速拉近企业和客户的情感距离。企业通过大量人性化的沟通工作，树立良好企业形象，使产品品牌对客户的吸引力逐渐增强，从而实现由沟通到客户购买的转变。

（3）获取低廉的成本　与传统的营销方式相比较，开展网络营销可以使汽车企业以较低的成本去组织市场完成调研，了解客户的需求；根据市场需求开发新产品，发布产品信息，进行广告宣传，完成客户咨询，实施双向沟通等，有利于汽车企业降低生产经营成本，增强产品价格优势。同时，网络营销信息传递及时，可增强企业信息获得、加工和利用的能力，使企业提高市场反应速度，从而避免机会损失和盲目营销损失，改善营销绩效。总之，网络营销可以为企业节约时间和费用，提升营销效率，既使企业获得低廉的成本，又使客户获得实惠。

（4）方便客户购买　由于生产集中度和企业的知名度相对较高，产品的知名度也比较高，企业比较注重市场声誉，服务体系较为完备，同时对企业营销的相关监督措施较为得力。像汽车、家电等高档耐用消费品，在市场发育较为成熟后特别适合网络营销，客户可以放心购买，不必过于顾虑产品质量等问题。通过网络营销，客户可以浏览网上车市，不用到购车现场就可以在网上完成信息查询、比较决策、产品定制、谈判成交乃至货款支付等购车手续，接下来客户只需等待厂家的物流配送机构将商品车（甚至已办妥使用手续）交到自己的手中，真正实现足不出户买汽车。此外，网上交易还不受时间和地域的限制，这也从另一方面给广大汽车客户带来了便利。

2. 汽车网络营销给消费者带来的优势

1）宣传形式多样，内容丰富。汽车产业链条的多环节以及与外围产业的交叉，决定了汽车消费的多样性和复杂性，除了购车消费，汽车消费可以延伸到维修、养护、美容、配件、保险、信贷等环节。这就决定了消费者在有需求的时候便可以方便登录网站，享受网络平台提供的各种资讯和服务。网络广告可以利用文字、声音、图像、动画、三维空间、全真图像等多种手段，将产品全面、真实地提供给网络用户。这保证了网络媒介可以作为消费者的伙伴，在消费者购买行为发生前后的整个消费链条中，给予其全程关注和跟踪服务。

2）宣传信息定位准确、传播及时。网络窗口式互动使得受众可以有针对性地选择广告的内容、详细程度、观看时间和次数。同时可以知道，通过点击进入的基本上是对广告内容或者企业的产品感兴趣的消费者，可以通过程序跟踪消费者的来源和兴趣。网络媒介在传播信息方面具有快速、实时的特点，这是传统媒体无法拥有的优势。对于消费者来说，他们能够迅速了解汽车行业的市场行情，第一时间掌握促销信息、降价信息、车型款式等。对于厂家和经销商来说，能够及时把握市场动态和竞争对手状况，积极调整营销战略，促进市场竞争。

3）网络媒介搜索功能可以使消费者准确定位目标产品和所需信息。消费者在登录汽车网络频道或网站之后，可以通过检索功能，通过不同的指标，包括价格、品牌、车型、排放和所在城市等，单检索或者复检索符合自己要求的车型。网络媒介的检索功能和超链接使得消费者能够方便地对产品进行比较，消费者在购买汽车之前，既要充分了解汽车信息，同时也非常看中不同车型之间的比较。因此，在横向比较便捷性这方面，网络媒介无疑对汽车消费者有很大的帮助。

9.2.4 汽车网络发展策略

1. 树立品牌意识

品牌经营是汽车市场营销的高级阶段，是汽车网络营销的基础和灵魂。网络营销只有建立在知名度高、商业信誉好、服务体系完备的汽车品牌的基础上，才能产生巨大的号召力与吸引力，广大消费者才能改变传统的实物现场购车习惯，接受网上购车等新的交易方式。我国汽车企业应该建立科学、现代、规范的操作系统，树立品牌意识，提高品牌实力。

2. 提高创新意识

国内汽车企业应该建立具有自己特色的汽车营销网站，实时更新自己的汽车产品信息以及国内外汽车的新动态。网站建设要有新意，不能只照抄国外的汽车网站。

3. 加强与消费者的互动，提高服务水平

汽车网站除了完成网络广告、促销宣传、车型介绍、信息发布、价格查询以及收发电子邮件等简单业务，还要与消费者进行交流，了解消费者的需求，满足消费者购车的个性化要求，提高自己的服务水平，拉近与消费者的情感距离。

4. 培养汽车网络营销人才

汽车网络营销能够取得成功，在很大程度上取决于汽车企业所拥有的既懂汽车技术又懂网络营销管理的高素质人才。汽车企业应着力培养一批网络营销精英，并借助这批素质高、能力强、业务精的专业人才，稳步推进汽车网络营销的发展。

5. 完善网络基础设施

国家要加快网络技术开发，完善网络基础设施，建设信息高速公路，提高、完善服务水平，为网络营销的发展提供一个良好的物质基础。

6. 健全物流配送系统

国家应鼓励建立一批跨地区、跨部门、跨企业的现代化大型物流企业集团，完善集物流、商流、信息流于一体的社会物流体系，实现物流配送系统的专业化、系统化、网络化、信息化、现代化、规模化及社会化，为网络营销的发展提供强有力的社会支撑。

7. 建立、健全网络营销的法律、法规体系

网络营销在我国还是一种新的营销手段，尚处于导入阶段，需要有一个良好的法治环境。健全网络营销的法律、法规体系，一方面要求对原有的法律体系进行必要的调整；另一方面需要制定新的法律、法规，以适应网络营销的发展。

9.2.5 我国汽车网络营销发展现状

近年来，网络营销取得了骄人的成绩，汽车网络营销必然要提上日程。目前国内汽车的销量与日俱增，汽车网络营销的市场也在迅速扩张，汽车网络营销是对汽车传统营销模式的一种延伸与补充。但就目前我国汽车网络营销的发展而言，仍然存在如下问题。

（1）**营销观念陈旧** 在我国，网络营销虽然得到了较长时间的发展，但仍然有很大一部分汽车制造商将业务重心放在实体市场中，对网络营销的重视和关注程度不够，往往只会跟风效仿。此外，还有一些汽车企业存在消极思想，觉得我国的电商环境还不够规范，无论是从政策法规，还是从消费者的购买能力来看，汽车网络营销都不会在短期内得到较好的发展，所以不愿意拿出过多的精力来投入到网络营销当中。

（2）缺乏系统性 首先，国内的一些汽车企业在制订营销方案之前并没有做深入的调研工作，并且在实施过程中并未对营销效果开展实时跟踪与评价；其次，汽车网络营销的交互性较差，门户网站中的信息大多数都是一些产品的宣传和政策推广，并没有对网络客户的消费体验进行合理化的维护，且缺乏售后服务。

在实际意义上，我国各大汽车经销商还没有真正实现汽车的网络销售，大多采用O2O模式，即"网上支付定金——在线留下信息——分销4S店与客户联系——到店体验——付清余款——提车"的交易流程。在每年"双十一"期间所采用的抢购活动一般都会采取这种模式，"汽车之家"在2013年首次开展的"双十一"购车节中的成交量高达12478辆，主要是因为这种销售模式对于消费者、经销商以及汽车厂商都有利。消费者可以很方便地在网络上完成对车辆的预选、试驾安排以及新车预订，轻易地获得购车优惠，省时省力，程序简便。厂商与经销商通过这种营销方式可以最大限度地降低成本。虽然这种销售模式在某一阶段存在优势，但也存在一定的局限性。由于活动时间有限，不能给消费者稳定的销售平台，在提高效益的同时，厂商需要解决与4S店的销售利益分配问题以及售后问题，而且在保障、退货等环节也不能适应网上售车的需求，在一定程度上制约了网络销售的发展。

但近年来，汽车行业政策法规逐步完善，极大地刺激了我国汽车销量快速增长。此外，良好的经济形势不断提升消费者消费能力，推动整体汽车行业朝着科技、环保、产能优化升级的方向发展。

本 章 小 结

本章从电子商务的概念入手，介绍了汽车电子商务的分类、功能、优势，提出汽车电子商务的发展策略，陈述了国内外汽车电子商务发展现状。同时，着重介绍了目前电子商务中较基础、常见的网络营销，陈述了网络营销的概念、功能及优势，汽车网络营销的发展策略，同时指出了我国目前阶段的汽车网络营销的发展现状。

习 题

1. 概念理解

（1）电子商务

（2）网络营销

2. 思考与讨论

（1）试分析特斯拉的销售模式。

（2）简述电子商务与网络营销的区别。

（3）选择某一汽车品牌网络营销短片，简述其网络营销方案。

【案例分析】

互联网汽车平台

不知不觉中，互联网汽车平台格局发生了变化，原本汽车之家、易车网双雄争霸的格局加入懂车帝后，形成了三足鼎立的局面，汽车互联网平台之争越来越激烈。

随着国民经济迅速发展，我国汽车行业前景可观，从而引来了众多分羹者。入局者越多，竞争压力越大，加上"互联网+"的全面普及，汽车行业对外价格统一、透明，进而降低了汽车经销商的利润空间，亏损大势随之而来。

从2018年开始，汽车销量持续下降，车市迎来了寒冬，汽车互联网平台也未能独善其身。再加上2020年遭遇疫情的疯狂肆虐，汽车行业生产受阻、复工延迟、消费需求放缓接连发生，用户线下购车需求几乎为零。在极大的库存压力下，车企开始转战线上卖车。

随着互联网技术、大数据、人工智能技术的发展，线上选车、购车已经成为用户买车的重要渠道之一。汽车平台运用大数据系统，分析、形成用户画像，了解用户需求，为用户精准提供个性化服务。在数字化、智能化赋能下，从汽车垂直媒体转型成基于数据技术的互联网汽车平台，旨在构建汽车产业相关的生态圈，为车企、经销商、汽车媒体、车主等汽车行业从业者提供相对应的服务。

在互联网时代，大数据的价值不言而喻。对于一家互联网企业来说，通过对用户的数据进行分析，摸透用户消费习惯，为用户提供个性化服务，从而提高服务质量的方式是快捷且有效的。汽车之家的车型对比服务、易车网的报价服务、懂车帝的智能识别汽车服务等都用到了大数据。

汽车之家从一家垂直媒体转型为基于数字化的汽车公司，服务于汽车经销商、车企、汽车消费者，与汽车经销商建立了相辅相成的关系。尽管新冠肺炎疫情给整个汽车业带来了严峻的挑战，但同时也加速了汽车行业数字化的进程，稳固了汽车之家平台和汽车经销商的合作关系。

在汽车之家数字化转型的过程中，除了老对手易车网的日益壮大，还有新生黑马懂车帝的崛起，汽车互联网平台之争越来越激烈。

曾经与汽车之家不相上下的易车网一步步被拉开了差距，但"瘦死的骆驼比马大"，易车网依旧是汽车之家不可忽视的存在。更何况，被腾讯收购后的易车网蓄势待发，追赶势头十足。

诞生于2017年的懂车帝来势汹汹，上线不到两个月的时间，用户活跃度、用户使用时长就超过了易车网，紧逼汽车之家。在流量和内容方面，依托母公司今日头条、抖音等产品的流量支持，懂车帝比汽车之家流量更大。同时，懂车帝很好地沿用了字节跳动在内容获取和推荐上的经验，通过短视频、文字、图片等有趣的内容吸引用户。而汽车之家经过长年积累，打造的内容更全面、专业性更高，但娱乐属性较弱。懂车帝利用字节跳动完善的推荐技术和大数据优势，深入分析用户需求，还增加了智能识车、智能选车等功能，大大优化了用户的选择体验，选择懂车帝的用户越来越多。

现今，车企和汽车经销商也越来越体会到线上渠道的重要性，明白了线上、线下结合是汽车行业未来的大方向。在汽车之家、易车网、懂车帝的竞争中，比拼的不只是体量、流量、服务，更考量平台技术和用户转化率，因此大家都有赢的机会。

思 考 题

1. 请结合案例，分析汽车互联网平台如何在逆境中转型？
2. 请谈谈案例中三种平台各自的优劣势？

第 10 章 / Chapter 10
汽车销售实务

第10章 汽车销售实务

【教学要点】

知识要点	掌握程度	相关知识
汽车销售实务流程	掌握售前准备工作方法 掌握车辆介绍以及试乘试驾的方法 了解合同的签订以及付款交车的流程	发展潜在顾客的方法 潜在顾客的管理 六方位绕车话术
汽车商务谈判技巧	了解汽车商务谈判的内容 掌握汽车商务谈判的步骤 掌握汽车商务谈判的技巧	6CE原则 询问技巧 倾听技巧 说话技巧 语言表达及沟通方式
汽车销售注意事项	了解汽车销售的基本法则 了解汽车销售人员仪表的相关知识 掌握顾客接待的方法及注意事项 掌握异议处理的方法	销售过程中的基本法则 售后服务中的基本法则 汽车销售人员仪表 顾客接待注意事项 处理异议注意事项

 导入案例

让客户无法拒绝的销售话术

一、当客户说"我随便看看"

错误回答:"好的,那你有需要的话叫我。"

正确回答:"没有关系,买东西就是要多看,多比较。"然后给客户递上一杯水,继续说,"逛累了可以坐在这里休息一下。"

说明:增加客户在店内的停留时间,这是增加销售机会的关键。

二、当客户问"最低售价是多少"

错误回答:直接说最低售价是多少。

正确回答:"这款产品根据不同的配置有不同的价格区间。当然配置越高,功能越多,价格也会相应高一些。结合您刚才提到的需求,我的建议是您没有必要买最高配置的,这款旗舰款最适合您。"

说明:增加客户对你的信任,在一问一答中主动给出建议。

三、当产品以优惠的价格成交

错误回答:"这一单我不挣钱,这个价格卖给你可能还要亏钱。"客户心想产品会不会有什么问题?做生意不为赚钱,难道在做慈善吗?

正确回答:"跟您比较聊得来",或者"我们之前合作得非常愉快,所以这一单可以以最优惠的价格给您。"这话听起来很实在,更容易让对方接受。

说明：让客户在享受优惠的同时，认可销售员。

四、当客户不要赠品，要求折现

错误回答："不好意思，赠品是不可以折现的。"这种回应过于生硬，容易引起不必要的冲突。

正确回答："我完全理解您的想法，这个赠品是购买指定产品额外赠送给您的，跟产品的价格没有任何关系。因为现在还在活动期间，产品的价格已经是非常优惠的了，而赠品是免费送给您的，即使您用不上，拿去送给别人也是不错的礼品。"

说明：增加客户对产品及价格的认可，提升购后满意度。

五、当客户说"我要考虑一下"

错误回答："好的。"

正确回答："买东西确实需要慎重考虑。看得出来您对咱们的产品还是挺感兴趣的，对吧？否则您也不会花这么长时间来跟我沟通。出于好奇，我特别想向您请教一下，您考虑的主要因素是产品的价格、效果，还是其他的方面？您可以直接说。"

说明：客户能说出这句话，说明对于马上决定购买还有疑虑，只不过没有说出来疑虑而已。我们需要引导他把真实原因说出来，然后针对性地去解决问题，打消客户心中的疑虑，从而让成交概率大大提升。

10.1 汽车销售实务流程

汽车销售实务是指汽车销售企业针对汽车市场的特点、现状和变化情况，采用各种有效方式和手段，实施汽车销售业务的具体活动和行为。在整个销售过程中，销售人员应遵循一定的服务规范，为顾客提供全方位、全过程的服务，在销售工作中满足顾客要求，确保顾客有较高的满意度，提高顾客对所销售产品的品牌忠诚度。

现在许多汽车企业已经充分认识到汽车销售流程对汽车产品最终成交的影响，为此，一条通用的标准式汽车销售流程应运而生（见图10-1），以确保交给顾客的每一辆车从生产、运输、库存到交付过程都经过精心准备，保证万无一失。对于销售人员而言，销售过程可大致分为售前、售中和售后三个阶段。

10.1.1 售前

1. 发展潜在顾客

销售的数量因销售人员所拥有的潜在顾客及可能成为潜在顾客数量的不同而不同，销售人员要想在最短的时间内获得最多的销量，必须练就能准确辨别真正潜在顾客的本领。在寻找顾客的同时，就要注意对他们的情况进行分析评价，从中找出有望顾客，以免盲目访问，浪费大量的时间、精力以及财力。在实际工作中，评估潜在顾客的方法主要是MAN法则。

M：MONEY，代表"金钱"。所选择的对象必须有一定的购买能力。

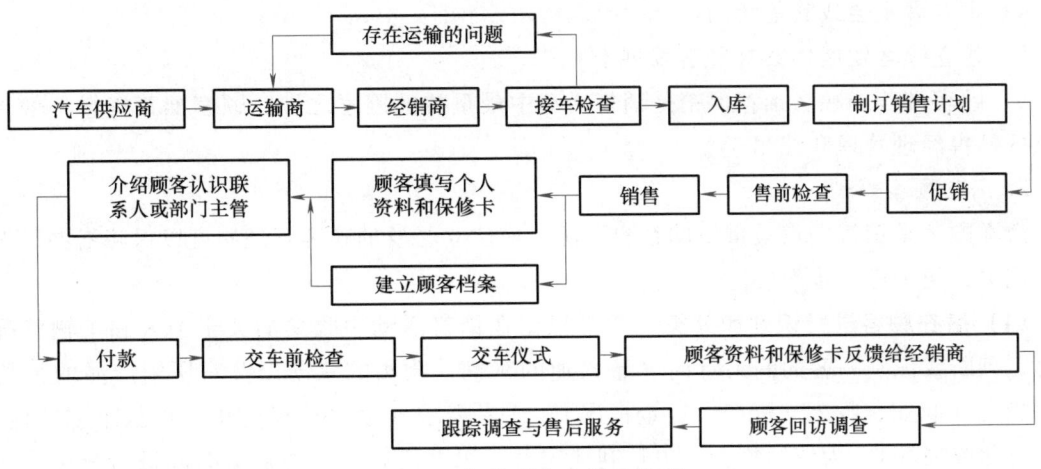

图 10-1 标准式汽车销售流程

A：AUTHORITY，代表"决定权"。该对象对购买行为有决定、建议或反对的权利。

N：NEED，代表"需求"。该对象有这方面（产品、服务）的需求。

"潜在顾客"应该具备以上特征，但在实际操作中，会碰到以下状况，应根据具体状况采取具体对策。评估潜在顾客的 MAN 法则，见表 10-1。

表 10-1 评估潜在顾客的 MAN 法则

购买能力	购买决定权	需求
M(有)	A(有)	N(大)
m(无)	a(无)	n(小)

其中：

M+A+N 代表有望顾客，是理想的销售对象。

M+A+n 代表可以接触，配上熟练的销售技术，有成功希望的人。

M+a+N 代表可以接触，并要设法找到有决定权的人。

m+A+N 代表可以接触，但需要调查其业务状况、信用条件等给予融资的人。

m+a+N 代表可以接触，应长期观察、培养，待其具备另一条件的人。

m+A+n 代表可以接触，应长期观察、培养，待其具备另一条件的人。

M+a+n 代表可以接触，应长期观察、培养，待其具备另一条件的人。

m+a+n 代表非顾客，应该停止接触的人。

由此可见，在潜在顾客有时欠缺了某一条件（如购买能力、购买决定权或需求）的情况下，仍然可以开发，但要采用适当的策略，才能使其成为企业的新顾客。

发展潜在顾客的方法具体为：

1）发宣传资料，如在经销商的市场区域内，至少每月散发一次。

2）询问（拜访顾客）、收集潜在顾客的信息并上门拜访或电话交谈，尽可能地促使他们参观展厅。

3）按照发展顾客的名单发送邮寄材料，特别是一些名人，促使他们来展示厅参观。

4）举办展示会或其他活动。

5）建立顾客发展档案（顾客发展卡）。

6）顾客推荐，顾客推荐促销是销售活动中最重要的因素之一。顾客推荐资料一般由经销点的销售经理管理和控制。

2. 潜在顾客管理

潜在顾客是销售网点最重要的客户资源，应建立必要的顾客管理制度以保障潜在顾客不至于流失，便于进一步发展。

(1) 潜在顾客进行识别和分类　通常根据在销售活动中收集的关于个人和车辆状况的信息，判断或识别顾客的购买意向（感兴趣的车辆、购买的意向以及对所销产品的兴趣）、购买能力（职业、收入、资产、资金情况），或者需求（家庭情况变化、年款车型的淘汰、车辆老化或损坏）。为使销售会谈更顺利地展开，可对潜在顾客的购买时间进行分类，然后确定拜访频次。潜在顾客分类见表10-2。

表10-2　潜在顾客分类

类　型	可能签销售购车合同的时间	评价依据	管理方法
最具潜力的顾客（A类）	1个月内	是否对产品进行说明 是否完成试驾 是否选定车型、颜色 是否已报价 是否已讨论付款方式	重点跟踪 安排约见 及时了解顾客动向 提供特别服务
较具潜力的顾客（B类）	3个月内	是否接受车辆介绍	定期电话访问 及时了解顾客动向
一般潜力的顾客（C类）	6个月内	是否接受车辆介绍	传递车辆信息
其他潜在顾客	6个月以上	对车辆的一般性了解	—

(2) 拜访顾客　经常性地拜访潜在顾客可以与其建立良好的关系，为其提供信息（邀请参观展览、介绍产品），发现与潜在顾客共同感兴趣的话题，然后将其引入销售的话题，还可以进一步收集潜在顾客的信息（现有车辆、车款、车型，家庭组成，购买决策者，购买行为，购买动机等），发现潜在顾客的需求。通常，人们期望在第三次拜访时，能够签订销售合同。对于像汽车这种比较昂贵的商品，在签订销售合同之前，销售人员可能还需要进行多次拜访，这样的拜访被视为再次拜访。

(3) 把握与潜在顾客见面的时间　依据经验，与潜在顾客见面一般在上午十点钟左右或下午四点钟左右比较好。一般情况下，人在上班时都有先紧后松的习惯，人的精力是有限的，从早晨八点钟开始忙到十点钟，就需要休息，在他需要放松的时候你去拜访或联络他，他会把其他的事情暂时放在一边，去跟你聊几分钟。下午也是同样的道理。

(4) 与潜在顾客见面时的技巧　销售人员在与潜在顾客见面的时候要讲究技巧。首先要有一个很好的开场白，这个开场白应该事先准备好。如果事先没有准备，应凭借实战经验进行应对。

有经验的销售人员首先会观察潜在顾客的办公室环境，潜在顾客有哪些爱好从办公室里面的摆设就能看出来。例如，潜在顾客在办公桌椅的后面放了一个高尔夫球杆，那销售人员与潜在顾客的谈话就可以从高尔夫球杆谈起；如果潜在顾客在办公室一角放了一套钓鱼的钓具，销售人员也可以从这个话题开始；如果实在没有反映其爱好的摆设的话，销售人员可以称赞办公环境布置得非常协调，令人身心愉快，这也是一个话题。不管怎么说，见面先美言几句，潜在顾客总不会心里不舒服。心理学认为，当一个人在听到他人赞美的时候，他会放松戒备，在这个时候是最容易推销成功的。

（5）学会目标管理　企业有企业的目标管理，部门有部门的目标管理，销售人员也应该进行目标管理。下面介绍一种目标管理的方法——数字目标。

1）数字的含义。1、15、7、8、96，这一串数字的含义是：一位销售人员一天要打 15 个电话；在这 15 个电话里面，要找出 7 个意向潜在顾客。一个星期打 5 天电话，就会找到 35 个意向潜在顾客。在这 35 个潜在顾客当中，有两个潜在顾客能够购买汽车，一个月按 4 个星期计算，就是 8 个潜在顾客。一个月卖了 8 辆车，一年 12 个月能卖 96 辆车。也就是说，保守一点讲，一位销售人员一年至少能卖 96 辆车出去。这组数字能很好地激励销售人员。

2）数字的调整。如果今天只打了 5 个电话，并没有 7 个意向潜在顾客，可能只有 5 个，或者 3 个，甚至更少。没有关系，只需要对数字信息进行调整，多打电话，15 个电话不行，打 20 个，直到获得 7 个意向潜在顾客为止。

3）数字的积累。当然，电话的数字是有一定积累的。一位新入职的销售人员，要想天天获得 7 个意向潜在顾客是有一定难度的，那就需要不断地去接触潜在顾客，要走出去，如把名片发给自己认为有可能成为潜在顾客的人。

10.1.2　售中

1. 车辆介绍

车辆介绍因人而异。对不同购买行为和购买心理的顾客要区别对待。在接待中采用试探、询问的方式发现顾客的需求利益、价值，并据此从公司所能提供的选择车型中有针对性地做车辆介绍。

要点是对特定的顾客进行车辆介绍，以建立顾客的信任感。销售人员必须通过传达直接针对顾客需求和购买动机的相关产品的特性，帮助顾客了解一辆车是如何符合其需求的，只有这时顾客才会认识其价值，唤起顾客对产品质量的信任，对所展示车型产生兴趣以及对新车产生期待。同时，使顾客了解所展示的新车能够最大限度地满足他的需求。语言的表达应当简捷，适当使用一些专业术语，同时要主动解释这些术语的含义。

在这个过程中，销售人员应做到：

1）向顾客展示所希望购买车型，并建议顾客坐进车内，按顺时针方向介绍。

2）在展示新车时，运用"FAB"（Feature、Advantage 和 Benefit）法则，对顾客的反应表示出兴趣，并就此加强对新车的介绍，确认新车是否满足顾客的需要。

3）向顾客介绍车辆的选装设备，主动介绍可加装的项目以及推荐的延伸服务。

4）提到所介绍汽车品牌的历史、安全性、质量等，使顾客感到该品牌是其最好的选择。

 阅读材料10-1

销售准备

准备阶段是销售过程中非常重要的环节，也是保证后续环节不出差错，成功率高的关键环节。没有充分的准备，其他销售环节就失去了基础，可能导致潜在客户流失。

在准备阶段，第一，需要对所销售的产品进行全面、彻底的了解，掌握所有的技术参数，车型配置，优惠政策等相关信息。

第二，销售人员做好形象上的准备，展示让人信赖的形象，更加容易取得潜在买家的信任。

第三，销售人员需要具备良好的沟通技巧和方法，以便与潜在客户建立良好的关系，并且帮他们做出明智的决策。

第四，非常重要的一点是，销售人员每天早上要做好展厅环境和展示车辆的清洁工作，确保展车保持干净、靓丽的外观状态。这可以给客户留下良好的印象，更有利于促进销售。

第五，准备充足的资料，包括各种车型的宣传资料、购车合同、特别优惠以及金融方案等内容，为销售过程提供必要的帮助。

总的来说，客户的第一印象对于成交的成功与否非常重要，第一印象产生在销售人员与客户第一次接触的8秒钟以内。如果不提前做好准备，整个销售过程会变得困难重重。所以必须考虑如何在第一时间内给客户留下深刻而积极的印象。

 阅读材料10-2

展厅接待

当你在展厅看见客户停车的时候，你的工作就开始了。

第一步，自我介绍。如"早上好，欢迎光临××汽车。我们是纯电动汽车品牌，我是您的专属咨询顾问××。请问您贵姓？"（自我介绍尽量不要超过50个字，建议提前打好草稿并练习）假设客户回答"免贵姓李"。

第二步，5分钟之内称呼客户5次"李总"这样做有两个好处：一是让客户觉得你尊重他，二是让自己记住他的称呼。

第三步，招待客户：李总，这边为您提供冷的或热的汽水、矿泉水、红茶或绿茶，请问您需要哪一种？先不急着看车，买不买没关系的。（这句话一定要多说、多练，说多了就会很自然。）

做到以上三步,给客户的第一印象就会非常好,对于之后销售流程的开展非常有帮助,大大提高了销售成功率。

第四步,引导客户先坐下来休息,喝喝水。如果客户要立刻看车,可以把水放在茶桌上,告诉客户"这是您的水",为以后的流程引导做好铺垫。

第五步,引导客户看车。如果客户没有明确要看什么车,这时候与客户的距离不要靠太近,保持在两米左右,让客户先看,直到有信号再介入,如客户坐到驾驶室,或者客户主动询问汽车的配置等。有时候客户会表示他想自己先看一下,要尊重他,离远一点,但不要离开他的视线,每5到10分钟可以上前咨询一下有没有需要帮忙的地方。如果全程让客户自己看,他就会觉得没什么特别之处,从而产生离店的想法。

第六步,当客户向你咨询产品时,如问车宽度是多少时,你可以回答5个相关的数据,如这台车的宽度、高度、长度、轴距、后排乘坐,客户会觉得你很专业。

总之,展厅接待是给客户留下较好第一印象的机会,一定要把握好。做好以上几点,你的销售已经成功了一半。

 阅读材料 10-3

需求分析

无论销售什么产品,问问题都是很重要的。

因为问题设计得巧妙,既可以了解客户买车时的动机,更重要的是能让客户多说话,从而了解客户需求。数据统计,在销售过程中,如果客户说的话占70%,销售顾问说的话占30%,最容易成交。

有的销售顾问在客户面前不停地介绍产品,以为这样就能促成销售,但事实上并不是。

在沟通中,有三类问题是不能问的:一是政治倾向;二是宗教信仰;三是生活方式。同时,要注意客户的情绪。

那么,应该如何提问呢?

第一种:提问后,先把答案说出来,引导客户回答。如问客户"您之前开的是哪一款车?我开的是大众宝来,开了8年了。"客人回答"我开的是大众捷达。"然后可以就相关话题展开讨论,比如谈油耗。

这种方式的优点是提问后主动告诉他答案,他愿意回答问题。

第二种:如果客户先向你提出问题,则要先认真地回答,然后再问一个问题。因为你诚实地回答了,他也会乐意回答你。

这种方式要注意的是不能客户问什么,你就回答什么,一次次被客户牵着走。所以在回答后要反问一个问题,把握好节奏。

整理一些比较有用的问题,用上面的提问技巧问客户,了解客户的需求。

第一，您了解过我们的产品吗？
第二，您买车是自己开，还是买给家里人开？
第三，您之前开哪款车比较多？
第四，这次买车打算以旧换新，还是多买一台？
第五，您对这次买的新车有什么要求？
第六，您每年大概开多少公里？
第七，您为什么要买一台新车？
第八，您在看我们品牌之前，有了解过其他品牌吗？
第九，您具体想了解我们哪一款车、哪个配置呢？
第十，您有了解过与我们级别相同的车型吗？
第十一，您了解的那款车挺出名的，为什么还不出手呢？
第十二，您是从事哪个行业的？
第十三，您买车是上本地车牌？还是外地车牌？
第十四，您喜欢什么颜色的车？
通过沟通了解客户的需求，为他推荐一款适合他的好车。

需求分析

2. 试乘试驾

汽车销售过程中的试乘试驾是顾客亲身体验并获取车辆第一手资料的最好机会。试乘一般是指顾客搭乘汽车销售人员驾驶的车辆，以体验车辆的舒适性为主的活动。试驾是指具有驾驶证的顾客亲自驾驶车辆，以体验车辆的动力性能、操纵性等为主的活动。

顾客提出试乘试驾的要求，反映出顾客对车辆有一定的兴趣，对于销售人员来说，在销售汽车的进程中向成功的方向迈进了一步。作为一名销售人员，这时应该诚挚、热情地去帮助顾客，尽快并妥善地安排好试乘试驾的时间、车辆、驾驶人或陪同试乘试驾的人员等。

在试车过程中，销售人员应让顾客集中精神对汽车进行体验，避免多说话。销售人员应针对顾客的需求和购买动机进行解释说明，以帮助顾客建立信任感。

在这个过程中，销售人员应注意的是：

1) 邀请顾客试车，提供试车时间以供选择。
2) 登记顾客的驾照，解释车辆的操作知识，介绍试车路线，并陪同试车。
3) 在试车过程中，应顺着顾客的需求重申该车能带给他的好处，着重介绍车辆的卖点。
4) 确认该车是否完全符合顾客的要求并请顾客填写试乘试驾记录。

3. 车辆选购

在经过车辆演示后，顾客就要对车辆进行挑选，所以就进入车辆选购服务模块。服务人员应按顾客对车型、颜色、基本装置、选装件和内饰的偏好，为顾客提供完全符合其要求的汽车产品。

在选车过程中，服务人员应陪同顾客，随时解答顾客提出的问题。这个阶段很重要的一项内容就是谈价，即向顾客介绍车辆价格的情况。为了避免在协商阶段引起顾客的疑虑，销售人员要使顾客感到他已了解到所有必要的信息并控制着这个重要步骤。如果销售人员已明了顾客在价格和其他条件上的要求，然后提出销售议案，那么顾客将会感到他是在和一位诚实和值得信赖的销售人员打交道。重要的是要让顾客主动采取行动，并给予其充分的时间做决定，同时增强顾客的信心。

如果顾客已经选中车辆，服务人员应该立即与库存管理人员联系，核实仓库是否存有现货。若有，则准备汽车销售合同，并向顾客解释购车合同的相关条款。

4. 签订合同

选定车型、谈定价格之后，接下来就是签订购车合同。购车合同的内容如下：

1）卖方：汽车经销商；买方：汽车购买者。

2）合同主体的基本情况：名称（姓名）、经办人、地址、电话、营业执照（身份证）。

3）车辆资料：出厂车型、车架号、排量、颜色、座位数、发动机号。

4）价格构成：车价、选用装备价格、运费、其他（车辆附加费、牌照费）。注意：合同中约定价格的内容必须清楚。

5）付款方式：定金（数额）+余款（数额）。

6）付款形式：现金、支票、汇票。

7）余款拟付日期。

8）预计交车时间、交车地点。

9）履约条款。

在这个过程中，销售人员应做到：

1）正面介绍该品牌汽车售后服务的质量及公司提供的相关服务。

2）合理解释产生异议的原因。

3）做好记录。

5. 付款交车

在签订销售合同后，就进入车辆付款与交货环节了。目前，在我国的汽车 4S 店，车辆的验车、上牌一般由经销商代理，付款与交货过程大致为：交付定金—PDI 检验—上牌—交车。具体可分解为下述服务环节：

（1）交付定金 定金是买方确定对商品购买的承诺。经销商在收取定金后为客户代办相关手续：验车、商检、缴纳购置税、上牌等。定金一般为 2 万元或车价的 10%，以数额高者为准。

（2）PDI 检验 新车交车前的全面检查称为 PDI 检验作业。各品牌汽车的 PDI 检验项目和指标差别很大，但大致内容均涉及车辆内部、外观、发动机舱、底盘、随车附属品和工具，以及各部件的性能状态等。现在这项检查已经扩展到了商品车的整个管理过程，如新车验收、库存车管理、展车管理、交车准备等。

（3）上牌 客户在交付定金之后一般由经销商代办上牌手续。上牌手续是一个复杂的过程，包括工商验证、办理移动证、缴纳购置税、购买保险、安全排放检验、领取牌照、缴纳养路费、缴纳车船税、领取车辆行驶证、办理车辆档案登记等。

(4) 交车 交车的环节实际上是在办理完了验车、缴纳购置税，将车辆资料递交到车辆管理部门后，等待领取牌照时进行的。此时，客户向经销商补足车款余额方可提车。

交车步骤是顾客感到兴奋的时刻，如果顾客有愉快的提车体验，那么就为建立长期友好关系奠定了积极的基础。在这一步骤中，按约定的时间交付洁净、无缺陷的汽车是营销服务的宗旨和目标，这会使顾客满意并加强他对经销商的信任感。销售人员应按照约定的时间交车，万一有延误应和顾客联系以避免引起顾客不满。销售人员应确保在交车时服务经理（或服务顾问）在场，因为这是顾客和经销商之间发展长期关系的起点。因该顾客已经和经销商建立良好的关系，将会愿意介绍其他顾客来购车，也更可能和服务部门就未来服务和购买零件等问题进行联系。销售人员应提前做好准备，保证新车干净整洁。在交车时应清点工具，交代使用注意事项，并详细介绍操作方法及维护、索赔的常识。交车后可以赠送礼品，与顾客合影留念、感谢顾客购车并请顾客做宣传。

10.1.3 售后

车辆交付给顾客以后，并不意味着销售工作的完结，一位有经验的优秀销售人员不会忘记经常与顾客保持沟通，询问和关心顾客在车辆使用过程中的感受，赢得顾客的满意与信任，为日后工作打下良好的基础。

售后的主要程序和内容包括：

1）一般在交车72h内，服务经理会与购车顾客联系以确认顾客信息的真实性，并了解顾客用车后的感受，询问顾客对车辆及整个购买过程的意见。

2）帮助顾客解决有关使用方面的问题。

3）提醒顾客及时对车辆进行维护。

4）与顾客保持联系并请顾客推荐亲朋好友来看车、买车。

10.2 汽车商务谈判技巧

汽车商务谈判是买卖双方为了促成汽车产品及服务的交易而进行的活动，或为了解决买卖双方的争端，并取得各自的经济利益的一种方法和手段。

由于汽车贸易活动涉及的内容很广，几乎每一项贸易活动都需要进行谈判，所以汽车销售人员要熟练地掌握谈判技巧和方法。通过商务谈判，汽车企业应尽量低价买进、高价卖出，以帮助汽车企业增加利润。它是增加利润最有效，也是最快的方法。

10.2.1 汽车商务谈判内容

汽车商务谈判涉及汽车工业的各个领域，如经济资源（原料、材料、能源等）和技术资源（工艺技术、生产技术、专利等），还有服务领域（修理、加工、运输、保险等）交易谈判内容。具体包括汽车商品品质、汽车商品包装、汽车商品价格、汽车商品贸易结算、汽车商品交易服务等。

10.2.2 汽车商务谈判步骤

商务谈判的步骤一般包括申明价值、创造价值和克服障碍等几个阶段。

（1）申明价值 此阶段是谈判的初级阶段，其关键点在于弄清对方的真正需求，主要的技巧就是多提问，探询对方的实际需要，同时申明我方的利益所在。因为越了解对方的真正需求，就越能知道如何满足对方的需求；只有告知对方我方的利益所在，才能更好地满足我方的需求。

（2）创造价值 此阶段是谈判的中级阶段，双方彼此沟通，往往申明了各自的利益所在，了解了对方的实际需要。但是，在此达成的协议并不一定都是双方利益的最大化。因此，谈判双方须寻求更佳的平衡方案，找到最大的利益，也就创造了价值。

（3）克服障碍 此阶段是谈判的攻坚阶段。谈判的障碍主要来自两个方面：一是谈判双方彼此利益存在冲突；二是谈判者自身在决策程序上存在障碍。前一种障碍的克服需要双方按照公平合理的客观原则来协调利益；后一种障碍的克服需要谈判无障碍的一方主动去帮助另一方决策。

10.2.3 汽车商务谈判技巧

销售人员应该具备一定的沟通能力和技巧，比如听、观察、提问、解释以及交谈的技巧。

1. 6C 原则

6C 原则即清晰、简明、准确、完整、有建设性、礼貌。

1）清晰：是指表达的信息结构完整、顺序有致，能够被信息受众所理解。

2）简明：是指表达同样多的信息要尽可能占用较少的信息载体容量。

3）准确：是衡量信息质量和决定沟通结果的重要指标。首先信息发出者头脑中的信息要准确，其次信息的表达方式要准确，特别是不能出现重大的歧义。

4）完整：是对信息质量和沟通结果有重要影响的一个因素。

5）有建设性：是对沟通目的性的强调。沟通中不仅要考虑所表达的信息是否清晰、简明、准确、完整，还要考虑信息接收方的态度和接收程度，力求通过沟通使对方的态度有所改变。

6）礼貌：礼貌、得体的语言、姿态和表情能够在沟通中给对方留下良好的第一印象，甚至可产生移情作用，有利于沟通目标的实现。

2. 询问的技巧

询问主要是指了解对方的需求和关注点。如果不询问或询问不当，就无法知道顾客的需求，从而失去顾客，所以销售人员应积极地询问以了解其需求，清楚对方关注的问题，找到答案，从中受益。询问的形式包括开放式询问和封闭式询问。

开放式询问是指能让潜在顾客充分地阐述自己的意见、看法及陈述某些事实现状。开放式询问可以让顾客自由发挥。

(1) 开放式询问的类型

1) 探询事实的问题。探询事实的问题是指以"何人、何事、何地、什么时候、如何、多少"等询问去发现事实，目的在于了解客观现状和客观事实。例如，"您目前的使用状况如何？""您想要一辆什么样的车？"

探询事实的问题总要通过邀请对方发表个人见解来发现主观需求、期待和关注的事。这种方式常能使对方乐于吐露他觉得重要的事情和心中的想法。例如，"您对自动档的车有什么样的看法？""您认为如何？"

2) 探询感觉的问题。例如，"您觉得这款轿车的外形是不是有点像跑车？"

(2) 开放式询问的提问方式

1) 直接询问。直接询问的范例如："您认为这种车型如何？"

有时，直接询问对方并不熟悉的内容会造成紧张气氛，通常可采用间接询问法，如下所述。

2) 间接询问。具体方法是：首先叙述别人的看法或意见，然后邀请顾客表达其看法。例如，"有些顾客认为这款车比较省油，您怎么看？"

(3) 开放式询问的目的

1) 取得信息。取得信息的范例有：了解目前的状况及问题点、了解顾客期望的目标、了解顾客对其他竞争者的看法及了解顾客的需求等。

2) 让顾客去表达他的看法和想法。让顾客去表达看法和想法的范例有："对配置方面，您认为有哪些还要考虑？""您看，这个款式怎么样？"

(4) **封闭式询问**　封闭式询问是指让顾客针对某个主题在限制选择中明确回答的提问方式，即答案为"是"或"否"，或是量化的事实问题。

常用的询问词有"是不是""哪一个"或者"二者择一""有没有""是否""对吗""多少"等。例如，要邀请顾客并想让他按照你设想的时间赴约，于是，你在即将结束交谈时说："既然这样，那么我们是明天晚上见，还是后天晚上见？"例如，"您是喜欢两厢车还是三厢车？"封闭式询问只能提供有限的信息，显得缺乏双方沟通的气氛，一般多用于重要事项的确认、协议条款和市场调查等，与顾客沟通时要慎用。在封闭式限定选择的提问中，如能使所提的问题总是明确而具体，效果会更加理想。

在进行询问时，先使用开放式询问，当对方无法继续回答下去时，再使用封闭式询问。封闭式询问的前提是一定要明确目的，根据不同顾客引入不同的假设需求，以获得认同。销售人员要善于将封闭式询问转化为开放式询问，如将封闭式问题"您同意吗？"改为开放式问题"您认为如何？"，沟通效果会明显不一样。开放式询问常用的词语如下：怎么样、如何、为什么、什么等。

3. 倾听的技巧

人们通常只想听到自己喜欢听的或依照自己认为的方式去解释听到的事情，往往这已不再是对方真正的意思了，因而人们在听的时候往往只能获得25%的真意。

为了改进人们的沟通，应提倡积极地倾听。所谓积极倾听，是指积极主动地倾听对方所讲的事情，掌握真正的事实以解决问题，并不是仅被动地听对方所说的话。推销人员应该注意自己的倾听方式，不同听的层次表现出不同的状态，见表10-3。

表10-3 听的层次表现出的状态

听的层次	状态
设身处地地听	参与到对方的思路中去换位思考
专注地听	关注对方，适时地点头赞同
有选择地听	感兴趣的就听下去，不感兴趣的就不听
虚应地听	只是为了应付，心不在焉
听而不闻	无反应，像未听到一样，对顾客态度冷漠

听的方式有三种：听他们说出来的；听他们不想说出来的；听他们想说又表达不出来的。积极倾听是销售的好方法之一。日本销售大王原一平说："对销售而言，善听比善辩更重要。"汽车销售大王乔·吉拉德说："倾听，你倾听得越长久，对方就会越接近你。我观察，有些推销员喜欢喋喋不休。上帝为何给我们两个耳朵一张嘴？我想，意思就是让我们多听少说！"

销售人员可尝试用下列几种方法锻炼倾听的技巧：

（1）用信号表明兴趣　销售人员可以用下列方式表明自己对顾客的说话内容感兴趣：

1）同顾客保持稳定的目光接触。心理学家认为，谈话双方彼此注视对方的眼睛能给彼此留下良好的印象。这话有道理，但关键是如何注视？长时间凝视会让对方感到不自在，甚至还会觉得你怀有敌意。而游移不定的目光，又会让对方误以为你心不在焉。所以，在整个谈话的过程中，最佳的目光接触应该是在开始交谈时，首先进行短时间的目光接触，然后眼光瞬间转向一旁，之后又恢复目光接触。就这样循环往复，直到谈话结束。同顾客谈话时能获得其好感的目光应该是诚恳而谦逊的，即不卑不亢，尊重他人、也尊重自己。

2）不插话，让顾客把话说完。让顾客把话说完整，这表明你很看重沟通的内容。人们总是把打断别人说话解释为对自己思想的尊重，但这却是对对方的不尊重。点头或微笑也可以表示赞同对方正在说的内容，表明你与说话人意见相合，人们需要有这种感觉，即你在专心地听着。

3）调动并保持注意力。与顾客的谈话是否成功，注意力的调动和保持是一个很重要的因素。保持注意力不仅能使你明白顾客的言内之意，还能获得顾客的好感。因为你的态度就如同在无声地告诉对方："我很尊重你，很相信你，你与我所谈的话是非常重要的，我正在专心致志地听。"

（2）站在对方的立场仔细听　站在顾客的立场专注倾听顾客的要求、目标，适时地向顾客确认你了解的是不是就是他想表达的。

要及时确认自己所理解的是否就是对方所讲的。必须有重点地复述对方所讲过的内容，以确认自己所理解的意思和对方一致，如"您刚才所讲的意思是不是指……""我不知道我理解得对不对，您的意思是……"

(3) 掌握顾客真正的想法和需求 倾听是正确掌握顾客需求的重要途径之一。在从事商品销售以前,"先发觉顾客的需要"是极其重要的。了解顾客的需求以后,可以根据需求的类别和大小判定顾客是不是自己的潜在顾客,如果不是自己的潜在顾客,就应该考虑是否还要继续跟顾客谈下去。

倾听顾客可以使顾客有一种被尊重的感觉。许多销售人员常常忘记倾听是有效沟通的重要因素,当他们在顾客面前滔滔不绝,完全不在意顾客的反应时,便会失去发掘顾客需求的机会。

4. 说话的技巧

汽车销售人员说话时要多讲赞美的话;不要限制在讲与车相关的话题。此外,汽车销售人员要努力提高说话技巧。

1)语调要低沉、明朗。明朗、低沉和愉快的语调最吸引人,语调偏高的人应适当调整自己的语调。

2)发音清晰,段落分明。发音要标准,字句之间要层次分明。改正咬字不准的缺点,最好的方法就是大声地朗读,久而久之就会有效果。

3)说话的语速要时快时慢,恰如其分。遇到感性的场面,当然语速可以加快,如果碰上理性的场面,则语速要放慢。

4)懂得在某些时候停顿,不要太长,也不要太短。停顿有时会引起对方的好奇,会使对方早下决定。

5)音量的大小要适中。音量太大,会造成太强的压迫感,使人反感;音量太小,则显得信心不足,说服力太弱。

6)配合脸部表情。每一个字、每一句话都有它的意义,要懂得在说话的时候配上恰当的面部表情。

7)措辞高雅,发音正确。学习正确的发音方法,多加练习。

8)加上愉快的笑声。

说话是销售人员每天要做的工作,说话技巧的好与坏将会直接影响其职业生涯的长短。在全面地向顾客介绍车辆时,要善于将车辆以及服务特征转化为顾客的利益。

顾客购买的并不是对车辆配置或经销服务的描述——不论描述有多么详细,顾客购买的都是能够满足其需求并解决其问题的办法,他们只有在看到利益时才会购买。车辆的特性是指车辆设计上的特性及功能。可从各种角度发现车辆的特性,比如可从材料着手,如新的材料;从功能着手,如自动档功能;从式样着手,如流线型的设计。

特性及优点是从厂商设计、生产车辆的角度赋予车辆以满足目标市场顾客层喜好的。不可否认的一个事实是:每位顾客都有不同的购买动机。真正影响顾客购买的决定性因素不是车辆有更多的优点和特性,而是让顾客觉得这些优点和特性能够满足自己的需求。

特性转换成利益的具体技巧如下:

1)利益描述要具体。

2)陈述利益要用产品的特性来支持,针对性强。

3）阐述总体服务如何满足顾客的需求。

4）转换利益的关键是说明与顾客真实需求有关的问题，并因人而异。

5）不要认为顾客会自己把特性转换成利益。

6）特性是不变的，利益有多种呈现形式。

在车辆介绍时，顾客对一般性的特性并不感兴趣，所以销售人员要使用"最新的""新一代""全球领先"等独特的词语。例如，"这是最新的车型，它具有……"这种将特性转换成利益的环节可以放在开头，也可以放在处理异议时。

名人故事 10-1

> 乔·吉拉德（原名约瑟夫·萨缪尔·吉拉德，Joseph Sam Girardi）于1928年11月1日出生于美国密歇根州底特律市，是美国著名的推销员。他是被《吉尼斯世界纪录大全》收录的世界上最成功的推销员，从1963年至1978年总共推销出13001辆雪佛兰汽车，连续12年荣登《吉尼斯世界纪录大全》世界销售第一的宝座，他所保持的世界汽车销售纪录——连续12年平均每天销售6辆汽车，至今无人能破。
>
> 乔·吉拉德说："我一直严格要求自己'一定要守信''一定要迅速付钱'。例如，当买车的客人忘了提到介绍人时，只要有人提及'我介绍约翰向您买了部新车，怎么还没收到介绍费呢？'我一定告诉他，'很抱歉，约翰没有告诉我，我立刻把钱送给您，您还有我的名片吗？麻烦您记得介绍顾客时，把您的名字写在我的名片上，这样我可以立刻把钱寄给您。'有些介绍人并无意赚取25美元的介绍费，坚决不收下这笔钱，因为他们认为收了钱心里会觉得不舒服。此时，我会送他们一份礼物，或在好的饭店安排一餐免费的大餐。"
>
> 乔·吉拉德引退后成为全球最受欢迎的演讲大师，他的事迹激励了来自世界各地的人们。乔·吉拉德生于贫穷，长于苦难，自强不息，不懈奋斗，创造了诸多传奇，保持了吉尼斯世界汽车零售纪录。他的销售秘诀、成功要诀、语录，毫无保留地展现出来，激励了一代又一代的汽车销售人。

5. 提供建议的技巧

（1）制定标准说法 使推销说法精进的第一步是，事先制定一套"说法大要"。有数年推销经验的销售人员通常在不知不觉中已把洽谈中的某些部分加以标准化。也就是说，与不同对象的顾客洽谈时，会使用一些标准说法。

有了不用靠硬背就能灵活运用的"标准说法"，在推销时就能胸有成竹、从容应答。在不断重复使用同样的话语时，多余的部分会逐渐被删减，最后成为精简有序的推销说法。在推销时，每一句说词都会变得自然而且条理分明。

（2）避免突出强调个人的看法 一名文化修养较高、经验丰富、能洞察用户心理的销售人员，虽然与顾客谈话不多，却能很快赢得顾客的信任，促使其对车辆形成肯定态度。经验表明，销售人员在向顾客宣传介绍车辆时，越避免突出个人的看法，营销效果就越好。

（3）快速把握兴趣集中点 销售顾问要在与顾客接触的过程中判定顾客的类型，根据顾客类型，结合自己对车辆的了解，快速判定顾客的兴趣集中点，围绕一至两个兴趣集中点来展开推销，做到有的放矢。

一般来说，车辆的兴趣集中点主要有以下几个：

1) 车辆的使用价值。对于大多数顾客来说，车辆的使用价值是他们的兴趣集中点，因此详细地介绍车辆的功能是必不可少的。

2) 流行性。它是虚荣型顾客的一个重要兴趣集中点，大多数新车都应突出这一集中点。根据顾客的着装、谈吐以及家庭用具可以判断出其兴趣是否集中于此。

3) 安全性。它对于汽车这种交通工具来说显得非常重要，特别是中老年顾客的兴趣会集中于此。

4) 美观性。青年顾客多数重视车辆的美观性，女性顾客比男性顾客更重视这点。性格内向、生活严谨的人在注重车辆使用价值的同时，对其外观也比较挑剔。

5) 耐久性。耐久性作为使用价值中的一个特殊方面受到大多数顾客的重视，但是有些强时尚的车辆则不必强调其耐久性，青年顾客对于这一点往往考虑不多。

6) 经济性。对于经济上不是很宽裕的顾客，强调自己所售产品的价格优势就显得尤为重要。另外，车辆数量有限往往会促使犹豫的顾客快速做出决策。同时，物以稀为贵的思想被大多数人认同，不妨稍加利用。

6. 充分利用非语言表达方式

非语言沟通是指借助人的目光、表情、动作、身体姿态等肢体语言所进行的信息交流。在信息交流中，语言只起到了方向性和规定性的作用，而非语言才能准确地表达信息的真正内涵。非语言行为在销售沟通中不但起到支持、修饰语言行为的作用，而且可以直接替代语言行为，甚至反映语言难以表达的思想情感。

在销售沟通与交往中，人与人之间所传递与交流的信息只有一小部分是以语言为传递媒介的，绝大部分信息是通过非语言媒介传递的。但是，人们不难发现，非语言行为很难独立担当其信息传递与销售沟通的功能，它们往往起着配合、辅助和强化语言的作用。但是，脱离非语言的配合，仅仅依靠语言进行信息传播，难免使人产生词不达意或言过其实的感觉，缺乏幽默、生动或真情流露的情景不利于二者沟通。所以，语言与非语言两者相互配合、相互渗透，共同担当了信息传递和销售沟通的职责。非语言表达方式及其含义见表10-4。

表10-4 非语言表达方式及其含义

非语言表达方式	行为含义	
	积极的	消极的
副语言（如声音等）	演说时抑扬顿挫是为了表明热情,突出停顿是为了造成悬念,吸引注意力	叹气,大声夹带着愤怒
手势	柔和的手势表示友好、商量	强硬的手势意味着:我是对的,你必须听我的

(续)

非语言表达方式	行为含义	
	积极的	消极的
脸部表情	微笑表示友善、礼貌	皱眉表示怀疑和不满意
头部	点头	摇头
眼神	亲切友好的目光	眼神飘忽,心神不宁,盯着看意味着不礼貌,但也可能表示兴趣,寻求支持
姿态	身体前倾	坐立不安,随手翻看资料表示心不在焉;双臂环抱表示防御;开会时独坐一隅意味着不感兴趣

(1) 副语言 副语言是指说话音调的高低、节奏的快慢、语气的轻重,它往往能辅助传达语言表达信息的真正含义,因而副语言与语言之间的关系非常密切。副语言尤其能表现一个人的情绪状态和态度,影响人们对信息的理解以及交流双方的相互评价。销售人员要有意识地控制好自己的副语言行为,不要让顾客误解,同时要注意倾听顾客的弦外之音,识别顾客所传达消息的真正含义。

(2) 善用声音 声音是一种威力强大的媒介,通过它可以赢得别人的注意,营造出有益的氛围,并鼓励他们聆听。

1) 高音与语调:低沉的声音显得严肃,一般会让听众更加严肃、认真地对待。尖利或粗暴刺耳的声音给人的印象是反应过火、行为失控。使用一种经过调控的语调会使人对你充满信心。

2) 语速:急缓适度的语速能吸引听者的注意力,使人易于吸收信息。如果语速过快,听者就会无暇吸收说话的内容;如果语速过慢,声音听起来会非常阴郁,令人生厌;如果说话吞吞吐吐、犹豫不决,听者就会不由自主地十分担忧、坐立不安。自然的呼吸空间能使人吸收所说的内容。建设性地使用停顿能给人以片刻的时间进行思考,并在聆听下一则信息之前部分消化前一则信息。

3) 重音:适时改变重音能强调某些词语。如果没有足够的重音,人们就不能确定哪些内容重要。如果强调的内容太多,听者转瞬就会变得晕头转向、不知所云,而且非常倦息。

(3) 善用面部和双手 在谈话过程中,身体一直会发出信号,尤其是面部和双手。如果在使用面部和双手时能随机应变,就能大大改善影响他人的效果。

1) 面部:延续时间少于0.4s的细微面部表情也能显露一个人的情感,立即被他人捕捉到。面带微笑使人们觉得和蔼可亲。人们脸上的微笑总是没有自己想象的那么多。真心的微笑能从本质上改变大脑的运作,使自己身心舒畅起来。这种情感能使人立即进行交流和表达。

2) 双手:"能说会道"的双手能抓住听众注意力,使他们朝着你欲表达的意思前进。使用张开的手势给人们以积极肯定的强调,表明一个人非常热心,完全地专注于眼下所说的事。

3) 表情:表情是人类在进化过程中不断发展起来的一种交流手段。表情能够传递个人的情绪状态或态度，以及喜、怒、乐、愁等心理状态。销售人员在与顾客沟通时绝不能对着天空高谈阔论，或者对着地板埋头苦讲，一定要注意对方的表情变化，并及时做出反应和调整。

4）眼睛：要想使自己的话语更加可信，使自己信心更足，进而更好地进行沟通，沟通时就要看着别人的眼睛，这不仅会使听者感到满意，也能防止他走神。另外，要善于使用目光，如用目光表示赞赏和强化顾客的语言和行为等。

（4）**善用体姿** 人们对待他人的态度在一定程度上是通过体姿表现出来的，虽然体姿不能完全表达一个人的情绪，但它能反映一个人的紧张或放松程度。当某个人对对方感到拘谨和恐惧、敌意或不满时，往往会呈现肌肉紧张的情况。在这种情况下，交流双方都会感到不自在，销售沟通就达不到预期的效果。所以，根据交谈情境适时调整体姿也是一种沟通行为。

（5）**服饰与发型** 个人仪表，尤其是服饰与发型，是沟通风格的延伸与个性的展示。服饰与发型是销售人员通向成功之路的决定性因素之一。销售人员应当仔细考虑服饰与发型对顾客的影响，应保证自己工作时的服饰与发型等所传递的非语言信息都是积极进取、热情开朗的。顾客的个人特点、销售区域的文化氛围与经济环境以及销售的产品或服务类型，共同决定着销售人员的个人仪表与行为模式。

（6）**顾客的肢体语言信息识别** 对消费行为的深入研究发现，在销售沟通过程中，顾客一般会通过肢体语言来传递非语言信息，且大多数肢体语言的含义明确。但是，销售人员应该认识到，顾客的肢体语言是其沟通过程中的一个组成部分，且是伴随着顾客一连串的语言沟通的一部分非语言暗示。销售人员既不能断章取义，也不能熟视无睹，而是要随时捕捉这些微小的非语言信号并结合整个沟通过程进行正确的"翻译"或"解码"。

7. 笑的艺术

一个人在发怒之后，必须以笑来中和一下，如果只怒而不笑的话，人的情绪势必会失去平衡。就销售而言，笑是非常重要的助手。笑有笑的艺术，当然也需要不断练习，加以完善。销售人员一定要掌握笑的艺术和针对不同的情况展现不同的笑容。乔·吉拉德说：有两种力量非常伟大，一是倾听，二是微笑。

8. 沟通的障碍与排除

沟通中的障碍是指信息在沟通过程中遭遇诸如环境噪声等因素所导致的信息失真或停止等现象。引发信息沟通障碍的不仅有信息发送者的因素，也有信息接收者的因素，还可能有传播介质方面的原因。销售人员应熟知沟通中的信息障碍，并努力避免这些障碍以提高沟通效率。

有效的沟通技巧需要巧妙地避免沟通中出现的各种沟通障碍。在销售沟通中，经常存在以下几个方面的问题：

1）没有明确的目的。

2）喜欢堵住顾客的嘴。

3）不会倾听。

4）不懂得提问。

5）带着成见或偏见。

9．销售沟通中的润滑剂

销售沟通中的润滑剂不仅能帮助调节沟通氛围，在某种程度上它还可以促进沟通双方对沟通问题的理解与认识，使信息交流更加通畅。下面列举了销售过程中常用到的沟通润滑剂，销售人员掌握这些润滑剂对于提高自身的沟通技能大有裨益。

（1）**赞美**　赞美是销售沟通中风险最小、最易掌握的一种技巧。然而，大多数人没有赞美他人的习惯。销售人员要改变这种习惯，就要学会赞美他人。首先，从发掘顾客行为中的积极因素入手；其次，学会让对方知道其行为使你感到愉快；最后，赞美用语的使用也是非常关键的，要避免弄巧成拙、画蛇添足。销售人员应学会掌握赞美技巧，利用赞美来激励顾客积极进取、愉快合作。

（2）**幽默**　在销售沟通中，幽默表现为运用机智、诙谐、含蓄的语言使人发笑，从而营造出一种良好的交流氛围。幽默不仅能使人变得温和、委婉，而且还能缓解人们的紧张情绪，帮助人们达到积极交流和沟通的目的。销售人员在沟通中，切忌油嘴滑舌和不顾交往情境过度幽默。

（3）**委婉**　委婉是销售沟通中被广泛采用的交流技巧。说话委婉给人以文明和高雅的感觉，反映了一个人的文化修养和内在素质；同时，说话委婉可以使人避免陷入"一言既出，驷马难追"的困境。销售人员说话委婉，往往给人以平等待人、平易近人而不是居高临下、盛气凌人的感觉。

（4）**寒暄**　寒暄就是嘘寒问暖，这是人们见面时通常互致的问候。寒暄有时没有特定的意义，但在销售沟通中是不可或缺的交流技巧。有时看起来寒暄像是没话找话，但它不仅会启动交流，使陌生人相互认识，而且会使不熟悉的人开始熟悉，使生硬、单调的交往情境变得生动、活跃。销售人员应该经常和顾客打招呼、聊天，每逢顾客生日或者节假日时，应给顾客打电话或者发电子邮件问候，以此消除顾客与销售人员之间的心理隔阂，增进销售顾问与顾客的关系。

（5）**善用敬语**　敬语亦称"敬辞"，它与"谦语"相对，是表示尊敬礼貌的词语。除了出于礼貌的考虑，多使用敬语还可体现一个人的文化修养。常用敬语有"请"字，第二人称中的"您"字，代词"阁下""贵方"等；另外，还有一些常用的词语，如初次见面称"久仰"，很久不见称"久违"，请人批评称"请教"，请人原谅称"包涵"，麻烦别人称"打搅"，托人办事称"拜托"，赞人见解高超称"高见"等。

（6）**善用雅语**　雅语是指一些比较文雅的词语，经常在一些正式场合以及长辈或女性在场的情况下，被用来替代那些比较随便甚至粗俗的话语。多使用雅语，能体现出一个人的文化素养以及尊重他人的个人素质。

（7）**微笑**　微笑是人际交往中的润滑剂。在生活中，微笑是最自然大方、真诚友善的。笑容是一种令人感觉愉快的面部表情，它可以缩短人与人之间的心理距离，为深入沟通与交往创造温馨、和谐的氛围。因此，有人把笑容比作人际交往的润滑剂。

阅读材料 10-4

销售顾问仪容仪表要求

在与客户面对面时，应当保持微笑和适度的目光接触，有利于拉近客户关系，让客户感受到你的诚意和信任。

不要与客户长时间四目对视，也不要总看向别处，可以看着客户的嘴讲话，因为这样会使目光显得柔和，不会有攻击性。

对于男性销售顾问来说，最好穿着整洁的西装，搭配纯白或者浅蓝的衬衫。另外，领带也是一个不容忽视的细节。

对于女性销售顾问来说，着装应选择利落、舒适的职业套装，根据季节和场合进行必要的调整。

无论男女对于细节问题都应该特别注意，如通过佩戴丝巾来增强氛围，精心打理发型，妆容要简洁通透，选择适合的皮鞋，并尽量避免运动鞋类的穿着，整体要呈现专业的形象。

同时，作为汽车销售顾问，由于日常工作需要经常和客户进行交流和沟通，这需要拥有充沛的精力和体能，因此，坚持体育锻炼是非常重要的。

每天坚持锻炼在保持良好的健康状态的同时，还可以缓解工作的压力和焦虑情绪。通过锻炼，可以调整状态，让自己更加投入，保持积极和激情。有助于更加专注地服务于客户，并且加快实现自己的职业目标。

10.3 汽车销售注意事项

汽车销售的利润来源于顾客的满意度，顾客的满意度越高，汽车制造商或销售商获得或即将获得的利润就越高。因此，汽车销售服务人员应该为赢得顾客的满意而努力，以把每件事都尽可能做到尽善尽美为宗旨，为顾客提供高质量的服务。

10.3.1 汽车销售基本法则

1. 销售过程中的基本法则

为了赢得顾客的满意，在汽车的销售过程中应注意做到以下几点：

1）第一次就将工作做好。第一印象很重要，对初次打交道的顾客要认真并竭尽全力地对待。

2）要有控制问题的能力。

3）要有积极主动而自信的心态。

4）按顾客的要求去做并尽量做到更好。

5）不要轻易放弃任何一个顾客。

6）解决问题时，应注意运用团队智慧和经验，发扬集体协作的精神，寻求解决问题的最佳方案。

7）不要只是被动地应付问题，要能够预计问题的发生。

8）做好每一件事都需要遵守一定的程序，按部就班，有条不紊。

9）顾客来到展厅不久即受到礼貌的欢迎和问候，并说明如果顾客需要，展厅内有销售人员可以为顾客提供帮助。

10）表现出对顾客的兴趣，倾听顾客的谈话，建立起咨询关系，以确定顾客的要求；对每个顾客都应尽量提供一次试驾的机会。

11）保证顾客得到了全面的解答，以及愉快的、没有压力的购买经历。

12）使用一份交车清单，销售人员在商定的日期把车完好地交给顾客。

13）销售人员把顾客介绍给维修和配件人员。

14）对每个购买了汽车的顾客，销售人员均应在其购买后一周之内与他们联系，询问车辆使用情况，以保证顾客完全满意。

2. 售后服务中的基本法则

售后服务应该遵循的基本法则如下：

1）对保养及维修服务提供方便的预约。

2）提供周到的服务（运输服务、休息室、24h急救服务等）。

3）顾客来到维修部门即开始接待程序，并在开始进行保养及维修工作之前对汽车进行检查，而且要尽量同顾客一起检查。

4）认真确定维修项目，按照维修顺序进行准确记录，正式及礼貌地向顾客说明将要进行的工作，并在开始维修工作之前，向顾客提供一份估价单。

5）尽快开始汽车的维修工作。

6）在商定的时间将汽车准备好。

7）保证顾客得到有关维修工作和费用的详细解释。

8）在保养或维修工作完成后的一周内主动与顾客联系，保证顾客完全满意。

10.3.2 汽车销售人员仪表

1. 销售人员基本仪表

销售人员的着装应遵循整洁、统一、干净、安全的原则，以树立专业、正规的形象。

男销售人员每天都要刮胡子，注意鼻毛是否剪短。女销售人员应化淡妆，头发不能凌乱，要每天洗头。男销售人员要勤理发，不要有明显的头屑，要有适合工作环境的发型。要及时修剪指甲，并且始终保持双手干净。女销售人员的手指甲油的颜色不要太艳，手和脚等暴露部位的汗毛要及时修剪。

在着装方面，注意工作服的统一、干净、平整，工作牌要佩戴在规定的地方。男销售人员要佩戴领带。一般来讲，销售人员不可以在手上戴任何饰品。皮鞋要擦拭干净，袜子与鞋的搭配要合理，如黑皮鞋配深色袜子。

在举止方面，销售人员在进行交流时应注意自己的视线和笑容，二者要自然配合。不要长时间盯住对方，应适时挪动视线，切忌视线过度向上或向下、头不移动只移动视线等。笑容可以拉近与顾客的距离，要保持微笑并做到表情自然，注意不能有严肃、傲慢和愤怒的表情。

图10-2　销售人员的站姿

（1）销售人员的站姿　一般为自然站立，双脚开度15mm左右，腿要伸直，两肩挺直，肩部保持水平，两手自然下垂或交叉放于腹部，抬头、挺胸、收腹、视线水平前视，如图10-2所示。

（2）销售人员的坐姿　男性坐姿为在椅子前一个拳头距离处站立，其中一只脚后退半步，慢慢弯腰坐下，坐时两膝间留一个拳头空间，两膝平行向前，两手放在腿上，背部与椅背之间留一个拳头空间。女性坐下时，应两膝并拢，两手重叠放在腿上，身体稍前倾，如图10-3所示。

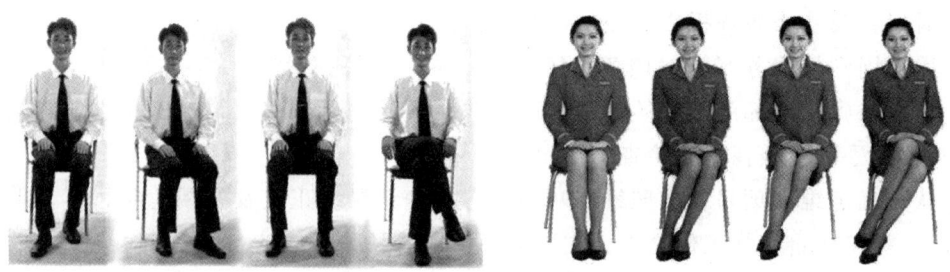

图10-3　销售人员的坐姿

（3）销售人员的行姿　行走时保持身体平衡，目光坚定，平视前方，抬头、挺胸、收腹并保持相对稳定，两脚内侧成一条直线，手自然下垂并摆动。

2. 销售人员举止要求

销售人员应正确掌握和使用礼仪语言，并掌握必要的本行业常用用语，说话时注意身体语言与话语表达的自然协调。

（1）名片接送时的注意事项　递送名片时，用双手从胸前递出，名片文字方向应正面向着对方，在对方接受名片的同时，简要介绍自己及公司名字。接收名片时，要用双手接收，简要确认（或口述）名片内容；视情况礼节性地客套几句（如久仰、认识您很高兴等），同时交换名片时，用右手递送自己的名片，同时用左手接对方的名片，右手递出名片后，手往回收时接住要接收的名片，然后稍做确认，视情况客套几句。送出的名片应该干净、整洁，对名片容易读错的字要进行解释，接收名片后要确认，接收后不要折来折去或随意放置。顾客的名片要妥善保管，不能草率对待对方的名片或忘记拿走。

（2）陪同引导时的注意事项　引导手势一般为手掌平展，拇指自然靠近食指侧面，手与前臂成一直线，手心倾斜指示方向，前后臂的夹角可表远近感。陪同引导时，在顾客1~2步之前。在楼梯陪同引导时，在顾客侧上方2~3级台阶距离引导，在狭小路段或转弯时，让顾客先走。在电梯陪同引导时，当电梯里已有人，进电梯时，先按住电梯门旁按钮，让顾客先进；当电梯无人，进电梯时，自己先进入电梯，按住电梯按钮，等顾客进来；离开电梯时，按住电梯按钮，让顾客先走。

（3）倒茶、倒咖啡时的注意事项　手要保持干净，茶具不能脏，不能有缺口，茶水的分量约为茶具容器的6~7成。茶碗有手柄时，手柄要正对客人。使用的抹布必须干净。倒咖啡时，糖袋和牛奶袋应该放在咖啡盘上。上茶时，应该先敲门（即使门开着），再进门，然后将盘放在桌边上，从上座方向按照顺序从顾客右侧用两手端出。

在销售过程中，销售人员不要在展厅里喝水、吸烟及吃东西，不要在工作时间阅读与工作无关的书籍和杂志，不要与其他销售人员聚在一起闲谈，不要在前台接待处化妆、修整指甲、梳理头发等。

10.3.3　顾客接待注意事项

在第一次与顾客接触时，销售人员应当应用职业化的欢迎顾客的技巧，明确顾客的想法和关注的问题，建立咨询服务关系，积极、热情地推销所要销售的车辆。

1．接待电话顾客

销售人员必须在电话铃响三声内接听电话。接听时应用左手接听电话，并且热情、清晰而又精神饱满地说："您好，这里是×××公司。"在接听移动电话时应说："您好，我是×××，×××汽车公司的销售顾问。"同顾客进行电话沟通时，应边听边记。电话挂断后，将接听内容和顾客信息进行归纳并填写顾客来电登记表。

销售人员应按如下要求接听电话：

1）重复电话主要内容，再做确认。

2）感谢顾客来电。在感谢顾客给专营店来电和说"再见"之前，询问顾客还有什么其他的要求。

3）如接听固定电话，则再次明确告知专营店的名称和自己的姓名，并感谢顾客来电，等对方挂断电话后再挂电话。

4）以礼貌和帮助的态度来弄清顾客的需求，如果是打电话找人，则提示他稍等，迅速将电话转给他要找的人。或者告诉顾客他的电话将被转接，并告知他转接电话人的姓名，或者向被转接者说明顾客的需求，以节省顾客的时间，使其不必再重复所说的话。

5）如果被访者正忙，就询问顾客是否愿意等一下，但不能让顾客等待的时间超过10s，一旦超过了10s，应及时将电话转回来向顾客说明，并询问他是否可以再等一等。因为，超过10s的等待，容易让顾客产生烦躁的情绪。

6）如果被访者不在，应询问顾客怎么给他回电话。若被访者在附近则用手遮住话筒，再请被访者前来接听。

7）如果顾客来电是询问相关事宜，则回答顾客询问前先问"请问先生（小姐）贵姓？"必要时重述来电者问题以示尊重，并做确认。若一时无法回答顾客询问的问题，则请顾客稍等，向同事问清答案后再回答，或请同事代为回答。

8）顾客咨询车的价格、配置等相关技术问题时，一定要非常流利、专业地给予回答。进行电话报价时，销售人员应遵循自己所代理品牌的汽车公司所规定的报价，其他费用明细也应报得非常准确。

9）如顾客电话是咨询售后服务的，回答应尽可能准确、明确，帮助顾客解决问题，如一时解决不了，应让顾客留下联系电话，并马上交给售后服务部负责跟进。同时，销售人员应在来电顾客登记表上注明相关内容。如果顾客来电的目的是咨询二手车的相关事宜，则转请负责二手车的人员按照有关二手车销售的内容来进行回答。

10）应主动邀请顾客来专营店参观、看车或进行试乘试驾，并尽可能地留下顾客姓氏和联系方式，但不要强求。挂电话前，要再一次感谢顾客来电。

2. 接待来访顾客

销售人员应随时注意进入展厅的顾客。顾客一进门，展厅销售人员就要面带微笑、双眼注视顾客、稍稍鞠躬，并说"欢迎光临"。若是两人以上同行，则不可忽视对其他人的照顾。顾客经过任何工作人员旁边时，工作人员即使忙于其他工作，也应面带微笑点头致意。销售人员要马上微笑前迎，并说："先生您好，来看车吗？"一边递上名片一边自我介绍说："我是×××，您先看着，如果有事我就在您的附近，随叫随到。"接着销售人员应离开顾客。

若顾客不需要销售人员陪同，那就让顾客轻松自在地活动，但销售人员仍应随时注意观察顾客的动态，如顾客在看什么、顾客关心什么、顾客在意什么，以便及时调整自己的销售方案。若发现顾客有疑问或有需要服务的迹象时，要立即上前服务，最好将顾客引入洽谈区坐下。

在接待顾客的过程中，针对不同的情况，要区别对待。

1）不是本店的老顾客来店寻求帮助时，销售人员要表示出关心，请顾客坐下，递上茶水等饮料，问清车况、事发地点及可能发生故障的原因，并且马上通知相关的服务人前来处理，让顾客感觉到你真心诚意地愿意帮助他。

2）当确认顾客来店的目的不是买车而是要求和专营店的某人谈话时，先请顾客在顾客休息区坐下，然后马上通知被访者会客。奉上茶水并说："先生（小姐）请用茶，请稍等一下，×××马上就来。"一直陪同顾客，直至证实他可以得到适当的帮助为止。如被访者不在，可以说："×××刚好外出，请您先坐一下，我们马上帮您联络。"请顾客在顾客休息区坐下后，马上联络被访者。同时奉上茶水说："先生（小姐）请用茶，我们已经在帮您联络他了。"询问顾客的需求，并且根据情况主动关心并提供服务。若无法联系到被访者，且其他销售人员也无法为其服务，则请客人留下姓名、电话及来访目的之后，再请被访者尽快和他联系，或写下被访人的移动电话号码，请顾客直接与被访人联系。此时应感谢顾客的光临，请求谅解，并表示今后如有需要，将再提供帮助。

3）当确认顾客来店的目的是想看看某款车，并且只想自己一个人看看时，销售人员应首先感谢顾客的光临，然后递上自己的名片以便提供进一步的帮助。让顾客自己随意浏览参观，销售人员行注目礼，随时准备与顾客交流。适当时递上茶水，并说："先生（小姐）请用茶。"尽可能让顾客留下联系资料，但不可强求。

4) 当确认顾客来店是想看看某款车并需要帮助时,销售人员应问清楚顾客需要解决什么问题并重复一遍顾客所说内容,请顾客确认自己对他来访目的的理解是否正确。在适当时机递上茶水,并说:"先生(小姐)请用茶。"别忘了向顾客递上你的名片。如果顾客有疑问可进行解答,如果顾客愿意继续往下交谈,在已了解顾客意向程度的基础上,可以借此机会再向他提一些问题,以便能更好地了解他的购买动机。

5) 当确认顾客来店是看中某款车型,而且购买意向较强,但展厅暂时没有摆放时,销售人员应向顾客说明原因,如需要提前预订、销售很好、新车正在运输途中等,这不仅说明该车型很畅销,还可以说明公司可以为决定购买的顾客提供紧急调车等特殊服务。销售人员也可以根据掌握的新车采购计划和顾客另行约定看车时间。如果顾客对未展示的车辆表现得不是非常急迫,销售人员可以为顾客介绍其他款型的车辆。

无论来访的顾客是否表示出购车意向,在顾客离开展厅时,销售人员都要确认是否递交了自己的名片,送顾客到门外,并说:"有需要帮助的时候请来电,欢迎下次光临,请慢走。"目送顾客离去。回到展厅后,及时整理、分析并将有关资料记录到来店顾客信息表中。

  阅读材料 10-5

微笑的艺术

作为汽车销售顾问,微笑是最重要的武器。微笑可以消除客户疑虑,让人觉得更加亲切和友好。客户看到销售顾问的微笑,就会感受到温暖和善意,从而更加容易跟随销售顾问的建议和决策。

因此,应该把微笑视为工作中的必备技能,在日常的工作中不断地练习和提高。无论与客户交流,或者与同事合作,都需要保持微笑。微笑,不仅是一种技能,更是一种态度和信念。

在展厅接待流程中,一定要全程保持微笑,这可以快速地让客户放下戒备心。微笑是一种简单又实用的技巧,它可以帮助你改善面部表情,让你更自信地迎接每一个挑战。

你可以每天早上对着镜子练习微笑 5 分钟,虽然时间很短,但作用很大。

首先,找一面清晰且足够大的镜子。这样可以清楚地看到自己的面部表情。保持身体放松,选择坐姿或者站姿,并且保持正常呼吸。

然后,开始微笑。尽量使笑容舒展开来,同时注意保持轻松自然的状态,避免任何不自然的表情。如果发现自己有嘴角向下等不良的面部运动,那么请尝试调整面部表情,直到能够形成一个愉快轻松的微笑。

其次,练习用眼睛微笑。虽然微笑时嘴唇的幅度很重要,但当积极愉悦时,眼神也会变得灿烂,所以要练习用眼睛微笑。微笑时可以保持微笑的嘴唇,然后用眼睛再次微笑,此时面颊肌肉被拉成一长条水平线,并缓慢地回到原来的位置,重复这个动作几遍,直到感觉自然。

再次,要保持积极的心态。当练习微笑时,很容易过于刻意,从而显得不自然。因此，请保持自己积极的心态，尝试在日常生活中自然地展现自己的微笑。对别人微笑时，自然就能感受到自己内心的愉悦和自信，从而变得更加自然。

最后，不断地练习。每天抽出时间对着镜子微笑。更重要的是，请肯定自己的微笑，相信自己的能力，相信这种习惯随着时间的推移是可以持续发展的，只要坚持练习，自然就会磨炼出自己独特的微笑技术。

3. 咨询服务

咨询服务的主要内容是回答顾客的提问，并主动进行介绍和问询。咨询服务的目的就是了解顾客的真正需求，引导、激发顾客的购买欲望，促成交易。

首先，在咨询服务的过程中，应该从顾客的角度出发，倾听他们的谈话，关注他们的需求，并给出合理建议，介绍清楚车辆的特征、配置、选装设备及优势。销售人员一定要友好、真诚地与顾客进行交流，让顾客在销售中占主导地位。同时，还应该打消顾客的各种顾虑，如担心受到不平等的待遇，销售的产品和维修不能满足他们的要求，价格比他们预计的高等。倾听时一定要全神贯注，及时给出反馈信息，让顾客知道你在聆听，对重要信息应加以强调，及时检查你对主要问题理解的准确性，重复你没有理解的问题。

其次，顾客在选购汽车及配件过程中，比较关心有关汽车及配件使用方面的知识。汽车及配件销售人员掌握的配件使用知识越全面，就越能使顾客满意。因此，掌握汽车及配件使用知识也是对汽车及配件销售人员的一项基本要求。汽车及配件使用知识涉及面广，它主要包括以下内容：

1）汽车及配件名。
2）质量，包括品质、强度、耐久性、试验结果。
3）材料，使用的材料、材料的特点。
4）用途，主要使用者、主要用途、其他特殊用途。
5）使用方法，如何使用和操作。
6）养护，保管、维护、特别的注意事项。
7）市场，使用这种汽车及配件的名人或公司，总的市场销售情况。

汽车及配件营销人员不仅自己要熟练掌握配件使用知识，还应针对顾客的询问，把汽车及配件的功能及使用方法详细地向其做介绍。有时还需做示范，或让顾客亲自试用，并给顾客分发一些有关产品使用方面的小册子、说明书或宣传碟片。如果汽车及配件的使用过程比较复杂，还可开办专门的培训班。

此外，在顾客咨询或购买汽车及配件时，一般会对汽车及配件质量有一定要求。因此，营销人员应对汽车及配件的产地、质量、特点等有较详细的了解，能积极如实地向顾客介绍，以满足顾客的要求。同时，有关质量保修的规定也是顾客十分关心的问题。销售人员应向顾客详细介绍有关质量保修的规定，如质量保修的年限、承保范围、费用分担等问题，还可向顾客发送质量保修卡。

在咨询服务的过程中收集的主要信息如下：

1）顾客的个人情况。了解顾客的个人情况有助于掌握顾客的实际需求，如是集体购买还是个人购买、购车的主要用途、生活方式、职业职务、预算、经济状况、做决定的人是谁、做决定的过程等。

2）过去使用车的经验。如果顾客有使用经验的话，应先了解其过去用的什么车，购车原因，以及对过去使用车的态度，重点掌握其不满之处。了解过去顾客使用车的经验有助于把握顾客再买车时的购车定位。

3）对新车的要求。主要是指对配置、颜色、款式、选装项等的要求。询问顾客的需求和购买动机有助于销售人员针对顾客的需求，突出具体车型的适用特点，以便更好地为顾客服务。

10.3.4 处理异议注意事项

顾客异议是指顾客对销售人员或其销售活动所做出的一种在形式上表现为怀疑或反面意见的反应。简单地说，被顾客用来作为拒绝购买理由的就是顾客异议。广义的顾客异议不仅指顾客的意见及提出的各种各样的问题，还指在销售过程中顾客对销售人员的任何语言或举动的不赞同、质疑的行为。

异议产生的原因可能来自顾客，也可能来自销售人员。事实上，销售人员在与顾客交流的过程中，一旦让顾客感到不愉快，轻者，顾客会马上提出许多主观上的诸如这也不好，那也不喜欢等"虚拟"的异议；重者，则会马上离开，终止在你这里的买卖行为。因为顾客担心即使在你这里买了车以后，在以后的售后服务的问题上也会合作不愉快。因此，如果销售人员自身能够做得很好很到位，避免发生上述情况，实际上可以减少许多顾客异议的产生。

顾客提出异议就表明其有需求。顾客提出异议是好现象，顾客的异议暗示顾客对产品已开始有兴趣，否则就不会浪费时间徒劳地与销售人员继续讨论了。在处理顾客的异议时，必须坚持正确对待、避免争论、把握时机的原则。

（1）正确对待 虽说顾客的异议是销售的主要障碍之一，但在日常汽车销售中，很少有顾客不提出"异议"的。正如我们前面所说过的那样，销售人员必须勇于面对这一普遍存在的现象，要以良好的心态正确地对待顾客提出的异议，把这个过程看成一个必经的流程。

（2）避免争论 销售人员在回答顾客的问题或异议时常常会产生争论，这种现象在日常的销售活动中经常发生。销售人员有时会突然发现自己不知不觉地和顾客争论起来了，还不知道是怎样开的头，也弄不清究竟是由谁引起的。与顾客争论可以说是有百害而无一利，顾客一旦不高兴，就有可能终止买卖。所以，这就要求销售人员必须牢牢地记住：无论顾客怎样挑毛病，无论怎样反驳，甚至即使他的话是错误的，也不要与他争论。自己先要冷静下来，待顾客平静后再适当地表述自己的看法。

（3）把握时机 从顾客心理学的角度来讲，一般情况下，顾客为了证明自己的信息、自己的观点，或者急于达到某个目的，往往会越说越多。在顾客说的话语中，有的是正确的，有的是自编的、听来的、没有依据的。销售人员要让他说，在他说的过程中，及时地发现那些不正确的"异议",这样你就会变主动。

本 章 小 结

本章主要讲述了汽车销售实务流程、汽车商务谈判技巧和汽车销售注意事项。汽车销售实务流程中将经销商整车销售分成售前、售中以及售后三大环节;汽车商务谈判技巧主要讲述了商务谈判的内容、步骤及技巧;汽车销售的注意事项主要讲述汽车销售人员在工作中可能面临的问题及解决方法。

习 题

1. 概念理解
(1) 评估潜在顾客的 MAN 法则
(2) 汽车商务谈判步骤
(3) 6C 原则
2. 思考与讨论
(1) 如何发展潜在顾客并有效管理?
(2) 如何有效地规划试乘试驾路线?

【案例分析】

汽车销售流程

在汽车销售行业中,潜在客户的开发是非常关键的一步。销售人员需要通过了解潜在客户的购买需求,与其建立一种良好的关系。只有当关系建立之后,销售人员才能邀请客户前来参观和了解更多产品信息。汽车销售流程包括以下步骤:

1) 销售准备。在销售之前,销售人员需要了解各种车型的特点、配置和价格等信息,以便更好地为客户提供服务。

2) 客户接待。销售人员需要热情接待客户,并了解其购车需求和预算等信息。

3) 需求分析。销售人员需要通过与客户的交流,了解其购车需求和偏好,以便为其推荐最合适的车型。

4) 产品介绍。销售人员需要详细介绍客户感兴趣的车型的特点、配置和优势等信息。

5) 试乘试驾。客户可以亲自试驾汽车,了解其性能、舒适度和操控性等方面的信息。

6) 金融与二手车专员。如果客户需要贷款购车或者了解二手车信息,销售人员需要引荐金融与二手车专员为客户提供服务。

7) 报价与异议处理。销售人员需要为客户提供详细的报价,并处理客户可能提出的异议和问题。

8) 车辆成交。当客户确认购买意向后,销售人员需要与客户签订购车合同,并安排交车事宜。

第 10 章 汽车销售实务

9) 车辆交付。销售人员需要按照合同要求将车辆交付给客户,并对其进行必要的介绍和操作说明。

10) 客户回访。销售人员需要对已经交车的客户进行回访,并了解其使用情况和满意度等信息。

思 考 题

结合本章内容,分组角色扮演,模拟整个销售环节。

参 考 文 献

［1］赵伟，袁新建．汽车营销学［M］．长沙：中南大学出版社，2017.
［2］都雪静，安慧姝．汽车营销学［M］．北京：北京大学出版社，2015.
［3］苑玉凤．汽车营销［M］．北京：机械工业出版社，2010.
［4］徐向阳．汽车市场营销学［M］．北京：机械工业出版社，2007.
［5］吴泗宗．汽车电子商务［M］．北京：机械工业出版社，2007.
［6］吴健安．市场营销学［M］．北京：高等教育出版社，2007.
［7］杨屏，李刚．汽车文化［M］．北京：机械工业出版社，2013.
［8］李蓉．汽车市场调查与预测［M］．北京：化学工业出版社，2011.
［9］张国方，陈令华．试论汽车品牌的构成要素［J］．汽车工业研究，2009（10）：36-39.
［10］谢金法，赵伟，曹付义．汽车营销［M］．北京：人民交通出版社，2014.
［11］何瑛，马钧，徐雯雯．汽车营销策划［M］．北京：北京理工大学出版社，2013.
［12］范向南，刘丽圆．国内汽车网络营销的现状研究［J］．经营管理者，2013（7）：289.
［13］阎文峰．关于汽车行业中电子商务应用的研究［J］．汽车工业研究，2011（10）：33-35.
［14］张向阳．我国汽车网络营销创新模式探析［J］．电子商务，2011（10）：28-29.
［15］陈波．我国汽车行业营销趋势研究［J］．企业经济，2012，31（6）：90-93.
［16］杨学成，徐秀秀，陶晓波．基于体验营销的价值共创机理研究：以汽车行业为例［J］．管理评论，2016，28（5）：232-240.
［17］刘洋．互联网时代下北京现代网络营销模式研究［D］．北京：北京交通大学，2015.
［18］李佳倩．基于客户满意度的汽车营销策略研究：以汽车4S店为例［J］．商场现代化，2016（17）：62-63.
［19］汪泓．汽车销售实务［M］．北京：清华大学出版社，2012.
［20］付慧敏，罗双，郭玲．汽车销售实务［M］．哈尔滨：哈尔滨工业大学出版社，2013.